LA NUIT D'OSTENDE

DU MÊME AUTEUR

La Chinoise blonde, Quinze / Les Éperonniers, 1991.
Vigie, XYZ, 1993.
La danse d'Issam, Leméac, 1998.
Compote et gruau, Leméac, 2000.
Un Amer remarquable, Leméac, 2002.
Les pékinois de monsieur Chang, Leméac, 2004.

PAULE NOYART

La nuit d'Ostende

roman

LEMÉAC

Photographie de couverture : *OSTENDE – Le Kursaal, la Digue et la Plage après-midi*, F. Walschaerts, *circa* 1920.

Leméac Éditeur reconnaît l'aide financière du gouvernement du Canada par l'entremise du Fonds du livre du Canada pour ses activités d'édition et remercie le Conseil des arts du Canada, la Société de développement des entreprises culturelles du Québec (SODEC) et le Programme de crédit d'impôt pour l'édition de livres du Québec (Gestion SODEC) du soutien accordé à son programme de publication.

ISBN 978-2-7609-3329-3

4609, rue d'Iberville, 1er étage, Montréal (Québec) H2H 2L9
Dépôt légal – Bibliothèque et Archives nationales du Québec, 2011

Imprimé au Canada

Les personnages, certains lieux, ainsi que certains événements racontés dans cette œuvre de fiction sont purement imaginaires. Toute ressemblance avec des personnes vivantes ou disparues ne peut donc être que fortuite.

Les événements se rapportant à l'occupation de la Belgique pendant la Deuxième Guerre mondiale et à la dernière offensive de Hitler dans les Ardennes belges reposent néanmoins sur des faits réels.

À Clifford James Bacon

AVANT-PROPOS

Depuis toujours, je veux témoigner du courage, de la ténacité, et surtout de la volonté de ces femmes qui, tout au long de mon enfance, de mon adolescence et de mon âge adulte, m'ont surprise et émerveillée – et éduquée.

Ce texte est un roman. Mais il est inspiré, du début à la fin, par ces femmes et les êtres qui ont gravité autour d'elles.

Delphine vit les événements qui jalonnent sa vie, en particulier la Deuxième Guerre mondiale, en faisant simplement ce qu'elle croit être juste, et, dans ce sens, ces événements la forgent. Odile, sa fille aînée, écrit son journal; elle se prépare à devenir grande, mais pas trop vite car, inconsciemment bien sûr, elle sait qu'elle doit préserver en elle la lucidité du jeune âge. Irène opte pour la voie du scandale: rompant avec les diktats de sa famille, elle mène une existence qui n'est peut-être pas aussi frivole que ses nombreuses liaisons sentimentales pourraient le laisser croire.

Ces femmes ont deux choses en commun: jamais elles ne luttent contre leur nature profonde; jamais elles ne trichent.

En ce sens, elles sont des modèles.

P. N.

PREMIÈRE PARTIE

1

DELPHINE

Cette année-là, l'année de ses douze ans, sa mère décide de la mettre en pension. Une jeune fille de bonne famille doit aller en pension, c'est l'évidence même ! a-t-elle décrété, ravie de l'expression qu'elle répète à tout bout de champ depuis que la seule femme qui lui en impose, son amie l'épouse du notaire née de parents français mais qui sait rester simple, l'a énoncée lors d'un cocktail. Depuis, Alma met « l'évidence même » à toutes les sauces, qu'il soit question de donner préséance à Mozart sur Liszt lors d'une soirée récital, de servir à l'apéritif le zakouski au lieu de l'amuse-gueule, ou de mettre sa fille en pension chez les sœurs plutôt que de l'inscrire à l'école communale. « Votre fille va sur ses douze ans, il est temps de couper le cordon », explique-t-elle à son mari qui n'a pas envie de perdre sa fille mais ne proteste pas devant les décisions de sa femme. Pour ce qui est de couper le cordon, Alma (qui s'appelle Adèle mais qui a répudié ce prénom qu'elle trouve commun) sait de quoi elle parle. Ce fut, après la grossesse et l'accouchement, un soulagement si intense qu'elle aime l'évoquer en son for intérieur : elle avait expulsé la chair de sa chair ; c'en était terminé, enfin. Un dernier frémissement lorsque la sage-femme, en sectionnant le cordon, avait couronné sa délivrance. Alma avait secrètement espéré un garçon, sans trop savoir pourquoi. Elle avait bien essayé de se dire qu'elle préférait les garçons parce que les filles sont trop prévisibles, mais cela ne voulait rien dire et elle le savait. Prévisible ! musait-elle, amusée. Est-ce que je suis prévisible, moi ? Non, je suis imaginative, fantasque, comme tous les artistes. Autant que je puis l'être, en tout cas, dans les circonstances. Les circonstances étant un mari d'un sérieux pontifical et une maison que seules ses vocalises semblaient ramener occasionnellement à la vie. Pas un instant elle ne s'était dit, avant que le processus de l'enfantement ne se déclenche, que tout était préférable – un caniche, un lapin, une belette – à une réplique d'elle-même ou de sa mère. La pire étant la mère, percluse de méchanceté.

Alma n'est pas méchante, elle est inapte. Une triste enfance sous la coupe d'une femme malveillante a détruit en elle toute possibilité d'aimer. La jeune Alma ne voulait qu'une chose : chanter, mais on ne chante pas dans la famille. À dix-huit ans, meurtrie par une enfance et une adolescence dont un chien n'aurait pas voulu, elle avait épousé Armand – de quatre ans son aîné et encore étudiant – parce qu'il lui avait dit au sortir d'un concert (auquel il n'avait assisté que parce qu'un de ses amis, vague cousin d'Alma, l'y avait traîné) qu'il avait peu d'attirance pour la musique, mais le plus grand respect pour ceux qui l'appréciaient. Cette déclaration l'avait frappée ; elle n'était pas accoutumée au respect. Quelques mois plus tard, quand le jeune homme s'était déclaré, elle avait craint un tir de barrage de sa mère. Elle était mineure. Mais la mère avait acquiescé. « C'est une occasion inespérée, ma pauvre fille. Votre père ne vous a rien laissé » – Joris Pattini était mort d'une embolie quand Alma avait douze ans – « et ce jeune homme aura bientôt une situation. » Ce qui était vrai. L'enquête faite par Florine Pattini avait révélé que le soupirant, tout en poursuivant ses études, travaillait chez un agent de change vieillissant et sans descendance qui semblait désireux de lui laisser son cabinet. Raison de plus pour mener le mariage tambour battant.

Ce qui avait été fait, avant que d'autres tambours ne résonnent.

Deux mois plus tard, Alma était enceinte. Une fois l'enfant enraciné en elle, elle n'avait eu d'autre choix que de faire de son mieux pour exécuter le dessein du Seigneur, qui en prend parfois un peu trop à son aise. Faire de son mieux consistant à rappeler sans cesse à l'époux, du jour de la pénétration au jour de l'expulsion, que sa chère moitié avait besoin de ménagements, de petits soins, et de gratitude.

Le 3 août 1914, l'Allemagne violait la neutralité belge. Lorsque les Uhlans, leurs casques à pointe et leur artillerie lourde avaient franchi la frontière au pays de Herve et écrasé les forts de Liège, Armand Desmarais avait rejoint son régiment à Anvers. Il avait vingt-quatre ans, Alma, vingt. Quand la ville portuaire s'était rendue, l'armée belge s'était repliée sur l'Yser, pour y perdre une autre bataille. Blessé, Armand avait passé plusieurs mois dans un hôpital de campagne, avant d'être envoyé en convalescence dans un préventorium de la côte. Il y était resté deux mois, sa poitrine guérissant lentement d'une inflammation de la plèvre provoquée par le frôlement de la balle qui ne l'avait pas tué. En bon croyant, le caporal Desmarais remerciait le Ciel : il était en vie, loin du front ; son épouse venait le voir le dimanche avec leur petite fille de deux ans, elle lui prêtait gentiment son épaule pour qu'il s'y appuie lorsqu'ils faisaient quelques pas sur la plage. C'était septembre. Armand contemplait le visage de sa femme sous la large capeline qui la protégeait du soleil, puis jouait avec Delphine, qui aimait déjà la mer autant que lui. Le soir, lorsque le soleil descendait et qu'un vent frais leur pinçait les joues, la petite se réfugiait dans ses bras. Il la serrait contre lui, la berçait, respirant l'odeur de ses cheveux de bébé, attentif à ne pas gaspiller une seconde de ce temps précieux, car la cloche du repas allait bientôt sonner. Ils remontaient lentement au préventorium, s'engouffraient dans le réfectoire en frissonnant (le charbon était rare). Une modeste contribution permettait aux familles de manger avec leur malade. Delphine et son père se partageaient les fayots et rutabagas qu'Alma laissait dans son assiette. « Regardez-les s'empiffrer, ces deux-là ! » s'exclamait-elle. Et ils riaient, Armand oubliant la guerre, Alma, la file de demain à la boulangerie, Delphine, qu'elle ne verrait pas son papa pendant sept jours.

Mais la guerre n'était pas finie et, une fois sa blessure guérie, le soldat Desmarais, devenu caporal-chef, avait reçu l'ordre de se joindre à un contingent en route pour le saillant d'Ypres, où il avait partagé un segment de tranchée avec cinq poilus et un chien. Pendant ce temps, sa femme se terrait chez elle dans Bruxelles occupée – plus personne n'ignorait que les Allemands passaient les civils par les armes, plus personne ne disait que la guerre serait brève –, ne sortant que pour aller aux provisions, après avoir confié l'enfant à une voisine. Quand, après huit mois de tranchée, Armand avait été renvoyé chez lui, elle avait eu une sorte d'élan envers l'homme amaigri et pensif qui lui revenait. Il parlait peu – ne voulait pas raconter. Mais elle voulait savoir. Alors, de guerre lasse, il avait fini par évoquer les mois passés dans le trou qu'il partageait avec ses camarades, écopant le jour, sortant la nuit pour dormir, entre des barbelés, dans un champ couvert de pâquerettes et de vaches éventrées.

Le chien était arrivé un matin, petite boule de poils durcis par la boue, grelottant, l'œil fou de panique. Un soldat avait réussi à l'attirer, tandis qu'un autre criait : «Attention, il est enragé!» Après avoir hésité un instant, l'homme lui avait ouvert les bras. Ils l'avaient tous adopté, bien qu'il ne quittât jamais son sauveur, calé entre ses jambes, même quand il tirait vers l'ennemi. Comme il ne bronchait pas au bruit des déflagrations, ils en avaient conclu qu'il était sourd. La nuit, avant de le mettre au chaud sous sa capote, le soldat lui permettait d'arracher quelques lambeaux aux entrailles d'un bovidé tombé au champ d'honneur. Les hommes auraient pu en faire autant, mais ils n'étaient pas encore assez affamés pour manger de la viande crue. Il aurait fallu faire un feu, ce qui était impossible dans la boue de la tranchée, et l'allumer en terrain découvert eût été pure folie. Le seul qui mangeait à sa faim donc était le chien Pietje, un animal qui avait tout pour être heureux : un maître, un abri, une oreille sourde aux détonations, et de la viande fraîche.

Le 22 avril 1915 à cinq heures du matin, Armand et ses camarades avaient vu débouler, au loin, un nuage jaune et épais. Un des soldats était droguiste, il avait compris. Se précipitant hors de l'abri, il avait crié à ses compagnons de se couvrir la bouche et le nez et de courir, vite. L'homme au chien s'était tordu le pied en escaladant la paroi de la tranchée, la douleur l'avait cloué sur place. Il criait au chien de s'en aller, lui donnait des coups de pied pour le chasser. Pietje avait fait ce qu'il faisait toujours : il s'était blotti sous sa capote. Après avoir couru comme des lièvres, Armand et les trois autres avaient dégringolé, cinq cents mètres plus loin, dans un avant-poste souterrain, d'où on les avait évacués après leur avoir donné un bâillon imbibé d'hyposulfite. Mais ils avaient été atteints, suffisamment en tout cas pour être démobilisés. C'est, paradoxalement, grâce au gaz allemand que le caporal-chef Desmarais avait été sauvé. C'est grâce au gaz allemand qu'il avait été, pendant les quelques mois de sa convalescence, dorloté par sa femme.

*

Armand voudrait garder Delphine à la maison. Mais pour imposer sa loi, il faut de la volonté, de la détermination, de l'endurance, et c'est sa femme qui a tout cela. Armand est mou et aimant, une combinaison perdante. Il aime sa fille, mais il n'a pas voix au chapitre et ne tape jamais sur la table. C'est sa femme l'artiste qui commande. Elle veut qu'on lui obéisse au doigt et à l'œil – comme elle aurait obéi au maestro si elle avait été chanteuse d'opéra. Alma n'est pas méchante, elle est furieuse. On l'a volée, spoliée de son avenir de diva. C'est elle qui le dit et Delphine la croit, même si elle ne comprend pas très bien ce que cela signifie.

Un soir où elle passait devant la porte du salon, elle l'a entendue pleurer. Entre deux sanglots et le marmonnement conciliant de papa, Alma répétait qu'on l'avait forcée. Forcée à quoi? se demandait Delphine. Comme pour lui répondre, sa mère s'est mise à réciter une drôle de litanie. «Mon avenir? Sacrifié. Mes aspirations? Sacrifiées. Mon talent? Sacrifié. Ma vie d'artiste? Sacrifiée. On m'a tout volé.» Delphine avait deviné certaines choses, ce jour-là, mais l'identité du «on» restait un mystère. Ce n'était certes pas son père: papa n'empêchait jamais Alma de faire ses récitals; il la conduisait à l'opéra à chaque première; il lui avait acheté un Steinway; il essayait même de tourner les pages! («Armand, mon pauvre ami, vous ne distinguez même pas une blanche d'une double croche!») Ce soir-là, quand Alma avait ajouté qu'on (encore ce *on!*) l'avait forcée à sacrifier son talent «sur l'autel du mariage», Delphine avait haussé les épaules et, sans même attendre la réponse de son père, était retournée à sa chambre. L'autel du mariage! Papa souriait peut-être dans sa moustache en entendant cela, tout en tapotant gentiment l'épaule de sa femme car, autel du mariage ou pas, il essayait toujours de la consoler quand elle était triste.

Un après-midi, assise sous une fenêtre du jardin avec Colette, la fille de la notairesse, Delphine avait surpris d'autres paroles. La voix d'Alma était monotone, comme celle des tragédiens grecs qu'elle avait vus au théâtre avec son père. «Il n'y a que dans le ventre de ma mère que je ne chantais pas», psalmodiait Alma. «C'était un trou noir où je n'entendais que le grincement de sa voix. J'ai survécu neuf mois dans des eaux glacées. Quand j'en suis sortie, j'ai appelé au secours. C'est l'horrible voix qui m'a répondu. Alors, je me suis tue. Et quand l'envie de chanter, un jour, est devenue trop forte, je me suis cachée de cette femme qui me haïssait. Je ne chantais jamais devant elle, jamais. Je chantais à l'école, dans la rue, quand je me promenais avec mon père. À la maison j'étais muette. Un jour, papa a bravé ma mère et m'a inscrite à l'école de musique. Pauvre papa. Elle est devenue odieuse. Déjà qu'elle ne lui pardonnait pas de l'avoir épousée, comme s'il l'avait forcée, lui le petit Italien fasciné par ses grands airs et qui s'était laissé emmener à l'autel en souriant comme le martyr face aux lions. Lui, le bon travailleur si fier d'être devenu chef porion au charbonnage. Lui qu'elle détestait car elle avait dû abandonner le noble nom de Duquesnoy pour s'appeler Pattini. C'est grâce à lui que j'ai appris le solfège, le chant, le piano, pour cela il tenait tête à ma mère. J'ai survécu, et j'étais parfois contente. Quand papa est mort, elle a essayé de me retirer de l'école. Le directeur est venu la voir. Il m'a dit d'aller dans ma chambre, d'où j'entendais leurs voix mais pas leurs paroles. Quand elle est venue me chercher, elle m'a dit: Vous avez gagné, petite cafarde, sainte-nitouche, hypocrite, mais je n'ai pas dit mon dernier mot. Mais elle n'en avait pas, de dernier mot; elle ne trouvait pas de dernier mot qui la satisfasse. Alors, en attendant l'inspiration, elle puisait dans sa réserve de mots cruels. L'atmosphère de la maison est devenue intenable. C'est pour ça que je me suis mariée. Armand avait juré de ne jamais m'empêcher de chanter. Il voulait même que je m'inscrive au conservatoire. Le conservatoire, c'était l'espoir, c'était peut-être une carrière, une vie, enfin. Armand a tenu parole, j'y ai passé quelques mois. Puis l'enfant est arrivé. Et la guerre. Voilà toute l'histoire.»

Tristesse et colère, Alma oscille de l'une à l'autre. Mais la colère l'emporte sur la raison, occulte sa mémoire: elle semble oublier que c'est sa mère qui l'en a dépouillée, de cet avenir étincelant dont elle parle. Et dans cette amnésie, elle fait payer à son époux et à sa fille une privation dont elle les rend quasi responsables.

Début septembre 1923, Armand et Alma conduisent Delphine chez les Sœurs de l'Annonciation (les pensionnaires qui habitent loin sont autorisées à arriver la veille de la rentrée). Dans son manteau d'uniforme boutonné jusqu'au cou, la gamine a mal au cœur. Quand elle est seule avec papa, elle est à l'avant, et rien ne la dérange, pas même l'odeur du cigare, mais aujourd'hui il n'y a pas de cigare (le cigare est proscrit par Alma) et elle est assise sur la banquette arrière, avec pour seul spectacle (regarder le paysage lui donnerait mal au cœur) la nouvelle toque emplumée de sa mère. «N'est-ce pas un peu voyant pour une rentrée de classes? s'est inquiété Armand. – Oui, oui! a chantonné une Alma curieusement enjouée, mais soyons fous, mon cher époux!»

Il fait trop chaud. Le chapeau cloche comprime le crâne de Delphine. Elle fixe le chignon de sa mère, lourd, sage sous l'extravagant couvre-chef. Alma est dure, distante, parfois moqueuse, mais elle l'aime, c'est comme ça. D'ailleurs, papa l'aime aussi. Alma est impatiente, rarement contente, mais papa et elle savent que si elle est fâchée, c'est parce qu'elle n'est pas là où elle devrait être et parce qu'elle sait qu'il est trop tard pour revenir en arrière. Ils éprouvent une vraie compassion pour elle, la pauvre petite fille que sa mère a enfermée dans une école ménagère pour qu'elle apprenne à coudre. Ce qu'elle n'a jamais pu faire car elle n'est pas née pour ça. Armand et Delphine courbent souvent l'échine devant elle, subissent ses sautes d'humeur sans protester, mais ils ne lui en veulent pas. Ils savent qu'au fin fond d'Alma une autre femme est là qui voudrait sortir, mais où irait-elle avec eux dans les pieds? Est-ce que la vraie Alma sort de son fin fond quand elle chante? Non, elle reste dans sa boule de musique, et elle monte si haut! C'est trop loin pour eux, ils sont trop lourds pour s'élever et la rejoindre dans cet univers auquel ils n'ont pas accès, même si elle leur bourre le crâne de notes à longueur d'année. Le monde secret d'Alma n'est pas pour eux, ils ne peuvent pas y entrer car c'est un monde protégé comme un château fort. Quand elle chante, elle est dedans, et même si on la voit, dans son boudoir ou sur l'estrade du salon de la notairesse, on ne peut pas communiquer avec elle, personne ne peut communiquer avec elle, même ces gens qui lui disent qu'elle chante *divinement*, ces gens qu'elle regarde avec un sourire glacé. Comme c'est compliqué d'avoir une mère triste qui essaie d'oublier sa tristesse en faisant sans arrêt des reproches. Tiens-toi droite, ma fille, ne parle pas pour ne rien dire, ne prends pas cet air godiche, arrête de t'empiffrer, tu vas devenir une dondon. Et vous, Armand, cessez de la bourrer de pralines.

Oui, mais les pralines ça console. C'est pour ça que papa en donne à Delphine.

La main d'Armand se lève vers le rétroviseur, l'ajuste; ses yeux sourient à sa fille. Un panneau, au bord de la route, indique Bruges, 20 km. Ça va, elle peut tenir 20 km, malgré le chapeau cloche qui serre et le manteau qui gratte sous les bras. Vingt kilomètres. Vingt kilomètres avant le pensionnat et les sœurs, qui n'aimeront sûrement pas le chapeau de maman.

La grille du couvent est déjà fermée, il faut sonner le portier. L'homme sort de la loge, leur ouvre, puis regarde la voiture s'engager dans l'allée. La Minerva écrase doucement les feuilles mortes, glissant vers la bâtisse sombre qui, centimètre par centimètre, enténèbre le pare-brise. Une sœur attend sur le perron, elle leur dit qu'ils sont en retard, que c'est l'heure du souper des religieuses et qu'il va falloir patienter. «Vraiment!» grince Alma. La sœur leur fait signe d'entrer dans une pièce qui ressemble à une salle d'attente et qu'elle appelle parloir des visiteurs. Armand bredouille des excuses, tandis que sa femme remonte sa voilette et, tournant sur elle-même, passe en revue les portraits de nonnes alignés sur les murs. Avisant une chaise à accoudoirs, elle s'y installe, replaçant sur sa poitrine le renard argenté aux yeux cruels qui fait peur aux enfants. Armand et Delphine sont assis près de la porte, comme s'ils voulaient se sauver. La gamine se tortille sur sa chaise, elle doit faire pipi, mais se dit que maman sera fâchée si elle demande où sont les vécés.

Alma est mécontente. Elle n'apprécie pas du tout l'attente qu'on lui impose, ces nonnettes se croient tout permis. Son regard s'empare de sa fille. L'enfant, qu'elle a houspillée toute la journée, est à bout de nerfs. «Delphine, cesse de gigoter! Si tu veux aller aux commodités, demande où elles se trouvent.» Armand cache mal un geste d'impatience, l'épouse le toise de toute la hauteur de la plume de paon qui domine son couvre-chef. «Quoi? Vous boudez? Je vous rappelle que votre fille a la chance d'entrer dans un couvent très huppé. Et choisi d'un commun accord.» C'est vrai, il a dit oui quand, après une campagne de deux mois – les vacances d'été –, Alma l'a mis en demeure d'enfin le prononcer, ce oui, «car n'oubliez pas, mon cher, il y va du bien de cette enfant, c'est l'évidence même». Armand sourit piteusement à Delphine.

La religieuse réapparaît. Après leur avoir annoncé qu'il est trop tard pour un entretien avec la supérieure, elle leur fait signe de la suivre. Alma pince les lèvres, puis se dit qu'au fond, cela vaut mieux. Cette femme lui demanderait une fois de plus pourquoi elle met sa fille en pension et il faudrait lui expliquer une fois de plus qu'elle le fait pour le bien de l'enfant.

Le corridor glacé mène au grand escalier qui fait face à l'entrée. Armand porte la valise. En chemin, il saisit la main de Delphine. Précédés de la nonne et d'Alma, père et fille marchent vers le Christ en gloire qui, au-dessus de l'escalier, montre le droit chemin.

C'est l'instant des adieux. «Notre règle interdit les présences masculines aux étages», dit la sœur. Puis, tournant vers Delphine son visage serré dans la guimpe amidonnée: «Le moment est venu de dire au revoir.»

Alma rabaisse prestement sa voilette, murmurant les paroles convenues – c'est pour ton bien, sois attentive en classe, fais ta prière du soir, veille à ton hygiène intime, n'oublie pas tes gammes... Se penchant vers l'enfant, Armand interrompt la récitation. Alma la reprend d'un ton sec, dans lequel perce son agacement devant une émotion qui lui paraît déplacée. La voilette, trop tendue, lui gaufre la peau. Elle pose ses lèvres écrasées sur le front de sa fille, lui tapote le crâne. Delphine ferme les yeux, respire le parfum de sa mère, caresse la main posée sur sa tête: il y a des moments où elle voudrait qu'Alma soit aimante. Mais Alma se raidit, ajoute quelques mots brefs, se détourne. Le père voudrait prendre son enfant dans ses bras, mais l'attitude de sa femme le paralyse. La petite lui sourit, bravement, tandis qu'il dépose sur ses joues les trois baisers rituels. Puis c'est le silence; il n'y a plus rien à dire.

Immobile près de la sœur, Delphine voit s'éloigner ses parents, la haute silhouette de son père se détachant sur le mur blanc, celle de sa mère glissant en hâte vers l'entrée. Je suis au pensionnat, papa va venir me voir, et j'écrirai de belles lettres à maman. À Noël, nous irons à la Monnaie, elle sera contente, j'aime bien aller à l'opéra avec elle, et après, papa nous emmènera au salon de thé où nous mangerons des gâteaux et où tout le monde regardera maman parce qu'elle est belle et qu'elle a l'air d'une cantatrice.

Une main lui effleure l'épaule. «Venez, dit la sœur, je vais vous conduire à votre alcôve. Vos compagnes n'arriveront que demain. Je n'allumerai que pour vous permettre de vous familiariser avec votre petit domaine et de revêtir votre tenue de nuit.» Delphine la suit dans le grand escalier. La religieuse porte la valise et souffle un peu. Les marches de chêne sentent l'encaustique. Sur les appuis de fenêtre, des pots de fleurs en cuivre renvoient le pâle éclat de l'unique ampoule. Dans le feuillage vert sombre se balancent des clochettes rouges. «Ce sont des fuchsias, l'orgueil de notre sœur intendante», dit la nonne.» Rire contenu. «Elle en met partout!» Après quatre volées de marches, elle s'arrête, se tourne vers Delphine, lui dit que, grâce à Dieu, elles sont presque arrivées. Un trousseau de clés tinte à sa ceinture. Sur le palier du troisième étage, elle ouvre une porte à deux battants. Apparaît, dans la pénombre, une grande pièce où sont alignées deux rangées d'alcôves. «Je vous ai donné la chambrette la plus proche de ma cellule. Vous êtes la seule arrivée aujourd'hui, mais ne craignez rien, dans une heure, je viendrai me coucher moi aussi.» Elle tire une tenture de drap écru. «Voici votre domaine. Ne prenez que vos effets de nuit dans vos bagages. Vous rangerez votre trousseau demain après la classe. Ne tardez pas, j'éteindrai la lumière dans dix minutes. Bonsoir, mon enfant. N'oubliez pas vos prières.»

Delphine s'assied sur le lit de métal, tâte machinalement les draps rêches. Leur odeur âcre la prend à la gorge. Le minuscule miroir du meuble de toilette, au-dessus de l'aiguière et du bassin, lui renvoie son visage gonflé de fatigue. Un léger craquement, elle se retourne, regarde trembler son ombre sur le panneau de bois qui sépare sa chambrette de l'alcôve voisine. Elle ôte son chapeau, libérant les tresses qui lui compriment la tête. Les deux nattes basculent, lentement, puis s'immobilisent à l'horizontale, à mi-chemin entre le sommet de son crâne et ses épaules. C'est comique, mais elle ne sourit pas. Elle secoue la tête pour que les tresses retombent, mais Alma les a nouées trop serré, elles s'affalent un peu puis reprennent leur place, comme deux épieux plantés sous ses pommettes pour la forcer à garder – suivant ainsi les recommandations de sa mère – la tête haute. Petit picotement dans les narines. Son nez se bouche, mais elle sent quand même l'odeur douceâtre de l'alcôve, eau de Javel, amidon, désinfectant. Elle a mal à la tête, mais ce n'est rien, ça va passer. C'est ici qu'elle vivra désormais, c'est dans ce miroir qu'elle regardera, chaque matin, chaque soir, son visage étonné, c'est dans cette alcôve qu'elle attendra que le temps passe, qu'elle fera sa prière avant de s'endormir, comme elle l'a toujours fait, les bons et les mauvais jours – mais il n'y avait pas de mauvais jours, non, pas de mauvais jours, il y avait seulement des jours où maman n'était pas contente – car, tout de même, il y a un Dieu qui est bon, papa le lui a dit et elle le croit. C'est ici qu'elle va vivre, sans pleurnicher, sans se plaindre, car se plaindre serait honteux quand il y a le père Damien et ses lépreux à cliquette, les petits Chinois jaunis par la faim, et le vieux mendiant et son chien maigre, le dimanche, devant le porche de l'église. Elle pense à papa qui lui a recommandé de bien nouer son écharpe pour ne pas prendre froid, et de ne pas ôter son béret à la récréation, et qui lui a glissé une pastille de menthe dans la bouche et lui a dit qu'il viendrait la voir dans deux semaines, parce que si je viens déjà dans une semaine tu sais comment est ta mère, c'est compliqué.

Le picotement s'accentue. Delphine se frotte le nez; il coule. C'est du sang. Elle prend un mouchoir dans la valise. Trop tard, le nez déborde. Elle lève un bras, machinalement, fixant dans le miroir le liquide tiède qui inonde son menton. Envie de vomir. Elle pense à la tomate aux crevettes qu'elle a mangée avec papa et maman, sur la route, en quittant Bruxelles. Ce serait affreux de vomir une tomate aux crevettes, surtout les crevettes. Delphine respire fort, bouche ouverte, bras toujours levé, comme la statue de la liberté d'Amérique que papa lui a montrée dans une revue, avec ses picots sur la tête comme elle ses tresses. Le sang coule sur sa chemise de nuit. Allons, il faut l'ôter, la rouler en boule et la mettre dans la valise. Puis en prendre une autre, se coucher sur le dos, faire sa prière et dormir.

Les quatorze semaines suivantes, interrompues par les visites bimensuelles d'Armand, se déroulent dans l'atmosphère feutrée qu'un demi-siècle d'application d'un règlement immuable a aménagée au couvent, en dépit d'événements internes ou extérieurs. «La guerre et ses séquelles n'ont pas changé nos habitudes, a coutume de dire la supérieure, et nous ne nous laissons jamais perturber par des faits mineurs. Les faits mineurs étant, à l'occasion, l'insubordination d'une pensionnaire, la désinvolture de parents oublieux de leurs obligations pécuniaires, une querelle dans la cour de récréation ou un manque de piété à la chapelle. Le jour de la rentrée, devant les rangées d'adolescentes en uniforme bleu marine, la supérieure a rappelé que le couvent vivait au rythme de *la norme*, et que cette norme devait être respectée. Les filles déférentes et soumises bénéficieraient de la bienveillance des religieuses; les trouble-fête seraient punies pour leurs transgressions. Le discours de la supérieure n'a ni ému ni inquiété Delphine. Delphine ne transgresse pas. La rhétorique de mère Marie, si limpide comparée aux récriminations d'Alma, n'a éveillé en elle aucune appréhension; elle s'est laissée couler dans la norme avec facilité, indolence, et avec cette patience qui s'est forgée en elle au fil des ans.

L'incident du premier soir ne s'est pas reproduit.

Les pensionnaires de l'Annonciation se sont d'abord observées, épiées, jaugées, puis des clans se sont formés selon le statut social de chacune, symbolisé par la toilette des mères et les voitures stationnées, le samedi, dans l'allée de tilleuls. Delphine a d'abord intrigué ses compagnes. Les têtes fortes, croyant déceler sous son impassibilité une personnalité avec qui compter, l'ont adoptée d'emblée, mais ses silences ont fini par les agacer. Dès lors, elles ont cessé d'attendre d'elle un avis, une opinion, ou une de ces petites rébellions qui émaillent la vie des pensionnats pour jeunes filles. Elles ne l'ont pas exclue pour autant: Delphine sait se montrer serviable. Mais, autre motif d'étonnement, elle n'attend rien en retour, une attitude qui contrevient à la règle. Les filles qui ont sollicité son aide ont l'impression de lui devoir quelque chose et elles n'aiment pas ça. Mais leurs mines perplexes n'affectent pas Delphine, qui traverse la vie au couvent et les intrigues de ses compagnes comme elle a traversé la vie à la maison et les réprimandes d'Alma. Agathe, Lucie, Lisette et Hilda forment un tout avec lequel elle compose, au jour le jour, sans se casser la tête. Si on lui posait la question – et qu'elle fût tenue d'y répondre –, elle dirait que vivre au pensionnat est facile. Elle se soumet, tranquille, confiante, acceptant sans discuter les mœurs bizarres de l'Annonciation: on y prend son bain en chemise et en culotte et, chaque soir, la sœur du dortoir rappelle à ses brebis que Jésus veut qu'on dorme les bras croisés sur le cœur. Impossible de tricher, Dieu voit tout. Delphine obéit. Mais elle interroge son père. Embarrassé, Armand lui dit de demander à maman. Alma hausse les épaules. «Franchement, ces nonnettes exagèrent.»

*

Le 23 décembre, Armand arrive très tôt au couvent. Il veut gâter sa fille avant ces festivités de Noël qu'ils redoutent. Il veut aussi fêter l'anniversaire de Delphine au bord de la mer. Après quatre mois de pensionnat, la gamine mérite un cadeau plus original que la sempiternelle balade le long des canaux de Bruges. Une visite à un client m'oblige à partir de bonne heure, a-t-il dit à Alma, puis il s'est éclipsé, honteux du mensonge qui, à en juger par le sourire sarcastique de sa femme, lui déformait le nez comme un gros comédon. Il a prévenu la supérieure qu'il prendrait sa fille à dix heures. Delphine attend dans le parloir des visiteurs, entre sa valise et son cartable. Armand a l'air mystérieux. Sa fille préférerait ne pas deviner, mais c'est trop facile. «Dépêchons-nous», dit-il en empoignant les bagages. Puis, l'air de rien: «On a du chemin à faire.» Elle le suit dans l'allée de tilleuls, sourit chaque fois qu'il ôte son feutre pour saluer un parent d'élève. C'est reposant avec papa, il ne critique jamais les toilettes, les automobiles, les chapeaux, les sacoches, les souliers des autres. Bien calée sur la banquette, Delphine observe du coin de l'œil la mine réjouie de son père.

«Ça te dirait de manger une sole meunière, ma chérie?

— Oui, mais à une condition.

— Laquelle?

— Que ce soit à la mer.»

Il éclate de rire.

«Tu as deviné, petite sorcière.

— Voyons, papa, c'est l'évidence même!»

Armand tourne un visage ravi vers sa fille, ravi et complice. Le portier est au garde-à-vous devant la grille ouverte. Depuis qu'il sait que papa a fait la guerre – il a vu les rubans à sa boutonnière –, il tient mordicus à faire le salut militaire. Armand ouvre la vitre, dit: «Rompez!» et l'autre rompt et rit. C'est une coutume à laquelle ils ne dérogent jamais. La grille se referme derrière la voiture, le tintement sourd du fer forgé les projette vers la liberté promise. «Il y aura quand même une surprise après la sole, et celle-là, devine si tu peux!» Faire parler papa serait un jeu d'enfant, mais Delphine ne veut pas gâter son plaisir. À sa droite défilent les saules rabougris, les vaches dans les prés gorgés d'eau, les fermes blanches et les clochers gris. Une vraie carte postale. Sur le capot, la Minerve d'argent fend la route, cheveux bien tirés sous son casque étincelant.

Ostende. Ils traversent la ville, filent droit vers la digue. Armand gare la voiture sur une rampe. «Il fait froid, il faut bien se couvrir.» Delphine tend un bras pour prendre son manteau. «Non, dit-il, nous avons mieux. Viens me rejoindre à l'arrière.» Delphine enjambe le dossier, atterrit sur la banquette. Armand pose une boîte sur ses genoux. «De la part de maman et de moi. Mais nous le remettrons dans le carton avant de rentrer, tu connais ta mère, elle serait contrariée de ne pas te l'offrir elle-même.»

Je crois plutôt qu'elle serait vexée, se dit Delphine en soupesant la boîte. Oh, trop lourd pour être une robe! Elle soulève le couvercle, une odeur musquée lui saute au nez.

«Papa, de la fourrure!

— Oui, mademoiselle, un manteau de fourrure pour tes douze ans. Et ce n'est pas tout, il y a aussi la toque et le manchon. Une idée de maman. Voilà pourquoi nous les remettrons soigneusement dans la boîte avant de rentrer à la maison.

— Maman me les a achetés?

— Nous les avons achetés, mais l'idée est d'elle. Ta mère a ses petits travers, mais elle ne lésine jamais quand elle fait un cadeau.»

Et elle a sûrement prévu quelques sorties mondaines, pense Delphine. Elle enfile le manteau, enfonce la toque sur sa tête. «Magnifique!» s'écrie Armand. Ils affrontent le vent qui s'engouffre dans la rampe, traversent la digue, s'appuient au parapet, devant cette mer qu'ils aiment. Delphine lève un visage espiègle vers son père.

«Tu sais ce qu'elle dirait, maman, si elle était ici avec nous?

— Non.

— "Grise, grise, grise, désespérément grise".»

Delphine est une petite fille tranquille qui a le sens de l'humour.

Le mois dernier, ils sont restés accoudés au garde-fou jusqu'à ce que leur nez coule et qu'ils ne sentent plus leurs mains, mais c'était facile de jouer les stoïques: le restaurant est juste derrière. Aujourd'hui, mains blotties dans le manchon et oreilles au chaud, Delphine pourrait y passer la journée. «Viens, dit Armand, nous reviendrons après le dîner, nous allons d'abord rendre visite à un vieil ami.» Elle le suit, intriguée. Un vieil ami? Ils n'ont pas de vieil ami, sauf l'ancien combattant qu'on va voir dans sa maison parce qu'il n'a plus de jambes. Mais pour ça il faut rentrer à Bruxelles. Rentrer à Bruxelles sans avoir mangé la sole?

Papa l'entraîne vers la place, qu'ils traversent avant de s'engager dans une ruelle. De la musique leur parvient d'un sous-sol, Armand tend une main à sa fille pour l'aider à descendre les marches. La porte d'entrée est couverte d'affiches.

C'est le cinématographe.

Delphine voudrait que le temps ne passe pas, mais il passe : une heure plus tard, le petit homme à chapeau melon qui les a fait rire s'en va sur une drôle de route qui a l'air d'aller nulle part. On dirait qu'il n'a pas de maison, pas d'auto, pas de manteau pour l'hiver. On dirait qu'il est toujours content, même quand il n'a qu'une vieille saucisse à grignoter. Charlot n'a peur de rien, de rien, et quand on croit qu'il a peur, c'est parce qu'il fait semblant pour jouer un tour aux gendarmes qui ne l'attrapent jamais car il court plus vite qu'eux.

Ils mangent des crêpes après la sole, avec de la cassonade. Beaucoup. En manger autant que Charlot et son garçon est impossible, surtout après la sole au beurre et aux amandes. Eux, ils n'avaient que des crêpes, d'énormes crêpes, sur lesquelles ils versaient du sirop pour la toux. Papa dit que c'est de la mélasse et que c'est très nutritif. Tant mieux, car les crêpes à l'eau et à la farine de Charlot n'étaient sûrement pas nutritives. Delphine préfère la cassonade. Et il faut en profiter parce que demain il faudra manger du boudin de Noël et qu'on n'aime pas ça. Est-ce que Charlot échangerait sa saucisse contre du boudin ? Non, il dévorerait les deux à belles dents, c'est un homme qui ne peut pas se permettre le gaspillage.

« À quoi penses-tu, petit cœur ?

— Au boudin de demain.

— Ah, c'est vrai, quelle horreur, mais il y aura aussi la bûche. »

Delphine lève un visage rieur vers son père.

« On est fort gourmands, hein, papa ?

— Oui, mangeons encore une crêpe. »

Ils se taisent, profitant du temps qui leur reste pour garder le silence. Une fois rentrés à la maison, il faudra faire face au feu nourri de l'interrogatoire : pourquoi êtes-vous en retard ? D'où venez-vous ? Vous êtes *encore* allés à la pâtisserie ? Et vous allez me dire que vous n'avez pas faim, c'est ça ? Armand, vous ne voyez pas que cette enfant est boulotte ? Et vous, mon pauvre ami, regardez-vous. Dois-je vous rappeler que vous prenez du ventre ?

Ostende est loin de la maison, ils ont le temps de se faire à l'inévitable. Parfois, Delphine se demande pourquoi ses parents se sont choisis. Mais l'idée qu'ils devraient se séparer ne lui vient même pas à l'esprit. Mise à part tante Irène, personne n'a jamais divorcé dans la famille. Peut-être que maman aime bien papa, au fond, mais la vie est difficile quand on a dû se sacrifier sur l'autel du mariage. C'est ce que maman rappelle souvent à papa, qui est désolé mais ne trouve plus rien pour la consoler maintenant qu'il lui a acheté le Steinway, une robe de récital, un tas de partitions et un abonnement à vie à l'opéra.

*

Un soir, Delphine a vu Alma pleurer. C'était à la Monnaie, pendant *Madame Butterfly*. Rencognée dans son fauteuil, elle regardait les larmes descendre le long des narines d'Alma, puis couler sur la main que, machinalement, elle avait placée sous son menton pour protéger son corsage. Delphine ne savait pas ce qui faisait pleurer sa mère, mais elle sentait bien qu'Alma vivait une sorte de transport terrible et magnifique, toute seule au milieu des habits de soirée, des faux cols, des fourreaux de velours et des aigrettes, toute seule dans sa robe de diva, toute seule à souffrir de la beauté, de la musique, des voix divines qui emplissaient tout l'espace et l'emplissaient, elle, tant que, sans les larmes (et le corset qui la serrait), elle aurait explosé de douleur. Elle avait même oublié la présence de sa fille. Elle ne voyait que Butterfly; elle pleurait pour cette femme qui guettait la fumée du navire censé lui ramener un officier de marine au costume ridicule. C'est ce que se disait Delphine, dix ans, immobile sur son siège, n'osant tourner la tête vers sa mère, non qu'elle redoutât un éclat, mais parce qu'elle ne voulait pas la mettre mal à l'aise. À l'entracte, Alma avait touché son visage avec étonnement et, ouvrant son réticule d'un geste lent, y avait pris un carré de soie pour essuyer ses larmes. Delphine fixait le rideau rouge, accordant le rythme de sa respiration à la phrase qu'elle se répétait, et se répétait, et se répétait, ce n'est pas grave, ce n'est pas grave, ce n'est pas grave, c'est juste un opéra, on n'est pas malheureuse pour un opéra. Quand le mouchoir s'est échappé des mains qui le tenaient, elle s'est penchée pour le ramasser. En se redressant, elle a croisé le regard de sa mère. Agacée de voir dans l'œil de Delphine une lueur proche de la commisération, Alma a jeté le programme sur ses genoux, avec brusquerie. « Lis, c'est beaucoup plus instructif que d'espionner ta mère. » Delphine n'a pas protesté. Protester ne faisait qu'aggraver les choses, elle le savait par expérience. Et pour protester, il eût fallu forcer sa nature. Docile, elle avait ouvert le programme. Alma avait fait mine de se lever, mais la sonnerie avait retenti pour appeler les spectateurs ; elle était restée dans son fauteuil, toute droite, hautaine, ouvrant et refermant son éventail, ne le déposant sur ses genoux que lorsque le rideau s'était levé sur le troisième acte.

Papa les attendait en haut des marches. Il ne les accompagnait jamais à l'opéra, il disait qu'il n'entendait rien à la musique et que gaspiller de l'argent pour un ignare, c'était comme donner des perles aux pourceaux. Alma haussait les épaules. Ce soir-là, pourtant, il y avait eu un miracle. C'était dans la cuisine, où Delphine était entrée pour boire un verre d'eau. Alma faisait chauffer du lait, elle lui avait souri. Pas un sourire de maman, ça elle n'avait pas la recette, mais un sourire d'amie. Elle était là, près de la cuisinière, dans son peignoir lilas, en cheveux, légère, amollie, fredonnant son cher Puccini. Le miracle, ce n'était pas le sourire, c'était quand elle lui avait parlé, à *elle*, comme si elle comprenait. Elle disait que la musique de Puccini, souvent simplette, et même vulgaire, était parfois si pure qu'une banale histoire de Butterfly, au lieu de s'embourber dans le mélodrame, s'élevait jusqu'aux cieux. En fait, mis à part le fade Pinkerton dont l'héroïne s'était entichée, Delphine n'avait rien vu dans l'opéra qui fût vulgaire, mais elle n'osait le dire de peur d'interrompre ce moment où sa mère s'adressait à elle, vraiment à elle, comme si elle comprenait tout, alors qu'elle ne comprenait pas grand-chose, car en matière de musique, même si elle pianotait un peu, elle était aussi ignare que son père. Alma avait empli deux bols, puis s'était remise à fredonner. Elles avaient bu leur cacao, Delphine en silence, Alma revivant l'émotion qui lui avait contracté la gorge, au parterre de la Monnaie, comme si une main invisible lui avait saisi le cou, une main qui serrait si fort qu'elle avait fait déborder ses larmes. Les miracles sont parfois insoutenables : buvant son chocolat à toute vitesse, Delphine s'était brûlé la langue. Alma avait grondé un peu. « Ne sois pas si gloutonne ! » Mais c'était une remarque légère, souriante. Si inhabituelle ! Alma ne supportait rien qui ressemblât à de la gourmandise ; elle ne mangeait pas de gâteaux moka en cachette, comme Armand et Delphine. «Fais couler de l'eau froide sur ta langue. Allons, bouge, ma petite fille!»

Ma petite fille!

Delphine avait fermé les yeux, le cœur battant. Puis elle avait ouvert le robinet trop fort et l'eau avait giclé sur ses cheveux. Alma avait pris une serviette. «Viens, je vais te frictionner.» Le front touchant presque la poitrine de sa mère, Delphine s'était laissé faire, immobile, respirant la soie parfumée du peignoir, doucement, de peur de rompre le sortilège. Quelques secondes d'émotion contenue, de bonheur prudent, puis maman avait laissé tomber la serviette sur ses épaules. C'était fini. Delphine avait débarrassé la table, le bruit de la vaisselle avait ramené Alma à sa réalité, ses joues roses avaient pâli, son œil s'était voilé. Debout près de l'évier, l'enfant attendait que sa mère la renvoie dans sa chambre, mais elle ne disait rien. Ou plutôt, elle la regardait comme si elle lui avait posé une question et attendait qu'elle y réponde. Répondre quoi? Il n'y avait pas de réponse. Alma avait haussé les épaules et, sans quitter sa fille des yeux, avait murmuré: «Si j'avais pu chanter, tout aurait été différent.

— Oui, maman.»

Replongée dans ses songes, Alma n'avait pas entendu. Elle pensait à Puccini, son grand amour.

Giacomo Puccini était l'homme de sa vie, papa n'avait aucune chance.

Ils arrivent en retard. Après l'accueil revêche qu'elle leur a gardé bien au chaud, Alma leur annonce qu'ils mangeront froid. Déclarer qu'ils n'ont pas faim est hors de question. Déclarer qu'ils n'ont pas faim parce qu'ils ont mangé une sole aux amandes et des crêpes déclencherait un nouveau flot de reproches. Ils prennent place à la table, absorbent leur portion, puis vont se coucher barbouillés. Delphine se dit que demain son père va devoir manger du boudin qu'il déteste. Puis elle s'endort et rêve qu'elle donne son manteau de fourrure à Charlot. Alors, il le coupe en deux pour faire un manteau au garçon et ils partent sur la route, le gamin en paletot qui traîne à terre, Charlot en boléro espagnol.

Le lendemain, réveillon chez Coralie, la mère d'Armand et Irène, et sa sœur Nénette. Les filles, les beaux-fils et les rejetons de Nénette sont là. Le réveillon est une fête de famille où, d'habitude, on s'ennuie ferme du boudin à la bûche.

Sauf quand la scandaleuse Irène, s'arrachant pour quelques heures aux bras «de son dernier galant» (c'est une des filles de tante Nénette qui dit ça, mais maman dit que c'est parce qu'elle est jalouse), décide de prendre un bain familial. Cette année, elle s'est annoncée.

Après un divorce insensé, aux dires des siens, la sœur d'Armand a pris un amant et s'est installée dans un hôtel d'Ostende. Elle garde néanmoins un contact épistolaire avec son frère, qu'elle aime, «malgré ton mariage difficile et ta fidélité à une bande de bourgeois». C'est ce que Delphine a retenu de la lecture, faite par sa mère, d'une carte postale de la pécheresse. Curieusement, et en dépit du «mariage difficile», Alma ne semble pas détester sa belle-sœur. «Que vous le vouliez ou non, nous avons, votre sœur et moi, des points communs. Et admettez qu'elle a la décence de ne pas nous imposer ses béguins.»

Delphine est fascinée par la légèreté avec laquelle tante Irène évolue dans le salon de sa grand-mère, par son insolence lorsque, le repas terminé, elle ouvre son sac pour y prendre son étui à cigarettes. Coralie soupire, résignée, sa sœur grommelle sa désapprobation, qu'elle a déjà exprimée au début de la soirée lorsque, laissant tomber son manteau dans les bras d'Armand, la courtisane est apparue dans un fourreau noir qui, malgré un col montant de guipure, n'en dévoile pas moins des formes auxquelles l'oncle aurait été sensible s'il eût encore été là. Mais l'oncle est mort trop tôt, se privant ainsi de la contemplation des rondeurs de sa nièce. Les beaux-fils de Nénette lorgnent du coin de l'œil: les épouses sont aux aguets. Quant aux enfants, dûment chapitrés par les mères avant les réjouissances, ils restent peints sur leur chaise. Grand-mère Coralie est accueillante, mais tous les autres sont guindés. Delphine observe son père, que les audaces d'Irène inquiètent. Alma, elle, admire sans réserve le culot de sa belle-sœur. Elle a même un hoquet de plaisir lorsque, au *Minuit Chrétiens*, la brebis galeuse allume une cigarette et souffle la fumée par les narines.

Aussitôt confirmée l'arrivée du divin enfant, Irène se lève et prend congé. Le réveillon reprend son cours normal et languissant. Pour tuer le temps, et parce que cette évocation est pour elles un devoir, Coralie et sa sœur parlent des époux disparus. La liste des souvenirs se déroule, toujours les mêmes, on a fini par les connaître par cœur à force de les entendre. Lorsque la litanie prend fin, et après quelques minutes de recueillement, un des convives rompt le silence avec *le* sujet susceptible de susciter un regain d'enthousiasme : le roi, la reine et les petits princes. Les vertus de la famille royale font l'unanimité. Chacun tourne un visage grave vers les portraits qui flanquent le miroir de la cheminée : le roi dans son uniforme de soldat ; la reine assise dans un fauteuil à haut dossier, en robe de soie beige, long collier de perles et turban. Les princes et leur sœur n'ont pas encore les honneurs de la cheminée, ils attendent sur une commode. La photo préférée de Delphine est celle du retour triomphal des souverains à la libération. Le roi, casqué, caracole sur un cheval blanc, la reine, en amazone, salue de la main sur un cheval noir. Dans un coin du cadre, grand-mère Coralie a inséré une carte postale illustrée. La jeune fille aux longs cheveux qui sourit sur l'image porte une robe blanche, elle est très belle. À chaque visite, Delphine traîne avant d'ôter son manteau afin de pouvoir relire le poème inscrit sur la carte : *Salut, terre fraternelle / Où tout m'a tant plu ! / Peuple bon, race fidèle / Belgique, salut ! / Que Dieu sèche la main droite / Qui te frapperait. / Malheur à qui te convoite ! / Mort à qui t'aurait. – Paul Déroulède.*

La solennité de ces vers la ravit.

La soirée sombre dans une semi-léthargie. Jusqu'à ce que le mari de la cousine se rappelle que son fils n'a pas encore déclamé. Il y a des enfants déclameurs dans toutes les familles. Coralie et Nénette poussent un soupir de soulagement, le garçon cramoisi monte sur une chaise et s'exécute. On applaudit avant la fin. Rappel à l'ordre du père. Découragé, le gamin expédie les quatre derniers vers. « C'est très bien », lui souffle Delphine. Elle est la seule, avec papa, à avoir écouté. Le cousin fait sûrement partie du peuple bon et fidèle. Salut, terre fraternelle, Belgique, salut !

Coralie appelle la bonne, lui dit de servir le dernier café ; c'est le signal du départ et des trois baisers de rigueur. On se lève, on promet de se revoir bientôt, on tapote la tête du jeune poète, on donne des coups de bec qui piquent ou sentent la poudre de riz. Ça doit faire cent coups de bec, se dit Delphine. Plus ceux à la bonne (elle y a droit une fois par an). Sur le chemin du retour, Alma ne mâche pas ses mots : « N'eût été votre sœur, c'était complètement raté. Votre mère, ça va, mais Nénette est de plus en plus racornie. »

Le lendemain, papa leur fait la surprise d'un médianoche pour leurs anniversaires. Alma est née un 24 décembre, Delphine un 23. La première accepte gentiment le cadeau de son époux, une orchidée en lapis-lazuli, et le foulard de soie que lui offre sa fille ; Delphine prend officiellement possession du manteau d'astrakan. Armand a tout préparé, huîtres et champagne, qu'ils savourent en vêtements d'intérieur, comme une vraie famille de roi, de reine et de princesse. Observant sa mère qui sourit, cheveux tirés en chignon, la nouvelle broche scintillant sur sa poitrine, Delphine se dit que maman est née pour ça, les robes du soir, le champagne, l'opéra et le lapis-lazuli.

Les vacances de Noël s'étirent, monotones, entre devoirs, leçons, gammes et « petits services qu'une fille attentionnée doit à sa mère ». Un après-midi, Alma emmène Delphine et son manteau d'astrakan chez la femme du notaire dont la fille ne demande qu'à être ton amie, ma fille. Delphine n'a pas besoin d'amie, elle en a une au pensionnat dont elle ne parle pas, sauf peut-être à Armand.

Colette l'emmène dans sa chambre, fume une cigarette, lui montre ses seins et la photo d'un garçon. C'est son cousin, il est très laid, mais elle dit qu'elle fait des choses avec lui. Delphine l'écoute en silence, sans curiosité devant ces audaces qui lui paraissent incompréhensibles. Une demi-heure plus tard, Alma l'appelle, et bien qu'elle sache pourquoi – « joue ton dernier Czerny à madame Rondeaux » – elle est soulagée d'échapper à Colette qui, agacée par son apathie, commençait à lui raconter en détail ce qu'elle fait avec Freddy. Delphine s'assied au piano, contente d'être à l'abri, pour un moment. Alma se rengorge. Depuis que sa fille prend trois cours de musique par semaine et « fait des progrès surprenants », elle rêve de récitals qui feront courir la ville. Accompagnée par la chair de sa chair, elle chantera Carmen en robe rouge et fleur sur l'oreille. Elle confie son rêve à chère madame Rondeaux qui, avec un sourire sceptique mais néanmoins bienveillant, déclare que ce sera très « chou ». Puis il faut manger le quatre-quarts « léger comme une plume » et boire le thé, qu'Alma fait semblant d'aimer mais qu'elle exècre.

Le lendemain, on change les meubles de place. Chaque fois qu'Alma voit son amie la notairesse, elle rénove – son intérieur et son langage. Tandis qu'Armand et le voisin déplacent la crédence ou le sofa, elle papillonne autour d'eux en s'exclamant à la française, envoie sa fille à l'étage pour y trouver des choses introuvables, s'énerve, déclare qu'elle ne peut plus vivre dans cet intérieur pouilleux, prépare, dans la cafetière, le thé offert par chère madame Rondeaux. Le breuvage est infect, chacun fait la grimace, mais Alma surveille et ressert.

Puis les vacances se terminent, enfin. Le jour du retour à l'Annonciation, un matin frisquet de janvier, Armand et Delphine partent tôt pour aller flâner à Bruges. La ville est glacée, mais le soleil colore les vitres de cristal, jette des taches roses sur les pavés. Ils s'appuient contre un parapet, se regardent dans l'eau. « Tu ne trouves pas qu'on a des têtes d'orphelins, papa ? »

La question est si choquante qu'Armand fronce les sourcils, peiné.

« Pourquoi dis-tu ça ?

— Je ne sais pas. » Delphine se penche. « Regarde ! On a vraiment l'air de deux enfants perdus. Orphelins. »

Armand est déconcerté. Que se passe-t-il dans la tête de sa fille ? Elle ne lui a jamais parlé comme ça. Il se tourne vers elle, sévère :

« Un orphelin, c'est quelqu'un qui n'a plus de parents, Delphine. Et même si maman est parfois exigeante…

— Tu veux dire rouscailleuse.

— Peut-être. Mais elle est là. Et tu m'as, moi.

— C'est vrai. Tu crois qu'un jour on aura maman aussi ?

— Mais nous l'avons ! Tu sais, maman n'a pas eu la vie qu'elle attendait.

— Je sais.

— Alors, patientons. Il y a de bons moments.

— Oui, mais pas longs.

— Ça te rend triste ?

— Non. Je comprends. »

Armand scrute le visage de sa fille, surpris de lui voir une expression sereine. Quelle drôle de gamine. « Tu l'as, ta maman ! Mais, tu sais, parfois, c'est… compliqué.

— Tu dis ça tout le temps. »

Il soupire, laisse courir son regard sur une barque glissant sur l'eau du canal. Que répondre ? Il prend la main de Delphine, l'éloigne de cette eau où elle voit des choses terribles.

« Allons, il est temps de penser au couvent. Mais il nous reste une heure pour un gâteau moka. Suis-moi. »

Il pousse une porte ornée d'un rideau de dentelle, s'efface pour laisser entrer sa fille. Ils prennent place devant une table recouverte de lin blanc. Toute pensée triste, toute nostalgie s'estompe dans l'odeur pralinée du salon de thé. Assise devant la nappe brodée, Delphine annonce à Armand qu'elle aura peut-être bientôt une amie. Oui, une fille qui s'appelle Nina le lui a demandé. C'était au parloir, avant les vacances, «tu sais, quand je t'attendais…»

C'est vrai, Nina Verhoeven veut être son amie. Ou veut-elle qu'*elle* soit son amie, ce n'est pas clair. Quelques semaines après la rentrée, Delphine s'est aperçue que des liens d'amitié entre deux pensionnaires faisaient partie des coutumes du couvent, et qu'ils exigeaient des filles qui s'étaient choisies fidélité absolue et une bonne dose de dévotion. On les voyait se promener dans la cour comme Pelléas et Mélisande, main dans la main, l'air solennel et un peu tragique, comme si le statut d'amie leur conférait une écrasante responsabilité. Elles semblaient convaincues que le monde entier tournait autour de leur planète; elles finissaient par se ressembler à force d'épouser les mêmes idées, le même ton de voix, les mêmes manières. Leur position d'élues leur donnait une supériorité sur les filles qui n'avaient pas encore trouvé l'âme sœur ou qui, pour certaines raisons – laideur, excentricité, mauvais caractère – étaient condamnées à la solitude. Delphine avait l'habitude d'être seule, et l'éventualité d'une telle union ne lui était jamais venue à l'esprit. Tout cela était trop passionné pour elle, et ces gestes affectueux, parfois interrompus par une scène de jalousie, ne suscitaient en elle qu'un prudent désir de retrait.

Sans se douter le moins du monde de ce qui allait suivre, elle a souri quand Nina s'est avancée vers elle, s'attendant à une question anodine, du genre: «Tu fais quoi pendant les vacances? Tu vas aux sports d'hiver?» Mais ce n'était pas cela. Écartant sa valise du pied, Nina s'est plantée devant elle et lui a asséné sa proposition insolite. Surprise, Delphine est restée muette. «Pourquoi tu me regardes comme ça? a dit Nina. Ferme la bouche, tu as l'air d'une retardée. Réfléchis. Si tu dis non, tu vas finir par détester le couvent. J'ai vu que tu n'étais pas comme les autres, c'est pour ça que je te veux comme amie. Tu sais, il y a des règles, ici, et une des règles, c'est d'avoir une amie à qui on dit tout.»

Prise de court, Delphine n'a pu émettre qu'un «mais» indécis. «Mais?! s'est écriée Nina. Mais?! C'est tout ce que tu as à dire?»

Elle a levé un menton offensé. «Disons plutôt que tu ne veux rien dire, c'est ça ton truc, mais je finirai bien par te faire parler. Écoute, je ne veux pas te forcer, mais réfléchis, si tu restes toute seule dans ton coin, même si tu n'as pas l'air de bouder et que tu rends des services, elles vont te mettre au ban et ce sera l'enfer. Il faut se protéger, ici. Et franchement, ma vieille, tu ne préfères pas venir chez moi plutôt que de rester avec la cuisinière? Et tu sais quoi? Je pourrais aussi aller chez toi!»

Ça, j'en doute, s'est dit Delphine.

«En tout cas, chez moi, on s'amuse, a affirmé Nina. Ma mère est formidable. Mon père et mon frère ne sont pas souvent là, mais quand ils y sont, je peux te garantir qu'on rigole.» Toute avalanche de paroles laissant Delphine sans voix, elle a acquiescé d'un simple hochement de tête, bien qu'elle ne comprît pas comment il se faisait que Nina Verhoeven s'intéressât à une fille comme elle, une fille trop sage, trop calme.

Puis elle s'est dit qu'il lui suffirait peut-être d'écouter.

Elle ne s'est pas trompée, Nina fait la conversation et elle écoute. Son «amie» a une foule de choses à dire sur sa vie hors du couvent, une vie si turbulente, si aventureuse que Delphine se demande comment elle va pouvoir affronter ce tumulte. Elle n'a pas l'habitude. Elle écoute les mots de Nina, se demandant pourquoi ils s'adressent à elle. C'est comme une langue étrangère. Et la demeure que décrit l'adolescente, où tout le monde parle cette langue, est aussi invraisemblable, aussi bizarre que les maisons en sucre rose et vert du pays de Cocagne auquel elle rêvait enfant. Avec la différence qu'elle s'y trouvait seule, alors que le pays de Nina est surpeuplé.

Delphine n'est à l'aise que dans le concret, le routinier. Le seul aperçu qu'elle a jamais eu d'une autre réalité lui a été donné par sa tante Irène. Mais on la voit si peu. Elle vient quelques jours à la maison, puis elle disparaît! Son image se brouille pendant ses absences; elle devient floue. Mais cette perte momentanée n'affecte pas Delphine. La passivité visuelle, sonore et tactile de son monde est supportable: la cornette des sœurs, les cols amidonnés des uniformes jettent un éclat froid sur la grisaille du couvent, mais c'est un éclat quand même; les cantiques, aussi éthérés que ses gammes sur le piano de la salle de musique, comblent des vides. Quand elle accompagne son père le long des canaux de Bruges, ce que capte son esprit est presque aussi abstrait que les bancs de chêne de la chapelle, mais cette abstraction la protège. La joue sèche de sa mère, d'où émane une odeur de citronnelle, celle de papa, piquante et légèrement parfumée d'eau de Cologne ne lui apportent qu'une sensation minimale et, dans le cas de sa mère, aigre-douce, mais elle ne s'en afflige pas. Elle sent l'affection qui se cache sous la réserve d'Armand, et cela lui suffit. Elle comprend ce que dissimulent les récriminations d'Alma ; elle sait que sa mère a de bonnes raisons de détester l'existence qui lui a été imposée. Sa seule autodéfense étant l'acceptation, Delphine l'a instinctivement adoptée. Une acceptation qui lui procure une forme d'insensibilité qui la met à couvert. Son unique plaisir des sens, ce sont les gâteaux qu'elle mange en cachette avec son père. Et l'odeur du cigare. Et les coussins moelleux de la Minerva. Les grands jours sont ceux du cinématographe, où Charlot éveille en elle, entre les rires, un plaisir qu'elle vit comme une promesse.

Que Nina veuille secouer cet univers tranquille l'inquiète un peu, mais sa seule stratégie est la patience. C'est donc avec patience qu'elle accepte la présence de Nina dans sa vie. On verra plus tard, lorsque arrivera le jour de la première visite à la maison de Cocagne. Heureusement, il reste un peu de temps : une autorisation doit d'abord être demandée aux parents.

Delphine accueille ce répit avec reconnaissance.

Les samedis où son père ne vient pas, elle est seule à l'Annonciation. Toutes les pensionnaires rentrent chez elles. Après la messe et jusqu'à midi, elle fait ses gammes. Comme c'est une enfant raisonnable, les sœurs la laissent libre d'aller et venir, du jardin à la cuisine, de la cuisine au dortoir. Personne ne trouve à redire quand elle traîne dans le parc, au moins elle respire le bon air. Le jardinier lui a montré comment faire des semis, comment désherber, planter. Il lui a appris à reconnaître les fleurs et les feuilles. À défaut de prouesses en arithmétique, Delphine est bonne élève en sciences naturelles.

À l'aube d'un dimanche solitaire, la supérieure lui offre un album aux pages doublées de papier de soie. « Tu sais ce que c'est ?

— Non, Révérende Mère.

— C'est un herbier. Sœur Josèphe va te montrer comment t'en servir. Marcel t'a appris le nom des feuilles, n'est-ce pas ? Eh bien, après les avoir fait sécher, tu les placeras dans l'herbier et tu écriras leur nom dessous à l'encre de Chine. Prends. Cet album t'appartient. »

Marcel l'aide à choisir les feuilles, les lui nomme ; sœur Josèphe, celle qui met des fuchsias partout, l'emmène à la bibliothèque, où elles ouvrent les lourdes encyclopédies pour y trouver le nom latin des feuilles. L'herbier ressemble vaguement à une manifestation d'indépendance, mais il n'en est rien. Il rassure Delphine, plutôt : il fait partie d'un monde qu'elle connaît, sans passion, sans emportement. Lorsqu'elle en tourne les pages et compte les nervures d'une feuille, elle sait qu'elle ne force pas l'entrée d'un monde qui n'est pas pour elle, qu'elle n'est pas une intruse, que ce monde-là lui est permis. Delphine aime faire ce qu'on lui dit, comme elle fait, à la maison, ce que lui ordonne sa mère. Elle rêve peu, n'est pas distraite, et l'attention qu'elle porte aux cours, quels qu'ils soient, pallie le manque de vivacité qui la différencie des autres élèves. Elle s'est créé un univers paisible d'où elle observe, et s'étonne, parfois. Mais elle ne critique pas, ne désapprouve pas, ne juge pas.

Janvier et février 1924 consolident le lien avec Nina et, au printemps, arrive l'invitation officielle à la maison de Cocagne. Mère Marie explique à Delphine que cette incursion dans le domaine de son amie lui ouvrira les portes d'un autre monde. Elle a écrit à ses parents qu'un contact avec une autre famille « serait bénéfique à cette enfant qui n'a que trop tendance à se réfugier dans la solitude ». Dans sa réponse, Alma a fait finement allusion à la grande amie fille de notaire de sa Delphine, s'empressant d'ajouter qu'elle se soumettait « sans hésitation à votre autorité, ma mère, vous qui savez ce qui convient à vos brebis ».

Sur les conseils de la supérieure, Marianne, la mère de Nina, s'est rendue ensuite chez les parents de Delphine afin d'« officialiser » la permission accordée. Alma a accepté très volontiers la proposition parce que, a-t-elle précisé, « avec la préparation de mes récitals, je suis débordée ! » – déclaration suivie d'une courte pause dans l'espoir que son interlocutrice allait s'exclamer : « Des récitals, quels récitals ? », et parce qu'elle souhaitait secrètement se rapprocher de la maman de Nina. Mais la maman de Nina ne veut pas se rapprocher de la mère de Delphine. La conversation a tourné court, Marianne y mettant fin par un « Merci, madame, nous serons ravis d'accueillir votre fille», qui n'a même pas laissé à la pauvre Alma le temps d'émettre une pensée artistique.

Mère Marie appelle Delphine, lui fait part de la nouvelle. C'est la première fois que la pensionnaire entre dans le bureau de la supérieure. Il est sept heures, des bûches brûlent dans l'âtre – il fait encore froid, le soir, en ce début de printemps. Les joues de la pensionnaire rosissent. «Tu passeras donc une fin de semaine sur deux chez ton amie.» L'adolescente regarde tranquillement la religieuse, qui s'étonne de cette semi-indifférence. «Tu n'es pas contente?

— Si, ma mère.

— Bien. Tu peux retourner au jardin.»

Delphine fait la révérence, se prépare à sortir.

«Attends!» Mère Marie ouvre un tiroir, en sort un coffret, ôte le couvercle. Delphine s'approche, respire l'odeur de chocolat qui se dégage de la boîte. Les pralines sont couchées dedans, emmaillotées dans du papier doré. «Choisis!» Delphine aimerait prendre la plus grosse – elle prend toujours le plus gros gâteau quand elle est au salon de thé avec son père –, mais la religieuse lui désigne une praline aux contours biscornus. «Essaie plutôt celle-là.» L'adolescente ôte le papier doré, place la praline entre ses dents, en fait doucement craquer l'enrobage. Le parfum du chocolat lui monte aux narines, elle ferme les yeux.

Dans cet endroit étranger, qu'elle croyait inaccessible, la sensation qu'elle éprouve est beaucoup plus forte que la simple satisfaction ressentie lorsqu'elle mange un chou à la crème avec son père. La praline offerte par mère Marie, dans ce lieu feutré et mystérieux, est comme un sésame. Un sésame qui lui fait découvrir une sensation étrange, exquise, grisante, qui ressemble au plaisir que lui a donné Charlot, un après-midi de décembre, dans le cinématographe d'Ostende.

*

Une bruine légère mouille la terre. «Ça s'arrache mieux», dit le jardinier. Delphine pense à dimanche, quand elle s'assoira à côté de Nina sur la banquette arrière de la belle auto rouge qui, lui a dit cette dernière, est le bolide de maman. Puis elles partiront vers la maison de massepain et de fruits confits, où il y aura peut-être des pralines aussi bonnes que celles de mère Marie. Elle emportera son herbier pour y mettre les feuilles en sucre filé du jardin de Nina. Crotte, ma fille, arrête avec ça, tu es trop vieille pour ces histoires de Cocagne. Delphine a chaud, malgré la pluie ; elle essuie la sueur qui perle au-dessus de ses lèvres.

«C'est ça, fais-toi des moustaches», dit Marcel.

Elle rit.

Quand la pluie commence à tomber dru, ils rassemblent en hâte pelles et sarcloirs et vont les ranger dans la serre. «Tu as l'air d'un chat mouillé, dit le jardinier. Tiens, sèche-toi les cheveux avec ça.» Il lui tend la serviette avec laquelle il s'essuie les mains. Elle sent le suri, mais Delphine ne veut pas le vexer, elle obéit. «Mieux que ça!» Il s'approche, lui prend le linge des mains et lui enveloppe la tête. «Laisse-moi faire.» Elle a un haut-le-cœur, essaie d'attraper le bord de la serviette ; la chaleur humide qui se dégage du corps du vieil homme lui donne la nausée. Écarquillant les yeux, elle voit son visage, tout près, c'est la première fois qu'elle le voit de si près, c'est même la première fois qu'elle le regarde. Il ressemble à Gepetto, il est très rouge, son haleine est écœurante, il la souffle dans sa figure, approche ses lèvres de son cou comme s'il voulait le gober. Elle essaie de le repousser. Les grosses mains tirent sur la serviette, s'abattent sur ses épaules, appuient si fort que ses jambes plient ; elle tombe à genoux. Quand elle veut crier, il met une main sur sa bouche. Il la fait basculer sur le dos, saisit ses chevilles, force ses jambes à se déplier. Puis il se laisse tomber sur elle et, avec son genou, écarte ses cuisses. Elle ne peut pas se dégager, il est trop lourd. Il bave, ses cheveux qui sentent le gras lui raclent la peau. Alors, Delphine ferme les yeux et, surmontant un haut-le-cœur, mord le menton qui s'enfonce dans sa joue. Il pousse un cri rauque, roule sur lui-même.

La pelouse est mouillée. Elle tombe, se relève, court vers la bâtisse. La cuisinière passe la tête à la fenêtre et, s'essuyant les mains sur son tablier, lui demande ce qui ne va pas. «Ce n'est rien, j'ai glissé.» Pressant son écharpe sur son nez qui saigne, elle entre dans le réfectoire, le traverse en courant et monte à sa chambre.

Le matin, au réveil, elle s'aperçoit qu'elle saigne ailleurs. Alertée par la supérieure, qui lui a enjoint de venir sans tarder, Alma arrive au pensionnat et annonce à sa fille que cette abomination se reproduira chaque mois et qu'à présent elle est une femme. Alma est de mauvaise humeur. Le voyage imprévu, Armand qui attend dans la voiture sous prétexte que ce problème ne le concerne pas, les sœurs qui rejettent leurs responsabilités, et la dispute qu'elle a eue avant de partir avec Estelle Rondeaux qui a eu le culot de lui dire, quand elle lui a appris qu'elle était appelée au pensionnat pour informer sa fille – chose que les religieuses refusent de faire ma chère –, que tout cela était normal car c'est aux mères d'apprendre aux filles les choses de la vie... tout cela l'exaspère. Quant à la Rondeaux... quelle traîtresse! Cette femme dont elle vante partout les mérites – «et si simple bien qu'elle soit française» – a osé mettre en doute son instinct maternel. Devant Delphine qui l'écoute, insupportablement sereine, Alma s'impatiente, pressée d'en avoir fini avec cette formalité, inquiète de voir réapparaître la supérieure, qui lui a réservé un accueil glacial bien qu'elle soit accourue séance tenante. Elle ouvre son sac à main, le referme. Le claquement attire une religieuse, qui passe la tête par la porte. Reconnaissant la mère de Delphine, elle la retire aussitôt, non sans avoir émis un «chut» destiné à préserver l'atmosphère feutrée du parloir. Alma voudrait s'en aller, mais c'est peut-être trop tôt. Allons, encore cinq minutes. Elle soupire, puis, se tournant vers Delphine, abruptement: «On t'a fait des gaufres?» L'adolescente la regarde, l'œil écarquillé. Alma scrute le visage de sa fille. «Bon, si j'en juge par ton air ahuri, tu ne sais même pas de quoi je parle. Eh bien, sache que lorsqu'une jeune fille a ses premières... indispositions, on lui fait des gaufres. C'est la coutume. Je réparerai cette omission quand tu reviendras à la maison.» Cette perspective semble lui rappeler quelque chose, son irritation s'atténue et, après un instant de réflexion: «À propos, Pâques approche, et ton père et moi pensons que l'air de la mer, vu les circonstances, te fera le plus grand bien. Tu passeras donc la moitié des vacances à Wenduine, dans une excellente pension pour jeunes filles. Je le regrette, mais nous n'en serions pas là si tu t'étais mieux préparée au piano. Si c'était le cas, tu serais maintenant en mesure de m'accompagner et je t'aurais gardée à la maison pour que nous puissions travailler ensemble. Je ne te reproche rien, ma fille, mais j'espère que tu profiteras de cette semaine au calme pour réfléchir. Nous consacrerons la suivante à la préparation de mon prochain récital chez la notairesse.»

Une pensée légère traverse l'esprit de Delphine : une semaine au calme à la mer c'est mieux qu'une semaine au piano à la maison.

« Ah, j'oubliais. » Alma fouille dans son sac. « Je t'ai apporté un livre qui t'apprendra tout ce qu'il faut savoir sur ces choses. Beaucoup d'encre pour rien, si tu veux mon avis. C'est très simple, c'est chaque mois, il n'y a rien d'autre à dire. Les sœurs t'expliqueront ce qu'il y a lieu de faire. Après tout, elles sont comme nous. »

Cette nuit-là, Delphine rêve que tout le pensionnat saigne en même temps. L'Annonciation flotte sur une mer de sang. Le matin, en classe, elle est un peu pâle, sur le banc qu'elle partage avec Nina. Après deux ou trois questions, la fine mouche devine. « Comment ! Tu ne savais pas ! Il y a longtemps que maman m'a tout dit ! C'est embêtant, mais pas grave du tout. Allez, rigole un peu, tu es une femme, maintenant ! Les vacances de Pâques sont dans un mois, ma vieille ! Maman aura tout le temps de t'expliquer. »

Delphine ne lui dit pas qu'elle aura ses prochaines règles dans une pension de la mer du Nord.

La maison de Nina n'est pas en massepain mais en pierre de taille ; il y a un chien dans le jardin, des chats sur les lits. Il y a Georges, le père de Nina, et Guillaume le frère. Cette plongée dans un autre univers ne fait pas sourciller Delphine, elle contemple le domaine des Verhoeven aussi calmement qu'elle aurait contemplé le pays de Cocagne que lui a suggéré son imagination un peu mince. Elle est aussi tranquille chez ses nouveaux amis que sur son banc d'école ou devant son herbier. Nina et Marianne ne sont pas déconcertées. La première connaît depuis sept mois celle qu'elle appelle maintenant son amie, elle ne s'étonne plus d'une placidité qu'elle tente pourtant de secouer ; elle a ramené Delphine à la maison comme un trophée et, amusée, observe les réactions de son père et de son frère. La seconde, prévenue par sa fille, est bien décidée à percer ce qui, elle en est convaincue, n'est qu'une carapace. Sceptique, le mari interroge son épouse, le soir, après que chacun a regagné sa chambre : « Tu as vraiment envie de t'encombrer de cette gamine ? »

La question contrarie Marianne. Pour elle, accueillir la pauvre enfant est un devoir qui ne doit susciter aucune controverse. « Georges, elle est quasi abandonnée !

— Quasi abandonnée! Tu ne m'as pas dit que son père vient la voir régulièrement?

— Tu l'as vu, le père? C'est un automate! Il aime peut-être sa fille, mais comment le lui montre-t-il, à ton avis? D'après Nina, en la bourrant de sucreries. Quand elle lui demande comment s'est passée sa journée, elle lui répond invariablement qu'ils sont allés à la pâtisserie!

— Elle est trop calme, murmure-t-il. Tu es sûre que ce n'est pas une eau dormante, cette fille?

— Ne cherche pas midi à quatorze heures! C'est tout simplement une gamine qui a la malchance d'avoir une mère qui ne l'aime pas. Elle est trop calme, dis-tu? C'est peut-être sa manière à elle de se protéger. Bien sûr, elle a son père. Mais est-ce qu'il lui parle, cet homme? D'après la supérieure, il est entièrement soumis à sa femme. Est-ce qu'ils en parlent, de cette femme?»

Marianne a vu juste. Ils en parlent peu. Bien qu'ils comprennent Alma la femme, Armand et sa fille ont éludé la mère et l'épouse; ils ont glissé de concert dans la passivité. Leur affection mutuelle les réchauffe, un peu, mais elle ne se manifeste que par des gestes timides, étriqués – avec, de temps à autre, un léger sursaut d'humour. Leur cœur est immobilisé dans une attente floue et le vague espoir que quelque chose, un jour, va changer. En attendant, les escapades gourmandes à Bruges leur suffisent. Le reste du temps, Armand l'agent de change prospère vit dans les chiffres, opposant à sa femme une tendresse muette et indulgente qu'elle prend pour de l'admiration. Les chiffres le rassurent, comme Delphine son herbier.

La bouffée d'air des fins de semaine chez Nina, un air vigoureux, ne tourne pas la tête à l'adolescente. Elle est tout juste un peu plus revigorante que les stations devant les canaux de Bruges.

*

Pâques 1924. Madame Louis, la surveillante, a permis à Delphine de se promener sur la plage. Elle ne l'oblige pas à jouer avec les autres. Madame Louis était peut-être, quand elle était petite, une fille qui aimait rester seule. Les pensionnaires barbotent dans l'eau, s'y livrant à tous les excès permis lors d'une baignade en bord de mer, y compris les piaillements qui accompagnent l'immersion progressive d'un corps féminin dans l'eau froide. Delphine embrasse le tableau du regard : les filles en maillot à mi-cuisse qui s'éclaboussent à qui mieux mieux ; les petits ânes qui marchent d'un brise-lames à l'autre un enfant sur le dos ; la procession d'orphelins en cape noire à capuchon pointu dont on ne voit jamais les visages ; madame Louis en casquette à visière, son gros derrière sur une canne de promenade. Delphine ôte ses caoutchoucs, les met dans son sac. Elle laisse glisser son chapeau sur sa nuque, prend un ruban dans sa poche, le noue sur sa tête pour empêcher ses tresses de lui chatouiller les joues. Devant elle, la plage déserte et les brise-lames. Elle n'ira pas dans les dunes, madame Louis le lui a défendu, et puis la mer lui suffit. La mer lui suffira toujours ; c'est le seul paysage parfaitement beau qu'elle connaisse, le seul auquel il ne manque rien. Papa est comme elle. Ils en ont si souvent rêvé ! Mais Alma n'aime pas la mer. Elle dit que c'est trop plat, trop gris, trop salé. Elle renie les après-midi sur la plage du préventorium de La Panne ; elle prétend que c'était une corvée, qu'on n'y allait que pour faire plaisir à papa.

Pourtant, une promenade sur la digue d'Ostende, un jour d'été, a trouvé grâce à ses yeux. Après avoir déambulé comme une reine, un sourire résigné aux lèvres, entre Armand et Delphine mourant d'envie de la planter là pour aller courir sur la plage, elle a fini par capituler : « Allez-y, puisqu'il n'y a que cela qui vous intéresse ! » La vérité, c'est que ses souliers neufs lui martyrisaient les pieds et qu'elle avait décidé d'aller s'effondrer à une terrasse. Ils en avaient bien profité, dans l'eau jusqu'aux genoux. C'était marée basse. Papa l'avait emmenée sur un brise-lames pour lui montrer des anémones de mer. « C'est vivant, regarde, touche, mais très doucement. » Elle avait plongé une main dans l'eau pour effleurer l'anémone. La fleur s'était refermée. « Ne t'inquiète pas, avait dit Armand, dès que tu auras le dos tourné, elle se rouvrira. »

La mer s'est retirée. Delphine enfonce ses orteils dans le sable ; ses traces de pas se remplissent d'eau. Elle arrive au brise-lames, chausse ses caoutchoucs avant de monter sur la partie immergée à marée haute. Au fil du temps, la force des courants a mis les blocs de béton sens dessus dessous. Ils sont recouverts de moules et de verrues blanches et dures qui, si on y frotte le mollet ou la cheville, font des égratignures qui guérissent mal. Des mares se sont formées entre les pierres. Delphine saute d'un bloc à l'autre, cherche ses anémones.

Après le départ de ses parents, elle s'est retrouvée seule dans la chambre. «C'est petit, mais suffisant», a décrété Alma. Petit? Trois fois la grandeur de son alcôve à l'Annonciation! Et avec une fenêtre et un pan de ciel. Une pensée reconnaissante pour maman, qui aurait pu choisir une pension ordinaire où sa fille aurait partagé un dortoir avec d'autres et qui a préféré cet endroit où les pensionnaires ont chacune leur chambrette. «Je pense, chair de ma chair, que vous méritez d'échapper à la promiscuité qui est votre lot au couvent. C'est pourquoi j'ai opté pour cet établissement.» Ce qu'elle ne dit pas, c'est qu'elle a ainsi muselé ses remords. Delphine s'en fiche, elle a une chambre à elle. Elle ne regrette qu'une chose: elle ne voit pas la mer de sa fenêtre. Mais il y a les promenades. Bien sûr, les grandes sorties se font en groupe et avec un chaperon, mais la mer est immense. Quand on regarde au loin, on ne voit plus personne, et le bruit des vagues est si fort qu'il recouvre les papotages.

Marianne voulait intercéder auprès d'Alma pour lui éviter la pension, elle s'était même mis en tête de l'emmener en voyage avec Nina et Guillaume. Delphine a refusé, elle préfère la mer à tous les voyages, et à toutes les mers elle préfère celle-ci, grise, salée. «Mais nous pourrions y aller tous ensemble!» a proposé Nina. Delphine ne lui a pas répondu qu'ensemble c'est moins bien. C'est la première fois qu'elle est seule, vraiment seule. Une chambre à elle, la mer, les brise-lames, le sable...

Ses promenades sur la plage, Delphine les veut pour elle seule. Non qu'elle ait besoin de réfléchir ou de penser: il n'y a rien à penser, sauf pour se rappeler qu'il ne faut pas oublier le seau pour y mettre ses anémones. Les journées passent trop vite. Elle ne décompte pas celles qui passent, elle compte celles qui restent, comme un avare ses sous. Jamais elle n'a été aussi bien. La mer est à elle. Cette mer que les autres prennent pour une pataugeoire.

À une dizaine de mètres, deux silhouettes vacillent dans la lumière. Des mirages. Non, des dames. Les pans de leur long casaquin flottent derrière elles. Une des femmes appelle. «Delphine, c'est toi?» Un coup de vent l'oblige à lever les bras pour retenir son chapeau. L'adolescente attend, sourcils froncés, contrariée. A-t-on idée de porter une capeline par ce grand vent! La dame arrive près du brise-lames, lève un pied, le pose sur une pierre.

Crotte, c'est tante Irène.

Pour Delphine, tante Irène est un astéroïde qui, un jour, est tombé sur sa planète tranquille. Au début du mois d'avril, alors qu'elle était rentrée à la maison pour l'anniversaire d'une cousine, elle est allée la voir avec son père au Café Métropole. Irène était venue d'Ostende. Un homme beau comme un prince était avec elle, elle l'appelait mon chéri. Jamais Delphine n'avait entendu une femme dire mon chéri à son mari – et encore moins sa mère. D'abord, elle a cru que tante Irène disait mon cher, comme sa mère à son père, mais non, il y avait un *i* en plus. Elle percevait le malaise d'Armand et, devant sa crème à la glace, frissonnait chaque fois que le *i* tintait dans l'air tiède du Métropole (ce haut lieu de la distinction et de l'élégance et le seul fréquentable pour la famille). Delphine pensait à son cours de catéchisme. Sa tante, c'était Ève qui avait mangé la pomme et allait être punie. Sa tante, c'était Ève qui tendait la pomme à Adam, geste qui allait les chasser du paradis. Mais c'était quoi, le paradis? La famille? Et pourquoi Irène, qui disait mon chéri en tendant à Adam une cuillerée de crème glacée à la pistache verte comme une pomme, courait-elle vers ces lieux maudits où elle vivrait dans une souffrance éternelle?

C'est pour cela que papa s'est fâché, lui disant qu'elle devait revenir à Bruxelles, se réconcilier avec la famille. «Je suis l'aîné, je sais ce dont tu as besoin.» Irène a éclaté de rire. «Tu sais ce dont j'ai besoin? Mais ce dont j'ai besoin se trouve devant toi, mon bien cher frère aveugle. Regarde!» Ce disant, elle a tendu au prince une cuillerée de crème, ajoutant qu'elle ne l'échangerait pas pour une bande de bigots. Le prince a lancé un regard insolent à papa, puis est allé s'asseoir à une autre table. Armand s'est levé. Lèvres serrées, il a sorti son porte-monnaie et jeté une pièce de dix francs sur la table. Tante Irène le regardait fixement, très pâle. Elle s'est levée elle aussi et, sans un adieu, est allée rejoindre le chéri. Ses yeux brillaient de colère, ils brillaient comme la soie de sa redingote.

«Mets ton manteau», a ordonné papa. Il n'ordonnait pas souvent, et dix francs c'était beaucoup trop pour deux crèmes glacées, un café filtre et une orangeade. Mais il n'a pas attendu la monnaie et, dans la rue, lui a dit de ne pas parler de tante Irène à maman. Elle n'a pas demandé pourquoi. Elle ne demande jamais pourquoi. D'ailleurs, la colère de papa est retombée avant qu'ils n'arrivent à la porte. Tout était comme toujours, comme toujours au paradis.

Delphine secoue les mains dans l'eau pour en ôter le sable, les essuie sur sa robe.

« C'est elle ? » demande l'autre dame.

À genoux sur son bloc de béton, l'adolescente observe les femmes qui s'avancent, jupe plaquée sur les cuisses. Irène précède sa compagne. « Delphine, c'est bien toi ?

— Oui, ma tante.

— Qu'est-ce que tu fais ? Tu barbotes dans l'eau comme un bébé ? »

Irène vacille, hésitant à poser son élégant bottillon sur le brise-lames.

« Pourquoi vous promenez-vous avec ce chapeau sur la plage, ma tante ? Il va s'envoler.

— Tu as sûrement raison. » Irène lève les bras, retient des deux mains la capeline.

« Votre peau va rougir.

— Vas-tu cesser de faire la raisonneuse ! »

Delphine hausse les sourcils. Déconcertée, Irène reste figée sur place, ses longs doigts maintenant son chapeau. Elle est mécontente. « Tu sais, nous sommes venues d'Ostende pour te voir ! »

Comme si elles avaient traversé la moitié du globe ! Le ton est si solennel que Delphine ne peut s'empêcher de sourire. Mais la nécessité d'être courtoise prévaut : elle pense aux préceptes sacrés de mère Marie, pour qui « la civilité doit présider à tout rapport humain ».

« Je vous en suis reconnaissante, ma tante. » Partagée entre l'amusement et l'inquiétude, elle regarde les bottillons s'enfoncer lentement dans le sable. L'inquiétude l'emporte. « Attention, ma tante ! Il faut soit monter sur le brise-lames, soit aller sur le sable dur.

— Très bien, allons sur le sable dur. » Irène fait quelques pas, se hisse sur un rocher plat. « Voilà, tu es contente ?

— C'est mieux, mais vous allez quand même…

— Delphine, cesse de sermonner ! Ne t'en fais pas, je survivrai à cette expédition.

— Tant mieux.

— Tu ne veux pas savoir ce qui m'amène ?

— Si !

— Ton père m'a demandé de te rendre visite. »

Irène regarde sa nièce ranger calmement le seau de plage dans son sac. Que peut-elle bien faire ici toute seule ? Elle a douze ans et joue sur ce brise-lames comme un bébé. Avec un seau de plage et une pelle ! S'écorchant les genoux – elle jette un coup d'œil effrayé aux blocs de pierre – dans ces terribles éboulements ! Elle se tourne vers l'autre femme. « Je te présente ma nièce. » Puis, à l'adolescente : « Je passe l'été chez mon amie Ingrid. »

Oui, et au casino ! pense Delphine. Elle a entendu Alma commenter le goût immodéré d'Irène pour les salles de jeu et ceux qui les fréquentent.

Déroutée par le calme de la nièce qui, deux minutes plus tôt, fouillait dans l'eau de mer comme s'il y allait de sa vie, l'amie propose un bol de chocolat. Ce disant, elle pointe un doigt en direction de la digue et des salons de thé. « Viens, dit Irène, tu reprendras tes occupations plus tard. J'ai déjà dit à la gouvernante que nous t'enlevions pour une heure. » Delphine jette un dernier regard aux fleurs pastel, mais un chocolat c'est tentant. Elle sourit à sa tante, se lève, découvrant ses jambes hâlées. Le soleil a rosi ses joues, le bout de son nez. Je me demande pourquoi nous étouffons sous nos chapeaux, se dit Irène, cet enfant a un teint superbe. Elle est un peu ronde, mais c'est charmant... Beaux cheveux châtains, comme sa mère. Et ces yeux bleus !

« Qui t'a mis ce ruban sur la tête, Delphine, tu as l'air d'un œuf de Pâques ! »

Un rire, enfin ! « C'est pour attacher mes tresses, ma tante. » Delphine défait le ruban, le fourre dans sa poche, puis remet son chapeau et en noue les cordons.

« Que cherchais-tu dans cette flaque d'eau ? » La gamine hausse les épaules, murmure quelques mots inintelligibles. Irène comprend qu'elle n'en tirera rien pour l'instant, mieux vaut attendre le salon de thé, où la bonne odeur des pâtisseries lui déliera la langue. Cette petite femme l'intrigue. Jolie ? Oui, mais elle ne le sait pas. Intelligente ? Possible. Secrète ? Là, cela ne fait aucun doute. Mais à quoi peut-elle bien penser, toute seule sur son brise-lames ? Pauvre Armand, entre sa diva manquée et cette petite énigme ! Le trio arrive sur la digue. « Où veux-tu aller, Delphine ? demande l'amie. Tu as le choix entre le glacier et la pâtisserie. » L'adolescente regarde les deux devantures, hésite.

Une chose est certaine, se dit Irène : elle est gourmande.

L'heure passée dans le luxueux salon de thé de la station estivale ravit tranquillement Delphine. Les lambris dorés, les tasses de porcelaine, les dessertes à grandes roues, les serveuses à diadème d'organdi forment un contraste parfait avec la mer au-dehors. Elle fixe l'éclair au chocolat qu'une pince d'argent vient de déposer sur son assiette, pense à l'intrusion soudaine de tante Irène dans sa vie. Sans le chéri du Métropole. L'envie de lui demander si le monsieur s'appelle vraiment Chéri la démange. Non, non, elle ne peut pas, mère Marie dirait que c'est de la curiosité déplacée. Mais mère Marie ne saura pas. Comment pourrait-elle même imaginer que des dames ont des chéris à qui elles font manger de la crème glacée à la cuillère ? Mère Marie ne sait peut-être même pas que cela existe, des chéris. Les sœurs ignorent ces choses-là.

Delphine regarde le joli profil de sa tante, les ongles nacrés sous les gants résille, les lèvres qui s'entrouvrent pour saisir une bouchée de gâteau. Est-ce que Chéri embrasse ces lèvres-là comme le père de Nina embrasse les lèvres de Marianne ? (Nina et elle les ont surpris, un soir où ils se croyaient seuls au salon.) « Oui, ma petite, c'est la vie, lui a dit son amie. C'est la vie, et on va toutes y passer ! » Toi peut-être, a pensé Delphine, pas moi. D'ailleurs, mon père n'embrasse pas ma mère. Embrasser comme ça n'est pas nécessaire. Si papa embrassait maman comme ça, la vie serait encore plus compliquée. Papa n'est pas fou, il sait ce qu'il ne faut pas faire à maman.

Elle soupire, soulagée, et immensément reconnaissante, soudain, envers sa tante venue lui rendre visite sans le chéri qui s'appelle peut-être Auguste, Isidore ou Félicien.

Entre les deux dames parfumées qui sirotent leur thé, elle a l'impression de trôner comme une reine entre ses suivantes. Non, une princesse. C'est tante Irène qui est la reine, et l'amie la suivante. Elle saisit la fourchette en vermeil, en plante le tranchant dans l'éclair au chocolat. La crème apparaît, délivrant son parfum de vanille.

Demain, se dit-elle, j'irai voir mes anémones.

2

IRÈNE

Lorsque, revenant de chez la modiste, Irène trouve son époux couché dans leur lit sur la bonne, elle sort son nouveau bibi du carton à chapeau, l'ajuste devant le miroir, et, après avoir enfilé ses gants, quitte la maison pour aller tout droit chez l'avocat du haut de la rue. Ça tombe bien, il y a longtemps qu'elle a envie de connaître celui qui la salue depuis un an quand il la croise sur le trottoir. Maître Desfossez est absent, lui dit la dactylographe, mais il ne tardera pas. Cela dit, elle guide la visiteuse vers un salon pourvu de sièges confortables. Sur une table de noyer, un bouquet de roses fraîchement coupées. «Maître Desfossez y tient, dit la jeune fille, il adore les fleurs.» Sur cette déclaration prometteuse, Irène s'installe dans un fauteuil de cuir roux moins flamboyant que ses cheveux, prend une revue sur la table, la feuillette, chassant sans peine, chaque fois qu'elle se superpose à une image de papier glacé, la scène entrevue quelques minutes plus tôt: Félix, qu'elle appelle mon gros chat, ahanant sur la bonne gémissante. La scène serait cocasse si elle n'était pitoyable. Mais Irène a déjà tiré un trait. Elle est prête pour son premier et dernier divorce, pour son premier (et pas dernier) amant. C'est une perspective réconfortante à laquelle elle a, pendant une année et demie d'un ennui incommensurable, secrètement rêvé. Il est temps de rompre le joug et, en se libérant, de délivrer le pauvre Félix si durement éprouvé, il faut bien le dire, par ce qu'elle appelle, métaphoriquement, «mon manque d'appétit».

Le fils de famille était pourtant arrivé à point nommé. Riche, carrière toute tracée: rentier. Mais c'est moins pour ces avantages que pour satisfaire un fort désir de quitter le foyer paternel qu'Irène a finalement succombé, bien que «succombé» fût un grand mot pour illustrer le léger attendrissement qu'elle éprouvait à l'égard de ce gros garçon mou et déjà bedonnant qui la regardait avec adoration. Ses parents, à qui les idées rebelles de leur fille n'avaient pas échappé, avaient accueilli ce mariage avec soulagement, tout en prenant la précaution, on n'est jamais trop prudent, de redoubler de prières afin qu'il dure. Le surplace soporifique s'était ainsi prolongé durant plus d'une année, pendant laquelle l'époux, avec dévotion et patience, s'était accommodé du manque d'ardeur de sa femme. Jusqu'au jour où les charmes et le consentement de la bonne étaient devenus, en raison d'une privation de plus en plus éprouvante, irrésistibles.

Les premiers mois du mariage avaient été supportables : Irène pouvait, alors, arguer de son jeune âge pour expliquer sa réserve, et Félix s'inclinait, en vertu d'un principe auquel un tas de gens croient dur comme fer : le temps arrange tout. Principe auquel les parents d'Irène avaient souvent fait allusion, lors des fiançailles de leur fille, quand cette dernière leur déclarait, après un intermède en compagnie du promis, qu'elle ne ressentait rien, absolument rien.

« Sois confiante, disait la mère, tu verras, tu finiras par l'apprécier.

— Mais, maman, je l'apprécie ! Ce n'est pas de cela qu'il s'agit.

— Je sais, répondait pudiquement la mère, mais tout finira par s'arranger. Il est si aimable, ce garçon. »

Et si riche, ajoutait Irène en pensée. Une pensée qui n'était pas cynique, mais pratique. Les coutumes de leur société petite-bourgeoise étaient telles qu'une fille de sa condition ne pouvait refuser – si d'aventure il se présentait – ce que l'on appelait un beau parti. Et beau il était, ce parti, et inespéré : seul héritier d'une fortune confortable, Félix lui offrait son cœur, sa demeure familiale, et sa fortune. Qu'il fût un peu ennuyeux, elle ne pouvait le nier, mais cela faisait partie du marché, il fallait s'en accommoder. Un sentiment plus grisant viendrait peut-être, avec l'aide de Dieu. Elle le connaissait, ce sentiment, enfin, plus ou moins : elle avait été amoureuse, autrefois, mais le jeune homme n'était pas de son milieu ; il était pauvre, très pauvre, et lorsqu'il avait parlé mariage, elle avait mis fin à l'idylle. Idylle à laquelle elle avait pourtant tenté, bien qu'elle ne ressentît qu'un léger chavirement quand le jeune homme lui baisait les lèvres, de donner le nom de grand amour. Elle avait aussi entendu parler de passion. Mais c'était quoi, la passion ? Un égarement qui vous mène aux pires extrémités, aux excès les plus dévastateurs, à la déchéance. Ce que l'on décrivait dans les livres : cœur battant à se rompre, tête qui chavire, attente fiévreuse, lui paraissait effrayant, tout comme « ils vécurent heureux et eurent beaucoup d'enfants ». La seconde partie de l'équation était particulièrement redoutable, car, pour cela, il fallait plus que l'amour et la passion, il fallait la sainteté.

Durant les premiers mois du mariage, Irène s'était contentée de dépenser allègrement l'argent que l'époux déposait à ses pieds. La belle maison « au charme suranné » avait été complètement chamboulée : peintres, tapissiers, maçons et charpentiers l'avaient transformée de fond en comble, Irène allant des uns aux autres, oubliant, dans l'exaltation du moment, que d'autres sens restaient peut-être à satisfaire. Le soir, la fatigue des longues journées à courir les boutiques, à discuter avec les contremaîtres, à réinventer la décoration intérieure ne lui faisait aspirer qu'au sommeil, ce qui était sage, puisque la proximité de Félix, dans le grand lit à baldaquin, ne suscitait en elle aucun émoi. Et lorsqu'un vague à l'âme survenait, elle l'attribuait au désir qu'elle avait toujours eu « d'avoir une vie » – encore qu'elle ne sût pas très bien ce que signifiait « avoir une vie », et encore moins ce que cette vie recélait. Le seul indice qu'elle en avait était la pointe d'envie qui la piquait quand, du balcon de sa demeure, elle entendait le bruit des pullmans quittant Bruxelles, ou voyait galoper, au Bois de la Cambre, d'époustouflants cavaliers.

« Pourquoi ne ferions-nous pas du cheval ? avait-elle demandé à l'époux.

— Ma chère Irène, parce que l'équitation est un sport qu'il faut pratiquer dès l'enfance.

— Bien ! Vous auriez pu, vous !

— Certes, mais je n'en ai pas ressenti le désir. Ce n'est pas mon monde. »

Ce n'est pas son monde. Il est riche, mais ce n'est pas son monde. Irène s'était tue, rêveuse, puis les travaux en cours l'avaient rappelée à des considérations plus terre à terre.

Les transformations avaient duré trois mois, les réceptions quelques semaines, puis le charme de la nouveauté s'était épuisé. Ainsi, le temps censé tout arranger n'avait pas tenu ses promesses. Une dernière tentative de l'époux attentionné – une croisière sur le Nil – n'avait octroyé à ce dernier qu'une nuit peu glorieuse, au cours de laquelle la bonne volonté de l'épouse n'avait réussi à produire que quelques gestes contraints et incompatibles avec ce que « leur monde » appelait, pudiquement, le devoir conjugal. Il n'y aurait pas d'union charnelle, Félix l'avait compris. Ils dormiraient dans le même lit, comme l'exigeaient les convenances, mais il ne s'y passerait rien. Au Caire, où ils avaient sacrifié aux obligations habituelles, musées, visite des souks, après-midi somnolents devant la piscine de l'hôtel, le statu quo était déjà établi, même si Irène, embarrassée, redoublait d'attentions pour l'époux lésé. Félix était résigné, mais il était chagrin.

À Bruxelles, la vie avait repris son cours, mais sans l'excitation factice des premiers temps. L'époux gérait ses biens, l'épouse s'ennuyait à mourir dans la belle demeure rénovée. Après un an de ce spleen mortel, des pensées peu orthodoxes avaient commencé à se faufiler dans sa tête – toutes enroulées autour du même motif : « il y a sûrement autre chose ». Bien qu'elle essayât de les repousser, ces pensées, elle vivait dans une sorte d'attente fébrile qui, lorsqu'elle s'écroulait, après une séance épuisante chez le couturier ou la modiste, dans la salle mordorée du Café Métropole, avait fini par prendre des allures de calamité. Calamité qui lui était apparue dans toute son ampleur le jour où elle avait trouvé, sur une banquette du salon de thé, un curieux petit livre.

Irène ne lisait pas. La modeste bibliothèque de ses parents ne contenait que des ouvrages de piété, et celle de Félix les romans à l'eau de rose de sa mère, que sa femme avait relégués au fumoir car il ne voulait pas s'en séparer. Elle n'avait même pas eu la curiosité d'en lire quelques pages. Les seules publications qu'elle feuilletait étaient des revues de mode. Les périodiques et journaux de son époux (il était de droite mais préférait la presse socialiste) ne l'intéressaient pas. Et lorsque son frère et son mari s'esclaffaient devant un dessin satirique du *Drapeau Rouge,* journal de gauche qu'affectionnaient ces hommes de droite, elle souriait avec indulgence. La politique était un passe-temps masculin, il fallait bien que Félix et Armand s'occupent d'autres bagatelles que de leurs titres et valeurs boursières – encore que les titres eussent plus grande utilité que les caricatures du *Pourquoi pas ?*, magazine politique de droite, ou les mises en garde de la très catholique *Libre Belgique* contre le bolchévisme. Dieu merci, tous les journaux se ralliaient à leur roi, reflétant ainsi l'amour de tout un pays pour l'homme qui, le 3 août 1914, avait opposé à la demande de reddition allemande un refus catégorique. Qui ne se souvenait de la photo d'Albert 1er, le roi soldat, prise dans les dunes de La Panne en octobre 1914, dans son paletot mal boutonné ? Le roi faisait l'unanimité, il était le garant d'une Belgique indivisible malgré les dissensions linguistiques.

Les considérations politiques de la jeune épouse s'arrêtaient là, sa dévotion pour le souverain étant purement sentimentale.

Sur la couverture du livre oublié au Métropole, deux noms, un titre : Valery Larbaud, *A. O. Barnabooth, son journal intime*. Intriguée par ce que le narrateur au nom bizarre pouvait bien raconter dans son journal, Irène en a parcouru quelques pages. Le personnage lui a d'abord paru saugrenu, vain, ridicule, imbu de lui-même, un homme riche qui distribue ses largesses comme on jette du pain aux pigeons. Agacée, elle a reposé le livre sur la banquette, distraite un moment par un homme assis à quelques pas, sac de voyage au côté, plongé dans un journal dont le grand titre était en italien et parlait de Rome. Il y avait une parenté entre cet individu et le Barnabooth du livre. Laquelle ? Elle eût été en peine de le dire, mais une chose était certaine, le voyageur – qui ne lui avait même pas accordé un regard – partageait avec le dit Barnabooth une liberté dont elle était exclue, elle, la petite bourgeoise incarcérée dans une belle maison dont elle ne sortait que pour courir les boutiques, elle dont la soif d'aventures devait se contenter de visites chez le tailleur ou la modiste, où de menues émotions lui étaient offertes par le dernier modèle de redingote ou le dernier bibi venu de Paris.

Toute à ces pensées, fâchée de ressentir une pointe d'envie – et de frustration devant l'indifférence du voyageur – elle a parcouru le livre. Même impatience, même agacement. Quel verbiage ! Pour qui se prenait-il, ce Barnabooth, avec ses envolées pseudo-lyriques, ce jargon prétentieux, ce cynisme de bien nanti ? C'est alors qu'une phrase a sauté au visage d'Irène comme une puce. « *Pauvre homme, ton petit bonheur te suffit donc ?* » Pétrifiée sur la banquette, elle l'a lue et relue, cette phrase ; le discours intérieur s'était figé, ne restaient plus que les mots qui s'adressaient à elle, en cette fin d'après-midi morose, fustigeant sa complaisance, sa démission quotidienne devant l'étroitesse de son existence.

« *Pauvre* femme, *ton petit bonheur te suffit donc ?* »

Barnabooth était peut-être arrogant, mais il était perspicace.

Après un dernier coup d'œil au voyageur, Irène a glissé le Larbaud dans son sac et quitté le Métropole. C'est dans l'animation du boulevard qu'elle a répondu à la question clairement posée.

Non, mon petit bonheur ne me suffit pas.

Une fois rentrée chez elle, elle a rouvert le livre. Le discours insolent du dandy Barnabooth lui a d'abord paru obscur – certains passages restaient pour elle lettre morte –, mais l'homme fantasque, insensé, déraciné qui les avait écrits, cet étranger qui habitait Florence, mais aussi Trieste, Moscou, Copenhague, Londres et Saint-Pétersbourg la fascinait. L'insolence du personnage allait de pair avec sa franchise; elle s'y reconnaissait – après tout, ils avaient le même âge. Certains fragments, des noms inconnus jetés sur la page – *Ah, l'Angelico, les Filippino Lippi, le Saint Sébastien de Sodoma, l'Annonciation de Leonardo, les dessins de Mantegna*... – l'éblouissaient, et lui faisaient honte car elle prenait conscience de son ignorance. Mais elle rattraperait le temps perdu. Elle comprendrait un jour ces contradictions, ces subtilités qui lui paraissaient aujourd'hui si extravagantes.

C'est dans cette exaltation qu'Irène a attrapé le cosmopolitisme comme on attrape la fièvre. Au fil des pages, sa détermination s'est affermie. Un mois plus tard, elle savait tout, avait tout lu, et Barnabooth le dandy s'était effacé devant celui qui l'avait inventé, Valery Larbaud, un homme souffrant qui hantait les stations thermales, vivait dans des palaces et qui, une nuit d'insomnie, avait écrit un livre désespéré dont il avait trouvé le titre, *Deux cents chambres, deux cents salles de bain*, sur le papier à en-tête de son hôtel. C'est à cet homme qu'elle devrait sa libération future. Le livre dérobé, c'était *sa* révélation. Exaltante et désespérante, cette révélation, car elle se heurtait à une nécessité absolue: pour se délivrer du petit bonheur qui l'enchaînait, il fallait briser les liens du mariage. L'idée que le pauvre Félix, toujours sous le coup de la déconfiture égyptienne, envisageait peut-être d'autres périples ne lui venait même pas à l'esprit, car c'était lui, le pauvre être à qui suffisait un petit bonheur, pas elle.

Le divorce était la seule issue possible.

La brutalité avec laquelle cette révélation l'avait frappée lui donnait le vertige, mais elle était désormais incapable de tolérer le vide, l'immobilisme de sa vie. Une rupture s'imposait. Mais comment infliger cette humiliation à l'époux conciliant? Comment braver l'interdit du divorce qui pesait sur les deux familles? Il fallait un miracle.

*

La providence a exaucé ses vœux: Félix a jeté les yeux, puis les mains, sur la bonne. Irène ne lui en veut pas, elle pourrait du reste lui pardonner, mais une considération plus puissante l'emporte sur l'indulgence: le moment est enfin venu de découvrir. Pour cela, il faut s'envoler vers l'inconnu – dans tous les sens du terme.

Maître Desfossez fait son entrée, confie son feutre et ses gants à la dactylographe, puis s'empresse vers la rousse aux yeux clairs du bas de la rue, qu'il n'a pu, jusque-là, que saluer quand il la croisait sur le trottoir. La première rencontre est émaillée de pensées profondes sur le calvaire des femmes bafouées, d'allusions à un avenir plus riant, d'œillades discrètes et de sourires entendus. Le divorce est mené tambour battant. Le gros chat se repent, mais trop tard, et après avoir juré à sa femme qu'il l'aimera toujours, disparaît de sa vue et de sa vie après un arrangement à l'amiable qui fait d'elle une jeune divorcée pourvue, en raison de l'humiliation endurée, d'un montant compensatoire assorti d'une rente appréciable. Cette rente, qu'elle touchera le premier de chaque mois, la belle femme de vingt et un ans entend l'utiliser, dans un premier temps, pour voir le monde et remédier à un manque de culture qui, elle se le répète chaque fois que ses souvenirs d'enfance et d'adolescence font surface, «crie vengeance». De cette enfance et de cette adolescence, elle ne retient que d'assommantes réunions familiales, des goûters paroissiaux, des jeux bêtifiants, des œuvres charitables et cette fâcheuse disposition d'esprit, chez ses parents – et parfois même chez son frère –, qui frisait la bigoterie. D'aussi loin qu'elle se rappelle, chaque journée a été désolante, d'autant plus qu'il eût été difficile, entre un père et une mère qui faisaient de leur mieux, de se rebeller. C'est du reste ce qu'Irène a ressenti le plus douloureusement à l'adolescence: l'impossibilité de faire la part belle à la révolte. Et de faire d'Armand un complice. Irène adorait son frère, mais il avait douze ans de plus qu'elle, s'était marié à vingt-deux ans, était devenu père un an plus tard. Entre un bébé, une femme difficile, ses études et une terrible année au front, l'insatisfaction de sa sœur ne pouvait que lui sembler frivole. Il avait beaucoup souffert pendant cette année de guerre, mais après une grave blessure, puis des mois à barboter, couvert de boue, dans un trou plein d'eau et de gaz mortel, il avait, Dieu merci, pu quitter l'armée. Pourtant, une fois rentré, alors que chacun souhaitait qu'il se reposât afin de se remettre de ces abominations, il avait décidé de reprendre le travail. Pendant ce temps, Irène se morfondait entre ses parents, les tracasseries de l'occupation et de longues journées passées dans le sillage d'une mère intoxiquée aux bonnes œuvres. Ce qui ne voulait pas dire que les malheurs de son pays la laissaient indifférente, non, elle tricotait pour les soldats, écrivait chaque dimanche à celui dont elle était devenue la marraine, avait cassé sa tirelire pour l'effort de guerre.

Puis elle avait travaillé à l'Institut de Miss Edith Cavell et tout avait changé. Oui, pendant ces quelques semaines à l'hôpital, elle s'était dit que sa vie avait un sens. Miss Cavell lui avait donné un sens. Irène l'admirait, l'adorait, elle avait même commencé, le soir, à apprendre l'anglais pour pouvoir lui parler dans sa langue. Elle faisait la lecture aux blessés, donnait à manger aux amputés, leur lisant, leur relisant les lettres de leur famille, prenant leur réponse sous la dictée. Tout cela n'avait rien à voir avec les bonnes œuvres de sa mère, ni avec un émoi possible auprès d'un amoureux : se dévouer auprès de Miss Cavell, cette femme admirable à qui elle s'efforçait de ressembler, était si exaltant qu'elle était prête à lui consacrer sa vie. À son contact, tout désir de rébellion s'était estompé. Elle était sereine, elle savait où elle allait.

Tout s'était effondré le 15 août 1915, quand Miss Cavell avait été arrêtée par la police allemande. Les occupants avaient découvert qu'elle aidait des prisonniers et des clandestins à s'évader vers l'Angleterre. Du 15 août au 10 octobre, elle avait attendu au cachot la décision du Conseil de guerre impérial. Le 12, après un procès sommaire, le gouverneur allemand de Bruxelles annonçait que le tribunal la condamnait à mort ainsi que deux de ses complices. On disait qu'elle avait été torturée. On disait aussi que les Allemands n'oseraient jamais exécuter une femme. Ils l'avaient fait. Un assassinat horrible ; elle s'était évanouie devant le poteau d'exécution.

Les militaires avaient refusé de tirer. Alors un officier, un monstre, avait déchargé son arme dans son oreille.

C'était la première vraie confrontation d'Irène avec la guerre ; c'est seulement alors qu'elle avait compris ce qu'avait vécu son frère. Jusque-là, elle se contentait d'en faire un héros, sans savoir ce qu'était l'héroïsme. La mort d'Edith Cavell l'avait mûrie. Elle était retournée à l'Institut, non pour *s'occuper* des blessés, mais pour prendre soin d'eux. Puis la guerre s'était terminée et, après l'euphorie consécutive à la capitulation allemande, l'autre vie avait repris ses droits. Irène n'avait pas protesté quand ses parents l'avaient renvoyée à l'école ménagère. C'est dans ce genre d'institution que les familles modestes avaient coutume de placer leurs filles – surtout lorsque les études d'un fils monopolisaient leurs maigres ressources. Les séjours d'Irène en Allemagne, avant la guerre, avaient été sa seule échappée. De huit à onze ans, elle avait passé une partie des vacances scolaires chez ses cousins d'outre-Rhin pour y apprendre l'allemand. Elle était douée : ces mois d'immersion dans la langue de Goethe, le séjour des cousins allemands en Belgique pendant l'autre moitié des vacances, et le choix qu'elle avait fait, à l'école, d'en faire sa langue seconde (le flamand n'était pas encore obligatoire) étaient une sorte de baume qui lui avait permis d'oublier, pour un temps, la platitude des cours de cuisine et de couture.

Ses vagues aspirations s'inscrivaient dans le cadre du cosmopolitisme qu'elle allait découvrir dix ans plus tard. En attendant, elle comprenait que ses parents se soient saignés à blanc pour les études de son frère. C'était dans l'air du temps : les garçons d'abord. Pour les filles, on essayait de leur constituer une dot – mais encore fallait-il qu'il restât quelque chose.

Il ne restait pas un sou pour Irène et, sans la perle rare qui accepterait de la prendre sans rien, elle resterait vieille fille, épouserait un gratte-papier, ou deviendrait religieuse. Il fallait donc espérer la perle rare, à condition, bien sûr, que l'association fût pondérée, tranquille, sans remous, sans passion dévastatrice. Là, Irène donnait raison à ses parents : pas de passion dévastatrice. Une de ses amies avait connu cette calamité, qui s'était soldée par une neurasthénie chronique et un bébé qu'elle ne pouvait même pas élever seule.

En bref, Irène aspirait à la liberté, mais, dans un premier temps, à une liberté protégée.

C'est cette protection bienveillante que Félix lui avait apportée.

*

À l'issue d'une cour discrète mais tenace, Émile Desfossez se déclare. Irène hésite, puis consent lorsque l'avocat lui propose de passer les fins de semaine en sa compagnie dans un palace d'Ostende, station thermale cossue dont les salles de jeux attirent les fortunes d'après-guerre, quelques exilés russes et deux ou trois Ottomans rescapés du naufrage. La liaison est loin d'être brûlante, mais l'homme est bien élevé, de bon conseil, généreux, et ne se formalise pas quand elle le quitte, quelques semaines plus tard, pour aller passer le réveillon de Noël en famille (corvée à laquelle elle sacrifie pour faire plaisir à son frère), celui du Nouvel An dans la villa d'Ingrid, son amie, à Knokke-le-Zoute, où elle habite pendant la semaine, et la première quinzaine de janvier dans une station de ski à la mode. Autant de stratégies commodes pour éviter l'ennui que susciterait une liaison routinière.

La jeune divorcée n'a pas chassé l'idée d'une idylle plus romantique, mais rien ne presse. Pourquoi faire souffrir Émile, qui se dit très amoureux, avant d'être sûre, hors de tout doute, que le moment est venu de se mettre en quête de l'amant idéal? Irène est choyée: que souhaiter de plus en ce terne hiver? En outre, les salons de l'hôtel sont accueillants, le personnel, stylé, et la chambre somptueuse. Une chambre que maître Desfossez, dans un geste princier, décide un jour de louer pour la saison hivernale afin que sa maîtresse puisse en disposer à sa guise. Irène y invite Ingrid, ces longs après-midi où le vent du nord interdit toute promenade. Les deux femmes s'installent devant la baie vitrée, Irène lit Valery Larbaud à voix haute. Puis elles regardent la plage, le ciel, comparent la mer agitée à leurs cœurs très, très calmes. «Tu l'aimes, cet Émile? demande l'amie.

— Je l'aime bien», répond Irène.

Ce qui résume très précisément le sentiment affectueux qu'elle porte à cet ami attentionné et sans exigences. L'aventure manque de piquant, mais elle s'en accommode: ce repos stratégique va lui permettre de bondir, le grand moment venu, avec plus de force et d'audace. En attendant, elle se partage entre Ingrid, la semaine, maître Desfossez les samedis et dimanches, et un saut à Bruxelles, à l'occasion.

Ce train-train se perpétue jusqu'au jour où elle aperçoit, à la table de black-jack, un étranger qui perd sans broncher et qui, lorsqu'il gagne, ne laisse filtrer, entre ses yeux mi-clos, qu'une brève lueur de triomphe. Depuis qu'elle fréquente les salles de jeux, Irène sait que les joueurs aguerris cultivent cette fausse indifférence, mais elle sait aussi que la fièvre couve sous le masque de façade: les perdants cachent leur panique ou leur désespoir; les gagnants, ce sentiment de triomphe qui leur donne, pendant quelques secondes, l'impression d'être tout-puissants. Pourtant, ils ont peur, sans exception. Ils savent, mieux que quiconque, qu'ils pourraient, un soir fatal, rouler dans l'abîme. Mais l'inconnu de la table de black-jack semble différent des autres joueurs. Son front est mat, la sueur de l'angoisse ne perle pas sur ses lèvres. Il regarde ses cartes, le tapis vert, ses adversaires avec une froideur hautaine. Irène se glisse derrière ce spécimen rare, observe chacun de ses gestes. Un léger parfum de vétiver flotte autour du smoking qui, elle le constate avec un soupçon d'inquiétude, a connu des heures plus prospères. L'inconnu ne lui accorde pas un regard. Il joue, c'est tout. Sans emportement, sans anxiété, sans passion apparente. Son attitude n'exprime qu'un détachement contrôlé et une attention sans faille. Irène hausse les épaules. Tant pis pour lui. Il est tard, elle est fatiguée et a décidé d'aller dormir chez Ingrid, à qui elle a promis, comme Cendrillon, de rentrer au dernier coup de minuit. Elle s'arrête un instant devant l'immense miroir où se reflète une partie de la salle. Un coup d'œil à sa toilette, d'abord. Tout est parfait, son œil sévère le lui confirme. Elle se félicite d'avoir délaissé une de ces robes à la mode au profit d'un fourreau de soie qui moule un corps auquel on pourrait difficilement reprocher une imperfection. Hélas, cette toilette exquise, cette poitrine légèrement offerte ont déjà attiré tous les regards, sauf un: celui de l'étranger. C'est agaçant. Mécontente, Irène regarde le reflet de l'inconnu dans la glace… surprend un regard, mais bref, jeté au hasard, semble-t-il. Elle revient à la table; il lève la tête, son œil s'arrête un millième de seconde sur elle – mais comment en être sûre? – puis revient aux cartes. Une autre partie commence. Plus d'espoir avant une bonne demi-heure : l'homme est stupidement rivé à la table de jeu. Allons, se dit Irène, cesse de tourner autour de lui comme une abeille autour d'un sucre, pars avant de te rendre ridicule ; il se fiche pas mal de toi – et des autres femmes, du reste. Elle parcourt la salle du regard. Oui, mais les autres sont vieilles ou godiches. Peut-être, mais tourner autour de cet homme comme un vampire assoiffé ne te ressemble pas. Reprends-toi. Tu veux vraiment attendre jusqu'à ce qu'il se lève et quitte la place sans t'octroyer un regard ?

Irène soupire, se dirige vers la porte. Un dernier coup d'œil avant de la franchir. Ah, il la suit des yeux. Elle s'arrête, hésite quelques secondes, puis, comme on se laisse glisser dans un étang sans en connaître la profondeur, fait demi-tour et revient à la table.

Après un an et demi de vie commune avec un chat et quatre mois de liaison avec un furet (Irène aime comparer le mâle humain à un animal), la jeune femme, sur la moelleuse moquette de la salle de jeux d'un palace d'Ostende, oublie le bestiaire. Peut-être serait-elle mieux avisée de sacrifier à sa manie : elle lui permettrait de reconnaître, dans l'œil tacheté d'or de l'inconnu, un tigre de la plus belle espèce. Et peut-être se dirait-elle que les tigres sont dangereux, par définition, surtout quand ils sont blessés. Murmures autour de la table : quelqu'un vient de remporter la mise. C'est lui. Irène effleure involontairement son épaule. « Pardon ! » Le joueur chasse l'abeille d'un geste de la main, reprend les cartes.

« Oh, non ! » s'exclame-t-elle.

Intrigué, il se retourne. « Pourquoi non ? » dit-il, roulant fortement le r.

« Quand on a joué toute la soirée, il est bon de faire une pause.

— Je ne joue que depuis deux heures ! » Un éclair insolent fuse entre les paupières de l'homme. « Et vous m'avez peut-être porté chance ! »

Le ton est si nonchalant, si désinvolte, qu'Irène prend la mouche. « Eh bien, continuez ! Comme ça vous perdrez ! »

Elle tourne les talons, évolue un moment autour des tables, faussement sereine, faussement indifférente, puis sort de la salle, prend son manteau au vestiaire et demande une voiture. Je suis ridicule ! Cet homme n'est qu'un joueur comme les autres, aussi obsédé, aussi futile. Il va tout perdre, puis rentrer chez lui la tête basse. Et c'est où, chez lui ? Dans un bouge du port où il termine la nuit en jouant aux dés? Une pensée insolite se glisse dans sa tête : tu as vu comme il est beau, cet homme, comme il est différent de tous ces croque-morts en smoking? Oui, il est beau, et alors? Depuis quand joues-tu les midinettes? Rentre, ça vaut mieux, tu déraisonnes. Ces divagations vont te brouiller le teint et gâcher ton sommeil. Il est minuit, tu es fatiguée et demain est un autre jour. Rentre et mets-toi au lit avec Larbaud. Avec lui tu ne risques pas de devenir idiote.

Un valet s'empresse, l'aide à enfiler son manteau.

« Laissez », dit une voix.

C'est lui. Irène serre les dents, mortifiée. Elle glisse un bras dans une manche, tâtonne pour trouver l'autre, se heurte au rempart de tissu, rougit jusqu'aux oreilles.

« Doucement, doucement ! » Il saisit le bras égaré, le guide. D'une main experte, il ajuste le manteau, fait mine d'en épousseter les revers. Elle murmure un merci du bout des lèvres. Il sourit, fait un bref salut et, paumes s'égarant sur le col de fourrure : « Ce que vous avez dit contrevient aux règles.

— Je ne connais pas les règles. Je ne joue pas.

— Alors que faites-vous ici?

— Je regarde... – Elle balaie la salle des yeux –, « cette faune. »

Il fronce un sourcil amusé. « Oui, un vrai jardin zoologique ! » Puis, plus incisif : « Mais dans cette faune, comme vous dites, quels sont les spécimens qui vous intéressent? Ceux qui font sauter la banque ? »

Furieuse, elle se prépare à rétorquer, mais il ne lui en laisse pas le temps. « Je ne suis pas de ceux-là, hélas. »

D'une brève secousse, elle se dégage. Derrière le comptoir, le réceptionniste, qui a été témoin de la scène, semble l'approuver. « Bonsoir », dit-elle sèchement à l'homme. Ce disant, elle le plante là. C'est mieux qu'une réplique cinglante – une réplique qui de toute façon ne vient pas. On verra demain. Je suis lasse, cet inconnu m'intimide et ce n'est pas cela que je veux. Elle se dirige vers la sortie, où la voiture doit déjà l'attendre. L'homme la suit et, devançant le chasseur en livrée, lui ouvre la porte.

Un vent glacial s'engouffre sous le porche. Ils frissonnent. Heureusement, la voiture est là. Le chauffeur en sort, ouvre la portière. « Un instant ! » crie l'étranger. Irène fait un pas vers la limousine ; il lui barre le passage. Le geste est si spontané qu'elle ne trouve rien à dire, une fois de plus. Mais le regard attentif et narquois du chauffeur la rappelle à l'ordre.

«Je suis pressée. Une amie m'attend. Bonsoir.

— Vous n'habitez pas ici?»

Elle soupire. «En quoi cela vous regarde-t-il?

— Vous habitez ici. Je le sais. Restez avec moi.

— Pourquoi?

— Parce que je n'ai pas tout dit.

— Vous le direz demain.

— Qui vous dit que je serai là demain?»

Pincement au cœur.

Et si c'était lui?

«On ne doit jamais, jamais dire à quelqu'un de perdre», dit-il posément. Les r roulés sont irrésistibles. Il sourit. «Ça porte malheur, vous savez ça?

— Oui, mais vous avez gagné!

— C'est vrai. Il faut fêter ça.»

L'invitation est si inattendue qu'elle le regarde avec stupeur. Comment ose-t-il?

«Vous fêterez seul. Vos petits… bénéfices ne regardent que vous.»

Bref mouvement de colère, mais il se reprend et, plus amical encore, fait mine de lui frictionner les bras. «On fait la paix?

— Il n'y a pas la guerre!»

La réplique tombe comme un couperet: «Ça, c'est vous qui le dites.»

Ils sont toujours sous le porche, dans un froid polaire. «Vous êtes gelée, dit-il. Rentrons.» Il sort un billet de sa poche, le tend au chauffeur. Puis il prend le bras d'Irène, la pousse vers l'entrée, l'entraîne dans le hall menant à l'ascenseur.

Un groom leur ouvre la porte grillagée. «Quel étage?» L'inconnu se tourne vers Irène et, froidement: «Le vôtre.» Le préposé interroge la jeune femme du regard. «Oui», murmure-t-elle. Silencieux, dans l'ascenseur qui grince, ils fixent, jusqu'au premier étage, le veston rouge du garçon. Le changement d'humeur de l'inconnu a tellement surpris Irène qu'elle en oublie l'essentiel: il l'emmène dans sa chambre. Plus exactement, dans *la chambre d'Émile*. Mais au lieu de s'interroger sur sa conduite, elle s'inquiète, se demandant ce qu'elle a pu dire pour provoquer cette invitation soudaine.

Elle le saura bientôt.

Elle le saura quand il lui dira qu'il s'appelle Youri Mikhailovich Ilyin, qu'il est russe, que son père est sans doute au goulag et sa mère au cimetière, qu'il est arrivé au début de l'année à Paris avec son frère et a refusé d'y moisir dans un taxi. Elle le saura quand il lui dira que Lénine est un voleur, Trotski un assassin, que la sainte Russie vivra quand les criminels seront morts, et qu'il compte en tuer le plus possible. Ainsi, ce charmeur, ce séducteur, ce prince en smoking de soie qu'elle croyait nimbé d'une aura de voyage, de wagons-lits, de casinos et de champagne n'est qu'un exilé malheureux. Et il boit de la vodka, pas du champagne. D'ailleurs, il lui demande, très poliment, d'en faire monter.

Tassé sur lui-même, il attend. Lorsqu'on frappe, il se dresse d'un bond, va ouvrir, puis s'empresse vers le plateau que le valet dépose sur une table. Il empoigne la bouteille, remplit les deux gobelets de cristal. Irène trempe les lèvres dans le liquide brûlant, les yeux posés sur l'homme qui vide son verre cul sec – se demandant s'il va le jeter, comme un cosaque, par-dessus son épaule. Étourdie par l'alcool, l'étrangeté du moment, le vertige, elle s'assied sur le lit. Il remplit à nouveau son verre et, avant de le vider, le lève vers elle avec une gravité comique. Sans doute apprécie-t-il la facilité avec laquelle je me suis livrée, se dit-elle amèrement. Il hoche la tête comme s'il lisait dans ses pensées, puis, avec le sourire désarmant qui, depuis qu'elle a fait sa connaissance, la prive de tout jugement : « N'ayez pas peur. Je ne suis pas dangereux, je suis seulement un homme qui a souffert. » Il vide un autre verre. « Vous me croyez ? » Et encore un autre. Ça fait déjà quatre, pense Irène. Il approche un fauteuil du lit, s'installe, sort un livre de sa poche. « Pouchkine », annonce-t-il. Il pose sur elle un œil interrogateur mais provocant, attend sa réaction. Elle s'appuie sur l'oreiller, prête à écouter, que peut-elle faire d'autre et qui est ce Pouchkine ? Sourire fugace, comme s'il devinait. Il se lève, lit quelques pages, en russe, en arpentant la chambre. Le charme opère tout de suite. Irène est submergée par les sons, le timbre, les modulations, les inflexions de Youri Mikhailovich. La voix est pleine, profonde, mélodieuse, maîtrisée. Il lit comme un grand acteur, ou comme s'il lisait sa propre vie.

Puis il se tait, vient vers elle, l'embrasse sur les lèvres.

«Tu ne m'as pas dit ton nom, chuchote-t-il. Moi je t'ai tout dit, et toi tu restes silencieuse. Tu veux que je m'en aille?

— Non, souffle-t-elle.»

Il rit, content. «Alors, je reste, c'est décidé! Et tu me dis ton nom.

— Irène.»

Ce qu'elle découvre cette nuit-là la transporte dans un lieu qu'elle ne connaissait pas. À vingt-deux ans, elle ignorait ce que plaisir charnel voulait dire, et le mot «jouissance» n'était pour elle qu'un terme grandiloquent décrivant une sensation dont la réputation lui paraissait surfaite. Elle vient de la découvrir, cette jouissance, et sa surprise est telle qu'elle ne songe même pas à regretter que l'homme qui la lui a donnée se soit endormi aussi vite.

Le matin, lorsqu'elle se réveille, elle avance une main vers le corps assoupi à ses côtés, se soulève pour le regarder, se penche pour respirer son odeur. Quel jour sommes-nous? Lundi. Il me reste quatre jours pour me préparer à rompre avec Émile. Je vais garder la chambre. Elle scrute le visage curieusement apaisé de Youri Mikhailovich Ilyin. Et s'il ne voulait pas de moi? Si cette nuit n'était rien pour lui? Si je n'étais qu'une passade? Et encore, une passade, ça peut durer quelques jours, mais si ce n'était qu'une nuit, une nuit parmi d'autres, une nuit pour célébrer sa victoire au black-jack? Un grognement. Il bouge. Panique. Et s'il ne me reconnaissait pas! Quelle horreur! Ces choses-là arrivent, ces choses-là arrivent aux femmes qui se donnent le premier soir. Il tressaille, ouvre les yeux. «J'ai vraiment dormi?» Il sourit, étonné. «C'est étrange, je ne dors jamais!» Il roule sur lui-même, tâte le sol près du lit.

«La bouteille?

— Quelle bouteille?

— Vodka. J'en ai besoin. Après tout ira bien.

— Vous l'avez vidée hier soir.

— Tu me vouvoies?»

Il fronce les sourcils, puis: «Écoute, j'en ai besoin. Juste un peu. C'est comme ça que je suis, il faudra t'y faire.»

Irène se lève. «Il en reste dans mon verre.

— À la bonne heure.» Il boit. «Tu vas voir... tout ira bien. Tu sais, je suis un pauvre homme qui aura bientôt perdu ses derniers kopecks. J'ai besoin de cette chaleur dans ma pauvre poitrine.»

Mon Dieu, faites que tout ceci ne soit pas un cauchemar. Il faudra t'y faire, a-t-il dit. Non, je ne vais pas m'y faire, je vais le chasser tout de suite de ma vie.

Pas tout de suite. Demain.

Elle lui propose d'aller prendre le petit-déjeuner. Il dit qu'il n'a pas faim le matin. Elle s'habille, descend à la salle à manger, prend place à sa table habituelle, espérant qu'il viendra l'y rejoindre. Il ne vient pas. Elle boit son café, mange peu mais avec appétit, tout a meilleur goût, mais pourquoi ne vient-il pas? Elle pense à la nuit qu'elle vient de vivre, se lève pour envoyer un câble à Émile. Elle lui dit qu'elle ne veut pas lui mentir, qu'elle est amoureuse. Puis elle annonce au réceptionniste qu'elle garde la chambre et en règle le prix.

Irène vit les jours qui suivent comme elle a vécu les premiers moments, ces moments où la surprise lui a ôté toute raison. Elle passe de l'exaltation, lorsque Youri lui fait l'amour, à la torpeur qui s'empare d'elle lorsqu'elle l'attend. La nuit, il ne quitte la salle de jeux que lorsque les employés commencent à recouvrir les tables. Après l'amour, si fougueux, parfois, qu'elle en oublie qu'il boit, qu'il joue, il s'endort pendant une heure, jamais plus. Soulevée sur un coude, elle profite de cette chute dans l'inconscience pour regarder le visage apaisé avant que le vieux tourment ne s'en empare. Et elle rêve. Elle rêve du jour où, abandonnant ses chimères, il reprendra pied dans une autre vie, avec elle.

De onze à seize heures, Youri travaille dans un restaurant, histoire, comme il dit, de «se refaire»; le soir, il débarque au casino, où il ne casse jamais la baraque. Et le peu qu'il gagne, il le perd. Quand il est seul avec Irène, quand il ne lui fait pas l'amour, il raconte. Il raconte ce mois d'octobre où les hommes sont devenus fous. Dictature du prolétariat, oui, elle avait entendu son frère prononcer ces mots, dont elle s'était bien gardé de demander le sens: tout semblait si abstrait, et c'était si loin la Russie. Elle venait de se marier, d'autres soucis lui occupaient l'esprit, et lorsque Armand et Félix, après un repas, baissaient le ton en parlant de ces bolcheviks qui avaient traversé l'Allemagne pour aller faire la révolution en Russie, elle se disait que c'était tant mieux, comme ça ils ne la feraient pas en Belgique. Mais voilà, le destin l'a rattrapée, et l'homme pour lequel elle éprouve une passion qu'elle voudrait moins tourmentée ne lui parle que de cette révolution, et de sa famille dépossédée. Tous leurs biens annexés; on ne leur a laissé que leur maison de Moscou, où ils ont été relégués dans deux pièces pour faire place au prolétariat. Après deux années de misère, leur père les a envoyés, lui et son frère, en Biélorussie, où des gens de leur famille les attendaient pour les faire passer en Pologne. Ensuite ils iraient à Berlin, où habitait un ami de leur père. Ils étaient restés plusieurs mois à Minsk, apprenant le polonais pour se préparer au long périple. Leur père leur avait donné de l'argent, mais ils devaient le garder caché dans une ceinture cousue à l'intérieur de leur blouse. Le montrer à quiconque eût été dangereux; il fallait qu'ils survivent en y touchant le moins possible: de graves dangers pourraient survenir et l'argent serait alors indispensable pour rester en vie. La traversée de la Pologne, ils l'avaient faite en chemin de fer, en charrette, à pied. Ils s'arrêtaient dans des fermes et travaillaient pour gagner leur pitance. Ils volaient, à l'occasion – nourriture, chaussures, allumettes, vêtements. Jusqu'au jour où ils ont volé des chevaux. Quelques lieues plus loin, quand ils se sont arrêtés pour manger, un paysan les a questionnés. Ils ont répondu qu'ils les avaient achetés. «Vous mentez, a dit l'homme, nous ne vendons pas nos chevaux.» Youri et son frère ont fini par avouer. On les a ramenés au village, où les anciens ont installé une cour de justice dans une grange; on allait les juger, les condamner, les pendre. Ils n'avaient aucune chance, les paysans polonais détestaient les Russes, et plus encore ceux des villes, ces intellectuels qu'ils rendaient responsables de tout; la Pologne avait toujours souffert et c'était à cause d'eux. Quand les juges sont arrivés, le frère de Youri a supplié qu'on le laisse parler, puisqu'ils allaient mourir. Après s'être concertés, les anciens ont hoché la tête. Alors Alexandre a raconté les deux années à Moscou, après octobre, les exécutions dans les rues, les commissaires du peuple n'apparaissant que pour frapper, voler, tuer; leur maison pillée par les gens qu'ils hébergeaient, l'enfant mort dans la rue, la mère qui serre le corps contre elle pendant trois jours, dans une pièce glaciale, jusqu'à ce qu'on le lui arrache.

Quand Alexandre s'est tu, un des anciens a levé la main et invité les autres à délibérer. On les a enfermés à nouveau. Youri pleurait, le récit de son frère avait ranimé toutes les souffrances.

Le lendemain, les hommes sont revenus avec de l'alcool et ont invité Alexandre à continuer son histoire. Youri le laissait parler, l'aîné, celui à qui le père avait donné mission de les sauver. C'est ainsi qu'il a appris, en même temps que les Polonais qui allaient peut-être les pendre, des horreurs qu'il n'aurait même pas pu imaginer. Les anciens se sont mis à boire, puis ils ont pardonné. Malgré l'offense, malgré les chevaux volés, les anciens ont décidé de leur laisser la vie. L'un d'eux a pris son accordéon, un autre son harmonica, ils se sont mis à chanter, tous, pas seulement la sainte Russie et la sainte Pologne, mais le destin qui les avait rassemblés dans cette grange, où les deux chevaux volés les regardaient, clignant des yeux, frémissant du poil, heureux de cette proximité, de cette musique, de cette chaleur qui rassemblaient des hommes.

Deux jours plus tard, un fermier les a conduits sur la route de Poznań. De cette dernière partie du voyage, Youri ne parlait pas. Sauf pour dire que, trois jours plus tard, ils avaient passé la frontière et rejoint Berlin, où les attendait l'ami de leur père. Ce dernier leur avait conseillé de partir à Paris, où les Russes Blancs étaient bien accueillis. « Pourquoi as-tu quitté ton frère ? a demandé Irène.

— Mon frère est l'aîné, il est sage. Il a accepté le taxi. Pas moi. »

Elle ne lui demande plus où sont ses parents. « Mon père, a dit froidement Youri, est dans un asile psychiatrique où on le réforme, et ma mère meurt de faim dans le placard où on l'a enfermée. » Puis il a bu jusqu'au matin.

Irène part en mission : elle lit tout ce qui a trait à la Russie, consulte les journaux, écoute la TSF et finit par dénicher, à la bibliothèque municipale, deux Russes Blancs arrivés comme Youri après les premières purges et vivant, eux, à Middelkerque, où ils travaillent dans un hôtel. Elle prend le tramway à plusieurs reprises pour aller les voir (elle n'en rencontre qu'un à la fois car ils s'acquittent de leur emploi à tour de rôle). Ils racontent. C'est une histoire d'horreur, elle se demande s'ils exagèrent, et parfois s'ils inventent. Ils jurent qu'ils n'inventent pas, et elle les écoute encore. C'est ainsi qu'elle vit : d'un côté, une soif de comprendre ; de l'autre, une romance ponctuée de cris, de pleurs, de supplications, de serments et de grandes lampées de vodka.

Fin mars, elle emmène son amant à Bruxelles. Devant l'expression désapprobatrice d'Armand, Youri se réfugie dans un mutisme hautain. Armand reproche à Irène son inconscience, puis exige qu'elle rentre à Bruxelles avant qu'il ne soit trop tard. Trop tard! Elle ne sait même pas ce qu'il veut dire. L'incompréhension, de part et d'autre, est totale. Armand s'en va, avec sa petite fille qui n'y comprend rien. Irène rentre à Ostende avec un Youri absent, qui n'ouvre la bouche que pour parler de l'argent qu'il veut gagner pour n'avoir plus besoin de personne. Et pour aller tuer les assassins, bien sûr. Le rendez-vous désastreux a exacerbé sa souffrance. Il lui parle de Paris, des gens qu'il y a rencontrés, des imbéciles qui ne comprenaient rien, qui ne comprenaient pas qu'ils avaient vécu des années de terreur, qu'ils avaient souffert comme eux ne souffriraient jamais dans leur misérable petite vie. Puis il se met à délirer. Il raconte le premier hiver de famine, où il campait, avec sa famille, dans une seule pièce parce qu'ils ne pouvaient pas chauffer les autres. Il raconte leurs expéditions nocturnes dans des maisons abandonnées où ils cassaient portes et fenêtres pour avoir du bois à brûler. Ils arrachaient même la tapisserie des murs. C'était répugnant, la colle fondait, emplissant leur chambre d'une fumée âcre. L'enfant est tombé malade. Pendant deux jours, ils ont espéré en vain que la fièvre se dissipe, puis ils ont décidé de l'emmener à l'hôpital. Il est mort dans la rue.

«Youri, ton frère est vivant!

— Tu ne comprends rien. Tu n'écoutes pas.»

Il arpente la chambre avec la bouteille de vodka qu'elle a fait monter dans l'espoir de le calmer, ne s'arrêtant que pour porter le goulot à ses lèvres. «Les commissaires du peuple sont arrivés. Ils nous ont frappés. Puis ils nous ont dit de rentrer chez nous, qu'ils enverraient chercher le mort. Alexandre l'a mis dans une chambre. Ma mère s'est couchée sur lui, elle ne voulait pas le quitter, elle ne voulait pas qu'on ôte la pelisse, elle disait qu'il avait froid, qu'il tremblait.»

Il y avait un autre frère. Irène vient de le comprendre. Elle pleure.

«Viens près de moi, mon amour. Viens.»

Il se tourne vers elle et, détachant bien ses mots:

«Cesse de dire mon amour! Tout de suite. Tu m'entends? Tu ne comprends pas que c'est ridicule? Mon amour, mon chéri, ma pauvre âme... Tu ne vois pas que ces mots-là ne sont pas pour moi, que je les exècre?

— Je t'aime, Youri.

— Et mes histoires, tu les aimes? Mais peut-être que tu ne les crois pas.» Il boit. «Elle ne me croit pas! Elle fait semblant!

Puis elle essaie de m'endormir avec ses mots d'amour. C'est ça ? Dis-le.

— Non, ce n'est pas ça.

— Alors, je vais te raconter d'autres histoires, même si elles sont trop indigestes pour ton pauvre petit estomac. Je ne t'ai pas raconté le pire, figure-toi.

— S'il te plaît, pas maintenant.

— Demain ?» Il ricane. «Demain serait mieux ? Demain tu auras digéré le reste et repris des forces ?»

Il s'assied près d'elle, lui serre la nuque, la force à le regarder. «Non, pas demain. C'est maintenant que tu vas écouter ma plus belle histoire. Nous partageons tout, n'est-ce pas, mon amour ? Nous partageons tout, c'est toi qui l'as dit. Ne t'inquiète pas, c'est une histoire banale, il n'y a pas de sang. Le sang, c'est pour plus tard, quand tu seras plus forte.»

Elle tousse. Il saisit la bouteille. «Bois, ça ira mieux.» Il la colle à ses lèvres, l'oblige à avaler. «À la bonne heure ! Maintenant tu vas pouvoir m'écouter.

— S'il te plaît, demain.

— Aujourd'hui.»

Il serre plus fort.

«On revenait avec du bois. Deux commissaires nous ont ordonné de le porter chez eux. J'ai dit non. Un des chiens a arraché les lunettes de mon père. J'ai voulu les ramasser, mais la brute m'a jeté à terre. Chaque fois que j'essayais de me lever, il me jetait à terre. Mon père tâtonnait le sol pour retrouver ses lunettes, j'ai crié pour distraire les chiens, je les ai insultés pour qu'ils s'acharnent sur moi. Mais ils savaient pourquoi. Ils ont lancé les lunettes au milieu de la rue.»

Youri s'arrête comme si l'histoire était finie. Irène essaie de se dégager. Il la plaque sur le lit. «Je n'ai pas terminé.

— Youri, s'il te plaît !

— Ils ont dit à mon père d'aller les chercher.»

Irène tremble.

«Quand il s'est penché pour les ramasser, un des chiens bolchevik les a écrasées.»

Il fixe le fond de la chambre comme si son père venait de lui apparaître. Il lui parle.

«Ce n'est pas à elle que je lis Pouchkine, père, c'est à toi.»

Il empoigne Irène, la colle contre lui. Puis il lui fait l'amour, mal, pesant lourdement sur elle. Il tend la main vers la console pour attraper la bouteille; il veut qu'elle boive à la santé de Micha, mort de la diphtérie dans la rue, à la santé de sa mère couchée sur l'enfant mort, à la santé de son père qui ne peut plus lire. Puis il casse la bouteille vide sur la table. Irène se lève, ramasse les morceaux. La chambre pue l'alcool, elle se dit que ça ne peut pas durer. Il est six heures, le jour vient de se lever. Elle va à la fenêtre, regarde la mer. Un transatlantique longe l'horizon. Où est ta liberté? Tu t'en es privée toi-même en t'enchaînant à un homme pour qui tu n'es qu'un fardeau, alors que tu voulais le porter. Tu n'oses même plus t'en aller, tu crois que sans toi il sera perdu, alors qu'il l'est déjà.

Youri a fermé les yeux. Privé du regard qui l'éclaire, le visage enflé est presque laid. Pommettes empourprées, barbe mal rasée, moustache où le gris commence à se mêler au brun. La bouche se crispe, il geint. Dans quel cauchemar se débat-il? Il ouvre les yeux.

«J'ai soif.

— Je vais faire monter du thé.

— Ce n'est pas de thé que j'ai besoin. Donne la bouteille.

— Tu l'as cassée.

— Fais-en monter une autre.

— Le bar est fermé.

— Habille-toi, nous sortons.»

Elle sait où il veut l'entraîner. Dans un tripot du port. Elle se lève, prend son manteau. C'est la dernière fois. Je le quitterai demain. Je n'en peux plus. Je ne suis pas assez forte. Aucune femme n'est assez forte pour supporter ça. Je partirai demain, j'irai chez Armand demain.

Planté devant la porte, mains dans les poches, il l'observe froidement tandis qu'elle tâtonne, comme d'habitude, pour trouver la manche de son manteau. Elle est si fatiguée qu'elle accepte tout, le manque d'égards, la brutalité, l'odeur écœurante de l'alcool; elle sait qu'il examine son visage avec une attention cruelle, qu'il voit les petites rides qui sont apparues, ces dernières semaines, au coin des yeux, des lèvres...

«Tu me fais pitié», dit-il.

Les jambes d'Irène se dérobent. Il la retient, brutalement. Elle baisse la tête, vaincue. Elle s'abandonne, regarde, plus loin, les fleurs du tapis, les revues, les livres accumulés sur la commode, auxquels il n'a même pas jeté un regard. Au moins, j'aurai appris quelque chose. Elle évoque ses lectures, ses conversations avec les frères russes de Middelkerque. Eux, ils espèrent. Ils survivent de toutes leurs forces en attendant de rentrer en Russie. Ils ne jouent pas. Je vais partir. Je ne suis pas de taille. Je partirai demain. Une larme coule sur sa joue.

Youri la secoue, furieux de cette passivité. Elle ne réagit pas. Je partirai demain, je partirai demain. À la pensée de son frère aimant, d'Alma, de sa nièce si douce, si paisible, le courage lui revient. Elle se redresse.

«Partons. Tu vois bien que je suis prête!»

Je m'en irai demain, mais maintenant je vais le suivre dans cette taverne où il crie plus fort que les marins saouls, où il rit quand on le complimente sur sa femme, *ja, ja, mooie, mooie vrouw.*

Il lève un doigt indécis, suit le parcours de la larme, puis, comme s'il tombait sous une balle, s'effondre devant elle. Il prend ses deux mains, les embrasse. «Pourquoi es-tu si cruelle, Irène?»

Comme s'il avait tout deviné. Un éclair doré passe entre les paupières rougies. Il presse sa tête contre son ventre, l'enlace, la serre à l'étouffer. Puis il lève la tête.

Le regard est si tendre qu'il dément tous les mots durs prononcés.

Partir demain?

On ne part pas quand tout est encore possible.

Le lendemain matin, contre toute attente, Youri est de bonne humeur. Il s'adosse aux oreillers, se frotte les yeux, ne demande pas d'alcool. Irène est contente. «Il fait beau, pourquoi n'irions-nous pas marcher sur la plage avant ton travail?

— Marcher sur la plage! Pourquoi?

— Parce qu'il fait beau!

— Marcher sur la plage parce qu'il fait beau?» Il a l'air si ahuri qu'Irène éclate de rire. Et il rit aussi. Oui, tout est encore possible, même s'il exècre la plage. Un pas à la fois. Tout à l'heure, il voudra peut-être. Il se sent mieux maintenant qu'il m'a tout dit.

Tout dit? Une phrase lui revient à l'esprit: *Le sang, c'est pour plus tard, quand tu seras plus forte.* Elle la chasse. Un pas à la fois.

«Oui, parce qu'il fait beau! Nous allons prendre le petit-déjeuner sur la véranda, devant la mer. Ensuite, nous irons nous promener.»

Il se recouche avec une grimace. «Nous promener! Parfois, je trouve que tu déraisonnes, mon joli pirojki.»

Le ton est si moqueur, et le refus si définitif, qu'elle ne peut masquer son exaspération.

«Et moi, je crois que tu as perdu toute notion de ce qu'est la vraie vie.

— C'est quoi, la vraie vie?

— Tout ce qu'on peut faire en dehors du...

— Du jeu? Très bien. Continue, je t'écoute, explique-moi ce qu'est la vraie vie.

— Tout ce que je te propose: voyager, découvrir, savourer les minutes qui passent, rencontrer des gens, les aimer, construire... Tout ce que tu faisais à Moscou et à Saint-Pétersbourg...»

Il braque un œil froid sur elle. «Rien ne peut rivaliser, ici, avec ce que je faisais à Moscou et à Pétersbourg, tu entends? Rien. Ne m'ennuie plus, Irène, avec tes fadaises sentimentales. Ce n'est pas ça la vie. La vie, la vraie, tu ne la connais pas.»

Et voilà, tout a mal tourné, une fois de plus. Mais cette fois Irène rétorque. «Je t'entends mais je ne suis pas de ton avis. Si la vie consiste à boire de la vodka et à se coller pendant des nuits entières à une table de jeu, elle ne vaut rien pour moi. Elle est inutile, illusoire, destructrice. Elle tourne autour de chimères qui te détruiront.

— Tu oublies de dire qu'elle tourne aussi autour de toi.

— Oui, je te suis effectivement utile.

— Tais-toi.»

Il prend l'oreiller, se couvre le visage pour ne plus l'entendre.

Puis, un soir, arrive ce qui devait arriver: à genoux devant elle, la tête dans les mains, pleurant, jurant que plus jamais il ne recommencera, Youri lui demande de l'argent. Depuis son divorce, Irène touche une rente le premier de chaque mois. Consciente de précipiter ainsi l'issue de leur liaison, elle le lui dit. Réponse spontanée et pressante: «Quelle date sommes-nous?

— Si tu veux savoir si le début du mois est proche, c'est oui. C'est demain.»

Elle prend quelques billets dans son sac, les dépose sur ses genoux.

«En attendant.»

Le changement de ton n'échappe pas à Youri. Ses traits se durcissent. Irène est debout près de la porte, immobile; le garçon d'étage frappe, lui tend une bouteille. Le tigre bondit, la lui arrache. Écroulé dans un coin de la chambre, il se met à boire. Ses traits se détendent. L'alcool l'apaise, il lève vers sa maîtresse un œil reconnaissant, lui dit de ne pas lui en vouloir, parce qu'il l'aime. Il lui affirme qu'il va gagner, alors ils pourront se reposer un peu, aller sur la plage puisqu'elle aime ça, et dans tous ces endroits qu'elle appelle la vie. Il l'emmènera à Paris, où Alexandre lui racontera tout, pour qu'elle comprenne et pardonne.

La vérité, c'est que l'alcool l'aide à patienter jusqu'à l'ouverture de la salle.

Irène s'étonne qu'il fasse tout ce théâtre alors qu'elle lui a dit qu'il aurait l'argent. Elle le lui confirme. Il hoche la tête, fixe sur elle un œil chagrin.

«C'est ainsi que nous sommes devenus. Nous ne croyons plus à rien, nous sommes des désespérés.»

Il lâche la bouteille, prend son Pouchkine et commence à lire.

«Non, interrompt-elle. Pas en russe. Dans ma langue, s'il te plaît.»

Le ton d'Irène le surprend. Elle reste de marbre. Elle ne le supporte plus, ce Pouchkine qui justifie tout, qui excuse tout, qui explique tout, mais qu'au moins elle comprenne ce qu'il dit! Qu'au moins elle comprenne pour le déconstruire, pour ramener le chant de désespoir à quelques sanglots égoïstes, pour réduire le poète à son rôle de chantre pompeux.

Youri traverse la chambre en titubant. Devant la baie vitrée, il se retourne, se redresse, chasse les mèches qui lui tombent sur les yeux, les mèches humides de l'homme ivre. Puis, lentement, comme un enfant qui apprend à lire: «*Je me languis de l'amère Russie, où j'ai souffert, où j'ai aimé, où mon cœur est enseveli...*»

C'est cela que tu veux déconstruire? Ce sont ces sanglots-là que tu qualifies d'égoïstes? C'est ce poète que tu traites de chantre pompeux? Tu n'es pas à la hauteur, ma vieille. Irène reste prostrée, tandis qu'il continue à lire. Quand il se tait, elle enfile un manteau, descend sur la digue, se répétant la terrible phrase.

Je me languis de l'amère Russie, où j'ai souffert, où j'ai aimé, où mon cœur est enseveli.

Le vent la fouette. Ou est-ce le knout qui la force à se rendre à l'évidence, à admettre que le combat est terminé, à comprendre qu'il faut baisser pavillon et capituler, et fuir? Je ne peux plus rien pour lui. Je voulais le sortir de ce tableau tragique, lui insuffler d'autres pensées, d'autres espoirs, et l'amour, bien sûr. J'ai lutté, mais je me suis accrochée à des faux-semblants, j'ai refusé de voir son regard buté quand, après l'amour, il se levait et tendait la main vers la bouteille, ou fouillait nos poches pour y trouver des billets. J'ai cru que je pourrais conjurer le désespoir, la rage, la folie.

Plus tard, quand Youri commence à s'habiller pour le casino, elle fait, sans y croire, une ultime tentative. Elle lui demande de faire exception, pour une fois.

«Que veux-tu dire?

— Ne va pas à la salle de jeux.

— Pourquoi?

— Parce que je te le demande.

— Mais que ferons-nous?

— Dîner en ville, marcher sur la digue, dans les galeries royales, aller au cinématographe, au concert.»

Devant le regard éperdu de son amant, elle lui dit que ça ne fait rien, une autre fois, peut-être. «Oui, c'est ça, dit-il, une autre fois, demain, si tu veux. Demain, je te promets.» Elle l'embrasse, le regarde sortir de la chambre. La nuit est tombée. La soirée est douce, en cette fin d'octobre 1924. Elle pense à Delphine, l'enfant paisible qui jouait sur le brise-lames, libre, contente d'être là, absorbée par sa tâche, ne demandant rien d'autre à la vie. Elle pense à son cher Larbaud, qui ne se laissait pas enchaîner par des chimères, des fantômes, des désespérés, même s'il les aimait. Il levait l'ancre et reprenait la route. Une ancre légère qu'il arrivait toujours à désensabler. Celle de Youri est engluée dans les grands fonds, on a beau tirer, elle ne bouge pas. Et il croit que c'est sa ligne de vie!

Elle voudrait lui parler de son affection pour Larbaud, mais il ne connaît que Pouchkine. Elle voudrait lui dire que lorsque l'ancre de Larbaud s'est ensablée, lorsqu'il est devenu hémiplégique, aphasique et aveugle, il a lutté, résisté, dans le fauteuil où il a passé les vingt-deux dernières années de sa vie, afin de conserver assez d'acuité visuelle pour contempler Maria Angela son âme sœur. Qu'il a continué à vivre sans faire d'histoires, sans pousser des cris, sans boire, sans insulter personne.

Folie. Pure folie. Larbaud ne tiendrait pas le coup devant le grand Pouchkine mort en duel. Youri comparerait la lente décrépitude de l'un à la mort glorieuse de l'autre.

Et ça la mettrait en colère.

Le lendemain, elle se rend à la banque, retire la somme qui lui échoit, puis va dire adieu à son amie, à qui elle demande pardon de l'avoir délaissée. Revenue à l'hôtel, elle s'arrête à la réception pour y annoncer son départ.

« Monsieur Ilyin vous a cherchée partout, lui dit le réceptionniste.

— Vous savez où il est ?

— Là-haut, madame. » Il hésite et, chuchotant : « Il a fait monter...

— Oui. »

L'homme hoche la tête, navré.

« Monsieur Ilyin restera ici pendant encore un mois. »

Irène paie la totalité de la note, monte à sa chambre et y trouve un Youri prêt à tout promettre. Lorsqu'elle lui donne l'argent qu'elle a retiré, son attitude change. Il est émerveillé, n'en croit pas ses yeux, se répand en remerciements, en déclarations d'amour, en promesses, puis disparaît après une dernière gorgée de vodka.

Irène prend le train pour Bruxelles, étonnée de ne pas souffrir davantage. Les larmes ne passent pas. Peut-être est-elle trop épuisée, trop usée. Il y a trop-plein. Trop-plein de scènes, de nuits sans sommeil, de va-et-vient fiévreux, de chaos, de relents d'alcool. Elle n'aspire plus qu'au calme, fût-il ennuyeux. Le calme sous l'aile d'Armand, dans le gazouillis musical d'Alma, qui l'aime tant, la pauvre. Quatre heures plus tard, elle sonne à leur porte. Tandis qu'Armand s'inquiète, Alma, ravie, rêve déjà de présenter son élégante belle-sœur à toute la ville. Irène rassure son frère : « C'est fini, c'est bien fini.

— Tu en es sûre ?

— Tu verras !

— Permets-moi d'être un peu sceptique. »

Alma le fait taire. « Mais puisqu'elle te le dit ! »

L'affection que lui témoigne sa belle-sœur réconforte Irène. Chacune à leur manière, les deux femmes rêvent d'un monde en marge de ce qu'on appelle la vie normale, Alma sachant qu'il n'est pas pour elle, Irène bien décidée à le faire sien.

Mais il faut d'abord oublier Youri.

*

Un après-midi de décembre, il arrive, en frac : Irène a commis l'erreur de laisser son adresse à l'hôtel et le réceptionniste n'a pu résister à ses supplications. C'est Armand qui lui ouvre. Il le prie d'entrer. Que pourrait-il faire d'autre ? Risquer un pugilat devant sa porte ? L'attitude hautaine de l'amant de sa sœur au Métropole est encore présente à sa mémoire, mais l'homme est manifestement désespéré. Et déterminé. Si une dernière rencontre doit se faire, il vaut mieux que ce soit ici. Youri se glisse dans le corridor, passe une main dans ses cheveux, regarde Armand droit dans les yeux. La lumière du candélabre, dans le coin du hall, s'y reflète, Armand se dit qu'il était inévitable que ces yeux-là fascinent sa sœur, mais heureusement tout est fini, le charme est rompu, le beau ténébreux a perdu son pouvoir. Il ouvre la porte du salon, invite Youri à y entrer. Ils se retrouvent face à face. Armand cherche les mots qui vont convaincre le ci-devant amant de se résigner. Lorsqu'il ouvre la bouche pour commencer son laïus, l'autre, sans crier gare, lui demande la main d'Irène ! Médusé, Armand écoute l'amoureux se répandre en promesses. Il va emmener sa fiancée, dit-il, dans ses terres de Crimée, où le mariage aura lieu selon la tradition orthodoxe, où il redeviendra un propriétaire terrien fort de deux cents âmes et d'autant de chevaux. Armand, qui a retrouvé ses esprits, n'ose pas lui rappeler que les terres et les chevaux appartiennent désormais au peuple. Il prie Youri de s'asseoir, appelle Irène. La situation est si cocasse qu'elle ne pourra que dissuader à tout jamais sa sœur de croire ce Russe qui semble ignorer que son pays, devenu URSS, lui est définitivement inaccessible.

Irène ne répond pas. Elle a disparu avec la complicité d'Alma. Confus, Armand propose au malheureux d'attendre et, en attendant, lui offre une menthe à l'eau. Youri reluque le cabinet à liqueurs. La situation devient franchement embarrassante lorsque le visiteur, oubliant ses projets grandioses, sollicite un prêt – remboursable d'ici à trois jours, affirme-t-il – afin de tenter une dernière fois sa chance. Armand consent ; c'est, après tout, un moyen comme un autre de se débarrasser de l'intrus. Mieux, il sort la Minerva du garage pour ramener le malheureux à Ostende. Et mieux encore : en cours de route, et pour couper court à toute nouvelle tentative, il «révèle» à son passager – s'étonnant lui-même de faire preuve d'une telle imagination – qu'Irène a décidé d'entrer en religion.

Youri éclate de rire.

«Je vous assure que c'est vrai», bafouille Armand. Il essaie de trouver des mots pour convaincre, mais la bouffonnerie de son mensonge lui ferme la bouche. Il a, d'un seul coup, dépensé tout son capital d'improvisation.

«Je connais votre sœur, dit Youri. Ce n'est pas ce qu'elle cherche.

— Et que cherche-t-elle?

— Elle veut vivre, vous comprenez, voyager, rencontrer des gens, même des fous comme moi.» Il reste silencieux un moment, Armand se demande s'il ne s'est pas endormi. Non. Youri ne dort pas, il plonge une main dans sa poche, en retire un mouchoir, le dépose sur ses genoux. Intrigué, Armand jette un coup d'œil au carré de soie. Il enveloppe un objet.

Le voyage se poursuit dans le silence.

Devant l'entrée de l'hôtel, le conducteur confie la Minerva au portier, puis suit son passager dans le grand hall. Mal à l'aise mais décidé à être courtois jusqu'au bout, il s'assied devant lui, dans le salon donnant sur la mer. Sa sœur a aimé cet homme, il ne l'abandonnera pas comme un malpropre. Ils se taisent, lui de peur d'énoncer une autre ânerie, le Russe parce qu'il n'a plus rien à dire. Le carillon du grand hall sonne les six heures, un serveur s'approche. Youri regarde fixement son vis-à-vis qui, résigné, lui demande s'il a soif. Et comment. «Vodka», murmure le Russe. Et, soudain, il sourit à Armand.

Devant ce sourire, ces yeux de fauve, Armand se dit que l'on peut tomber sous l'emprise d'un regard. C'est ce qui est arrivé à ta sœur. Non, c'est plus compliqué que cela, tu n'y entends rien à la passion. En réduisant ainsi les choses, tu fais insulte à Irène. Gêné, Armand détourne la tête et regarde la mer.

Le serveur dépose les verres devant les deux hommes, une vodka (bien tassée, lui a chuchoté Youri) pour l'invité, de l'eau plate pour son compagnon. Youri vide son verre d'un trait, soupire d'aise, puis déplie le carré de soie qu'il a gardé à la main.

Une croix d'or apparaît, un rubis incrusté en son centre. Pensif, il la dépose sur sa paume.

«Ma mère ne trouverait pas sacrilège que je l'offre à votre sœur. Je vous en prie, donnez-la lui de ma part.»

Il tend la croix à Armand et, le voyant hésiter :

«Je vous en prie, faites-le pour m'éviter de la vendre.»

*

Après la tempête ostendaise, Irène trouve un vrai refuge chez son frère. Armand ne pose pas de questions et, lorsqu'il la voit triste ou pensive, se contente de lui caresser la tête – comme on le fait à un enfant qui s'efforce d'être sage. Irène n'a nullement l'intention d'être sage, mais son frère est la dernière personne à qui elle peut le dire. Et il est si heureux qu'elle soit là, tout comme sa femme, qui ne cache pas sa joie. Alma croit être la seule à comprendre ce que ressent sa belle-sœur, et peut-être ne se trompe-t-elle pas. Depuis l'arrivée d'Irène, elle est en mission : puisqu'elle comprend tout, c'est à elle qu'incombe le devoir de réconforter. Elle multiplie les visites, les sorties, les soupers, les monologues sur la musique, auxquels Irène ne comprend rien : n'étant pas musicienne, elle éprouve un léger malaise devant ces extases dans lesquelles sa belle-sœur se perd, à l'opéra ou au piano. Elle aime l'entendre chanter, certes, mais sa prédilection va aux petits airs, qu'Alma ne connaît pas, hélas. Il lui arrive parfois de lutter contre une irrésistible envie de s'en aller, mais elle reste, encore un peu, car elle voit bien que sa présence aide cette femme à oublier une vie qui, sans la musique et les fameux récitals, serait affreusement terne. Elle éprouve une vraie compassion pour Alma, qui n'a pas vécu et ne vivra sans doute jamais.

Un soir, elle lui raconte sa visite à Delphine, sur la plage de Wenduine. Le visage de son interlocutrice se ferme. Prudemment, choisissant ses mots, Irène questionne, jusqu'à ce qu'Alma mette fin à la conversation avec un sec : «Quoi qu'on puisse en penser, j'aime ma fille.»

Elle se lève, se met au piano. Irène se blottit sur le canapé, prête à subir toutes ces notes qui n'éveillent rien en elle. Mais contre toute attente, Alma joue un air léger, mélodieux. Irène bat des mains. «J'adore ça ! Qu'est-ce que c'est ?»

La pianiste plaque le dernier accord. Elle se lève, un sourire crispé sur les lèvres – mais c'est tout de même un sourire :

«*Sur un marché persan.*»

Puis :
« Un air que ma fille affectionne. »

*

Youri ne disparaît pas de la vie d'Irène : il appelle, envoie des fleurs, des lettres. Un dimanche de mars, alors que la famille s'apprête à partir pour la messe, le réceptionniste du Grand Hôtel téléphone. Armand décroche, écoute, puis, lèvres serrées, tend le récepteur à sa sœur, ne prononçant qu'un seul mot : Ostende.

Irène écoute l'homme lui raconter que, la veille, après avoir convaincu un Youri hagard de regagner sa chambre, il a dû appeler un médecin, monsieur Ilyin était très malade, presque inconscient. Mais alors qu'on le plaçait sur une civière pour le transporter à l'hôpital, il a ouvert les yeux et l'a supplié de prévenir Mme Desmarais. « Il est mal en point, madame, et si je puis me permettre... monsieur Ilyin ne cessait de répéter votre nom.

— Très bien, je vais aller le voir », dit-elle, tandis qu'Armand lui fait les gros yeux.

Alma n'est pas du tout contrariée : cette fois, c'est décidé, elle accompagnera sa belle-sœur, la pauvre enfant a besoin de soutien, et d'un soutien qui s'exprime. Toute à cette pensée, elle lance un regard de reproche à son époux. Et puis, il y a si longtemps qu'elle meurt d'envie de voir Youri, « cet être de feu et de passion ». Nous prendrons le train, se dit-elle, et Armand gardera Delphine. Oui, mais Armand essaie de convaincre Irène de ne pas broncher. Si elle répond à l'appel de cet homme, elle leur reviendra triste, démoralisée et, il n'en doute pas, délestée d'une partie de son argent. Alma expose alors son plan, mais ce plan n'enchante pas Irène. En fait, la seule personne qu'elle emmènerait volontiers, c'est sa nièce. La gamine, au moins, ne poserait pas de questions inutiles. La perspective du voyage en train face à cette petite créature sereine la réconforte d'avance. Elle lui paraît même si souhaitable qu'elle en fait part aux parents. Qui se récrient.

« Très bien, dans ce cas, j'irai seule. Armand, je vais mettre un manteau et prendre mon sac. Peux-tu appeler une voiture ? »

Vingt minutes plus tard, lorsqu'elle descend, le trio l'attend de pied ferme devant la porte. Armand, en chef de famille, a décidé que sa femme, sa fille et lui-même l'épauleraient dans cette dure et, il l'espère, ultime épreuve. Irène regarde les trois visages tendus vers elle : Alma cachant mal sa satisfaction et habillée comme Anna Karénine, Delphine dans son uniforme du couvent, valise à la main – sans doute ont-ils décidé de la déposer en passant – Armand jouant les pater familias.

« Très bien, mais je tiens à ce que Delphine reste avec nous. Et si nous devons passer la nuit là-bas – son frère la regarde avec horreur –, nous la ramènerons au couvent demain matin. Ostende n'est pas le bout du monde. »

*

Youri fait triste figure, entre les rideaux de la salle commune de l'hôpital. Le tigre est sur le flanc, amaigri, assommé. Irène questionne la religieuse qui le veille. « Il nous est arrivé en plein delirium. On a dû lui administrer un calmant très puissant. Vous êtes de la famille ?

— Une amie.

— Ah. Je vais profiter de votre présence pour aller voir d'autres malades. Appelez s'il y a le moindre problème. »

Armand attend sur le seuil.

« Empêche Alma de me rejoindre. Dis-lui que je l'appellerai si j'ai besoin d'elle. Et toi, va te promener avec Delphine. Il fait beau. Que tout ceci profite au moins à ta petite fille. »

Le patient geint, lève une main, comme pour chasser le rayon de soleil qui vient de se poser sur sa joue. Irène s'assied près du lit. Il n'a jamais aimé notre soleil, jamais nous n'avons marché sur la plage, l'air du large n'était bon que sur la Baltique ! Nous venons de deux planètes différentes, la sienne inondée de sang et de vodka, la mienne de l'eau grise de notre mer. Elle ôte son manteau, s'assied près du lit. La main de Youri est crispée sur le drap, elle la saisit, la déplie, la caresse, il se plaint doucement. Et voilà. Voilà où tu en es, mon pauvre Youri. J'ai cru pouvoir t'aider. J'ai essayé, j'ai vraiment essayé. Si au moins tu avais accepté de rencontrer les frères de Middelkerke, j'aurais eu deux alliés. Peut-être aurais-tu quitté la sainte table de temps à autre. Tu aurais pu leur raconter tes histoires atroces. Et peut-être aurais-tu écouté les leurs. Alma passe la tête à la porte.

« Pas maintenant. »

Le visage est si désolé, sous la toque d'astrakan… Irène capitule. «Allons, viens le voir un instant.» Alma glisse sur le sol comme une danseuse du Bolchoï, contemple le visage du malade, puis, les deux mains unies: «Je me serais damnée pour un tel homme!»

Ébahie, Irène la congédie: «Maintenant que tu l'as vu, va rejoindre Armand, s'il te plaît.»

«Qui êtes-vous?» dit une voix.

Un homme vient de tirer le rideau. Youri, en plus vieux. C'est Alexandre, le frère «raisonnable».

«Une amie.

— Ah oui, l'amie», murmure l'homme. Il s'approche, se penche sur son frère. «Youri, tu m'entends?» Il répète les mêmes mots en russe.

«On lui a donné un calmant très fort, dit Irène. Il était…

— Saoul, je sais.»

Un bref salut; il se présente: «Alexandre Michailovitch Ilyin. Mon frère a demandé qu'on m'appelle.» Sans attendre qu'Irène se présente à son tour, il s'assied face à elle. «J'ai appris que vous aviez aidé mon frère. Je vous en remercie. Sachez que tout vous sera rendu jusqu'au dernier centime.» Aucune agressivité dans la déclaration, une indifférence courtoise, plutôt. Rien à reprocher à cet homme: il s'est présenté, l'a saluée, l'a remerciée d'avoir aidé son frère, l'a assurée qu'elle serait remboursée! Aussi simple, aussi clair, aussi expéditif que cela. Le malade geint, Irène se lève, approche un verre d'eau de ses lèvres. Il boit avec une grimace; ce liquide-là doit lui paraître exécrable. Alexandre l'observe, tandis qu'elle dépose le verre sur la table de nuit. Puis il lui fait signe de le suivre dans le couloir.

«Je vais essayer de le convaincre de rentrer à Paris.» Il dit «rentrer à Paris» comme on dit rentrer à la maison! Irène a envie de lui préciser que son frère caresse d'autres projets, dans lesquels Paris n'a aucune place, mais il les connaît, ces projets, sans doute. «Nous n'avons pas le choix, retourner en Russie serait un suicide. Notre père a été interné dans un asile psychiatrique, et je n'ai pas encore osé lui dire que notre mère est morte.» Il regarde Irène, pousse un léger soupir. «Vous l'imaginez à Moscou? Il ne faudrait pas trois jours avant qu'il se fasse interner, ou pire.

— Il veut surtout s'engager.

— S'engager où, comment?

— Dans la lutte, je crois. Vous lui donnez tort ? Moi, je lui donne raison. »

Geste d'impatience.

« Tout cela, madame, c'est du romantisme slave. »

Ils restent silencieux un moment, Irène s'efforçant de refouler son ressentiment devant la lucidité blessante de cet homme. « Quand je vivais avec votre frère, j'ai rencontré à plusieurs reprises deux Russes qui m'ont un peu appris ce qu'était la situation dans votre pays.

— Eh bien ? Voulaient-ils y retourner ?

— Un jour.

— Un jour. Comme moi. Pas comme ce jeune fou que nous devons sauver à tout prix. Ce qui se passe là-bas est abominable, il n'y survivrait pas une semaine. »

Il la ramène à l'alcôve, annonce qu'il doit s'acquitter de quelque formalité, s'éloigne.

Alma est près de Youri. Elle lance un regard contrit à sa belle-sœur mais ne peut cacher son exaltation. Irène se dit que la femme de son frère est dans son élément, au chevet de ce pâle étranger. Youri s'agite. Il ouvre les yeux, demande à boire, mais lorsque Irène introduit la paille entre ses lèvres, il secoue la tête et se met à gémir. Une lueur rusée filtre entre ses paupières. Il dit qu'il a fait venir une bouteille et qu'elle est cachée dans la table de nuit. Non, fait Irène. Il se met à crier, à pleurer, une infirmière accourt, fait signe aux deux femmes de la laisser seule avec le patient.

Elles quittent la salle, marchent de long en large dans le couloir. Alma a pris le bras d'Irène, le serre, elle déborde d'amour pour elle, pour l'homme couché dans la salle commune, pour leur famille unie dans cette épreuve. Irène, troublée, réalise que l'émotion d'Alma n'est pas feinte. Elle est vraie, profonde, même si demain il n'en restera que le souvenir. L'infirmière leur dit qu'elles peuvent retourner près du malade, il est plus calme.

En voyant Irène, il se met à pleurer.

C'est alors que se produit l'inimaginable.

Alma se penche vers Youri et, le visage illuminé, se met à chanter. Sidérée, Irène contemple la scène. Touchant, mais ridicule ; ridicule, mais touchant, elle ne sait trop. Youri ne gémit plus, il écoute. Où est le vrai dans tout cela ? Alma ne vit-elle pas par procuration ? Sommes-nous en pleine tragédie romantique ? Ou slave, comme le dit le frère insolent ?

Assistons-nous à un opéra où le héros meurt entouré de pleureuses ? Non, ce n'est pas ça. En tout cas, moi je ne pleure pas. Non, je ne pleure pas, et j'ai l'impression de trahir. Quelques minutes s'écoulent, la voix s'éteint. Youri sourit, apaisé, et Irène se dit que quelqu'un – et ce quelqu'un n'est pas elle, c'est sa belle-sœur si mélodramatique – a compris que l'instant, parfois, compte plus que tout et qu'il faut le saisir, ou le chanter sans poser de questions inutiles.

Quelques mois plus tard, Armand remet à Irène une enveloppe qu'il vient de trouver dans la boîte aux lettres. Au verso, le nom d'Alexandre Michailovitch Ilyin. Pas d'adresse.

Chère madame,

Mon frère a finalement accepté de rentrer à Paris avec moi, où un ami de mon patron a besoin d'un chauffeur. Il s'est considérablement assagi. Je n'ignore pas ce que vous avez fait pour lui et je vous en remercie encore.

Que Dieu vous bénisse,

Alexandre Michailovich Ilyin.

Un mot de Youri accompagne la lettre.

Oui, amour, crois-le ou pas, je suis maintenant le chauffeur d'un Français. Grâce à mon frère Alexandre, j'ai pris la décision de ne plus jouer et de bannir la vodka de mon existence, et je compte bien tenir ma promesse. Nous allons beaucoup voyager, le Français, moi et sa fille. Elle est fragile, son père est autoritaire, je sens qu'elle aura besoin de moi.

Vive la sainte Russie.

Ton fidèle Youri.

Mai 1925

*

Après la débâcle yourienne, Irène trouve un vrai refuge chez son frère. Elle observe Delphine, qui revient maintenant chaque fin de semaine et qui, contrairement à l'accoutumée, regarde ses parents avec une pointe d'inquiétude : sa mère est aux anges, c'est bien, mais que se passera-t-il quand tante Irène annoncera son départ ? En attendant, elle fait ses gammes, répète les airs qu'Alma chantera au prochain récital et, chaque fois qu'Irène l'y invite, la rejoint dans sa chambre «pour bavarder un peu et parce que tu me brosses les cheveux avec une telle patience!» Cent coups de brosse chaque soir dans la crinière rousse, cent coups de brosse et le regard de tante Irène dans le miroir – tante Irène qui pose souvent des questions embarrassantes. Tante Irène qui a osé divorcer! Irène sait que le mot «divorce», que sa mère et sa tante ne prononcent qu'à mi-voix, fait peur à l'adolescente, que celle-ci se demande si toute cette liberté, après le «divorce», est bonne pour elle.

«À quoi penses-tu? Ne dis pas "à rien, ma tante", parce que je ne te lâcherai pas.

— Je pense à l'oncle Félix.

— Tu te demandes pourquoi l'oncle Félix et moi avons divorcé?

— Non, je me demande qui a divorcé de l'autre.»

Irène, qui ne s'attendait pas à cette réponse, scrute le visage de sa nièce. C'est la bonne question, évidemment, cette gamine pose toujours les bonnes questions.

«C'est moi, tu as dû l'entendre dire par les cousins et cousines.

— Oui, mais je ne les écoute pas vraiment.»

Irène éclate de rire. «Tu ne les écoutes pas *vraiment*? Et pourquoi?

— Parce que je pense qu'ils ne comprennent pas grand-chose.

— Et toi, tu voudrais comprendre.

— Oui, ma tante.»

Voilà qui est clair. Mais comment expliquer qu'elle veut être libre? Comment lui décrire les frustrations du pauvre Félix? Et son inappétence à elle? C'est trop tôt. Irène attrape la main de l'adolescente, y dépose un baiser rapide. «Tu l'aimais bien, l'oncle Félix?

— Il était gentil.

— Être gentil ne suffit pas, hélas. Je l'aimais bien aussi. Mais je suis sûre qu'il est plus paisible sans moi. J'exigeais trop.

— Vous exigiez quoi, ma tante?»

Alma appelle pour le dîner. Ouf. Irène se lève, va vers le guéridon, y prend une boîte de satin bleu. Elle s'en veut de ne pas avoir répondu à sa nièce. Il aurait peut-être suffi de... Non, c'est trop tôt. Armand n'apprécierait pas qu'elle fasse part à sa fille de ses idées «fantasques» sur la vie. Machinalement, elle tend la boîte de pralines à Delphine. Les yeux ronds, l'adolescente regarde les bonbons, puis sa tante. Non, fait-elle. Elle aime beaucoup tante Irène, mais elle n'aime pas quand elle dépasse les bornes ; c'est injuste de se couper l'appétit quand maman s'est évertuée à préparer à dîner.

Honteuse, Irène repose la boîte.

*

En juin 1925, sans rien en dire à Armand et Alma, Irène loue un appartement près du Bois. Le dimanche suivant, après avoir assisté à la remise des prix à l'Annonciation, elle fait part à Delphine et à ses parents de sa prochaine installation – provisoire – dans cet autre quartier de Bruxelles. La nouvelle produit l'effet attendu : Alma est effondrée, elle a l'impression qu'Irène la fuit. Armand est anxieux, comme toujours. Irène rassure la première en lui disant que le Bois de la Cambre n'est pas loin et qu'un taxi pourra l'y conduire en un quart d'heure ; le deuxième en lui déclarant qu'elle compte s'y consacrer à la lecture et y mener une vie très sage.

Elle a rechigné lorsque Émile Desfossez, l'ami fidèle et peu encombrant, lui a annoncé qu'il lui avait déniché un logis de rêve, mais elle a cessé de résister quand, le visitant, elle a découvert, côté jardin, une grande loggia baignée de soleil. «C'était son atelier», a-t-il précisé. C'était vrai, un artiste bruxellois y avait peint ses plus belles œuvres.

«Décidément, tout se ligue contre moi!» a-t-elle plaisanté devant son ami heureux de la voir capituler. Capitulation d'autant plus aisée qu'elle en avait assez de vivre chez son frère.

Irène a peine à se l'avouer, mais l'incapacité d'Armand à comprendre le mal-être de sa femme l'agace. Il ne la questionne pas, ne lui fait aucun reproche, ne se plaint jamais : il ne lui vient même pas à l'esprit qu'Alma préférerait peut-être un comportement plus viril. Ces deux-là sont très, très mal assortis, ils devraient se séparer. Mais que ferait Alma, seule, livrée à sa folie romantique dans cette ville où elle ne connaît que quelques bourgeoises désœuvrées et – du moins en ce qui concerne la musique –, quasi incultes ? Et Delphine ? Souffrirait-elle, elle à qui je n'ai pas osé dire que le divorce est parfois la seule issue possible? Car c'est sans doute le cas, dans ce foyer où la seule manifestation de bonne volonté, chez Armand comme chez sa femme, consiste à cacher à l'autre une vérité qui crève les yeux. Il fallait que je parte, j'aurais fini par le leur dire, fatiguée de me buter sans réagir à la fébrilité d'Alma et à l'égoïste désir de paix de mon frère.

L'année 1925 s'écoule dans un spleen très supportable. Le nouvel appartement et sa loggia, la lecture, quelques virées à Ostende avec Émile et deux semaines à Paris avec Alma et Delphine distraient Irène de son humeur voyageuse. Au retour de Paris, le trio affirme avoir fait toutes les boutiques de mode et n'avoir jamais passé une soirée à l'hôtel. Irène a même trouvé chez Jean Patou le parfum auquel elle restera fidèle toute sa vie: «Adieu Sagesse», spécialement conçu pour les rousses. Et au Louvre, elle a eu l'impression, assez piquante, ma foi, d'être une Barnabooth s'échinant à faire comprendre des subtilités picturales à deux béotiennes.

Le 25 décembre, après un réveillon de Noël compassé chez Coralie et Nénette, on fête les deux anniversaires. Une fois de plus, Armand s'occupe de tout, n'acceptant que l'aide de Delphine pour la préparation du repas: homard à l'armoricaine et sorbet au champagne. Irène et Alma ont la permission de dresser la table. À trois heures du matin, les agapes terminées, Armand demande à sa femme de chanter. On s'attend à une œuvre difficile, ou à un chant de Noël... Non, Alma les surprend en entonnant, assise sur le piano (et avec la complicité de sa fille), un air de café-concert.

L'année nouvelle commence sans changements notoires. Delphine apprend tout ce que l'on peut apprendre à l'Annonciation, Alma chante, Armand compte, Irène lit, ou – comme le dit sa belle-sœur chaque fois qu'elle s'offre une escapade – court la prétentaine. Mais au printemps elle n'y tient plus. Elle annonce son départ à son frère. «J'ai vingt-quatre ans, Armand, et des fourmis dans les jambes, il est temps d'envisager un changement.

— Tu sors d'une peine de cœur, pourquoi ne t'accordes-tu pas un peu de temps?

— Ça, c'était il y a plus d'un an et demi. J'ai eu tout le temps de me consoler. Je me suis accordé du temps, beaucoup de temps. Quant à mon cœur, si tu veux le savoir, il est si vacant que je pourrais y loger une demi-douzaine d'hôtes!»

Devant l'expression horrifiée de celui qu'elle appelle Frère la Vertu, Irène éclate de rire. Puis, reprenant son sérieux, elle lui annonce son départ pour Paris où, ajoute-t-elle, «je connais quelqu'un».

Devant ce singulier qui lui paraît moins alarmant que la «demi-douzaine d'hôtes», Armand est quelque peu rassuré.

*

Le «quelqu'un» est un homme d'âge mûr qui s'est présenté à Irène un matin où, une fois de plus, elle déjeunait seule. Elle avait quitté sa chambre vingt minutes plus tôt, y laissant un homme ébouriffé, de mauvaise humeur, qui une fois de plus avait refusé de l'accompagner. Elle avait, comme à l'habitude, répondu au serveur qui lui demandait si elle comptait déjeuner seule: «Monsieur Ilyin descendra plus tard.» Personne n'y croyait, à ce «descendra plus tard», et Irène moins que personne. Monsieur Ilyin ne descendait qu'à la salle de jeu. Monsieur Ilyin déjeunait à la vodka, quand il en restait – ce qui était rare car il se faisait un devoir de vider la bouteille avant de s'effondrer sur le lit, où il préférait délirer sur la destruction totale et définitive du bolchevisme que de faire l'amour à sa maîtresse. Destruction orchestrée par lui, bien entendu. Irène avait laissé errer son regard sur la mer, au loin. C'était marée basse. Et voilà, tu regardes encore la mer, ma pauvre fille, comme si elle allait te répondre. Mais si elle te répondait, elle te dirait de fuir, d'embarquer sur le premier navire… Mais, tu vois, elle reste muette, elle sait que tu n'es pas prête, que tu vas t'obstiner, encore et encore, jusqu'à la débâcle.

L'inconnu qui s'était incliné devant elle, ce matin-là, était sans nul doute fortuné, cultivé et grand voyageur. Il s'intéressait manifestement à elle, mais connaissant l'existence de l'amant, sans doute, il se contentait d'admirer, d'observer, et d'espérer des temps plus propices. Son allure, son attitude trahissaient l'homme du monde. Mieux: il flottait autour de lui cette aura de cosmopolitisme dont Irène avait fait sa religion – et sur lequel la passion sédentaire de Youri avait mis l'interdit.

Irène avait répondu au salut de l'étranger par un bref mouvement de tête. Il lui avait dit son nom, s'adressant si sobrement à elle qu'il eût été malséant de l'éconduire. Elle s'était présentée à son tour. Alors, sans autre préambule et avec un sang-froid qui l'avait médusée, il lui avait déclaré qu'il serait à ses ordres dès qu'elle en émettrait le désir. Quelques paroles encore, puis il avait pris congé.

Ce jour-là, Irène s'était rappelé, avec nostalgie, la décision qu'elle avait prise, une fois son divorce prononcé : faire du voyage son mode de vie. Restait à trouver les sésames qui lui permettraient d'accomplir ce souhait ! Pour dire les choses crûment, Sésame Desfossez ne lui avait ouvert, à son insu, que la porte d'une sombre caverne dans laquelle s'agitait un fauve impossible à dompter. Il fallait bien l'admettre, le destin s'était joué d'elle. Au lieu de l'amant séduisant et éduqué qui lui ferait voir le monde, Youri ne lui offrait que la terrible soif de vengeance qui le dévorait. Une pensée s'était imposée à elle, tandis qu'elle écoutait l'étranger : ma passion pour Youri m'aveugle. Une pensée aussi fugace que le dernier éclat de soleil disparaissant dans la mer…

L'inconnu s'appelait Edmond Lévy. Elle ne l'avait pas revu, durant les deux dernières semaines de tourbillon yourien, mais en femme avisée, avait conservé sa carte. Avant de s'éloigner, comme pour faire écho à ses pensées, il lui avait confié sa dévotion pour la vieille Europe, l'opéra, le ballet… et la tauromachie. Le dernier volet du programme l'avait contrariée, mais Irène avait durement appris que la perfection n'est pas de ce monde.

3

DELPHINE

Avril 1928. Trois années ont passé. Delphine a seize ans. La gamine réservée s'est transformée en jeune fille attentive. Le passage s'est fait sans confusion, sans revendications, sans emportement. Delphine a continué à s'accommoder des sautes d'humeur de sa mère, de la norme du couvent, de l'agitation un peu vaine des Verhoeven, avec une nuance, cependant, elle observe davantage, elle comprend mieux, et son sens de l'humour s'est aiguisé : un bref éclair dans le regard en témoigne, à l'occasion, mais c'est un secret bien gardé, elle n'en fait bénéficier que son père et sa mère – quand Alma se prête au jeu. Delphine garde l'essentiel de ses observations pour elle, ne taquine pas, ne raille pas, ne critique pas. Son approche de la vie et des êtres est courtoise ; sa tendresse pour son père, son amour pour sa mère ont grandi comme un arbre, de pair avec une compréhension plus large de ce que l'existence et ses remous ont fait de cet homme, de cette femme. Cet amour, cette tendresse, elle les manifeste à sa manière discrète, même lorsqu'elle souffre un peu de l'isolement dans lequel Alma se retranche, parfois. Pour le reste, l'Annonciation la protège du monde extérieur. Entre le couvent, les fins de semaine chez Nina et la préparation des récitals, le train-train des jours se poursuit.

Une heureuse surprise, cependant : Alma est satisfaite. Elle le lui dit : « Ces derniers mois ont été fructueux. Chair de ma chair, après tous nos efforts, je puis dire que vous m'accompagnez très valablement. On nous réclame dans le grand salon des Rondeaux. C'est d'autant plus excitant, chuchote-t-elle, que je soupçonne mère et fille de nous envier notre talent. » Delphine esquisse un sourire : ce qui est peut-être vrai pour la notairesse ne l'est pas pour sa fille, Colette Rondeaux a des préoccupations beaucoup moins abstraites – qu'elle n'hésite pas à confier à celle qu'elle appelle « ma petite oie blanche ». Sous la pression des deux mères, les jeunes filles sont tenues de se fréquenter. Alma sait que Delphine n'apprécie pas cette promiscuité. «C'est une écervelée, ce que vous n'êtes certainement pas, mais dans la vie, il faut parfois faire des concessions.»

Les concessions étant destinées à s'assurer que le grand salon des Rondeaux restera à la disposition de l'artiste.

Fin avril, Delphine demande à Marianne d'assister, avec Nina et Guillaume, au récital qu'Alma prépare depuis des semaines. Jusqu'ici, la mère de Nina a résisté : elle n'éprouve aucune sympathie pour une femme qui «ne voit en sa fille qu'un faire-valoir». Mais elle fera l'impossible pour être là. «Faire l'impossible» semblant excessif à Delphine, elle sourit, et Marianne se trouble. «C'est parce qu'il faut que nous soyons tous libres en même temps, tu comprends!

— Un vrai casse-tête!» répond gravement son interlocutrice.

Marianne perçoit l'ironie qui se cache sous la réponse laconique, mais elle refuse de se laisser intimider par une gamine. Elle ne désarme pas dans sa volonté d'arracher des confidences à sa protégée, de «percer la carapace», comme elle dit. C'est une ambition qu'elle n'a cessé de caresser depuis ce samedi d'automne où l'amie de Nina est entrée dans leur vie. Une mission qui s'est transformée en idée fixe. Ni les protestations de sa fille, ni le scepticisme de Georges – chez qui la théorie de l'eau dormante a toujours cours –, ni le regard amusé de Guillaume ne peuvent dissuader une Marianne faussement enjouée de reprendre, à chaque séjour de l'adolescente, l'interrogatoire. C'est plus fort qu'elle. D'autant plus qu'elle a fait de la mère de Delphine un bourreau et de Delphine, sa victime ; elle n'en démord pas. Cette certitude met un peu de piquant dans sa vie, mais elle se récrierait si un esprit malicieux s'avisait de le lui dire.

La cloche du dîner va bientôt sonner. Elles ont fait le tour du parc, s'engagent dans le sentier qui mène à l'allée centrale. Un passage obligé, ce sentier : c'est celui où les questions de Marianne se font plus pressantes et les réponses de Delphine plus parcimonieuses. Contrairement à ce que croit son interlocutrice, elle a peu de choses à «révéler» : rien dans sa vie ne mérite qu'on s'y attarde. Elle pourrait le faire comprendre une fois pour toutes à son hôtesse, mais le rituel bimensuel de l'interrogatoire l'amuse, même si la stratégie de Marianne lui paraît parfois simplette. Pour un peu, elle lui conseillerait d'être plus directe et de la poser, cette question qui lui brûle les lèvres. Tout cela ne rime à rien, Delphine le sait, mais c'est un jeu, dans lequel elle ne déteste pas se sentir la plus forte. D'autant plus que Marianne ne cesse d'en violer les règles. La curiosité de cette femme – motivée sans doute par une sorte d'affection – lui paraît absurde, et son acharnement ne mérite qu'une chose : qu'on lui résiste. Bien sûr, il serait plus amusant de mettre un peu de pathétique sous sa dent, d'échafauder un mélodrame, mais le pathétique n'est pas son fort. On ne force pas sa nature.

Le nœud du problème – Delphine ne l'ignore pas –, c'est que la mère de Nina *compare*. Elle compare le foyer boiteux des Desmarais au foyer ordonné des Verhoeven, qui pourrait certes être cité en exemple : parents unis, enfants heureux, chien démonstratif, joie de vivre garantie.

Le foyer Desmarais n'est pas de ceux dans lesquels on jubile, mais il est paisible, n'en déplaise à Marianne : on y cultive sans peine l'obéissance et la dévotion à Alma l'artiste. Marcher sur la pointe des pieds pour cause de recueillement musical n'a rien de tragique, et il y a bien longtemps que la corvée des gammes a fait la place belle à Mozart.

Ainsi donc, la promenade au jardin, pour Marianne, se termine généralement comme elle a commencé : dans la frustration. Jusqu'à la prochaine séance, où elle se promet « d'y aller à fond ».

Delphine se dérobe ?

Elle finira bien par trouver la faille, un jour.

Delphine aussi avait comparé, quelques années plus tôt, lorsqu'elle avait accompagné, avec son père, Colette et la notairesse dans un quartier pauvre de Bruxelles. La mère et la fille les y avaient entraînés sous prétexte de dénicher des « vieilleries cocasses ». Alma s'était demandé quelle mouche piquait la notairesse de vouloir ainsi se mêler à la populace, mais elle n'avait pas voulu lui déplaire en retenant Delphine. En outre, elle savait que le motif véritable de l'invite était la voiture qu'Armand mettrait à leur disposition, le notaire étant avare de la sienne.

« Tu vas voir comme c'est folichon ! avait gloussé Colette. Nous y allons chaque année pour acheter des petits riens. Et tu sais quoi, ces gens sont si bêtes qu'ils ne savent même pas qu'ils possèdent des trésors. »

C'était le premier contact de Delphine avec les démunis, elle ne l'oublierait jamais. Elle avait vu ce dont elle avait entendu parler, ce dont elle ne s'était fait qu'une idée très abstraite, ses seules références en matière de misère étant les lépreux du père Damien et les petits Chinois dont les sœurs décrivaient l'indigence en s'inspirant des circulaires envoyées par l'Église. Elle avait pensé à Charlot, bien sûr, mais Charlot, lui, se moquait de la pauvreté, il l'affrontait avec insolence, il narguait les riches, les roulait dans la farine.

Aux Marolles, main bien serrée dans la main de son père, Delphine était entrée dans le concret, sans transition, sans avertissement. Ces femmes et ces hommes – surtout les femmes – vendaient leurs petits riens pour survivre, pour manger. Et pour manger quoi? Des frites et du cervelas, et pour nourrir leurs enfants de frites et de cervelas. Et le dimanche, s'ils avaient vendu un grand rien au lieu d'un petit, ils mangeaient des moules.

Et même si le cervelas ressemblait à la saucisse de Charlot, il n'y avait pas de quoi rire.

Ce jour-là, devant les femmes aux vêtements gris de poussière, elle avait eu honte de sa belle robe, de son chapeau, de ses souliers, et même de sa culotte et de sa chemise, car elle se disait que si ces femmes avaient des vêtements aussi laids et usés, ce qu'elles portaient en dessous était sûrement pire. Pourtant, elles n'avaient pas l'air triste, au contraire, elles étaient rigolotes, elles vantaient leurs objets à voix haute, vous faisaient de grands signes pour attirer votre attention. L'une d'elles avait crié: «Hé, la petite bourgeoise, viens ici!» Elle avait sorti une broche de sa poche. Le morceau de verre taillé serti dans le métal blanc brillait sur la paume rougeaude. «Achète-la, papa, avait supplié Delphine. Donne ce que la dame demande.» (Elle avait remarqué que la notairesse et sa fille marchandaient avec les femmes. «Comme des vendeuses de poisson!» avait dit Colette.) Bien sûr, papa avait acheté la broche. «Un franc cinquante et c'est donné!» a dit la femme en épinglant le bijou sur le revers de sa veste.

«J'en suis sûr, avait-il répondu, si poli, si délicat que sa fille, dans un élan d'amour, l'avait embrassé.

Un petit garçon était arrivé et, sans un mot, s'était blotti dans les jupes de la femme. «Nous aussi on s'aime bien, avait dit la marchande à Delphine. T'as pas l'air fière, toi. Tiens, prends ça en plus, c'est gratuit.» Elle lui avait fourré un objet dans les mains. Delphine avait serré le cadeau contre sa poitrine, trop émue pour le regarder. «Ben quoi, tu ne veux pas voir? Qu'est-ce que t'attends? C'est de bon cœur!»

Un ange à l'aile cassée. Delphine avait souri à son père, émue, caressant du doigt le petit moignon d'aile. «On ne dit pas merci?» avait dit la femme avec un clin d'œil à Armand. Delphine avait fait un pas vers la marchande et, sans réfléchir, avait ajouté au merci la révérence apprise au couvent. «En voilà une demoiselle!» s'était exclamée la femme. Puis elle s'était lancée dans un discours auquel Delphine n'avait rien compris.

«C'est parce qu'elle parle brusseleir, avait soufflé Armand.

— C'est une autre langue?

— Non, c'est la nôtre, mais en plus vivant.»

Quand Delphine lui avait demandé pourquoi ces gens étaient si pauvres, papa lui avait dit – comme d'habitude – qu'elle était trop jeune pour comprendre, qu'il lui expliquerait un jour. Mais il avait ajouté que les gens des Marolles étaient libres, libres de dire ce qu'ils pensaient. Ils n'avaient pas froid aux yeux. «Ils ne se laissent pas faire, qui s'y frotte s'y pique. Et ils l'aiment, ce quartier que tu trouves si misérable, ils ne le quitteraient par pour l'avenue de Tervueren.»

Tandis qu'elle regardait Colette et sa mère parader comme des duchesses autour des échoppes, Delphine s'était dit que les deux mondes ne pouvaient se rencontrer. Elle n'était pas dédaigneuse comme Colette et sa mère, sûrement pas, mais elle devait bien admettre qu'elle n'abandonnerait jamais sa belle maison, ses vêtements bien coupés, la voiture de papa, et son pensionnat, aussi ennuyeux fût-il, pour ce monde gris et besogneux, même si, comme papa le lui avait affirmé, on y vivait libre. Mais papa était si naïf, parfois. D'ailleurs elle ne l'avait pas cru. Elle ne le lui avait pas dit, mais elle ne l'avait pas cru. À l'entendre, il fallait être pauvre pour être libre. Qu'il faille sacrifier quelque chose pour être libre, d'accord, mais *tout* sacrifier?

Ce soir-là, dans son lit, elle s'était offert une grosse migraine. Elle avait appelé maman pour une aspirine. Alma s'était inquiétée. «Qu'est-ce que tu as? C'est cette promenade aux Marolles qui t'a mise dans cet état?» Sûre que sa mère n'accorderait que peu d'attention à sa réponse, elle lui avait dit que toute cette pauvreté lui mettait le cœur à l'envers. Contre toute attente, Alma s'était assise près d'elle, avait mis une main sur son front. «Ne me fais tout de même pas une fièvre!» Puis elle avait ajouté, presque tendrement: «Je suis passée par là. C'est de ton âge. Ça va aller. Essaie de dormir.

— Maman, tu crois qu'il y a des pauvres si pauvres qu'ils ne rient plus?

— Peut-être, a répondu Alma, embarrassée. Je ne sais pas. Tu demanderas aux sœurs, elles sont expertes en pauvreté.»

Delphine avait souri: maman n'en ratait jamais une quand il était question des sœurs! «C'est vrai! avait surenchéri Alma, elles adorent parler des pauvres, et récolter des sous, et faire adopter leurs Chinois, et envoyer des bondieuseries aux lépreux, et récolter des sous pour leur sainte Église catholique et romaine. Crois-moi, elles en font leurs choux gras, de la pauvreté!»

Delphine avait éclaté de rire. Alma aussi.

Avant de quitter la chambre, maman lui avait tapoté la tête. «Allons, dors, maintenant. Nous reparlerons de tout cela demain.»

Delphine s'était endormie contente, puis elle avait rêvé de Charlot. Le petit homme était assis sur les genoux de la marchande des Marolles et lui mordillait la joue. Un ange à l'aile cassée volait au-dessus des échoppes. Colette et sa mère criaient comme des folles dans une langue inconnue. Elle demandait à papa ce qu'elles disaient, il répondait c'est du brusseleir.

Delphine s'arrête au milieu du sentier. Emportée par sa passion investigatrice, Marianne continue à marcher, puis, s'apercevant que la jeune fille n'est plus à ses côtés, se retourne, sourcils froncés. «Ça va? Tu as l'air songeuse!

— Je pense au récital de ma mère.

— Eh bien... Marianne bégaie un peu, cherche ses mots, eh bien, moi aussi j'y pense... Nous y pensons.

— Ce ne serait pas plus simple de dire oui? Ce n'est qu'un récital, on n'en meurt pas, vous savez!» Delphine croise les bras, impatientée par la résistance un peu sotte de la mère de son amie.

«Ça te ferait plaisir qu'on y aille?

— Oui, puisque je vous le demande!»

Le contrepoint se poursuit: d'un côté, les modulations pressantes de Marianne; de l'autre, le murmure minimaliste de Delphine. Marianne est tout près de l'accepter, le fameux récital, mais elle retarde le moment de l'annoncer à sa protégée. C'est dur, cette capitulation sans avoir rien obtenu en échange. Elle ne se rend pas compte, ou ne désire pas se rendre compte qu'elle se livre ainsi à un petit chantage : tu me réponds, je viens au récital ; tu ne me réponds pas, je te fais languir. Donnant, donnant.

Elles sortent de l'allée de noisetiers, la première aussi frustrée qu'à l'habitude, la seconde légèrement agacée. Delphine laisse courir son regard sur la pelouse impeccable : pas un seul pissenlit, pas une seule pâquerette, pas un seul chardon. Une pelouse cultivée, comme le bonheur des Verhoeven. Devant elles, la maison illuminée. Une maison bien peignée, bien lavée, avec juste ce qu'il faut de désordre pour faire croire que la fantaisie y règne. Mais c'est faux. Comparés à tante Irène, les habitants satisfaits de cette demeure sont conventionnels, le bonheur qu'ils exhibent est un bonheur étroit, convenu.

Bientôt la cloche sonnera pour le dîner. Dans dix minutes. Ces dix minutes, Delphine s'en empare pour parler du récital de sa mère. Pas question que Marianne et sa bande n'y assistent pas. La mère de Nina l'écoute en silence, elle se dit qu'il y a tout de même de la passion chez cette jeune fille si réservée. De la passion pour sa mère, c'est incroyable. Mais de quel bois cette femme est-elle faite pour inspirer un tel amour ? Elle est vaine, prétentieuse, elle joue les divas, elle exploite sa fille, elle la colle devant le piano pendant des heures, et tout ça pour quoi ? Pour se mettre en valeur. Têtue, Marianne poursuit sa litanie, à laquelle Delphine mettrait fin, si elle l'entendait, par un « qu'en savez-vous, vous la connaissez ma mère ? » Et Marianne serait obligée d'admettre qu'elle ne connaît d'Alma Desmarais que la construction mentale qu'elle s'en est faite.

« Ce récital, tu en parles comme si ta mère le faisait seule. C'est aussi le tien, non ?

— Non. Moi je me contente de pianoter. La musicienne, c'est ma mère. »

Marianne en profite pour revenir à la charge, mais, comme toujours, de façon détournée. « Au fait, comment vont tes parents ? »

Delphine n'est pas dupe. « Vous voulez dire ma mère ?

— Non, oui... ta mère ... tes...

— Le reste de la famille ?

— Grands dieux, non ! C'est déjà bien assez compliqué comme ça !

— Ma mère va très bien. Et elle ira encore mieux quand je lui dirai que vous serez présents au récital. Nous y travaillons beaucoup.

— Et ton père, dans ce charivari?»

Charivari! J'ai vraiment dit ça? Oui, je l'ai dit. Je n'en manque pas une, aujourd'hui.

Delphine sourit, sort un mouchoir, époussette un banc, invite Marianne à s'y asseoir. Certes, elle a essuyé le banc pour préserver ma robe blanche, se dit l'hôtesse, mais peut-être est-ce un signe d'abandon? Cela veut peut-être dire qu'elle accepte de prolonger la conversation, de m'ouvrir son cœur. Elle tourne la tête vers le soleil qui s'apprête à disparaître, comme les réticences de Delphine. «Papa est attentionné», dit rêveusement la jeune fille. Ça, je le sais, pense Marianne. La gentillesse du père, on connaît, personne n'en a jamais douté. Le père est spécialiste en gentillesse. Petits cadeaux et gros gâteaux. En tout cas, s'il y a un manque dans la vie de cette petite, cet homme s'efforce de le combler, il faut lui laisser cela.

«Donc, vous voulez qu'on parle de ma mère!»

Prise au dépourvu, Marianne sursaute. «Mais... si tu veux! Je... Oui, pourquoi pas?» Delphine la regarde bizarrement. Difficile de démêler de quoi il est fait, ce regard. Ironie? Tristesse? Curiosité? Un peu de tout cela, sans doute.

La pénombre envahit doucement le jardin, la maison est silencieuse. La cloche tarde à se faire entendre.

«On dirait que le temps s'est arrêté, murmure Delphine. Vous avez parfois cette impression?»

Marianne hoche la tête, contrariée. Il faut interrompre cette rêverie dans laquelle sa protégée se réfugie. «Cela m'arrive. Mais ne voulais-tu pas me parler de ta mère?

— C'est vous qui le voulez.»

Marianne rougit, puis se lance. «Eh bien, ce qui me paraît étrange...

— Oui?

— ... c'est qu'elle te laisse au couvent. C'est vrai, tu ne rentres à la maison qu'aux vacances.»

Marianne guette une réaction, une ombre sur le visage de son interlocutrice. Rien. Le visage serein est teinté, peut-être, d'un léger amusement. «Ce n'est pas tout à fait exact, dit Delphine, je rentre aussi à la Toussaint pour aller voir nos chers disparus.» Les derniers mots ont été prononcés avec une fausse gravité si évidente que Marianne prend la mouche.

Ma parole, elle s'amuse à mes dépens. Mortifiée, elle cherche en vain une réplique. Ne la trouvant pas, elle ramène la conversation en terrain connu. «Je sais que tu aimes beaucoup ton père…

— Oui. Et j'aime aussi Alma.

— Tu appelles ta mère Alma?»

Avec une pointe d'ironie, Delphine précise que Alma est, effectivement, le prénom de sa mère. Marianne ne se laisse pas démonter. «Et… vous vous parlez, Alma et toi?

— Bien sûr.

— De quoi?

— De musique.»

Ah, oui, la musique. Bien sûr, la musique. La musique est la seule chose qui intéresse cette femme. «Delphine, tu parles de musique avec ta mère, ta mère est une artiste, je comprends cela. Ce que je ne comprends pas, c'est ce qui l'empêche de voir sa fille plus souvent. Ce que je ne saisis pas, c'est la raison pour laquelle elle se *prive* de sa fille. Parfois je me demande si elle est…» Les mots lui manquent et, le front couvert de sueur, elle n'arrive à émettre qu'un misérable «comme les autres».

«Comme les autres?

— Je veux dire… comme les autres mères, bafouille Marianne. Bien sûr, nous sommes parfois mères poules, mais…

— Mais c'est mieux qu'une mère d'opérette.

— Non, non, je n'ai pas dit ça!

— Mais vous voulez savoir si ma mère est normale.»

Le ton est plus froid, Marianne rougit. «Ce que je voulais dire, c'est que…

— Alma est normale», coupe tranquillement Delphine. Une ombre voile le joli visage. Elle se tourne vers son interlocutrice et, le regard flottant par-dessus son épaule: «Elle voulait être chanteuse d'opéra, vous comprenez.

— Et pourquoi ne l'est-elle pas devenue?

— Pas dans notre famille.»

Enfin une réaction. Oui, l'émotion est là, mais teintée d'un sentiment que Marianne n'arrive pas à définir. «Est-ce que tu t'inquiètes pour ta mère, Delphine?

— On s'inquiète toujours pour ses parents. Je suis peut-être inquiète. Je le suis sûrement. Je ne sais pas.»

Vu le mutisme habituel de sa protégée, ces quelques mots font à Marianne l'effet d'une avalanche. Quant au «je ne sais pas», il semble clore le sujet. Et la cloche vient de sonner, les appelant pour le dîner. Delphine se lève. «Attends! dit Marianne.

— Oui?

— Et toi, Delphine?

— Moi?

— Oui, toi. Est-ce qu'il t'arrive de t'inquiéter pour toi, pour ta vie à toi?

— Non, voyons! Pourquoi m'inquiéterais-je?

— Mais... parce qu'on ne sait pas ce que la vie nous réserve...» bredouille Marianne, honteuse de manquer à ce point d'imagination. Cette enfant lui fait perdre tous ses moyens, elle est trop calme, trop forte. D'une voix mal assurée, elle ajoute: «Et parce que la vie est parfois pleine de surprises, de bouleversements, de...

— Ces choses-là ne sont pas pour moi.

— Personne n'est à l'abri.»

Delphine secoue la tête. «Je suis faite pour une vie tranquille, sans surprises. Vous verrez.» Puis, souriante: «Vous ne m'avez pas répondu, pour le récital.»

Le récital. Marianne soupire. «Nous irons, puisque tu y tiens tant.» Elle est ulcérée: Alma Desmarais l'a emporté, une fois de plus. Alors, avec un peu d'aigreur: «Mais ne me demande pas de devenir l'amie de ta mère.» Elle se mord les lèvres, trop tard, les paroles sont dites et ont froissé Delphine. Sûrement, puisque le sourire s'est effacé. Mais non, la jeune fille a tout simplement l'air de réfléchir. Regardant Marianne droit dans les yeux, elle rétorque: «Ma mère a déjà une amie.»

Soulagée, Marianne lance, étourdiment: «Oui, oui, cette femme de notaire...

— Non.

— Non?

— Madame Rondeaux n'est pas l'amie d'Alma.

— Mais je croyais que... Il me semblait... J'avais cru comprendre...

— Ça ne veut rien dire.

— Tu as raison. Il faut plus que des... papotages pour être amies.

— L'amie de maman n'est pas forte en papotages.»

Marianne est intriguée. Elle donnerait beaucoup pour savoir qui peut bien être «l'amie» en titre d'Alma Desmarais. Mais Delphine se contente de sourire.

Elle le fait exprès.

N'y tenant plus, mais d'une voix qu'elle s'efforce de rendre légère, désinvolte, Marianne lance : «Je la connais, cette amie ?
— Moi. »

*

La stupéfaction de Marianne à la vue de l'aigrette surmontant le bandeau de perles de l'artiste monte d'un cran lorsque cette dernière entonne l'air des clochettes. Bien droits sur leur chaise, Guillaume et Georges s'emploient à garder leur sérieux. Le premier sort de l'amphithéâtre, le second de l'hôpital, les soirées mondaines ne sont pas leur fort. Guillaume n'a accepté d'assister au concert que pour Delphine, une fille qu'il ne comprend pas, mais dont il est tombé amoureux. C'est un garçon qui parle peu, un élève studieux, qui sait où il va. Sa carrière est toute tracée, il sera cardiologue comme son père. Il veut soigner les cœurs malades. Il s'intéresse donc aux battements du cœur et, tandis que les siens s'accélèrent en présence de Delphine, il voit bien que ceux de la jeune fille restent imperturbables. Le jeune homme, qui est un peu poète, appelle cela l'impassibilité de l'âme. Depuis que sa mère lui a dit que cette fille manquait d'affection, il éprouve pour elle une compassion que seule une forte attirance sexuelle vient troubler. Quand ils se promènent, il lui tient la main. Elle semble contente. Il emmène Nina et Delphine au théâtre, à la promenade et, comme le fait sa mère, s'efforce de «décrypter» les paroles, boutades et réflexions économes de leur amie. Il échoue, bien sûr, mais il aime qu'elle aille à contre-courant, qu'elle ne se soit pas fait couper les cheveux, à l'instar de Marianne et de Nina, qu'elle ne porte pas, comme toutes les filles, un bandeau de soie beige pour ressembler à leur reine.

Assise près de la notairesse, Marianne est frappée par la grâce avec laquelle la fille accompagne la mère, et par une ressemblance que ni le fard, ni le mascara, ni le rose aux joues de la diva ne peuvent effacer. Personne ne tourne les pages : Alma et Delphine sont les seules musiciennes de l'assemblée. Lorsque la pianiste lève la tête pour saisir le bord de la feuille, elle croise le regard de Marianne et, devinant peut-être ses pensées, revient à la partition avec un léger sourire. «Tu es sûre que ce n'est pas une eau dormante, cette gamine ? a encore demandé Georges. – J'en suis sûre.

Elle est bouclée dans sa forteresse, c'est tout. Elle rêve, elle pense à des choses.

— Tu crois? Moi je crois qu'elle ne pense à rien.»

Marianne examine la chanteuse, dont l'aigrette frémit sous le déferlement des clochettes. C'est peut-être tout ce qu'elle a, cette femme: son aigrette, ses vocalises et ses grands airs. Non, elle a sa fille. D'ailleurs, c'est sa fille qui me l'a dit. Applaudissements. Regard appuyé de Delphine sur les mains de Marianne, qu'elle n'a pas dégantées pour applaudir. Puis elle se penche vers sa mère, lui parle à l'oreille, avant de reprendre sa place. L'assistance, intriguée par le conciliabule, attend. Allons, se dit Marianne en ôtant ses gants, encore un petit air et la corvée sera terminée.

D'un geste sûr, Alma enlève son diadème, le pose sur le piano. Ses cheveux, que retenait la coiffe, se dénouent sur ses épaules. Elle reprend sa place, hiératique, dans sa longue robe, dont chacun s'aperçoit soudain qu'elle est dépourvue d'ornements. Sur les chaises de bois précieux de la notairesse, les spectateurs se taisent, déconcertés. D'un léger mouvement du menton, la chanteuse fait signe à l'accompagnatrice. Les premières notes. Puis la voix. Sans trémolo, unie, presque sans couleur. Une voix d'ange.

La phrase musicale qui se déploie dans le grand salon bourgeois de la notairesse est d'une telle pureté que les visages se figent: il ne s'agit plus de virtuosité, de prouesse technique, de plumes et de clochettes, mais du simple énoncé d'une ligne mélodique si belle que chacun retient son souffle. Le visage d'Alma a pâli; sa poitrine, sa gorge, ses lèvres émettent des sons d'une telle transparence que la tristesse du chant se suffit à elle-même, ne traduit qu'elle, cette tristesse, sans amertume, sans souffrance. Delphine elle-même, d'habitude si réservée, joue avec une sorte de transport, qu'elle maîtrise, cependant, pour ne pas empiéter sur ce qui n'appartient qu'à l'artiste. Alma se tourne vers elle, hoche imperceptiblement la tête, pour sa fille, pour sa fille seulement, pour lui faire savoir qu'elles sont à l'unisson, non seulement de la musique, mais de l'âme et du cœur. La voix se déploie, inonde le salon lambrissé où l'on n'a jamais fait que parader, plus personne ne se demande quand on servira les petits-fours, ne remue sur sa chaise, ne toussote, ne lutte contre la somnolence ou l'envie de se gratter la jambe, chacun voudrait que la magie se prolonge, car c'est une halte, une incursion dans un univers dont toute pensée impie a disparu.

Quand le chant s'éteint, l'assistance est si captivée qu'elle en oublie d'applaudir.

Marianne sait maintenant ce que voulait dire Delphine. Ce qu'elle vient de découvrir bouscule les convictions dans lesquelles elle s'embourbe depuis qu'elle s'est donné pour mission de réchauffer «l'univers terne et froid» de sa protégée. La protégée n'a pas besoin d'elle. C'est une déception cuisante. La voir aussi rayonnante la mortifie : elle n'y est pour rien et trouve cela injuste. Delphine remarque les lèvres pincées, mais ne s'en étonne pas.

Il est peut-être temps de me séparer d'eux.

Nina sourit, mais c'est un sourire sans profondeur, elle est contente pour son amie mais le sens de l'événement lui échappe, ou pire, elle en fait un événement mondain. Quant à Guillaume, il a l'air vaguement égaré. Il doit se demander pourquoi il s'est laissé entraîner dans un monde aussi singulier.

Le seul à baisser la tête sous le coup de l'émotion est le père. C'est comme l'anesthésie chez mes opérés, dira-t-il plus tard à sa femme. Lorsque l'aiguille pénètre dans la chair, ils glissent dans un monde sans poids ; toutes les fibres de leur corps sont pacifiées : elles goûtent à l'absolu.

Delphine se lève, se tourne vers sa mère et, une lueur d'allégresse dans les yeux, lui sourit.

*

La pensionnaire de l'Annonciation rentre chez elle toutes les trois semaines. Un an encore, et elle aura terminé ses études. Elle sait qu'elle n'ira pas plus loin. Alma a du reste décidé qu'il sera alors grand temps de trouver un mari. Un moment, la jeune fille pense entrer en religion, mais la simple idée de la discussion qu'il faudrait avoir avec Alma la décourage. Et la supérieure lui a clairement exprimé son scepticisme : elle ne croit pas que Delphine ait la vocation, elle en est même sûre, cela fait des années qu'elle l'observe. L'élève s'est inclinée. La routine du couvent la berce. Son herbier la retient parfois, mais ce n'est que par fidélité à mère Marie. Elle récolte encore des feuilles, çà et là, loin du jardinier qui se tient à distance et à qui elle n'en veut pas car c'est un pauvre homme. La semaine, entre la classe et les offices religieux, elle lit, absorbe les règles du savoir-vivre de la baronne Staffe, lecture obligée et indispensable, aux dires des sœurs, à qui veut devenir épouse et mère accomplie. À la maison, le week-end, les livres d'Alma contredisent à qui mieux mieux les usages du monde de la baronne. Rangés en haut d'une étagère dans le boudoir d'Alma, ils narrent la vie de malheureuses sans défense souffrant aux mains d'hommes brutaux et éthyliques. Ces livres, Alma les a hérités de sa mère. Elle ne les a pas lus. Elle est convaincue que la vieille Florine ne les lui a légués (ce fut du reste son seul présent) que pour lui faire prendre la vie en horreur. « Pourquoi je les garde ? a-t-elle répondu à Delphine qui, nauséeuse, venait d'en abandonner un à mi-lecture. Pour me souvenir que j'ai eu pour mère un monstre. » Les livres maudits sont relégués sur la dernière planche de la bibliothèque, loin des ouvrages de musique, des partitions et des biographies de Giacomo.

Les livres ne sont qu'un intermède dans la vie de Delphine, ni son cœur ni son esprit ne s'y perdent. Devant leurs contradictions, elle se dit qu'il existe un juste milieu.

À l'école, où ses notes sont honorables, l'idée de donner un coup de collier pour se distinguer ne lui vient même pas à l'esprit ; Delphine n'est pas ambitieuse, elle ne désire rien de plus que ce qu'elle a. Elle a des choses à faire, chez elle et au couvent, pas très nombreuses, pas très difficiles, mais les faire du mieux qu'elle peut lui suffit. Se rebeller, comme le font si souvent les autres filles, ne lui apporterait que reproches et tracasseries. Delphine n'aime pas les choses compliquées, les discussions, les explications, les morceaux difficiles, elle préfère *Sur un marché persan* à Bach – ce marché persan qu'elle joue en sourdine depuis que mère Marie, passant près de la salle de musique, s'est arrêtée pour lui dire qu'elle trouvait ces sonorités bien profanes. Alma, elle, a déclaré que la mélodie ne supportait pas la comparaison avec le plus petit Mozart. Sa mère et la supérieure ont raison, mais l'exotisme païen de la pièce la ravit et c'est bien ainsi. Il lui paraîtrait aberrant de compliquer des choses simples, et dans son existence tout est simple : la vie au couvent, si bien réglée, les séjours polis chez Nina – depuis le récital, Marianne ne pose plus de questions –, les promenades avec son père, les séances musicales avec sa mère. Sa mère qui chante comme un ange et avec qui elle revit, chaque fois qu'elle l'accompagne, le miracle de la soirée chez la notairesse.

Elle pense encore aux Marolles, mais le souvenir qu'elle en garde est beaucoup plus teinté de nostalgie que de tristesse.

*

Delphine et Guillaume sont au jardin pour la corvée du dimanche : arrachage des mauvaises herbes. On entend, par la fenêtre ouverte, Nina qui pianote. Guillaume est silencieux, comme toujours, mais il semble préoccupé, nerveux. Delphine lui fait remarquer qu'il arrache des fleurs. Elle lui sourit et, dans un élan qui ne lui est pas coutumier, retient la main qui se prépare à d'autres ravages. Et lui retient la main de Delphine. Elle ne s'effarouche pas, n'y voyant qu'un geste amical. « Dépêchons-nous, bientôt l'heure du goûter.

— Tu as faim ?

— Je ne peux pas résister au chocolat de ta mère. »

Ils reprennent leur besogne. « Fais attention, si je dois replanter tout ce que tu arraches, nous n'aurons jamais fini.

—Tant mieux. J'aime bien être seul avec toi. »

Delphine sort un bulbe d'un sac et l'enfouit dans la terre. Elle fredonne le marché persan. « Delphine, tu m'as entendu ?

— Quoi ?

— J'ai dit que j'aimais être seul avec toi.

— Oui.

— Et toi, tu aimes être seule avec moi ?

— Bien sûr.

— Quand on dit "bien sûr", ça ne veut pas dire grand-chose. On dit ça pour être poli. » Il se lève, impatienté. « Bon, ça suffit pour aujourd'hui. D'ailleurs il va pleuvoir. » C'est vrai, la pluie se met à tomber, diluvienne, ponctuée de coups de tonnerre. Ils se réfugient dans la véranda. Guillaume sait que Delphine a peur de l'orage. Il s'approche, la prend dans ses bras, attentif à ne pas l'effaroucher. Elle cache sa tête contre sa poitrine. Il embrasse ses cheveux, elle s'abandonne. Doucement, il la fait asseoir sur un banc. « Ce n'est qu'un tout petit orage », dit-il en caressant sa joue. Mais le désir survient, pressant ; il se serre contre elle. Elle le repousse. « Arrête, Guillaume, arrête, s'il te plaît.

— Pourquoi ?

— Parce que.

— Ce sont les enfants qui disent parce que. Parce que quoi?

— Parce ce que je vais saigner du nez.»

Il se lève comme si le banc l'avait brûlé. «Mais qu'est-ce que tu racontes?

— Je vais saigner du nez.

— Répète, s'il te plaît.

— Je vais saigner du nez.

— C'est ridicule.

— Je sais.»

Il va vers la porte. Sa perplexité, son mécontentement le poussent à la planter là, à retourner à ses livres, à fuir cette fille bizarre qui ne sait pas ce qu'elle veut. Mais le moment d'abandon de Delphine, quelques minutes plus tôt, tempère son emportement, au moins voudrait-il comprendre. Saigner du nez! Elle a vraiment dit ça? Quelle horreur! Il revient vers elle, s'assied à ses côtés. «Explique-moi pourquoi tu as dit ça.

— Parce que c'est la vérité.

— C'est ridicule.

— Tu l'as déjà dit.

— Mais enfin, mets-toi à ma place! Qu'est-ce que c'est que cette histoire?

— C'est ce qui m'arrive quand je ne me sens pas bien.

— Je te remercie!

— Ce n'est pas de ta faute.»

Il s'éloigne, tourne en rond dans la véranda, se plante devant elle, exige une explication.

«Je ne peux pas expliquer, Guillaume, c'est comme ça.

— Je te dégoûte.

— Non, voyons! C'est autre chose. Ce n'est pas vraiment ça, je te le jure. Je ne sais pas ce que c'est. Ce n'est pas vraiment ça.

— Pas *vraiment* ça, crie-t-il, pas *vraiment* ça? Tu te rends compte de ce que tu dis?» Il empoigne ses épaules, la secoue.

«Me faire mal n'arrangera rien.»

Il la repousse, brutalement, sort en claquant la porte. Delphine ne fait pas un geste pour le retenir. Elle le regarde s'éloigner dans le jardin détrempé, se demandant où il va. Plus loin, c'est la route. Qu'irait-il faire sur la route? Marcher comme un forcené en ruminant le «pas vraiment ça»? Elle n'aime pas le voir souffrir, même si elle sait que c'est l'amour-propre, avant tout, qui a été atteint. Allons, cela devait arriver et c'est arrivé, aujourd'hui, grâce à l'orage. C'est fini, bien fini.

Quelques minutes plus tard, elle sort de la véranda, rejoint les autres à la cuisine, boit le chocolat préparé par Marianne, puis monte à sa chambre pour préparer sa valise. Un chat est couché sur le lit. Le chat gris, celui de Guillaume. Il ronronne, se frotte contre elle en miaulant. «Tu m'auras vite oubliée», lui dit-elle.

Plus tard, dans la voiture qui les ramène, elle et Nina, à l'Annonciation, elle annonce qu'elle restera désormais au pensionnat. Nina ne comprend pas, Marianne essaie de croire à un caprice. Mais elle sait que Delphine n'est pas capricieuse. Elle s'efforce de conclure, comme sa fille, que leur amie leur cache quelque chose... un voyage, un déménagement, un secret de famille... N'importe quoi pour ne pas affronter ce qui semble clair : Delphine n'a plus envie de les voir. Comme sa mère, Nina examine toutes les raisons possibles, avec un brin d'excitation : si Delphine a un secret, elle finira bien par le connaître puisqu'elles sont amies !

«Ce n'est pas ça.

— C'est quoi, alors ?» Nina commence à se dire que les nouvelles ne sont pas bonnes. «Maman, dis quelque chose !» Mais Marianne se réfugie dans un mutisme offensé.

«Ce n'est pas ça», répète Delphine. Un temps, puis : «Je ne reviendrai plus à la villa.»

Du coup, Marianne la questionneuse se réveille, elle exige une explication. Delphine la lui donne, sans les détails. Nina est en colère. «D'accord. D'accord, tu n'es pas amoureuse de Guillaume, ça nous l'avons bien compris, mais c'est une raison pour ne plus venir à la maison ? Qu'est-ce que tu crois ? Qu'il va te poursuivre comme un satyre dans les allées du parc ? Qu'il va entrer dans ta chambre par la fenêtre ? Qu'il va te supplier ? Tu ne connais pas mon frère, ma vieille, il a plus d'amour-propre que ça. Tu sais ce que je crois, moi ? C'est que tu en as assez de nous voir et que tu profites de ce prétexte pour filer en douce. Eh bien, ce n'est pas moi qui te retiendrai.»

Le samedi suivant, Marianne vient voir Delphine au couvent, bien décidée à obtenir «le fin mot de l'histoire». Mais le temps des interrogatoires est terminé, Delphine lui oppose un silence poli. Rentrée à la maison, Marianne cuisine son fils avec moins d'égards qu'elle n'en a eu pour sa protégée. Elle voit bien qu'il est embarrassé, mais il ne dit rien, ou quelques bribes, que Delphine est bizarre, qu'on ne sait jamais ce qu'elle pense, que ce n'est pas la peine de la harceler car elle est très secrète et ne se livrera pas. Marianne lui demande si quelque chose est arrivé. « Non, dit-il, j'étais un peu amoureux, mais elle est vraiment trop compliquée. »

Au pensionnat, mère Marie intervient. « Les Verhoeven vous ont accueillie pendant des années, Delphine. Cette décision que vous semblez avoir prise sur un coup de tête traduit un intolérable manque d'égards envers cette famille. Une fois de plus, votre conduite me déconcerte. Ou alors il s'est passé quelque chose. » Elle scrute le visage de Delphine. « Il s'est passé quelque chose ?

— Il ne s'est rien passé, ma mère, tout est de ma faute.

— Que voulez-vous dire, de votre faute ? Vous vous êtes disputée avec un membre de cette famille ? Quelque chose vous a déplu ? Quelqu'un vous a déplu ? La mère de Nina Verhoeven semble penser qu'il s'agit de son fils. Elle se trompe ?

— Non, ma mère.

— Se serait-il mal comporté avec vous ?

— Oh non !

— Cela me rassure. » Elle montre un siège à Delphine. « Asseyez-vous. »

Delphine obéit.

« Très bien. Maintenant, dites-moi pourquoi c'est de votre faute. »

Delphine raconte l'épisode du jardin, n'omettant qu'un détail : sa crainte de saigner du nez. C'est une infirmité qu'elle ne veut pas confier à mère Marie : si elle le faisait, celle-ci la bombarderait de questions et, une fois de plus, tiendrait Alma pour responsable.

4

IRÈNE

Mai 1926. Paris. Un jeune secrétaire apprend à Irène que monsieur Lévy est en voyage. Quand reviendra-t-il ? Il l'ignore, mais il peut lui envoyer un câble. Irène lui dit que rien ne presse, elle s'est installée dans un hôtel de la rive gauche et visitera Paris en attendant. Du tac au tac, le jeune homme lui répond qu'il serait ravi de lui faire connaître les endroits les plus amusants de la ville.

Justement, après l'ennui d'une longue année passée dans la grisaille belge, Irène est prête à s'amuser. À condition que l'attitude du jeune homme reste décente, bien entendu. Ils conviennent d'un premier rendez-vous. Et d'autres suivent.

Quelques semaines de flânerie en bord de Seine, d'échappées hors les murs, de repas sur l'herbe et de vin blanc dans des guinguettes meublent l'attente du retour d'Edmond Lévy. Irène ne boude pas, loin s'en faut, ces excursions avec ce jeune homme charmant qui se contente si délicatement de lui effleurer la main. Avec une simplicité dont elle a décidé de faire sa marque, elle lui explique qu'elle attend beaucoup d'Edmond Lévy, et qu'elle ne tient pas à compromettre une «amitié» censée lui apporter ce à quoi elle aspire. Elle ne précise pas sa pensée : ce à quoi elle aspire, mis à part les voyages, n'est pas clair dans sa tête. Idylle ? Certes. Amour ? Non, pour l'amour, c'est terminé, et la passion, qui paralyse et rend toute vie de l'esprit impossible, est à éviter comme la peste. Aventure ? Absolument, mais dans un respect mutuel («respect mutuel» la fait sourire, mais quoi, la morale a du bon). Bref, elle est prête à faire sa part, tout en caressant l'espoir d'être exemptée, autant qu'il est possible, d'un commerce charnel qui, après le gâchis d'Ostende, lui paraîtrait sûrement lassant dans ses prémices autant que dans l'acte lui-même. En outre, la hantise de tomber enceinte la terrifie ! Un médecin lui a bien dit quoi faire, et elle s'est toujours livrée, après un échange sexuel «abouti», aux exercices prescrits par l'homme de l'art, mais il est préférable, en tout état de cause, d'éviter ces gambades à très haut risque. Bien sûr, tout homme a ses exigences, et c'est le prix à payer, à l'occasion. Mais le personnage entraperçu à Ostende n'est peut-être pas porté sur ces ébats périlleux ; il n'est plus très jeune, et sans doute est-il lassé, lui aussi. On peut toujours rêver. Irène est tentée de demander au chaperon ce qu'il en pense, mais ce serait entrer là dans des confidences qui pourraient compromettre à la fois son agréable relation avec le jeune homme et sa relation future, qu'elle espère aussi agréable que platonique, avec celui qui l'emploie. Quoi qu'il en soit, elle est déterminée, dans un premier temps, à garder les sentiments à distance. En offrant, en contrepartie, sa loyauté. Une chose est certaine : si l'aimable destin, conjugué à quelque effort, lui permet de trouver un terrain d'entente avec Edmond Lévy, elle évitera scrupuleusement les aventures «extraconjugales». Du moins dans l'immédiat. Plus tard, peut-être. Lorsqu'elle aura recouvré l'appétit. Serais-tu devenue cynique, ma pauvre fille ? Tu en as le droit, tu as souffert.

C'est vrai. Quelles que soient ses présentes dispositions d'esprit, la souffrance d'Irène a été bien réelle. Mais elle ne veut plus y penser, la page est tournée, l'heure est venue de se jeter – mais pas à corps perdu – dans une aventure dispensatrice d'émotions artistiques et de découvertes. Elle est prête, en échange, à exprimer son dévouement par le truchement d'une cordialité constante et enjouée.

C'est à ces pensées alertes que se livre Irène, seule dans son lit, se félicitant déjà d'être fidèle à un homme qu'elle ne connaît pas encore.

*

Revenu d'Espagne après un périple tauromachique, Edmond Lévy se montre satisfait de revoir la jolie rescapée d'Ostende. Il ne semble pas étonné, ce qui intrigue Irène. Se conformant à l'idéal de franchise envers lequel elle s'est engagée, elle lui en demande la raison. Réponse : «Simple déduction, chère amie. Quand on sort d'une prison dont le geôlier est un insensé, on a tendance à se tourner vers un personnage plus raisonnable, et adepte d'une vie plus légère. Sans doute avez-vous eu ce réflexe.» Très juste. Mais ce qu'il ajoute gâte la très civile entrée en matière: «Et vous savez que je peux vous offrir ce à quoi vous aspirez.»

Irène se rebiffe: «Oui, mais ce à quoi j'aspire, je pourrais me l'offrir seule.

— Une jeune femme de bonne famille ne voyage pas seule.

— Hélas.»

Réitérant son désir d'être tout à son service, Edmond Lévy propose une escapade à Londres, où l'on donne *Siegfried*. Irène ne se fait pas prier, soulagée d'échapper pour un temps à l'arène. Edmond est mélomane, ce qu'elle espère devenir, mais sans se faire d'illusions. Ce peu de réceptivité à la musique, Irène l'admet en toute humilité. Pas question de jeter de la poudre aux yeux, ce sont les demi-mondaines qui font cela. Irène n'est pas une demi-mondaine, c'est une femme libre. Du moins se veut-elle ainsi. Une femme dont le revenu la met à l'abri des compromissions et concessions auxquelles sont tenues certaines infortunées. Une femme libre qui n'est pas encore prête à voyager seule. Mais cela viendra. J'aurai un jour cette audace.

Un homme me plaît, c'est bien. Il n'a plus ma faveur, adieu.

Le premier soir londonien, dans la loge de l'opéra, son ignorance musicale lui saute aux yeux. Elle ne s'en inquiète pas, chaque chose en son temps, on ne reste analphabète que si on le veut bien. Après avoir contemplé le parterre, puis tenté de saisir l'étrange cérémonial qui se déroule sur scène, Irène observe son compagnon. Contrairement à la majorité des spectateurs, qui dodelinent de la tête ou sourient avec béatitude, Edmond Lévy absorbe le chant, la musique, les effets scéniques avec une froide passion. Comment expliquer cela? Elle ne le saura jamais, sans doute, mais elle comprend d'emblée que cette attitude est indissociable d'un caractère qui, elle en fera l'expérience à diverses reprises, ne peut être qualifié que de bien trempé. Ce soir-là, à force d'observer ce visage – et de ne rien comprendre à ce qui se déroule sur le plateau –, elle finit par ressentir du respect devant la dévotion glacée avec laquelle Lévy suit les mouvements et trémolos de la créature grassouillette en culotte courte qui, près d'une fausse grotte, chante de toute la force de ses poumons – très comprimés dans un pourpoint – afin de couvrir le bruit du marteau qu'il tape comme un sourd sur l'enclume. Au médianoche, après le spectacle, alors qu'elle se demande en quels termes s'enquérir de la finalité du geste, Edmond Lévy prend la peine de lui parler de Wagner, précisant qu'il compte l'emmener à Bayreuth en automne et qu'il est souhaitable qu'elle se prépare à recevoir ce formidable présent.

«Oui, mais ce Wagner est si... allemand! soupire-t-elle.

— Wagner n'est pas allemand, il est tout.

— Tout quoi. Tout teuton? Et ces rochers en carton, cette enclume, avouez que c'est ridicule!

— Vous voyez mal. Tout n'est qu'abstraction.

— C'est pour ça que je n'y comprends rien?

— Pourquoi ne vous laissez-vous pas aller? C'est un art populaire.

— Populaire!!! Alors pourquoi ai-je envie de dormir?

— Parce que vous avez trop couru les boutiques.

— Oui, mais ces longueurs, c'est assommant. Et vous savez quoi?

— Dites toujours.

— Je vous ai vu dormir!

— Je ne dors pas, je ferme les yeux pour percevoir la profondeur de la pensée.

— Vous fermez les yeux pour percevoir une pensée qu'on clame à tue-tête?»

Un moment désarçonné, Edmond Lévy hausse les épaules. «Vous dites n'importe quoi!

— C'est vous qui dites n'importe quoi. Et votre Wagner aussi! Avouez que cet homme est bizarre: il dit qu'il préfère l'injustice au désordre!

— Où avez-vous été chercher cela?

— Dans vos notes.

— Depuis quand lisez-vous mes notes?

— Depuis que vous les laissez traîner! Du reste, vous ne m'avez pas interdit de les lire! Mais je m'en garderai à l'avenir. Et puis, cessons de nous disputer! Edmond, j'ai un aveu à vous faire...

— Faites.

— Je préfère les petits airs napolitains.»

Il daigne sourire. «Quoi d'autre?

— L'Italie me tente.

— Vous l'aurez. En attendant, nous verrons, demain, *Les maîtres chanteurs*, sans abstraction métaphysique.»

Ce qui met fin à l'échange, mais non à la liaison, Irène étant un joyau – mal dégrossi peut-être, mais un joyau quand même – dont Edmond Lévy n'est pas près de se défaire. Son insolence lui plaît. Et elle aime le ballet, comme elle aimera Puccini à la Scala, où il compte l'emmener bientôt.

Avec Edgard, le chien imaginaire.

*

«Mais d'où sort ce cabot?» demande Irène le jour où Edmond daigne lui présenter l'animal virtuel qui, affirme-t-il, «est mon compagnon d'existence».

«Je l'ignore, ma chère. Tout ce que je sais, c'est qu'un jour il était là. Et qu'il n'est jamais reparti.»

Irène est perplexe. Jusque-là, il lui est arrivé d'entendre, à l'occasion, une voix de fausset exprimer, en termes généralement acides, des pensées peu orthodoxes, mais elle n'y a pas prêté attention, se disant que certaines personnes ont de ces manies qu'il vaut mieux ne pas essayer de comprendre.

La manie est de taille, et la jeune femme ne tarde pas à s'apercevoir qu'Edgard, pour imaginaire qu'il soit, tient une place énorme dans la vie de son «maître». Elle a parfois l'impression qu'Edmond le considère comme son seul interlocuteur valable, c'est vexant. Aussi redouble-t-elle d'insolence, ce qui ne fait qu'exciter la verve du roquet. En fait, Edgard n'intervient que pour exprimer la colère ou l'agacement d'Edmond, et licence lui est alors donnée de récriminer, avec permission d'avoir recours aux mots que son maître s'interdit de prononcer. Mais, plus subtilement, il intervient aussi dès qu'une contradiction apparaît dans l'esprit de Lévy. La discussion prend alors un caractère privé, philosophique, dont Irène, bien sûr, est exclue, tout en étant tenue d'écouter. Son protecteur et Edgard égrènent alors leurs souvenirs, le premier buvant à petites gorgées son bourgogne millésimé, le second la rappelant à l'ordre lorsque l'ennui ou la fatigue lui ferme les yeux. Écouter Edmond et Edgard est le raisonnable prix à payer pour parcourir l'Europe, et parcourir l'Europe est le premier pas vers un avenir plus autonome. De quoi cet avenir sera fait, elle ne le sait pas encore, mais elle sait qu'elle en sera maîtresse. Youri n'a été qu'un accident douloureux et, après cette passion qui lui a appris que l'on peut aussi souffrir, Edmond Lévy et Edgard sont arrivés à point nommé, sans la moindre exigence affective.

Au début, Irène croyait que Lévy ne voulait une présence à sa table que pour ne pas avoir l'impression de parler tout seul. C'était se faire insulte : Irène sait maintenant qu'elle plaît à cet homme, qu'elle l'amuse, qu'il apprécie ses réparties, son impertinence, qu'il est friand de ses prises de bec avec Edgard, qu'il est ravi lorsque, à l'approche d'un serveur ou de convives à une autre table, elle prend un air compassé pour poursuivre la joute oratoire.

Quelques mois s'écoulent, pendant lesquels Irène suit et écoute Edmond et son alter ego, dont les anecdotes répétitives lui prodiguent des détails qu'elle n'a pas saisis lors d'une première narration, soit qu'elle fût lasse, soit qu'il y eut, dans la salle à manger, un homme séduisant et peu intimidé par la présence d'un éventuel Arnolphe. Ce qui arrive souvent. S'ensuit, à l'occasion, un rendez-vous quémandé par l'intermédiaire d'une missive confiée à un chasseur de l'hôtel, ou accordé au hasard d'une rencontre en ville. Les bonnes résolutions parisiennes ont fait long feu : Irène s'accorde, ici et là, une petite escapade. Avec d'autant moins de remords que, connaissant la vie et ses emportements, Lévy ne s'autorise jamais à lui reprocher une aventure « occasionnelle ». Ce que signifie ce vocable, Irène l'a très vite compris : les aventures peuvent être nombreuses, mais elles ne peuvent excéder deux à trois rencontres – ni empiéter sur les heures qu'ils passent ensemble.

Le trio se promène de Grande-Bretagne en Allemagne en Italie en Espagne, selon le caprice d'Edmond et, accessoirement, celui d'Irène. Edmond Lévy aime le ballet, l'opéra, la musique de chambre et, par-dessus tout, la corrida. Irène aime le ballet et l'opéra, à condition qu'ils soient romantiques. Edgard n'aime que la corrida. Sur ce qu'ils appellent l'art suprême, l'homme et le chien sont en parfaite harmonie. Pour Irène, la tauromachie est une calamité, mais elle a décidé que c'était le prix à payer pour ses nuits exemptes de promiscuité charnelle avec un homme pour qui elle n'éprouve aucun appétit. Il semble que les élans de passion de son protecteur ne soient dirigés que vers l'arène, et elle en remercie le ciel. À une soirée en tête-à-tête avec elle, Edmond préfère un sombre dîner avec le grand Belmonte – soirée dont elle n'est pas exclue, bien entendu, les regards fulgurants du matador sur sa chevelure rousse emplissant Edmond Lévy d'orgueil. Edmond est un expert en tauromachie, un aficionado. Quand il discute passes, véroniques et banderilles avec le grand Belmonte, son expression change, passant d'une froideur glacée à un lyrisme dont Irène se demande parfois s'il colorait, jadis, ses ébats amoureux. Mais a-t-il été amoureux ? Cela m'est arrivé, lui répond-il le jour où elle insiste tant que, de guerre lasse, il finit par avouer. Amoureux d'une reine de beauté qui l'a quitté après quelques semaines.

Cette révélation ravit son interlocutrice. « Vous avez donc été malheureux ?

— N'exagérons rien.

— Edmond, s'il vous plaît ! Vous savez que vous pouvez tout me dire.

— Tout vous dire ! Et pourquoi ?

— Parce que je suis votre amie. »

« C'est faux, elle n'est pas ton amie, grince Edgard. Motus. Bouche cousue. Pas un mot.

— Cela m'est égal », dit Lévy. Puis, à Irène : « J'ai souffert pendant une heure.

— C'est tout ?

— C'est tout. Je me suis donné une heure, et hop, fini ! »

« Hop, fini ! » ricane Edgard.

Jamais Irène n'est allée à un rendez-vous proposé par un des hommes de la *cuadrilla*, aussi fascinés par le flamboiement de sa crinière que les taureaux par la cape. Il aurait fallu au moins que ce fût Belmonte, mais Belmonte la croit fille d'Edmond et personne ne l'a détrompé, même Edgard, que les situations ambiguës réjouissent. De toute façon, ces hommes la dégoûtent, ils sentent le sang – relent que le vin noir des tavernes ne fait qu'accentuer. Irène est, Dieu merci, dispensée des soirées arrosées, mais pas de ce qui suit, lorsque Edmond, l'aficionado mystique qui n'a jamais sommeil, rentre au palace et discourt à l'infini sur la nécessité de ritualiser le jeu à l'extrême afin que l'on accepte l'exécution de la bête.

Le trio poursuit son voyage ibérique pendant deux semaines, où ils suivent, de plaza en plaza, dans une voiture avec chauffeur, l'énorme limousine noire contenant le torero, sa cuadrilla et ses habits de lumière. Jusqu'à l'apothéose finale à Madrid, et un dîner tardif où le sombre Belmonte se saoule au xérès pour fêter, devant deux oreilles, une queue et une patte, le massacre de deux *toros bravos*.

À chaque escale parisienne, Edmond installe son amie dans un hôtel du 16e, où elle relit Larbaud en attendant le prochain voyage. Où habite Edmond ? Le jeune secrétaire lui apprend, en secret, que son employeur réside en banlieue de Paris, dans l'immense propriété de sa mère, vieille dame impotente qui vit avec une gouvernante et l'homme chargé de la transporter du salon à la chambre à la véranda. Edmond n'a jamais fait allusion à sa famille, et Irène sait qu'une question, même anodine, serait considérée comme indiscrète et ne recevrait qu'un coup de patte du vigilant Edgard. Pour l'heure, elle marche dans Paris, balançant sa jupe très courte, se demandant quand elle va se faire couper les cheveux, oubliant la poussière des plazas, les yeux perçants du grand Belmonte, les habits de lumière dans lesquels s'incruste le sang devenu poussière. Et le soir, elle danse le charleston, le shimmy et le black-bottom avec le secrétaire d'Edmond, qui a la jambe plus leste que son patron. Elle se dit que oui, elle est une femme entretenue, mais que cela n'a aucune importance puisqu'elle s'en ira lorsque bon lui semblera.

Quelques jours de flânerie plus tard, elle saute dans un pullman pour Bruxelles, où l'on ne cesse de l'attendre. Après quelques équipées mondaines avec Alma, elle accompagne Armand à Bruges où, sur le perron du couvent, les attend une belle jeune fille. Une fois de plus, Irène est frappée par la sérénité de sa nièce. Près des canaux, Delphine lui prend le bras avec simplicité, et Irène se surprend à envier cette tranquillité d'esprit. Sans la comprendre. Elles ne sont pas de la même eau. De sa main libre, elle serre affectueusement le poignet de sa nièce.

«Comment est ta vie, Delphine?

— Bonne, ma tante.

— Et ton cœur?

— Mon cœur?

— N'est-il pas déjà pris par... un jeune homme?»

À côté d'elle, elle sent qu'Armand réprouve.

Delphine se met à rire. «Je ne suis pas comme vous, ma tante. Je n'ai pas le cœur vaste.»

Déconcertée, Irène ne sait que répliquer, mais comment se formaliser devant une réponse aussi pénétrante? C'est la première fois, depuis le début de sa vie aventureuse, que quelqu'un a l'audace de lui dire clairement sa pensée, et ce quelqu'un est une toute jeune fille qui vient de le faire avec une clairvoyance si peu en rapport avec son âge que l'on se demande dans quel fond de sagesse elle la puise. Irène rentre à Paris sans avoir résolu le mystère.

Deux jours plus tard, Edmond lui fait porter un pli. Diaghilev vient d'arriver de Pétersbourg avec Balanchine et les Ballets russes. «Parez-vous, ma chère, vous y verrez Lifar, leur dernière trouvaille.»

À l'issue de la représentation, Edmond Lévy l'emmène dans la loge du danseur. Entouré d'admirateurs bruyants, Serge Lifar repose, alangui, sur la chaise faisant face au miroir devant lequel il s'est démaquillé. Leurs regards se croisent. Comme Youri, le danseur étoile a vécu la révolution bolchevique, son regard en porte la marque. C'est de cela qu'Irène voudrait lui parler, pas de la danse. La danse? Ses admirateurs, à qui la révolution russe importe peu, en parlent mieux qu'elle ne pourrait le faire. Ce soir-là, pendant le bref instant où elle aperçoit, dans le regard du grand artiste, un reflet de l'œil mordoré de Youri, une terrible nostalgie s'empare d'elle. Nostalgie qui ne s'atténue que pour revenir en force les soirs de ballet, où une nouvelle visite à la loge lui rappelle l'exilé russe qu'elle a aimé.

La veille du départ de la compagnie, Irène s'accorde ce qu'elle appelle une «passade». Espérant surmonter son spleen yourien, elle suit un danseur de la troupe dans sa chambre d'hôtel. Hélas, la médecine ne fait pas effet. «Tu es triste?» lui dit cet homme. Elle sourit au garçon musclé qui se penche vers elle. Comment ne serais-tu pas triste, ma pauvre fille. Sans amour, sans passion, tout cela est triste, triste à mourir. Tu te languis d'un tigre et tu couches avec un faon. Allons, cesse de t'apitoyer sur toi-même. Habille-toi, va marcher sur le boulevard. L'homme pose une main sur sa hanche, mais le contact ne souffle qu'une envie à Irène: couper court au plus vite. La main se déplace, s'introduit entre ses cuisses. Irène la saisit, la soulève, la dépose plus loin, comme un mouchoir sale. Puis elle s'assied au bord du lit, rajuste son porte-jarretelles et ses bas.

«Tu me quittes déjà? On se reverra?

— Je ne crois pas.»

Le soir, elle demande à Edmond de la ramener en Italie. Quelque chose de bon arrivera peut-être, à Milan.

*

«Le quelque chose de bon» prend la forme d'un séduisant architecte rencontré dans une boutique de mode. Elle le suit chez lui, y passe un après-midi dont elle n'a pas honte, cette fois. Luciano lui plaît, il semble épris. Leurs rendez-vous se multiplient pour atteindre le chiffre scandaleux de sept. À l'issue de la septième rencontre, lorsque, fatiguée et le chignon mis à mal par l'absence d'épingles oubliées sur le canapé de l'architecte, elle arrive en retard au dîner, Edgard lui demande où elle a la tête, tandis qu'Edmond lui fait grise mine. Tout, dès cet instant, se passe par Edgard interposé. À entendre le cabot, il est inadmissible qu'elle se conduise de la sorte alors qu'il y a, entre son maître et elle, ce qu'il appelle sentencieusement un accord de bonne foi. Lorsqu'elle fait remarquer – c'est la première fois qu'elle aborde le sujet – que cet accord n'implique aucune promesse de fidélité, et que, par surcroît, son maître ne lui a jamais manifesté le moindre soupçon de tendresse, ni même d'amitié, la voix d'Edgard devient stridente : il déplore que l'on soit aussi peu perspicace, que l'on ne distingue pas, sous des manières civiles, une affection que l'on ne cache que par pudeur. Irène se prend au jeu, parlant dans le vide d'où lui parvient la voix du roquet, ne jetant de brefs coups d'œil à Edmond boudant sur sa chaise que pour le prendre à témoin de ce procès injuste. Il reste impassible puis, subitement, propose que l'on fasse quelques pas autour du Duomo. Irène se lève, enfile ses gants. Derrière elle, Edmond attend, silencieux. Pourquoi cette promenade qu'il m'a si souvent refusée ? Devant l'hôtel, il lui offre son bras. La promenade est languissante. Edgard a disparu. Edmond se tait. Dans le passage Emmanuel, il propose une *gelata*, puis l'oublie. Un miroir leur renvoie leur image ; Irène scrute le visage de son compagnon. Tendu. Elle n'aime pas ce qu'elle voit. Elle ignore pourquoi, mais cette expression chagrine l'inquiète. Alors, sans réfléchir, une main sur le cœur, elle promet à son compagnon de ne plus revoir l'architecte, ni qui que ce soit qui porte pantalon, tant qu'ils seront en Italie.

Du coup, le séjour se prolonge dix semaines.

Personne, parmi les relations d'Irène, ne pourra un jour se vanter de connaître l'Italie lyrique aussi bien qu'elle. Elle a voulu s'instruire, c'est fait. Il n'y a, dans tout le pays, aucun spectacle qu'elle n'ait vu : les Grecs aux arènes de Vérone, Verdi à la Scala, Rossini à Rome, Puccini à Caracalla. Elle a même assisté, à Naples, sur les instances d'Edgard qui disait en raffoler, à un spectacle de *pupazzi* au cours duquel, dans une sorte d'euphorie suscitée par les soubresauts comiques des poupées, le trio s'est réconcilié. Une trêve s'est installée. Irène joue parfaitement le jeu; elle est à l'aise entre l'homme et son alter ego, qui ne l'impressionne plus. Elle a appris à rétorquer. Elle éprouve même un semblant de tendresse pour ce double si bien imaginé. Il lui arrive de s'adresser directement à lui, de lui faire part de ses états d'âme, de solliciter son avis à propos d'une robe, d'un chapeau, ou, suprême ironie, – il n'y a pire corvée, pour Edmond, que de faire les boutiques – de lui demander de l'accompagner chez le tailleur ou la modiste. Les prétextes inventés alors par Edgard pour se défiler la comblent d'aise. Battre Edmond à son propre jeu est grisant. Mais elle ne s'aventure sur le terrain inconnu dont Edgard détient les clés qu'avec prudence, ne posant que des questions anodines.

Jusqu'au soir où le cabot, mécontent d'un silence dans lequel il croit déceler de l'ennui, la prend insolemment à partie. La remarque est cuisante. Irène se prépare à répliquer, mais, au lieu de lancer une pique empoisonnée, change de ton et, doucereuse, dans la pénombre de la véranda, lui demande de quelle couleur est son pelage. Le cabot semble muselé. Il ne répond pas. Du coin de l'œil, Irène surprend un geste nerveux d'Edmond. Bien, très bien! «Je t'écoute, Edgard.»

Alors, lui, gouailleur: «T'es aveugle ou quoi? Ça fait deux ans que je t'escorte et t'as pas encore vu ma couleur!

— Bien sûr que je l'ai vue! Tu es roux. Comme moi.»

Edmond s'agite dans son fauteuil, mais n'intervient pas.

«Tu es roux et tu as les yeux noirs. C'est plutôt séduisant.

— Et quoi d'autre?

— Eh bien, tu as, sur le sommet du crâne, une tache en forme de cœur. C'est très chou.

— Merci pour le chou, mais moi je dis que tu as la vue basse.

— Vraiment!»

Irène sourit. Le «très chou» n'avait d'autre but que de faire contraste avec ce qui va suivre. «Je vois aussi que tu as les pattes un peu courtes, que tu es de petite taille et que ton bedon commence à s'arrondir. Mais tu es si sympathique!

— Ah ouais? Et mes oreilles? Dis voir.

— En ce moment, tes oreilles sont dressées car tu ne veux pas perdre un mot de ce que je dis.

— Je me fiche de ce que tu dis», répond-il avec la voix d'Edmond.

Ravie, Irène se tourne vers son compagnon. «Ce chien est de plus en plus insolent. Vous n'êtes pas de mon avis, Edmond?

— Ma chère, débrouillez-vous. Moi je vais dormir. Bonsoir.»

Irène reste seule dans la véranda. Elle triomphe: elle a réussi à démonter cet homme, à lui faire perdre son sang-froid! Edgard, à qui elle a donné forme et couleur, lui appartient maintenant presque autant qu'à lui. De l'animal imaginaire et abstrait, elle a fait une boule de poils roux. Mignonne, inoffensive. Bénigne.

Le lendemain, au petit-déjeuner, Edmond lui bat froid et Edgard est muet. «Vous avez laissé votre compagnon à la chambre?

— Non, il est à la fourrière.»

De surprise, elle laisse tomber sa tasse sur le sol. Un valet s'empresse. Ils restent silencieux pendant que l'homme ramasse les débris de porcelaine. Un rayon de soleil se glisse par la baie vitrée, illumine le bas de la robe d'Irène. Elle en soulève le bord, se penche. «Oh, ma nouvelle robe est tachée!

— Vous en achèterez une autre.

— Je me fiche de ma robe.

— À la bonne heure», répond Edmond en pliant sa serviette. Il se lève. «Voilà un bien plaisant état d'esprit.»

Irène tape du pied, impatiente. «Edmond, s'il vous plaît!

— Quoi?

— Vous le savez très bien». Puis, chuchotant: «J'aime Edgard autant que vous...

— Ah oui? C'est pour cela que vous en avez fait un avorton?»

Le ton est si désolé qu'elle s'en émeut. «Mais enfin, Edmond, je l'aime, votre Edgard! Je voulais seulement le faire mien aussi, vous comprenez. Je n'ai fait que le dépeindre comme je le voyais, innocemment!

— Innocemment, vous?

— Oui!

— Qui vous dit que je le voyais comme ça? Vous en avez fait un chien de salon, et grassouillet par-dessus le marché!

— Non, j'en ai fait un chien de la rue. Vous savez que ce sont les plus intelligents?

— Je ne sais pas, je n'y connais rien en chiens.»

La conversation devient si loufoque qu'ils éclatent de rire. Irène prend le bras d'Edmond. «Vous m'en voulez?

— Bien sûr que je vous en veux.

— Allons faire une promenade. Et cette fois, je réclame ma gelata.»

Un aboiement lui répond.

«Tiens, tu es là, toi? Je te croyais à la fourrière!

— Aucun barreau ne me résiste, ma petite.»

*

Irène enfourche allégrement le tandem Edmond-Edgard. Mais elle ne sait pas que la donne a changé. Bien sûr, elle voit bien que la fantaisie qui lui a pris, un soir dans la loggia de l'hôtel, de donner corps à Edgard a amolli les sentiments d'Edmond à son égard; elle voit bien que son compagnon s'intéresse différemment à elle, mais elle s'en réjouit – sans en imaginer ni en redouter les conséquences. Lévy s'efforce souvent de lui plaire, de répondre à ses questions, même les plus insignifiantes – ne permettant à Edgard d'intervenir que s'il a un compliment à faire. Finies les apostrophes acidulées, les sarcasmes, les ricanements; le cabot frondeur s'est transformé, non pas en bon toutou, il ne faut pas trop demander, mais en chien civilisé, quelle métamorphose.

Émue par tant d'affabilité, Irène fait sa part. Aucune entorse n'est survenue depuis l'incident de l'architecte, la jeune femme limitant soigneusement ses écarts de conduite à l'un ou l'autre rendez-vous sans lendemain. C'est l'époque où, imitant A. G. Barnabooth, elle achète tout ce qui lui plaît dans les boutiques, principalement des vêtements, qu'elle offre ensuite, comme Barnabooth, à la femme de chambre ou à la camériste. Quand Edmond lui demande si ces largesses sont sages (ni la femme de chambre ni la camériste ne porteront jamais ces robes), elle ouvre le journal de Larbaud, lit à voix haute: «*Mais qu'est-ce que cette sagesse, sinon l'usure de nos sentiments, et le refroidissement de notre ferveur?*»

À quoi Edmond répond, très à propos mais elle ignore pourquoi:

«Il n'y a, Irène, ni usure ni refroidissement.»

Tout s'éclaire lorsque, la veille de leur retour à Paris, Edmond Lévy la demande en mariage. Coup de tonnerre dans le ciel italien. La proposition est faite à Biffi Scala, après *La Bohème*. Edgard observe un silence dubitatif, Irène flaire le piège. La menace d'une grande maison de pierre, en dehors de Paris, hantée par une vieille femme, sa gouvernante et son porteur, s'impose à son esprit avec une netteté quasi divinatoire. La proposition lève un voile sur les doutes qu'a fait naître en elle le changement d'attitude d'Edmond. Affection ? Peut-être, mais ne veut-il pas l'épouser pour prévenir toute récidive sentimentale ? Même s'il ne l'avoue pas, l'épisode de l'architecte lui a porté un coup.

Lorsqu'il émet, devant la porte de sa chambre, le désir soudain d'entrer, la jeune femme comprend que son protecteur veut délaisser le rôle de compagnon de voyage au profit de celui d'amant et époux en titre. Un époux qui se transformera, c'est certain, en barbon jaloux déterminé à l'enfermer dans une prison, dorée, certes, mais une prison quand même : image lugubre née de la description que le jeune secrétaire lui a faite d'une propriété entourée de grands murs. Edmond y fait du reste allusion, à cette propriété, mais en affirmant que la vie y est paradisiaque. Irène frissonne. Danger. Elle s'efforce néanmoins de sourire, devant sa porte fermée, comme si la proposition l'émouvait et qu'elle eût hâte de se retrouver seule pour y penser.

Edmond n'est jamais entré dans sa chambre, et les seuls attouchements qu'il s'est autorisés jusque-là n'ont jamais excédé un baisemain circonstanciel. Mais voici qu'il saisit le bras ganté, le maintient, tout en invitant Irène à ouvrir sa porte. Elle se libère de l'étreinte, Lévy devient pressant. Elle ne le connaît pas sous ce jour : c'est un homme qui s'épanche peu. Lorsqu'elle l'a vu manifester un semblant d'émotion, c'était pour s'attendrir, à la Plaza de Toros, sur les gamins qui se jettent dans l'arène avec un mouchoir rouge. Elle ne l'a jamais vu admirer qu'à distance, à l'abri de tout ce que l'affection peut avoir de véritablement humain, ou de véritablement charnel. Et voici qu'il saisit ses mains, les couvre de baisers. Effrayée, Irène se dégage, prétexte une grande fatigue, les bagages à faire…

Une fois la porte refermée, elle fait appeler la camériste. Debout devant la psyché, en robe du soir, donnant ci et là un ordre, elle réfléchit à ce revirement inattendu, non qu'elle hésite sur la décision à prendre, mais parce qu'elle se demande comment quitter la scène.

Deux heures plus tard, après avoir confié au réceptionniste une lettre à l'intention de Monsieur Edmond Lévy (*Je vous ai toujours considéré comme un père, je ne puis donc accepter votre proposition. Soyez heureux, Edmond, et croyez à ma reconnaissance. Votre amie, Irène),* elle s'engouffre, en costume de voyage et avec ses valises, dans une calèche fermée.

Pour se réfugier où, elle l'ignore encore.

Quatre possibilités s'offrent à elle : Luciano, Paris, le train pour Venise, ou Bruxelles. Rentrer à Paris, mortel au mois d'août, est hors de question. Un saut à Bruxelles ? Non, elle n'est pas d'humeur à affronter l'inquiétude chronique de son frère. Le Lido d'abord, Paris ensuite, Luciano entre les deux ? Elle ne sait à quel saint se vouer, si l'on peut dire. Mais tout est possible. Le Lido ne serait pas une folie, la générosité d'Edmond Lévy ayant été, pendant les deux années qui viennent de s'écouler, inversement proportionnelle à son manque de passion.

Non, tout compte fait, l'intermède Luciano est préférable. Une dizaine de jours à courir les musées avec son architecte s'imposent. Les musées manquent à sa culture. Luciano est un artiste, elle sera son élève. Ils n'ont pas eu le loisir, pendant leur idylle en sept temps, de sacrifier à l'art ; il est temps d'y remédier.

*

Quatre heures du matin. Marmonnant une prière, Irène frappe avec le heurtoir – une main de cuivre fixée sur la porte de l'architecte. Pas de réponse. Mais où traîne-t-il à cette heure ? Panique : et s'il était avec une femme ? Ce serait très, très contrariant. Que faire ? Tourner en rond sur ce misérable palier ? Non. Irène décide d'attendre dehors. Une heure, pas plus. S'il ne rentre pas, j'irai à la gare et je prendrai le premier train pour Venise. Quel ennui ! Difficile, après trois années sans contretemps, de retrouver son autonomie. Allons, cesse de te plaindre et agis ! Attrapant le bas de sa redingote, Irène dévale l'escalier, tombant presque dans les bras du cocher venu s'enquérir du déroulement de l'affaire. Sur le trottoir, dans la nuit trouée par le faible éclat des lampadaires, elle le convainc – quelques lires aidant – d'attendre avec elle. Puis, se disant que le spectacle des papillons de nuit se cognant au verre des lanternes est trop démoralisant, elle se réfugie dans la voiture. Une heure, a-t-elle promis au cocher, pas plus, *sicuro*. Son italien est bancal, mais qu'importe, l'essentiel est que l'homme reste avec elle et ses précieux – et encombrants – bagages. Dieu ! faites que Luciano ne soit pas avec une femme. Ou en voyage. Ou mort.

Luciano ne l'avait pas lâchée d'une semelle le jour où, devant le salon d'essayage d'une boutique de mode, il l'avait vue se contempler dans un miroir. C'est dans ce même miroir qu'elle avait surpris le regard du jeune homme. Une aventure, pour Irène, ne pouvait se passer de préliminaires, de flirt, de déclarations enflammées, de rendez-vous où l'on sent monter le désir, mais le temps manquait : Edmond lui avait annoncé, la veille, leur imminent retour à Paris. Quelques jours, une semaine tout au plus. Elle avait donc sacrifié les préliminaires et, après un tête-à-tête dans une trattoria, avait rendu les armes et suivi Luciano dans ce logis sous les toits – si fâcheusement désert aujourd'hui.

Deux heures plus tard, hélé par le cocher alors qu'il s'apprête à passer le porche de sa demeure, Luciano apprend qu'une dame l'attend « *da molto tempo* ». L'architecte saute sur le marchepied de la calèche, découvre, par la vitre ouverte, la jolie rousse qui a partagé sa couche à sept reprises. Elle dort. Il questionne le cocher du regard.

« *Sì*, confirme gravement le brave homme, *la poverina si è addormentata.* »

Luciano n'a pas oublié son dépit, lorsque, dans le mot qu'elle lui a fait porter, Irène lui disait qu'elle ne pourrait plus le revoir. Mais à la trouver ainsi, assoupie sur les coussins de la calèche, un bras sous la joue et le chapeau de travers, il est désarmé. Il tend une main, caresse l'épaule de la belle. Irène se réveille et sourit, un peu confuse, comme si c'était elle qui était en retard. « Venez », dit-il. Elle se redresse, replace son chapeau d'un geste décidé et, prenant la main que lui tend le jeune homme, sort de la voiture. Pendant quelques secondes, elle se demande si une explication s'impose, mais l'idée de raconter le dernier épisode de son existence avec ce presque inconnu l'embarrasse ; on verra plus tard. Pour l'instant, sa seule préoccupation est de s'assurer que l'architecte éconduit acceptera de l'héberger.

Il murmure quelques mots dans sa langue. Elle croit comprendre qu'il lui demande « si le vent a tourné », mais elle n'est pas sûre. « Je vous raconterai, réplique-t-elle, à tout hasard.

— Venez, dit-il.

— Oui, mais j'ai des bagages, murmure-t-elle, prenant à témoin le cocher qui, de plus en plus intéressé par la négociation, attend, assis sur le marchepied. «*È vero*», confirme-t-il. Mais il ne bronche pas. «*Chi aspetti?* lui dit Luciano. *Andiamo! Spostatu!*»

L'architecte est contrarié. Finalement, le débarquement soudain de cette femme, en pleine nuit, *avec des bagages*, lui semble déplacé, pour ne pas dire mal élevé. Il a travaillé une partie de la nuit à terminer, chez un confrère, une maquette qu'ils doivent présenter à un entrepreneur dans la matinée, et l'arrivée de la Française, qui n'a d'autre responsabilité que de suivre un vieux jaloux à l'opéra – il les a vus à Scala –, est pour le moins inopportune. Que va-t-il faire d'une femme désœuvrée, frivole, capricieuse et habituée au luxe? L'œil d'artiste de Luciano ne peut s'empêcher d'admirer la redingote de soie. Et ces bagages! Où va-t-elle déballer ses toilettes, ranger ses déshabillés? Sur le balcon? Et ses pots de crème, et les parfums? Sur ma table à dessin? Il se tourne vers le cocher, déverse sur lui son agacement. «*Et tu, che cosa aspetti, imbecile?*

— *Una mano*», répond laconiquement l'homme. Sur ce, il se dirige vers l'arrière du véhicule, soulève une bâche et, sourire triomphant aux lèvres, montre une malle, deux valises et un carton à chapeaux. Sidéré, Luciano regarde Irène qui, ne trouvant rien à dire, fait un geste contrit. «Quelques jours seulement, chuchote-t-elle. Je vous promets de me faire toute petite.» Toute petite! D'abord, cette femme est grande, et même si elle arrive à se faire toute petite, il y a cette malle, et ces valises, et ce carton dans lequel il doit bien y avoir une douzaine de chapeaux.

Mais à l'idée du chatoiement des velours, des satins, des plumes et des fleurs de soie, l'artiste s'émeut. Il hausse les épaules, pousse le cocher de l'autre côté du coffre. Ils l'empoignent d'une main, attrapent une valise de l'autre, puis s'engagent dans l'entrée, où le large escalier leur permet de passer sans encombre. Tout se complique au second étage, où le passage se fait très étroit. Il faut abandonner les valises, s'occuper d'abord du coffre, qui doit être soulevé par-dessus la rampe. Irène les suit avec le carton à chapeaux. Les marches de guingois la ravissent, après l'ascenseur cérémonieux de l'hôtel.

L'architecte habite sous les combles, mais sa mansarde s'ouvre sur un vaste balcon. Dans un coin, un canapé sous un dais de toile. C'est là qu'ils ont fait l'amour à chaque rencontre. Il est six heures. Tandis que Luciano renvoie le cocher, Irène se dirige vers la balustrade, s'y appuie pour contempler les toits. En bas, une femme balaie sa cour. Un petit chien blanc s'attaque à la brosse, mais les poils de crin lui piquent le museau ; il aboie, furieux. Le rire de la femme monte jusqu'au balcon. À une fenêtre, une fillette secoue une nappe. Elle lève la tête, aperçoit l'inconnue au balcon, lui fait signe. Irène lève la main. Trop tard, l'enfant a disparu. Dieu que je suis fatiguée. Irène tourne la tête vers le divan, je vais me coucher là et dormir jusqu'à midi. Une main se pose sur son épaule. Ému par une rêverie qu'il prend pour de la tristesse, Luciano l'entoure de ses bras. «Je vais faire du café, bellissima, ensuite tu me raconteras.» Bien sûr, Luciano, je te raconterai tout, dans les moindres détails. Quand il revient avec le breuvage, il la trouve à demi endormie. «Mon corset me serre affreusement, gémit-elle. Aide-moi à le dégrafer. Nous parlerons plus tard, je te le promets.»

Le soir, elle se confie à cet homme charmant, lui raconte sa vie depuis son divorce. Le tumulte de son existence passionne Luciano ; il en raffole. Il imagine Youri, mèches sombres lui balayant le front, perdant avec superbe à une table de jeu dans la salle lambrissée d'un palace, puis s'effondrant aux pieds de sa maîtresse. Le personnage lui plaît. «*È un disperato*», dit-il, l'homme tragique pour qui les femmes sont prêtes à se damner.

«Eh bien, tu vois, je ne me suis pas damnée.

— Non, toi tu n'es pas de ces femmes, toi tu es forte, tu as les pieds sur terre, tu n'as pas le goût du sacrifice ; tu as la passion, mais tu la maîtrises.» Il applaudit.

Comme il se trompe.

L'épisode du vieux barbon – c'est ainsi qu'il nomme Edmond – l'amuse *come un' opera*. Edmond est le mari jaloux, lui l'amant irrésistible, et le chien la soubrette qui voit tout ; il dit qu'il faut faire *uno libretto*, composer *una musica*, donner le tout à Scala. Il ne l'aime pas, le barbon, il le trouve faux, rusé, mais il plaint le mari – «un mari, c'est sacré, bellissima, tu aurais dû lui pardonner, à ce pauvre homme que tu privais de tout ! *Ma que povero !*»

Comme il s'entendrait bien avec Armand !

Dans les jours qui suivent (les craintes de Luciano se sont vite évanouies ; il a supplié Irène de rester), elle goûte, auprès de lui, une félicité qu'elle n'a jamais connue jusque-là.

Les heures passées avec son amant sont douces, légères, confiantes. Elle est Mimi, Mimi heureuse avec Rodolphe, mais sans pauvreté, sans maladie, sans destin contraire. Le matin, quand il travaille à sa table, elle prépare le café, le lui sert. À deux heures, ils déjeunent dans une trattoria, puis il l'emmène au musée. C'est là qu'elle découvre, avec une surprise émerveillée et une immense reconnaissance pour son guide – qui n'y est pour rien – que son œil n'est pas frappé de la même infirmité que son oreille. Elle voit. Elle voit des choses que d'autres ne distinguent pas, même pas Luciano. Dès lors, elle nage dans le bonheur : jamais la vie ne lui a paru si parfaite.

Le soir, après l'amour, son amant la presse *de tout raconter*; il veut tout savoir. Alors elle raconte encore, se souvient de détails oubliés, auxquels il accorde, curieusement, de l'importance. On parle beaucoup de Freud et des symptômes névrotiques. Luciano a lu ses livres, la technique psychoanalytique le passionne. Pour lui, ce Lévy si maître de lui ne s'est adjoint un chien imaginaire que pour dire à sa place ce que son éducation lui interdit d'exprimer. «Je te le dis, Irène, il faut envoyer cet homme au *dottore* de Vienne.»

Irène lui a confié sa manie de comparer l'homme à un animal. Il demande celui qu'elle a vu en Lévy.

«Un chien.

— Un chien ! Tu veux dire que le chien Edgard avait un chien pour maître ?

— Oui, mais un grand chien, un chien de la haute, un chien plein d'orgueil, un peu comme Don Juan. Et Edgard, c'est Sganarelle, le chien roturier.

— Don Juan ! Mais ton Lévy, si tu m'as tout dit, semble à l'abri de toute pulsion sexuelle ! C'est loin d'être un don Juan.

— Mais il l'a peut-être été. Et puis il a vieilli et a cessé d'y croire.

— *Cara*, nous les hommes on y croit toujours, il faut devenir infirme pour ne plus y croire. Si Don Juan avait pu vieillir, il aurait continué, ça je peux te le dire. Nous, les hommes, nous continuons jusqu'à la fin, c'est plus fort que nous. C'est plus fort que tout.

— Edmond Lévy est fatigué de tout cela. Depuis longtemps. La romance n'est plus pour lui, et je doute fort qu'elle l'ait jamais été.

— Mais, *bella d'amore*, je ne parle pas de romance !

— Je sais de quoi tu parles. Mais il est revenu de cela aussi. Écoute, je m'en serais aperçue !

— Alors il est impuissant. Le pauvre homme ne... lève plus. *La bachetta no esta valorosa*. Il est impuissant, je te dis !

— Peut-être, mais ça lui est égal, il a l'opéra, le ballet, la corrida ! Surtout la corrida.

— *Que barbaro !* Et la roture ?

— La roture aime les taureaux. »

Luciano éclate de rire, soulève Irène, esquisse un pas de danse. « Et moi, c'est toi que j'adore. » Mais... j'y pense... » – il la dépose à terre – tu ne m'as pas dit ce que je suis, moi, dans ton bestiaire !

— Toi ? Je ne sais pas, je n'y ai pas encore pensé.

— Pas encore pensé ? Mais je te le reproche ! Allons, pense, tout de suite.

— Éloigne-toi que je te regarde. »

Il fait deux pas en arrière, tourne sur lui-même comme un danseur.

« Eh bien, vois-tu, avec cette barbiche insolente, ton insatiable curiosité, et ce petit entrechat que tu fais toujours avant de passer la porte... tu es un chevreau, que cela te plaise ou non.

— *Uno capretto !* Mais ça ne me plaît pas du tout ! Ce n'est pas sérieux, un chevreau ! Moi, je veux être un tigre !

— Tu es trop doux pour être un tigre. Tu es un cabri, mon ami. Et le tigre est déjà pris. »

5
DELPHINE

La pensionnaire de l'Annonciation se prépare à quitter le couvent. Dans cinq semaines, elle fera ses adieux à mère Marie et aux sœurs, ainsi qu'aux filles avec lesquelles elle a, en cette dernière année d'humanités classiques, ânonné Virgile et peiné sur des problèmes de trigonométrie. Ainsi l'avait voulu Alma. « Ma fille étudiera tout ce dont j'ai été privée. » La fille d'Alma a aussi appris le petit point, l'aquarelle et le piano, et a découvert les charmes de la callisthénie. Six années de soumission à *la norme* ont fait d'elle ce que sa mère appelle une jeune fille accomplie. Delphine brode avec une sérénité qui donne à son coup d'aiguille précision et uniformité, peut nommer en latin chaque feuille de son herbier, dirige avec grâce le chœur des petites que lui a confié mère Marie, joue au tennis sans combativité mais avec élégance. En outre, elle maîtrise honorablement les partitions que sa mère, au fil du temps, lui a confiées.

Les pensionnaires sont fébriles, l'Annonciation ne bourdonne plus au son des *Bucoliques*, mais à la description de leurs projets de vacances, deux longs mois où elles iront à la mer, dans les Ardennes ou sur la Côte d'Azur. Quant à celles qui ont terminé leurs humanités, elles ne parlent que d'avenir exaltant, de premier bal, et de ce qu'elles appellent la vraie vie, enfin.

En attendant la distribution des prix, qui aura lieu dans le parc si le temps le permet, on répète *Esther*. Ce ne sont plus les demoiselles de Saint-Cyr qui, sous la houlette de madame de Maintenon, scandent avec suavité les vers de Racine, mais un groupe un peu gauche de Wallonnes et de Flamandes qui s'efforcent d'aller jusqu'au bout de leurs tirades devant le professeur de français. La pièce sera jouée le dimanche 23 juin devant un parterre de sœurs émoustillées et de parents émus. Delphine fait partie du chœur. Ce rôle discret lui convient. Contrairement aux autres filles, elle n'a pas rêvé de revêtir la tunique de l'héroïne. C'est Nina qui jouera le rôle, Nina avec qui elle n'échange plus, au hasard de rencontres, que l'une ou l'autre formule de politesse.

Delphine n'a pas changé, toujours serviable, toujours souriante. Une faille, cependant : sa foi en Jésus et en Marie, si ardemment préconisée par les sœurs, ne trouve plus grand écho en elle. Mais c'est un sujet qu'elle se garde d'aborder dans ce lieu de foi aveugle où questions et remises en question sont qualifiées de sacrilèges. Elle ne confie ses doutes à personne, et surtout pas à mère Marie, à qui elle ne veut pas causer de chagrin. En parler à son père, si croyant? Non. À Alma? Encore moins. Sa mère n'hésiterait pas à rappeler haut et fort, et devant témoins, qu'elle se fiche de ces bondieuseries comme de son premier corset.

Alma semble satisfaite, depuis quelque temps. Cette bonne humeur, *qui dure*, inquiète le père et la fille. Qu'elle puisse se réjouir à l'idée d'avoir Delphine à demeure ne leur vient même pas à l'esprit, Alma n'hésite pas, si l'envie lui en prend, à se contredire, mais qu'elle soit soudainement heureuse à la perspective d'avoir à la maison une fille dont elle s'est débarrassée pendant six ans est invraisemblable.

« Tu as entendu ce que maman m'a dit? » demande Delphine à son père. Ils viennent de monter dans la voiture et regardent Alma qui, sur le trottoir, leur fait des signes d'adieu. Delphine est encore sous le choc de l'annonce que cette dernière vient de lui faire. « Puisqu'il te reste encore quelques semaines au couvent, je viendrai samedi prochain avec papa et je vous ferai connaître Bruges. » Connaître Bruges! Delphine et son père ont échangé un regard alarmé, la promesse d'Alma laissant présager des activités moins paisibles que leur flânerie habituelle le long des canaux et la halte gourmande au salon de thé. Elle a tout l'air d'une menace, cette promesse! Un tour guidé au pas de course, la privation de sucreries et, peut-être, *la visite de musées*. Devant leur air ahuri, Alma a éclaté de rire : « Et il n'y aura pas que cela, car j'ai une grande nouvelle à vous annoncer. » L'inquiétude de Delphine a monté d'un cran. « Pourquoi fais-tu cette tête, ma fille? Réjouis-toi, je vais te montrer cette ville comme mon père me l'a fait connaître. »

C'est vrai, Alma lui a raconté qu'ils échappaient parfois, son père et elle, à la cruelle Florine pour *s'enfuir* à Bruges. « Les plus beaux souvenirs de ma vie. » C'est drôle, s'est dit Delphine, maman fuyait aussi sa mère avec son père, comme moi et papa, et pour aller à Bruges ! Mais elle s'en était voulu de cette pensée, car la mère d'Alma était une méchante femme, ce qu'Alma n'est pas, sûrement pas.

Enfin, on verra, et visiter quelques musées ne leur fera pas de mal, bien que ce soit loin d'être leur passe-temps préféré, à papa et à elle. Armand se tourne vers sa fille et, pour la rassurer : « Tu sais, le père d'Alma était peut-être aussi paresseux que nous.

— Peut-être, mais est-ce qu'il était aussi gourmand ?

— Nous le saurons samedi. De toute façon, quelques heures avec ta mère ne nous tueront pas. »

L'après-midi à Bruges se passe sous l'aile d'un bon fantôme : celui de Joris Pattini, le petit Italien né en Belgique d'un père mineur qui a permis à sa fille d'apprendre le chant. Il a trimé, grand-papa Joris, pour devenir chef porion au charbonnage. Une belle carrière, une bonne vie en perspective. Jusqu'à ce qu'il s'amourache de Florine, la fille des voisins, créature dure et avide dont il s'est détaché quand il a compris que ce qu'il prenait pour du caractère n'était que pure méchanceté. Elle ne voulait pas d'enfant. Mais elle s'est retrouvée enceinte, à quarante ans ! Pauvre Joris, elle la lui a bien fait payer, cette erreur de parcours. C'est lui qui s'occupait du bébé, auquel elle n'a commencé à s'intéresser que lorsqu'il s'est transformé en petite fille sur laquelle elle pouvait se venger d'être devenue mère. L'enfant a souffert, puis elle s'est rebellée, puis elle a tenu tête. Mais l'amour que lui portait son père a préservé ce qui était bon en elle : son adoration pour cet homme qui aimait l'entendre chanter et lui a fait connaître sa passion pour les vieilles pierres. Joris Pattini avait une prédilection pour Bruges, où il emmenait Alma chaque fois qu'il pouvait la soustraire à la mégère qui lui tenait lieu de mère.

À peine arrivés, Armand et Delphine réalisent qu'Alma en sait plus sur cette ville que tout ce qu'ils ont pu glaner en six ans ! La fille de grand-papa Joris les entraîne dans une formidable promenade. La musicienne amie des pierres leur fait découvrir des merveilles que leur indolence naturelle ne leur a pas permis de voir. C'est un moment de grâce, comme seule Alma l'artiste peut en offrir – une fois toutes les lunes. Armand et Delphine la suivent, étonnés et prudents. On ne sait jamais où est la vraie Alma ; ils ne la connaissent pas, elle ne leur dévoile, de sa nature profonde, que des bribes, des instants – et c'est surtout quand elle chante. Mais ici, près de canaux, elle fredonne un air à la mode, elle semble heureuse au bras de son mari, caresse la joue de Delphine chaque fois que cette dernière admire les maisons aux vitres de cristal.

Soudain, devant leur salon de thé, elle met fin à la flânerie. «C'est bien cet endroit que vous affectionnez, n'est-ce pas?

— Oui, répondent-ils en chœur.

— J'en étais sûre. Je vous vois mal résister à ces angelots en chocolat!»

Des chérubins emballés comme des pralines traversent la vitre de la façade, le premier désignant d'un doigt boudiné la porte d'entrée.

Un peu déconcertée par la présence d'une dame inconnue en grande toilette – cela fait six ans qu'elle croit le père veuf, ou divorcé –, la patronne leur souhaite la bienvenue. Armand lui présente Alma. Que cet homme ait une femme – et cette femme-là! – étonne la Flamande, mais en bonne commerçante elle lui fait bon accueil, tandis qu'Alma, satisfaite, joue les clientes de marque. Ils prennent place. Toujours la même, près du comptoir vitré où sont disposés, en formation serrée, éclairs au chocolat, babas au rhum et gâteaux moka. C'est là que, sirotant un thé tandis que ses deux gourmands se pourlèchent, Alma dévoile ce qui la rend si joyeuse. «Bientôt, chair de ma chair, ce sera votre premier bal. Celui de vos dix-sept ans. C'est un événement qui doit être grandiose, c'est pourquoi nous allons vous offrir, votre père et moi, ce dont mon horrible mère m'a privée.»

D'habitude, Armand et Delphine baissent la tête à l'évocation de la méchante Florine: comme ils ne sont jamais parvenus à envoyer aux oubliettes le vilain spectre qui apparaît trop souvent à Alma, ils se sentent coupables chaque fois qu'elle l'évoque. Mais aujourd'hui, ils voient bien que la sorcière ne sert que de repoussoir destiné à mettre en valeur la surprise annoncée. «Voici ce que nous allons faire», poursuit Alma. Elle détaille sa fille, satisfaite, puis sourit. «Nous allons vous créer une robe de rêve pour le grand bal des débutantes. Toutes les filles de votre âge y seront, mais nous voulons que votre beauté et votre toilette les éclipsent!» Delphine est embarrassée, les perspectives qui charment sa mère la mettent généralement mal à l'aise. «Il faut que vous sachiez, ajoute Alma avec un rire dédaigneux, que Colette

Rondeaux et sa mère sont déjà sur le pied de guerre! Entre nous, je crois que la notairesse a hâte d'être débarrassée de sa dévergondée. Voilà ce que c'est que d'élever une fille à la maison. J'ai eu beau lui dire que le couvent était le meilleur atout dans l'éducation d'une fille...

— C'était l'évidence même», dit Delphine.

Armand plonge le nez dans sa tasse. Alma fronce le sourcil, scrute le visage de sa fille, y lit une légère ironie mais décide de passer outre. «Quoi qu'il en soit, voilà où elle en est aujourd'hui, obligée d'exhiber sa rejetonne comme une génisse au concours agricole.»

Le jour de la remise des prix, élèves et parents endimanchés se rassemblent dans la salle des fêtes. Nina triomphe dans *Esther*, et Ida, grande Flamande à l'accent guttural, impressionne dans son interprétation d'Assuérus. Delphine est perdue dans le chœur et s'y sent bien. Lorsque les choreutes se taisent pour laisser la parole au coryphée, elle lance un regard discret à ses parents, Armand très beau dans son complet gris clair, Alma resplendissante dans sa robe de soie – rehaussée par la broche en lapis-lazuli. Puis c'est la remise des prix, où Delphine ne surprend personne, ni elle, ni ses parents, ni ses professeurs: elle reçoit le premier prix de musique – aucune fille, parmi les pensionnaires peu douées, ne pouvait le lui disputer – et un second prix en sciences naturelles.

Les jours qui suivent sont consacrés à la fabrication de la robe. Le tissu est choisi. Taffetas beige. «C'est très distingué, le taffetas, et le beige rehaussera le teint bistré que vous avez hérité de votre père.» Delphine pense qu'elle aura, dans la fameuse robe, l'air d'un chou-fleur. Mais elle ne proteste pas. À grands coups de crayons énergiques, Alma dessine le modèle. Delphine ouvre de grands yeux. «Mais c'est très décolleté!

— Très juste. Cela donnera, je l'espère, des idées à nos jeunes gens fortunés! Il va falloir vous trouver un époux, ma chère enfant! C'est à cela que servent les premiers bals. Mieux vaut nous y mettre tout de suite au cas où nous en refuserions deux ou trois. Nous allons nous accorder deux ans pour faire les difficiles. Si, à vos dix-neuf ans, nous n'avons pas trouvé le sujet idéal, nous nous montrerons plus accommodantes.

— Et si quelqu'un me plaît vraiment?

— Oui, ce sont des choses qui arrivent. Si cela était, nous aviserions, votre père et moi, bien qu'il soit assez incompétent en ces matières... Nous étudierons la question. Vous me laisserez juge, je sais ce qu'il vous faut. Un homme de caractère. »

*

Les grands lustres de la salle de bal de l'hôtel de ville brillent comme des soleils d'été. Delphine cligne des yeux lorsque, sortant du hall un peu sombre, elle pénètre dans la pièce illuminée. Toutes les boutiques de tissu de la ville ont été dévalisées, leurs rouleaux métamorphosés en bouillonnements de soie, d'organdi et de taffetas. Les filles semblent sortir d'une toile de Watteau, les mères ne sont pas en reste dans leurs atours lilas, mauves ou gris perle. Quant aux pères en queue de pie, ils ont l'air de grands hérons veillant sur leur progéniture ; ils sont graves, attentifs, solennels, et soumis à l'épouse et mère : le leur a-t-elle assez répété, ces dernières semaines, que ce bal était d'une importance capitale pour leur fille ? Colette Rondeaux est enveloppée d'organdi rose ; la notairesse noyée dans un chiffonné de faille rousse. Et le notaire qu'on ne voit jamais, même aux soirées de sa femme, plane au-dessus d'elles comme une divinité protectrice. Alma entraîne fille et époux vers la table qu'elle a réservée près de l'orchestre. Ils y seront bien en vue. « Ne t'assieds pas tout de suite, dit-elle à Delphine. Je veux que tout le monde voie ta robe. » C'est vrai qu'elle est belle, la robe. Avant de quitter la maison, devant la psyché de la chambre d'Alma, Delphine a dû reconnaître que la toilette était une réussite. Elle n'a pas l'air d'un chou-fleur. Et le décolleté est tout à fait décent ; mère Marie elle-même l'approuverait. Allons, maman est fière de moi, et papa est content de voir maman contente. Du coin de l'œil, elle aperçoit les Rondeaux qui défilent. Après s'être arrêtée devant un des grands miroirs dans lesquels se reflète à l'infini le cristal des lustres, Colette s'approche, froufroutante, suivie de sa mère. « Ça va, Delphine ? Pas trop intimidée ? Ta robe n'est pas laide, après tout. » Ce disant, elle virevolte pour faire admirer la sienne. Alma se détourne, refrénant l'envie d'envoyer, à cette pécore, une rosserie de son cru.

«Tu as vu? murmure la pécore à Delphine, Charles Durant est là.» Puis elle ajoute, sourire satisfait aux lèvres: «Il m'a regardée.»

«Qui est Charles Durant?» demande Alma avec hauteur.

«Ma chère, c'est le Durant des textiles!» chuchote impatiemment la notairesse, comme si le fait de ne pas connaître le personnage était un manquement grave aux convenances. D'un œil connaisseur, elle examine la toilette d'Alma. «Vous êtes très chou, ma chère. Vous allez briser des cœurs!» Ce disant, elle lance une œillade discrète à Armand, qui porte beau, ce soir, dans son habit à revers de soie. Puis: «Viens, Colette, retournons auprès de papa.» L'interpellée lance un regard moqueur à Delphine, puis s'éloigne, refroufroutant dans le sillage de sa mère.

Alma est vexée. «Alors quoi, nous sommes passibles de poursuites judiciaires parce que nous ne connaissons pas ce Durant!» Elle se tourne vers son époux. «Vous le connaissez, vous?

— Vaguement.

— Et toi, Delphine?

— Non, maman.

— En tout cas, je peux vous dire une chose… – elle jette un regard furibard dans la direction du groupe formé par la notairesse, sa fille, et le mari –, s'il l'a regardée, c'est parce qu'il la trouvait cocasse dans sa défroque de bergère d'opérette!»

L'orchestre se met à jouer. Des couples s'aventurent sur la piste de danse. Colette s'envole au bras d'un jeune homme.

C'est le Charles Durant des textiles, se dit Delphine.

Non, le Charles Durant des textiles vient de s'incliner devant elle, après s'être présenté à ses parents.

Alma triomphe sans modestie.

*

C'est ça, un homme de caractère? Un homme qui se prend pour le roi du bal? Un mal élevé qui m'a déclaré, sans demander l'avis de personne, qu'il *voulait* les deux prochaines danses? Delphine observe son cavalier du coin de l'œil. Il n'a pas attendu la réponse, n'a même pas demandé à voir son carnet de bal. Et quand la valse s'est terminée, il l'a maintenue contre lui, serré, pendant que les musiciens se préparaient au morceau suivant. En la regardant avec un sourire qui ne ressemble à aucun sourire. Qu'est-ce que ça veut dire? Est-ce qu'il se moque? Est-ce qu'il me trouve godiche? Si c'est comme ça, pourquoi m'a-t-il invitée? Je n'ai rien demandé, moi. Tout ce que je veux, c'est que cette soirée se termine au plus vite. Je veux rentrer à la maison, ôter ma robe et mes bottillons, mettre mon peignoir et boire du cacao.

«À quoi rêvez-vous, mademoiselle Desmarais?»

Il a parlé, encore. Elle regarde, un millième de seconde, le visage penché vers elle. Un millième de seconde, c'est assez pour voir que les yeux de Charles Durant sont posés sur ses lèvres. «Vous m'écoutez?» Elle hoche la tête. «Non, vous ne m'écoutez pas! Je me suis présenté dans les règles, et vous ne m'avez même pas dit votre prénom!

— Ce n'était pas la peine de vous présenter, on ne parle que de vous dans ce bal!»

Ça le fait rire.

«Et vous?

— Et moi quoi?

— Vous parlez de moi?

— Bien sûr que non!

— Vous avez bien raison. Alors, vous me le dites, ce prénom?

— Delphine.

— Joli!» Il regarde les lèvres d'où sont sorties les deux syllabes. Le cœur de Delphine bat plus vite. Mon corset est trop serré, je ne peux plus respirer, je veux rentrer à la maison. Je vais finir par lui marcher sur les pieds, si ça continue. J'aurai l'air de quoi si je trébuche au milieu de la piste de danse et tombe sur Charles Durant fils du Durant des textiles? Delphine ferme les yeux: ironiser ne sert à rien quand on n'a pas le courage de le faire à voix haute. Elle essaie de reprendre son souffle. Il vient de dire quelque chose. Pourquoi ne se contente-t-il pas de danser, pourquoi ne me laisse-t-il pas en paix? Il ne voit pas que je suis incommodée?

La serrant plus fort, si c'est possible, Charles Durant répète ce qu'il a dit quelques minutes plus tôt et qu'elle a très bien entendu: «Je veux vous revoir.» Mais ce qui est bizarre, c'est qu'il n'attend pas la réponse. On dirait qu'il se parle à lui-même. Ou qu'il est tellement sûr de la réponse qu'il... mais comment peut-il être aussi sûr? Respirant à fond, rassemblant son courage, Delphine lui lance un regard de défi. Il sourit. «C'est quoi, cet œil dédaigneux? Ce que j'ai dit vous déplaît?»

Je veux vous revoir. Delphine sait déjà qu'elle fera tout, y compris mentir à sa mère – et même à son père –, pour que ce vœu qui n'a rien de pieux se réalise. Le bras de son cavalier lui serre la taille. Il ne l'entoure pas, il la serre. Et la main qui presse sur sa hanche est brûlante. C'est sûrement inconvenant. Oui, mais c'est parce que c'est une valse. La valse donne le vertige, ça je le sais, même au pensionnat, j'avais le vertige quand je dansais la valse. Le vertige, c'est à cause de la valse, un point c'est tout. Et parce que j'ai mal aux pieds. C'est vrai, les «ravissants bottillons» que sa mère a choisis sont un peu justes. Delphine souffre, aspire au moment où Charles Durant la ramènera à sa mère. Non, non, elle redoute ce moment, et elle préfère souffrir plutôt que de sentir le bras, la main, se détacher de sa taille et de sa hanche. Les autres filles ne pensent sûrement qu'à danser avec lui, et quand il me verra de loin, il se dira peut-être que j'ai l'air d'un chou-fleur, même si je pense, moi, que ma robe est jolie. À la fin de la deuxième danse, Charles Durant l'éloigne légèrement, l'examine des pieds à la tête. Quel sans-gêne! Le visage de Delphine s'empourpre. Elle se rappelle les paroles d'Alma sur la génisse à la foire agricole. Regardant par-dessus l'épaule de son cavalier, elle surprend l'œil dépité de Colette Rondeaux, et l'expression outrée de la notairesse. Deux danses de suite, ça ne se fait pas, on n'a jamais vu ça, mais pour qui se prend-elle, cette petite. «Alors, on continue?» dit Charles Durant. Delphine essaie de capter le regard d'Alma, mais Alma regarde ostensiblement ailleurs. «Mais... ma mère...

— Ne la regardez pas!»

Delphine ne peut s'empêcher de fixer sa main gauche qui, sur l'épaule de Charles Durant, frémit comme un animal effrayé. Il se moque de moi, mais je m'en fiche. Elle sent qu'il la dévisage. Ça y est, il va voir mes défauts. Je vais lui dire que je ne veux plus danser, que je veux retourner près de mes parents.

«Pourquoi détournez-vous la tête?

— Ma mère dit que j'ai une coquetterie dans l'œil.» C'est stupide de dire des choses comme ça, je suis vraiment bête, bête, bête à manger du foin.

«Montrez voir... Allons! Regardez-moi!» Il l'examine, sourcils froncés.

«Elle trouve ça beau, votre mère?

— Bien sûr que non!

— Moi oui.» Puis, péremptoire: «Elle ne vous a pas bien regardée.»

Delphine a envie de lui dire que sa mère la regarde depuis qu'elle est née et que lui ne la regarde que depuis dix minutes, mais ce n'est pas la peine d'essayer, la phrase est trop longue. «Vous avez quel âge?» s'enquiert-il. Encore une impolitesse. «Presque dix-sept ans», répond-elle, s'efforçant de prendre un air offensé. Il a un rire nerveux, entre gaieté et agacement. «Presque dix-sept ans», chantonne-t-il. Puis il répète: «Je veux vous revoir.» La danse est terminée, il la ramène à ses parents, s'incline, disparaît. Le reste de la soirée, la mort dans l'âme, elle le regarde danser avec d'autres filles.

Quatre semaines plus tard, la petite phrase tourne toujours dans sa tête: «Je veux vous revoir.» Mais Charles Durant ne se montre pas, ni dans sa rue, ni à la messe du dimanche, ni au parc. C'est dans le salon de la notairesse qu'elle le revoit, un verre à la main, penché sur une Colette qui minaude dans une robe de chiffon bleu. Le cousin Freddy est là. Pauvre Freddy, avec tous ces boutons Colette ne veut plus qu'il l'embrasse, elle l'a dit à Delphine. «D'autant plus, a-t-elle ajouté, que j'ai quelqu'un d'autre en tête.» Tout le monde les regarde. Pincement au cœur. Le *quelqu'un*, c'est sûrement lui. Colette éclate de rire. Il la fait rire, c'est affreux. Mais il ne peut pas aimer ce rire-là, il est trop laid, trop vulgaire. D'ailleurs Alma le pense aussi, qui regarde la fille de la notairesse avec un mépris teinté de dégoût. Se tournant vers Delphine, elle la prend par la taille et, la serrant brièvement contre elle, lui dit que ce n'est rien, ce n'est rien mon cher ange. Delphine jette un dernier regard au couple formé par Colette et l'homme qui la fait rire. C'est fini, bien fini, je vais jouer mon Mozart puis je m'assiérai près de maman et je ne regarderai qu'elle. Charles Durant se retourne, lui fait un signe de tête amusé, comme s'il devinait ses pensées. Elle vacille, le souffle lui manque, tandis qu'elle s'agrippe au bras de sa mère qui, solidaire, lui tapote le dos. Delphine se détourne pour cacher son trouble, fait quelques pas et s'effondre sur un tabouret, celui du piano. Mais elle ne peut résister, elle le regarde à la dérobée. Il tourne la tête, sourit, puis se laisse accaparer de nouveau par Colette. La fille de la notairesse, qui a surpris l'échange de regards, s'efforce de faire écran entre cette pimbêche de Delphine et Charles Durant, avec qui, après tout, elle a *aussi* dansé au bal des débutantes. Des invités s'approchent de la pianiste, lui demandent ce qu'elle va jouer. «Mozart», balbutie-t-elle. Elle se sent mieux, derrière ce double rempart; elle essaie de les retenir, mais que dire? Ils s'éloignent. Et soudain, il est là. L'homme qui a déclaré «je veux vous revoir» et qui n'en a rien fait est là, devant elle. Il lui tend une tasse de café. Elle la prend, machinalement, bien qu'elle n'ait pas envie de boire de café, la porte à ses lèvres... «Attention, c'est chaud!» Le mal est fait, elle s'est brûlée. Elle sent le rouge lui monter au front, dépose la tasse sur un guéridon, court à la salle de bain pour s'asperger les lèvres d'eau froide.

«Oh, c'est ici que vous êtes! dit la voix affairée de la notairesse. Venez vite, nous vous attendons pour l'intermède musical.» Delphine la suit, reprend sa place au piano. Elle presse ses mains moites contre son mouchoir, pose les doigts sur le clavier et, désobéissant à sa mère qui lui a dit de jouer Mozart, attaque le *Marché persan*. Tintement de porcelaine: le bruit de la tasse d'Alma heurtant violemment la soucoupe. «Emporte tes petits Mozart, avait-elle dit. Ton interprétation est passable et tu les possèdes bien. Au moins nous pouvons être sûres que tu ne feras pas de fausses notes.» Moins troublée par la réaction de sa mère que par la désinvolture de Charles Durant, Delphine plaque les premiers accords. La mélodie s'écoule, l'assemblée est sous le charme, chacun dodeline de la tête. «Une bande de croquants, de béotiens!» dira plus tard Alma. Puis, à Delphine: «Comment pouvez-vous, chair de ma chair, affectionner de telles rengaines?»

Il s'approche; il est derrière elle. Lorsqu'il pose une main sur son épaule, c'est la fausse note! Une fausse note dans le marché persan! Elle anticipe, elle devine, elle perçoit le deuxième haut-le-cœur de sa mère. Courageusement, elle reprend le passage. Légère pression de la main, elle frissonne. Tous les regards sont tournés vers eux, on n'écoute plus la musique, on est aux aguets. Jusqu'où ira l'ingénieur, rejeton unique d'un grand patron du textile? Le fils à papa. On dit qu'il a étudié à Londres et que son père lui a offert, pour ses vingt-cinq ans, une fabrique d'armes de chasse. On dit aussi qu'il est scandaleusement gâté par sa mère, une Française de

Lille. La pauvre gamine n'a pas dix-sept ans. Il a huit ans de plus qu'elle, a déjà eu des maîtresses. On guette la nouvelle victime, elle est toute tremblante. D'habitude elle joue bien, mais là, quel gâchis. On regarde la mère, qu'on n'aime pas, mais dont on craint la langue acérée. Elle pèse le pour et le contre, sans doute, elle suppute, prête à enfermer la gamine si Durant n'en veut qu'à sa vertu. Le parti est de taille, elle va jouer serré.

Delphine ne pense pas au mariage, elle lutte contre l'émotion qui la raidit, contre la douleur cuisante à sa lèvre, contre les notes qu'il faut jouer jusqu'au bout. Elle est sûre qu'elle va s'évanouir, une fois plaqué le dernier accord. Ou saigner du nez sur sa robe blanche. Elle égrène les dernières notes puis, pressant son foulard sur le visage, guette le picotement annonciateur. Rien. Charles Durant lui prend fermement le coude, l'invite à se lever. Il appelle la maîtresse de maison, raconte l'épisode du café brûlant, demande qu'on prenne soin de Delphine.

Puis il salue la compagnie et s'en va.

Deux jours plus tard, dans une lettre de circonstance, Durant père demande à être reçu. On l'accueille avec un empressement inquiet. À l'issue de l'entretien, la jeune fille est convoquée au salon. L'homme se lève à son entrée, s'efforçant de cacher sa surprise – il ne la savait pas *aussi* jeune. Troublée, Delphine regarde son père. Il lui fait part de la requête qui vient de leur être faite : Charles Durant demande sa main. « Bien sûr, dit le visiteur, vous devrez d'abord apprendre à vous connaître. Vous nous direz ensuite si vous voulez faire le bonheur de notre fils. » Puis, se tournant vers les parents, il précise : « Charles semble déterminé. Nous avons tenté, sa mère et moi, de lui parler du jeune âge de mademoiselle, mais il n'a rien voulu entendre. Sa mère l'a supplié d'attendre un peu, il lui a répondu que la période des fiançailles serait bien assez longue. Voilà, je n'ai rien à ajouter. Au fait, si ! Ma femme m'a chargé de vous inviter à nous rendre visite dimanche après-midi. Si le temps est au beau, nous prendrons le thé au jardin. – J'adore les garden-parties ! » s'écrie Alma. Elle s'y voit déjà, dans une robe bain de soleil exquisément décolletée. Coup d'œil à la jupe écossaise de sa fille. Demain, je lui achèterai une robe. Il faut la vieillir un peu. J'espère que cette femme – elle hait déjà la mère de Charles – ne va pas nous mettre des bâtons dans les roues, faire rater ce mariage. Un sourire à Durant père. «Nous pourrons ainsi faire plus ample connaissance», susurre-t-elle. Elle réalise qu'elle vient d'émettre une platitude, rougit. Heureusement, son époux rectifie: «C'est à nos enfants que cela permettra de faire plus ample connaissance.» Elle hoche la tête en signe d'approbation. Très bien dit, très digne, c'est ainsi qu'un chef de famille doit parler. Durant père se lève, prend congé. «Notre fille va vous raccompagner», dit Alma. Delphine traverse le salon, entraînant dans son sillage le père de Charles, ce Charles qui a disparu après l'avoir plongée dans une fébrilité, une confusion impossibles à surmonter. D'autant plus qu'Alma ne cessait de lui rappeler – comme si c'était nécessaire! – que Charles Durant avait fait trois danses avec elle. Devant la porte, Durant père lui prend la main. «Vous êtes très jolie, mademoiselle, maintenant je comprends mon fils. Et il paraît que vous êtes une musicienne accomplie!»

Delphine rougit au souvenir de la fausse note. «Non, non, c'est faux! Je ne suis pas une musicienne accomplie, je pianote, c'est tout... même dans les morceaux faciles, je me trompe... Chaque fois que je suis distraite, je me trompe!

— Charles vous a distraite?»

Décontenancée, elle regarde son interlocuteur, ne sait que répondre.

«Il ne faut pas le laisser faire...» Durant père se reprend, la rassure: «Je veux dire qu'il faut rester vous-même, lui tenir tête. Charles est un enfant unique.

— Mais... moi aussi!

— Ce que je veux dire, c'est que sa mère l'a peut-être un peu trop gâté.

— Oh! vraiment!» Elle sourit. «Ce n'est pas mon cas.»

Il pose une main sur son épaule. «Alors, nous nous verrons bientôt?»

Elle fait oui de la tête, ouvre la porte.

*

Crime de lèse-majesté: Delphine n'a pas mis la robe achetée pour la garden-party. Alma étouffe un cri lorsqu'elle voit apparaître, une fois ôté l'imperméable (le temps s'est mis au gris), la jupe écossaise. La bonne les a fait entrer dans le hall, Durant père et son épouse s'avancent. Charles ne va pas tarder, disent-ils, il fait une course au village. Ils entrent au salon, où une table a été dressée. Delphine pâlit en voyant le piano; sa mère se rengorge. En passant près de sa fille, elle souffle: «Surtout, pas de Marché persan!» Il n'y aura ni marché persan ni Mozart, se promet Delphine. Et s'il n'est pas là dans cinq minutes, je dis à papa que je ne me sens pas bien et que je veux rentrer. Crotte. Qu'Alma reste ici si ça lui chante. Me marier avec ce mal élevé? Jamais. Je suis sûre qu'il me ferait attendre devant l'autel! On ne peut pas faire confiance à un homme comme Charles Durant. Il vous dit qu'il veut vous revoir et il vous fait attendre quatre semaines! Et quand il réapparaît, il vous fait faire des fausses notes. Non, c'est non. Je veux m'en aller d'ici. D'ailleurs, les cinq minutes sont passées.

«Ah, le voici!» s'exclame la mère de Charles. Il entre, et Delphine se dit que son cœur va s'arrêter. Il s'approche, salue les invités, attend que tout le monde soit assis, puis invite la jeune fille à une promenade au jardin. «Mais enfin, Charles, on n'a même pas servi le thé!» s'exclame la mère. Il se tourne vers Delphine. «Vous avez envie de thé, vous?» Il n'attend pas la réponse, l'entraîne vers la porte. Avant de franchir la baie vitrée, Delphine jette un coup d'œil par-dessus son épaule, sa mère lui lance un regard aigu: Tiens-toi bien, ma fille, *mais pas trop*. Delphine se laisse conduire, le long d'une allée, jusqu'à un banc. «Alors, nous allons nous marier, Delphine?» Il a l'air si sûr de lui! Elle le regarde sans sourire, bafouille un «je ne sais pas». Ses sentiments sont mêlés: pourquoi n'a-t-il pas donné signe de vie depuis la soirée musicale? Pourquoi n'était-il pas là quand ils sont arrivés? Pourquoi l'entraîne-t-il loin de leurs parents sans lui demander son avis? Pourquoi est-il si désinvolte, tout à coup? Il se penche vers elle; elle sent l'odeur de sa peau, comme au bal. «Ils nous regardent», chuchote-t-il. Delphine se tourne involontairement vers la maison. «Attention! dit Charles, soyez plus discrète! Ils nous regardent tous… ma mère avec une curiosité marquée pour cette fille qui va lui voler son fils, nos pères avec sympathie… et votre mère avec…» Elle le fixe avec une petite colère. Il s'interrompt. «À vrai dire, je ne sais pas. Vous, vous savez. Vous la connaissez mieux que moi.

— Il n'y a rien à dire.

— Vous avez raison, occupons-nous plutôt de nous.» Il pose une main sur son épaule, la fait asseoir très près de lui. Elle ferme les yeux, une fraction de seconde. Un courant chaud descend le long de son dos, de ses reins, lui comprime le ventre. Les doigts caressent son cou. «Nous allons nous marier, Delphine, j'en suis sûr.

— Mais pourquoi? demande-t-elle d'un ton désespéré.

— Pourquoi nous allons nous marier, ou pourquoi j'en suis sûr?»

Elle hésite, ne sait pas. Pourquoi en est-il si sûr?

Dans la véranda, les deux mères se jaugent, l'air de rien. Devant la toilette «appropriée» de leur hôtesse, Alma se sent ridicule dans sa robe bain de soleil. Elle dit qu'elle a un peu froid, demande son châle resté dans l'antichambre. Son mari se lève. Le père de Charles le devance, va chercher le carré de soie, le pose galamment sur ses épaules. Elle s'agite un peu, minaude, boit une gorgée de ce thé qu'elle exècre, s'étrangle. Tout le monde s'empresse, Armand lève une main pour lui tapoter le dos, elle le foudroie du regard. «Je n'ai jamais compris pourquoi on fait ça, c'est… c'est… inopérant», dit-elle à son hôtesse. Elle rougit, devant cet «inopérant» médical. Heureusement, les deux hommes se sont trouvé un point commun: les échecs. «Cela vous tente? demande le père de Charles. – Et comment! – Alors, laissons ces dames papoter et allons au fumoir.» Ils ont un fumoir! rumine Alma, ils ont un fumoir, ces snobs. Elle reprend sa tasse, avale prudemment deux gorgées, lance un coup d'œil furtif vers le jardin. Ils sont toujours sur le banc, on dirait qu'il s'est rapproché. Elle repense à la jupe écossaise, on m'y reprendra à faire des frais de toilette. L'idée du trousseau lui effleure l'esprit. Ça, on n'y coupera pas. Heureusement, on apprend la broderie à l'Annonciation. Broderie, piano, aquarelle, j'ai toujours su qu'un pensionnat huppé en valait la peine. La preuve, cette gamine est sur le point d'épouser le Durant fils du Durant des textiles et ingénieur des armes à feu. Armes à feu, quel passe-temps stupide!

Le soir de la demande en mariage, Armand lui a expliqué toute l'affaire: le fils ayant fait des études d'ingénieur, il fallait lui donner les moyens d'utiliser ses capacités. En plus, il déteste le textile.

«Comment le sais-tu?

— C'est Jules-Henry Durant qui me l'a dit.

— C'est pour ça qu'il s'amuse avec des armes, ce garçon?»

Alma poursuit son soliloque. Quoi qu'il en soit, il faut que je m'occupe du trousseau dès demain. Je vais faire broder draps, nappes et serviettes. Elle repose sa tasse sur la dentelle fine recouvrant la table. Dentelle de Bruges, évidemment, ils ont les moyens. Mais nous aussi. Attendons qu'ils voient notre lin brodé ! (Le fait que le lin sorte des filatures de Jules-Henry Durant ne lui effleure même pas l'esprit.) Le comble du chic. J'aiderai à la broderie, sinon nous n'en sortirons pas. Bref coup d'œil au jardin. Elle fait la mauvaise tête, j'en suis sûre, vraiment je ne la comprends pas, on lui déniche le meilleur parti en ville et mademoiselle fait la fière.

« Ils ont l'air si calmes ! » dit rêveusement la mère de Charles. Alma se demande ce qu'elle va bien pouvoir répondre. Calmes, calmes, bien sûr qu'ils sont calmes ! Ma fille ne va tout de même pas se laisser renverser sur un banc comme une gourgandine. Ils ne vont tout de même pas s'étreindre sur ce banc sans préliminaires ! Elle aimerait beaucoup dire cela, mais c'est trop osé. « S'étreindre sur ce banc » est osé, mais c'est fort, c'est littéraire. Mais qui dit que cette femme est sensible à la littérature ? Quant à la musique, j'ai des doutes. Elle doit bien savoir que je suis une artiste, que même ma fille est une artiste, et pas un mot !

« Ainsi, vous donnez des récitals ! dit la mère de Charles.

— Des... de quoi ?

— Des récitals !

— Oh, c'est beaucoup dire ! Des amis insistent parfois pour que je chante, et on ne peut pas toujours dire non, n'est-ce pas ?

— J'imagine. »

Madame Durant – une femme assez convenable, tout compte fait – ajoute : « Il faudra nous faire entendre votre répertoire... un de ces jours. »

Charles prend la main de Delphine. « Venez, donnons à ma mère de vraies raisons de s'inquiéter. » Il sourit. « Mais pas à la vôtre. » Mais qu'est-ce que cela veut dire ? se dit Delphine, agacée. Ils m'ont demandée en mariage, tout de même ! Charles l'emmène au bout de l'allée. Il l'attire contre lui. L'émotion donne le tournis à la jeune fille, son front se pose, presque à son insu, sur le revers du veston de tweed. Glissant une main sous son menton, Charles Durant l'oblige à lever la tête. « Tu m'aimes un peu ?...

— Mais... vous me tutoyez ! » Elle le regarde, outrée, oubliant que regarder fixement fait loucher !

Il rit. « À la veille de fiançailles, c'est recommandé ! »

Delphine essaie de fuir son regard ; ses jambes sont affreusement molles. Je vais m'effondrer, c'est sûr, tomber comme une masse, m'évanouir. Alma va accourir en poussant des cris. « Réponds, dit Charles. J'ai demandé si tu m'aimais "un peu", ce n'est pas si terrible ! »

Pourquoi me tutoie-t-il ? On ne se connaît pas. Même ma mère ne me tutoie pas. Il la serre contre lui. « Je t'aime, tu sais.

— Vous aimez une fille que vous ne connaissez pas ?

— La preuve, je l'épouse ! »

Les mots de Durant père reviennent à la mémoire de Delphine, « il faut lui tenir tête, rester vous-même, Charles est un enfant unique. » Elle oublie ses jambes molles et, comme on se laisse glisser dans l'eau sans savoir nager, plonge son regard dans les yeux moqueurs. « C'est peut-être un caprice. Les enfants uniques font souvent des caprices. »

« Mais toi aussi, tu es une enfant unique !

— Oui, mais je ne fais pas de caprices.

— Eh bien, c'est l'occasion ou jamais : épouse-moi. Cesse de te poser des questions. Laisse-toi aller. »

Comme s'il me demandait de me laisser faire. Me laisser aller ? Comment fait-on ça ?

« Je sais que je te plais, poursuit Charles, je le sais depuis le bal, tu te souviens ? Et j'ai aimé te voir au piano. Tu joues bien... c'est... » La phrase reste en suspens. Il dit ça pour me faire plaisir. « Non, dit-elle durement. Je ne joue pas bien. Je fais des fausses notes. Et ça m'est égal. Je me fiche des fausses notes, et j'en ferai d'autres si je veux ! » Elle s'arrête, essoufflée. Charles éclate de rire. « Mais moi aussi j'aime les fausses notes ! C'est charmant, surtout les tiennes...

— Charmant ! » Les joues de Delphine s'empourprent. Elle voudrait trouver une réplique cinglante, lui dire que non, ce n'est pas charmant, mais les mots cinglants ne sont pas son fort. Ni même les mots tout court. Il faut qu'elle y pense, qu'elle trouve les paroles qui lui feront comprendre qu'elle n'est ni sotte ni timide. Qu'elle sait ce qu'elle ne veut pas, qu'elle est capable de dire non, et même de disparaître, comme avec Guillaume. Oui, mais je n'aimais pas Guillaume. Elle regarde fixement le revers du veston de tweed. Mais lui non plus, je ne l'aime pas ! On n'aime pas comme ça, ce n'est pas possible ! Et en plus il est prétentieux. Il croit que je vais lui tomber dans les bras !

Mais *tu es* dans ses bras.

Elle se dégage, essaie de le repousser. Impossible, il est plus fort qu'elle. Je penserai à tout cela plus tard. Son cœur se serre à l'idée de rentrer à la maison, de retrouver cette chambre où sa mère ne met les pieds que pour la réprimander. Elle entend déjà Alma lui reprocher la jupe écossaise, les dépenses qu'elle a faites pour qu'elle ait l'air distingué, le mal qu'elle se donne pour lui trouver un mari convenable. Les mains de Delphine, d'abord posées sur les épaules de Charles pour le repousser, se crispent sur le vêtement, s'y accrochent. Il penche la tête, les regarde, étonné : ce n'est pas un geste d'amour. « Comme tu es tendue ! dit-il. Tu es comme un oiseau tombé du nid. »

Tombé du nid ? Mais *je veux* tomber du nid !

« Tu n'as toujours pas répondu à ma question. Nous allons nous marier, Delphine ? »

Elle soupire, hoche la tête, puis, le regardant dans les yeux : « Je crois que oui. » La fermeté soudaine du ton les étonne tous les deux. Charles est pris de court. Ses mains se referment sur les épaules de la jeune fille, il la repousse un peu pour mieux scruter son visage.

« C'est drôle, dit-il. Tu n'es pas aussi simple qu'on pourrait le croire. »

Les fiançailles sont annoncées. La coutume veut que le dîner soit offert par les parents de la fille. « Nous ne nous déroberons pas », a déclaré Alma. Depuis, elle harcèle traiteurs et décorateurs : elle veut faire les choses avec panache. Durant mère a proposé à plusieurs reprises d'offrir le dîner chez elle, à la campagne. Avec une noblesse dont elle se félicite, Alma a refusé. Le repas aura lieu dans *son* salon, qui sera décoré pour la circonstance. Une petite estrade y sera dressée pour le récital. Des invitations sont envoyées à trente convives « triés sur le volet ». Chaque matin, pendant trois heures, Delphine s'use les yeux à broder les draps de son trousseau. Deux apprenties couturières l'aident. En fin d'après-midi, on répète le Rossini qui sera le clou de la fête. On ne se met jamais au lit avant minuit, morts de fatigue, Alma d'organiser des festivités destinées à s'inscrire dans les annales de la ville, Delphine de suivre le tourbillon, Armand de se tenir prêt au cas où son aide serait sollicitée. Le soir, avant d'aller se coucher, enfin, dernier regard au salon, chef-d'œuvre en devenir. Alma a décidé d'aligner des palmiers nains devant la fameuse estrade ; ils arriveront la veille de la cérémonie, en rang serré. Dans le boudoir d'Alma, les robes attendent sur les mannequins de couture : lamé mauve pour la mère, et, malgré ses protestations, organza pour la fille. Le soir, dans son lit, Delphine pense à Charles, l'œil fixé sur le coffre contenant son trousseau. Elle ne connaît pas cet homme. Pourquoi ne vient-il pas plus souvent ? À cause d'Alma, sans doute. Elle comprend. Chaque fois qu'il fait son apparition, elle prend des airs de prima donna offensée. Mieux vaut ne pas le voir que de voir son sourire moqueur. Elle n'aime pas ce sourire. S'il vient ce soir, je le lui dirai.

Il vient, s'assied un moment sur le divan du salon, écoute le bavardage d'Alma avec le fameux petit sourire. Puis il se lève et prend congé. « Accompagne ton fiancé, Delphine. » Après le baiser sur la joue, au moment où il va passer la porte, elle l'attrape par la manche. « Il ne faut plus regarder ma mère comme ça, Charles. » Il l'observe un instant sans rien dire, puis l'attire contre lui. « J'obéirai !

— Je suis sérieuse, Charles.

— Chut ! » Ses lèvres caressent sa joue, s'approchent de sa bouche ; elle essaie de respirer à fond, comme au piano avant d'attaquer un morceau difficile. L'air ne passe pas, sa gorge est trop serrée. Ses jambes deviennent affreusement molles, on ne peut pas rester debout avec des jambes aussi molles. Les paroles de Nina lui traversent l'esprit comme un souffle brûlant : « C'est la vie, on va toutes y passer. » Elle tremble. Si Charles ne la soutenait pas, elle perdrait l'équilibre. « Je vais prendre soin de toi, ma chérie, je te le jure », chuchote-t-il. « Ma chérie », il a dit « ma chérie » ! Delphine n'aime pas ce mot. Il lui rappelle les roucoulements de sa tante. Elle fait non de la tête. « Tu ne veux pas que je t'embrasse ? dit Charles. Alors dis-le-moi, parce que je ne te crois pas.

— Ne dites pas “ma chérie”. »

Il sourit. « Très bien, mon amour. »

Il l'embrasse et elle sait qu'elle l'aime.

*

Août 1929. Les invités d'Alma arrivent trop tôt. Le père de Delphine est sommé de les parquer dans un coin de l'estrade. Dans leur smoking et robe du soir, on dirait des acteurs prêts à entrer en scène pour le salut final. Les fleurs pour la table ne sont pas arrivées, non plus que les palmiers nains, et les deux serveurs se sont trompés dans l'agencement des couverts. Dans sa robe de lamé, Alma est partout, donnant des ordres, pestant, faisant moult incursions à la cuisine pour appeler le fournisseur de palmiers. On lui répond qu'ils ont pris la route. Elle regarde par la fenêtre, étouffe un cri de rage : ils sont là, alignés sur le trottoir, bataillon serré devant l'entrée. Les passants s'arrêtent, intrigués, et les *touchent*, malgré les efforts du jeune garçon chargé de les surveiller. Alma se précipite, apprend que l'homme censé les transporter à l'intérieur est au café. Sur ces entrefaites arrivent les Durant qui, stupéfaits, s'arrêtent un instant pour considérer la végétation tropicale. « Quel décorum ! » ironise Mme Durant en s'engageant entre les deux haies d'arbustes. Durant père et fils la suivent, amusés. Il fait très chaud. « Ne me dites pas que cette haie d'honneur nous arrive des tropiques », dit Charles à Alma. Par-dessus l'épaule de sa future belle-mère, il sourit à Delphine, qui a fini par se résigner à enfiler la robe d'organza. Elle ne sait pas qu'elle est belle. Un homme en salopette se présente à la porte. « Comment, vous êtes seul, mon ami ? s'exclame Alma. Mais cela va prendre une éternité ! » L'homme hoche la tête, un œil rigolard plongé dans le décolleté de la dame en mauve.

« Nous allons l'aider, dit Charles en empoignant un pot. Vous me donnez un coup de main, père ?

— Mais vous n'y pensez pas ! hoquette Alma. Vous allez ruiner vos costumes !

— Mais non ! Dites-nous simplement où vous voulez voir se balancer ces palmes. »

« Charles, s'il te plaît ! » murmure Émilie Durant, à qui l'embarras de Delphine n'a pas échappé. Statufiée par la honte, la jeune fille regarde Durant père et fils jouer les débardeurs. « Si on entrait ? propose la future belle-mère, venez, montrez-moi le chemin. » Delphine la précède dans le couloir, ouvre la porte de la salle à manger. « Mon Dieu ! » s'exclame Émilie. Mais elle se reprend, pose une main fine sur le bras de Delphine. « Votre mère a fait des miracles, c'est... très impressionnant. » Elle aperçoit le piano. « Et nous aurons, en plus, un récital ! » Elle se tourne vers Delphine. « J'espère que nous vous entendrons...

— Vous entendrez surtout ma mère, madame. C'est elle, la musicienne, pas moi. »

Émilie la considère un instant, songeuse ; cette jeune fille la déroute.

«Puis-je vous offrir un rafraîchissement? demande froidement Delphine.

— Bien sûr... Vous avez une très jolie toilette, mon enfant.»

La fiancée regarde la robe de sa future belle-mère, simple, élégante. «Je préfère la vôtre.»

*

Les promis et leur famille se voient chaque dimanche, mais il arrive, la semaine, que Delphine trouve Charles devant le portail de l'école de musique. Il la ramène chez elle par les ruelles, où ils peuvent s'embrasser. Ils parlent peu. Delphine n'est pas loquace. Elle est amoureuse, et elle se sent mieux dans les bras de Charles qu'à ses côtés. On cesse de parler quand on s'embrasse, tout devient plus facile. Mais Charles parle quand même. Elle l'écoute entre les baisers. Il lui demande à quoi elle pense, elle répond «à nous» pour couper court, mais la vérité, c'est qu'elle ne pense à rien, trop occupée à savourer des moments qui, elle le sait, ne dureront que jusqu'au printemps, quand les noces seront célébrées. Puis il y aura autre chose. Quoi? Elle l'ignore. Charles n'insiste pas, il se dit qu'elle sera plus bavarde quand ils seront mariés. Il la laisse devant chez elle, où il n'est plus entré depuis leurs fiançailles. Une animosité polie mais déclarée s'est installée entre Alma et lui, et sa présence met Armand mal à l'aise. Le dimanche, il vient la chercher dans son automobile pour l'emmener chez ses parents. Armand est parfois de la partie, heureux d'échapper à sa diva – qui boude. La journée est longuette, entre les onomatopées des deux pères devant le jeu d'échecs, l'affabilité de la mère, et l'absence de Charles qui, lorsqu'il ne peut l'emmener au jardin, trouve mille et une raisons de s'éclipser. Émilie Durant en profite alors pour tenter de faire parler sa future belle-fille – tout comme Marianne tentait d'arracher des confidences à sa protégée. Delphine est sur ses gardes – elle craint que la conversation ne porte sur Alma, et elle ne veut pas parler d'Alma. Elle ne veut pas parler d'Alma parce qu'elle est seule à savoir ce que peut ressentir sa mère. Du moins en partie: elle connaît la blessure, mais pas sa profondeur. Jusqu'où l'écorchée vive a-t-elle été blessée, elle ne le sait pas.

Quand elle avait douze ans, elle a accompagné Alma à la maison de retraite où Florine, sa grand-mère, s'accrochait avidement à la vie. Une décalcification osseuse l'avait rendue difforme et presque paralysée. Elle ne marchait plus, passait ses journées dans un fauteuil roulant. Mais elle comptait vivre longtemps. Un égoïsme forcené l'y aidait, une parcimonie dans les gestes, les mots ; jamais elle ne demandait comment se portait sa fille, ni ce que sa petite-fille comptait faire de son existence. Ses yeux seuls parlaient, laissant filtrer entre les paupières mi-closes un regard quasi venimeux. Les infirmières semblaient la craindre. Comment peut-on avoir peur d'une pauvre femme qui n'a plus de forces? s'était demandé Delphine. Alma avait écourté la visite. « Assez pour aujourd'hui. De toute façon, nous la dérangeons. Elle me hait. Et elle ne t'aime pas non plus, ma pauvre petite. Mais nous pouvons très bien nous passer d'elle. »

Delphine s'était penchée pour embrasser sa grand-mère.

« Ne te fatigue pas, elle s'en fiche. »

Six mois plus tard, Florine Pattini avait décidé de léguer sa maison et ses biens à la maison de retraite – qui avait donné une fête pour la circonstance. Prétextant une forte migraine, Alma était restée à la maison. Armand avait emmené Delphine à la réception. La bienfaitrice était assise dans son fauteuil, calée entre des oreillers, ses bras squelettiques reposant sur les accoudoirs. Ses mains crispées ressemblaient à des serres ; elle portait tous ses bijoux, dont elle se parait chaque fois que, dans le fauteuil roulant poussé par un infirmier (toujours le même : elle ne voulait que celui-là, traitant les autres d'incapables, de manchots, de tire-au-flanc), elle sortait de ce qu'elle appelait son antre – aux murs exclusivement couverts de photos d'elle : debout, sourire dédaigneux, derrière une chaise sur laquelle, assis tout raide, souriait timidement grand-père Joris (dont elle affirmait qu'il avait toujours « vécu sous sa coupe ») ; en arrêt sur un chemin de montagne, sa canne de randonnée plantée dans le sol comme un couteau dans un gigot ; marchant comme un tambour-major devant une troupe de promeneurs exténués (qu'elle qualifiait de « traîne-savates ») ; trônant au milieu de sa famille comme une déesse cruelle, Alma écrasée à ses pieds. Aujourd'hui comme ces jours-là, elle portait son rang de perles, sa montre en sautoir, une broche en forme de paon à queue déployée et lourde de saphirs, et une bague ornée d'une améthyste si pesante qu'elle tournait sur son doigt.

Grand-mère Florine ne leur avait même pas accordé un regard, réservant ses sourires et ses minauderies au photographe venu immortaliser l'événement. Elle roucoulait, laissant filtrer entre ses lèvres un sourire plein de dents en or. Alors ils s'étaient éclipsés pour aller manger des glaces. Mais ils n'avaient pas profité de l'occasion pour parler. Même si Delphine se demandait depuis longtemps si le vieux tyran qui triomphait dans la salle des fêtes n'était pas responsable de la neurasthénie de maman.

Florine était morte trois jours plus tard, dans la nuit, d'une attaque d'apoplexie. À l'aube, un coursier envoyé par la maison de retraite avait sonné à la porte. Armand avait réveillé Alma pour lui dire de s'habiller. Comme elle refusait de se lever, il avait insisté, avec ménagement; il savait mieux que personne combien la vieille Florine était mauvaise: elle avait vécu avec le couple au début de leur mariage et avait fait de lui son souffre-douleur. Alma s'était rapprochée d'Armand, à cette époque. En le défendant bec et ongles contre sa mère, elle réglait un peu ses comptes.

Les sœurs hospitalières les avaient invités à prendre place autour du lit de la morte. Debout près de son père, à moitié endormie, Delphine regardait, l'œil écarquillé, le monstre au teint plombé. On avait calé une boîte d'allumettes entourée d'un linge sous son menton: la bouche refusait de rester fermée. «Ça ne m'étonne pas, avait dit Alma, elle avait sûrement envie de cracher des insultes.» Avant de quitter la chambre, Armand a demandé à sa fille si elle voulait embrasser sa grand-mère. «Ah, ça non!» a crié Alma. Soulagée, Delphine a reculé d'un pas, persuadée que le simple contact de ses lèvres avec la joue de la morte allait rouvrir une bouche d'où sortiraient des crapauds. Alma lui a attrapé le bras pour l'attirer contre elle, une sensation si rare. La pression du corps de sa mère contre le sien l'a bouleversée.

Le lendemain, le notaire leur a confirmé ce qu'ils savaient déjà: Florine Duquesnoy-Pattini avait fait don de ce qu'elle possédait à sa communauté religieuse, d'un pécule à son infirmier pousseur, et de ses bijoux à la femme de ménage. Elle n'avait laissé à sa fille que sa misérable bibliothèque, comme on fait un pied de nez. Cette dernière n'a pas bronché, accueillant la nouvelle avec une impassibilité qui avait impressionné l'homme de loi. Sur le chemin du retour, elle a déclaré à Armand que c'était très bien ainsi: elle détestait la maison, trouvait les bijoux hideux. Quant aux économies, qui ne dépassaient certainement pas quatre francs cinquante, elles ne valaient pas la peine que l'on entamât une poursuite judiciaire.

Les week-ends où l'on annonce du beau temps – rare dans la pluvieuse Belgique –, les Durant emmènent les fiancés dans leur villa de Middelkerke, en bord de mer. On embarque aussi un vieil ami de la famille, qu'on appelle oncle Maurice, à qui l'on donne mission de les chaperonner. L'après-midi, Charles et Delphine enfourchent leurs vélos, sèment le vieux monsieur et vont se cacher dans les dunes. C'est encore l'été, l'été où Charles apprend si bien l'amour à Delphine qu'elle aimera encore l'amour avec Charles lorsqu'elle aimera moins Charles. Quand le corps de son fiancé se tend et que, s'enfonçant en elle avec une fougue contenue, il s'empare de son regard et retient son plaisir pour attendre le sien, elle se sent toute-puissante. Il lui a appris les mots, qu'elle répète à voix basse quand il le lui demande, mais elle préfère les entendre de sa bouche, soit qu'il les lui chuchote à l'oreille à tout moment du jour, soit qu'il les prononce pendant l'acte d'amour, guettant sur son visage l'émotion qu'ils provoquent. Elle lit le désir dans ses yeux et se sent plus grande, plus femme, plus belle. Alma ne l'intimide plus. Sa tendresse pour son père est toujours là, mais en veilleuse. Elle a remis à plus tard son besoin de connaître ses parents, l'homme et la femme. Tout ce qui n'est pas lié au désir qu'elle a de Charles s'est estompé. Plus tard, se dit-elle lorsqu'elle voit le visage étonné de sa mère, le regard attristé de son père. Lequel souffre le plus ? Sans doute lui faudra-t-il souffrir elle-même pour le découvrir. Mais le temps de la souffrance n'est pas encore venu. S'il vient.

Fin septembre, ce qui ne vient pas, ce sont ses règles. Elle annonce la nouvelle à Émilie qui, interloquée par le calme de la jeune femme, lui demande si elle en a parlé à sa mère.

« Vous voulez vraiment que j'en parle à ma mère ?

— Sans doute. Avant de m'en parler à moi, en tout cas.

— Mais pourquoi en parlerais-je à ma mère ? C'est vous, de toute façon, qui prendrez les décisions ! »

Émilie ne peut s'empêcher de sourire. « Et Charles ?

— Charles ? »

Émilie Durant considère sa bru avec stupeur. « Vous n'avez rien dit à Charles ?

— Non.

— Mais pourquoi ?

— J'ai pensé que nous devions en parler d'abord.

— Mais vous allez vous marier!

— Oui, mais ce sont les femmes qui s'occupent de ces... contretemps.»

Sidérée par la tranquille assurance de son interlocutrice, Émilie murmure: «Bien sûr. Mais ce contretemps, comme vous dites, est-ce qu'il vous contrarie?

— Bien au contraire. Mais je crois qu'il faut avancer le mariage.

— Mon Dieu, c'est vrai, où avais-je la tête!»

Elle parle de ce mariage comme si ce n'était pas le sien, se dit Émilie. Dieu, que cette petite est étrange. Une énigme. Une véritable énigme. Je ne m'y retrouverai jamais.

«C'est vrai, il faut avancer le mariage. Si nous disions le mois prochain, pensez-vous que ce serait ... adéquat?

— Ça ira.»

Émilie scrute le visage de la jeune femme, si serein, si tranquille. «Est-ce que vous êtes heureuse, Delphine?

— Bien sûr.

— Vous êtes si calme!

— Pourquoi ne serais-je pas calme?

— Parce qu'un mariage, un bébé, on trouve généralement cela exaltant. Ne devriez-vous pas être plus joyeuse?

— Je le suis. Et maintenant que tout est réglé, je vais annoncer la nouvelle à Charles.»

Delphine traverse le jour de ses noces sur la pointe des pieds. L'épreuve n'est pas trop difficile. Le matin, quand elle s'est réveillée, Alma est venue dans sa chambre pour lui dire que, tout compte fait, elle lui était reconnaissante de lui épargner ces détails scabreux que les mères sont généralement obligées de révéler à leur fille la veille de la nuit fatale. Depuis que Delphine a fauté, Alma la regarde avec une sorte de stupeur admirative, comme si cet acte la grandissait à ses yeux. Mais le fait que sa fille soit enceinte lui est quasi indifférent. «Il faut bien qu'on y passe, que veux-tu! Que pourrions-nous y faire? Protester? Expliquer qu'on n'est pas nécessairement faites pour ça? Qu'on a d'autres ambitions? Qu'il n'y a pas que le pouponnage dans la vie?...

— Mais qui te dit que je ne suis pas faite pour ça?

— C'est vrai, tu sembles satisfaite. Eh bien, c'est l'essentiel. Allons, c'est le jour de tes noces, réjouissons-nous, puisque la coutume l'exige!»

Comme si elle parlait du rituel d'une tribu africaine.

Son laïus terminé, elle a fait place à Émilie – à qui elle a cédé de bonne grâce le soin d'habiller la mariée. Émilie ne demandait que cela, qui a fait son entrée dans la chambre avec la couturière. La robe, cette fois, n'a pas été dessinée par Alma. Pour Alma, tout ce qui touche au mariage porte malheur, tout ce qui touche au mariage signifie la fin, l'empêchement ultime. Et le fait qu'elle ait contribué à cette terrible issue en exhibant sa fille au bal des débutantes et dans les soirées mondaines ne change rien à cette opinion. En outre, le futur époux n'a pas l'heur de lui plaire ; il est trop désinvolte, trop sûr de lui. Bien sûr, la métamorphose de sa fille ne lui a pas échappé, mais cet état de plénitude ne lui inspire que méfiance. Elle observe Delphine avec étonnement – et avec la conviction que « ça ne durera pas ». Dans le hall de la mairie, en fourreau noir et étole de vison, attentive à jouer le rôle de la toujours jeune mère de la mariée, elle considère néanmoins sa fille avec une légère émotion.

La cérémonie du mariage et les réjouissances qui s'ensuivent sont plus modestes que celles des fiançailles : le krach boursier qui vient de frapper l'Amérique secoue l'Europe. Les hommes des deux familles sont aux prises avec ce qui sera l'une des plus grandes crises économiques du siècle. Mais Armand l'agent de change, à l'abri de la gêne car il a pris la précaution de convertir ses avoirs en valeurs immobilières, est intervenu dans la bataille que livraient Jules-Henry et son fils pour sauver une partie des textiles et des armes de chasse. Avec son aide et ses compétences de financier, ils sont arrivés, de justesse, « à sauver les meubles ». Et ils ont évité le chômage à une grande partie des ouvriers du tissage et de la manufacture.

Pour les épouses, le krach de New York et ses implications planétaires est et restera un mystère qu'elles ne tenteront jamais d'élucider, convaincues, à juste titre, qu'elles n'y comprendraient rien. Elles se contentent, en cette période de vaches très, très maigres, de se conformer aux directives des autorités suprêmes en la matière : le père et l'époux.

Le mariage est expédié dans l'intimité, et le voyage de noces classique à Venise reporté à plus tard.

6

IRÈNE

Informée par Armand du mariage de Delphine (le frère et la sœur correspondent par l'intermédiaire d'une poste restante milanaise), Irène arrive à Bruxelles la veille de la cérémonie. Craignant que sa sœur ne débarque avec un galant, Armand lui a réservé une chambre au Métropole.

Delphine l'attend à la gare avec son père.

Irène a changé, elle est moins flamboyante, mais elle semble apaisée. Les traits tirés, le regard anxieux de la période ostendaise ont fait place à une expression plus sereine. Lorsque Delphine la voit, sur le marchepied de la voiture, retenir son chapeau que malmène le vent soufflant dans la gare, elle se souvient de la jeune femme inquiète qui accourait vers elle sur la plage de Wenduine. C'était à l'époque de cet homme sombre avec lequel elle était venue à Bruxelles, quand papa s'était fâché parce que, disait-il, elle méprisait sa famille. Elle l'avait revu, cet homme sombre, ou plutôt aperçu lorsque, cachée derrière son père, elle se tenait à l'entrée d'une salle d'hôpital à Ostende. Le châtiment était donc tombé, finalement. Le cœur serré, elle s'était dit que sa tante et son chéri étaient en enfer, en ce lieu où des pécheurs souffrent, gémissent, expient. Ce soir-là, dans sa chambrette de l'Annonciation, elle avait prié pour la pécheresse.

Armand prend sa sœur dans ses bras, sans rien dire, sans lui demander si elle a fait bon voyage, si elle est fatiguée, si elle veut aller tout de suite au Métropole ou venir à la maison. Delphine reste en retrait, regardant ces deux êtres si différents, si proches, qui n'ont pas besoin de traduire leur émotion en paroles. Tante Irène l'aperçoit, par-dessus l'épaule de papa et, comme à Wenduine, dit :

« Delphine, c'est toi ? »

La pécheresse a obtenu son pardon. Elle est joyeuse, pleine d'allant. Elle leur confie son amour pour Milan, leur parle d'un architecte dont elle a fait la connaissance. Sur le point de décrire cette nouvelle inclination en termes plus concrets, elle se ravise devant le visage alarmé de son frère.

Trois jours après les noces, elle invite les jeunes mariés au Métropole. Le grand hôtel de la place de Brouckère est, certes, affecté par la crise, mais ses bois précieux, ses marbres de Carthage et ses murailles en brèche de Numidie n'en souffrent pas, ils sont immuables. Irène attend les époux dans le vestibule Renaissance, où des glaces sans tain laissent voir le salon vert et or où elle a fait servir l'apéritif. Irène est un peu mélancolique – elle aurait tant aimé emmener Luciano dans ce décor exquis –, mais le bonheur de sa nièce atténue ce regret. La petite fille solitaire de Wenduine n'est plus, elle a fait place à une femme qui, Dieu soit loué, semble comblée.

Delphine prend la main de son mari. Leurs visages baignent dans la lumière diffuse des vitraux, beaux de la fatigue des premières nuits. Irène serre sa nièce dans ses bras, chuchote: «C'est mieux que les flâneries solitaires sur les brise-lames, n'est-ce pas?

— C'est différent», répond Delphine.

À la fin du repas, après que le serveur a posé une tasse de porcelaine devant les convives, Delphine demande à sa tante si elle est heureuse.

Déconcerté devant une question aussi directe, Charles fait mine de se lever.

«Restez, Charles», dit Irène.

Puis, à sa nièce:

«Je m'efforce de l'être, chérie. Ce n'est pas simple. Mais lorsque je te regarde, je suis tentée de croire que tout est possible.»

7
DELPHINE

Les époux s'installent non loin de la demeure des parents de Charles. Jules-Henry Durant a fait rénover une métairie à quelques kilomètres de leur maison, près de Glain, petite ville de la périphérie de Liège. Il y a une écurie. Firmin, un fermier qui vient de remettre son exploitation à son fils, s'occupe des chevaux, aidé de Gus, son neveu, très fier de porter le titre de palefrenier. Firmin a accepté de travailler à la métairie à la condition d'y amener Prince, un brabançon «qui est mon ami depuis longtemps». Le vieux cheval de labour a donc suivi son maître, prenant ses quartiers dans un box spacieux, où il reçoit chaque jour la visite de Delphine. «Ce noble animal, madame Charles, portera vos enfants chaque fois qu'on le lui demandera», a déclaré Firmin. Quant au maître des lieux, il est comblé, entre ses chevaux, sa femme et son travail à la fabrique d'armes. L'idée qu'un enfant va s'ajouter à cet univers le laisse perplexe, mais on verra. Le matin, au lever du jour, il monte à cheval. Delphine reste au lit, où la bonne lui apporte le petit-déjeuner. Elle ouvre un livre, caresse son ventre, qui s'arrondit, se rendort en attendant le retour de Charles qui, après s'être ébroué dans son bain, lui fait gentiment l'amour. Ensuite il disparaît pour la journée. Delphine se promène dans la grande maison, pousse la porte de la nursery où tout est figé dans l'attente, remonte le mécanisme de la boîte à musique, s'assied près du berceau, chantonne, puis va s'étendre sur la chaise longue du salon. Ce n'est plus le no man's land des ruelles où son fiancé l'embrassait, c'est le no man's land de la grossesse. Chaque lundi, vers quatre heures, Émilie vient la voir, suivie du médecin qui a mis Charles au monde. L'homme lui dit de bouger un peu, il la trouve pâlotte pour une future maman de dix-huit ans. Laissant retomber la tête sur le coussin de la chaise longue, Delphine répond qu'elle est fatiguée. Émilie soupire, mi-inquiète, mi-agacée. Elle approche un fauteuil, évoque la naissance de Charles, qui fut «difficile, mais exaltante».

Un jour où Alma est présente, elle lui demande de parler de «l'arrivée en ce monde» de Delphine. «Oh! répond Alma, prise de court par la délicatesse de l'énoncé. Eh bien... il n'y a pas grand-chose à raconter. À vrai dire, je ne me souviens pas.» La mère de Charles est surprise, désagréablement surprise. Comment une mère peut-elle oublier ce merveilleux miracle, cette joie d'avoir donné la vie, qui efface les souffrances... Alma écoute sans broncher ce discours inspiré, puis l'interrompt en déclarant que Delphine «est passée comme une lettre à la poste». L'air offusqué de son interlocutrice la fait sourire. «Quoi? Vous êtes choquée? Vous préféreriez que je vous décrive d'effroyables douleurs? Pas moi. Vous voulez connaître le fond de ma pensée?»

Émilie ne le veut pas, grand Dieu non, mais Alma ne lui laisse pas le temps de répondre.

«Toutes ces descriptions sont indécentes.

— Que voulez-vous dire?

— Ces accouchements atroces, interminables... Comment peut-on prendre plaisir à les ressasser? C'est un mauvais moment à passer, sans plus! Il n'y a pas de quoi tomber en convulsions.»

Delphine sourit. Elle préfère le cynisme de sa mère à la sensiblerie de sa belle-mère. «Maman a raison, il n'y a pas de quoi dramatiser. Il y a des femmes qui racontent des horreurs, c'est plus fort qu'elles. Ensuite elles prennent un air supérieur! Ce n'est pas un exploit, tout de même!»

Émilie se tourne vers sa belle-fille: elle vient de déceler une pointe d'insolence dans sa voix. Mais non, c'est la nervosité! Cette enfant est inquiète, quoi de plus normal. Alma se lève, explique qu'elle doit se sauver... Firmin attend dans la cour pour la conduire à la gare en carriole. Elle se penche, dépose un baiser complice sur la joue de Delphine et, avant de disparaître comme un courant d'air, chantonne: «Prends soin de toi quand même.»

C'en est trop. Émilie se lève, tapote quelques coussins, rassemble les tasses sur le plateau. Mécontente, lèvres serrées, elle se penche néanmoins pour embrasser sa belle-fille, car, tout de même, elle est si douce, si patiente avec ce sacripant de Charles... Non, elle n'est pas froide. C'est à cause de cette Alma. Avec ce genre de mère, il faut apprendre à se préserver, à se faire une carapace...

Delphine lui sourit.

«Il ne faut pas nous en vouloir, murmure-t-elle. Nous ne sommes pas sentimentales.»

*

16 mai 1930. C'est une fille. Delphine a enfanté dans la douleur, mais elle n'y pense déjà plus, Émilie avait raison. Alma est restée au salon et, une fois l'affaire terminée, a décidé de rentrer à Bruxelles. Mais Armand veut rester. Il a l'air si heureux! Assis près du lit, il déplace sa chaise chaque fois que le médecin s'approche. L'infirmière doit lui demander de sortir quand vient l'heure de donner des soins à l'accouchée, que la tête du bébé a déchirée. Durant père vient la voir, ému. «Je ne trouve pas les mots», dit-il pour simplifier, puis il invite Armand à une partie d'échecs. Émilie n'a pas quitté Delphine depuis le début du travail. La belle-maman resplendit, c'est son premier petit-enfant. Tout est redevenu simple. Une seule ombre au tableau: Charles, retenu on ne sait où «pour affaires», est arrivé trop tard pour tenir la main de sa femme. À voix basse, sa mère lui demande comment il ose rentrer éméché un jour pareil. Il examine la poupée de chair rose d'un air penaud, puis va distribuer des cigares à l'écurie. Un peu étourdie par tout ce va-et-vient, Delphine s'abandonne aux mains du médecin et d'Émilie, puis l'infirmière dépose le bébé dans ses bras. C'est ma fille, se dit-elle, un peu inquiète de ne pas ressentir l'émotion exaltante promise par sa belle-mère. Pourvu que je ne sois pas comme maman, c'est peut-être héréditaire. Quelques secondes plus tard, lorsque le bébé fait entendre une plainte, son inquiétude la rassure: non, elle n'est pas comme Alma.

Charles passe la tête dans l'embrasure de la porte, contemple un moment la mère et l'enfant. «Mes amours, comme vous êtes belles!»

Comme s'il avait fait des bébés toute sa vie.

«Pourquoi ne viens-tu pas près de nous?

— Parce que je sens l'écurie. Je vais d'abord prendre un bain.»

Les yeux mi-clos, Émilie observe Delphine. Elle n'a même pas l'air de lui en vouloir. Je ne la comprends pas toujours, mais ceci, c'est admirable. «Dépêche-toi, crie-t-elle à Charles, ta fille n'a pas encore de prénom. Nous devons en trouver un avant que tu ailles la déclarer à la mairie.»

Charles s'arrête, pirouette sur lui-même.

«Odile. Je veux qu'elle s'appelle Odile!»

8

IRÈNE

Au musée, Irène reste parfois si longtemps devant un tableau qu'un gardien finit par lui apporter une chaise. Elle aime se retrouver seule en ces lieux. Luciano, qui a une bonne avance sur elle, en fait le tour trop vite, ne s'attardant qu'auprès des toiles qu'il affectionne. Il s'étonne des choix de son amie, et de ses stations prolongées devant des tableaux qui, comparés aux chefs-d'œuvre qu'il admire, lui paraissent peu remarquables. Alors, elle lui désigne un fragment, une ombre jouant sur des ruines, la lumière caressant la croupe d'un cheval, les couleurs du couchant sur une plaine nue. Ces trouvailles, elle les fait seule, dans la pénombre des musées. Ce sont ses premiers pas, aussi importants que les premiers pas d'un enfant. Elle voit ce que Luciano ne voit pas, c'est bouleversant, exaltant, elle se sent plus sûre d'elle, plus complète, même si d'autres découvertes restent à faire. Il est loin le temps où, auprès d'Edmond Lévy le mélomane, elle se sentait futile, insignifiante, irrémédiablement imperméable à cette beauté dont il lui affirmait l'existence. Mais c'était la beauté des sons, dont elle sait maintenant qu'ils sont lettre morte pour elle, ou presque.

Le destin s'égare parfois, c'est Alma qui aurait dû rencontrer Edmond!

Un soir, elle prend une feuille à dessin et esquisse le portrait de son amant. Il s'en aperçoit, demande ce qu'elle fait. Elle cache la feuille derrière son dos. Il la lui dérobe, regarde l'ébauche, lui dit qu'elle a du talent.

D'abord, elle ne le croit pas. Mais Luciano le lui démontre, les jours suivants, lorsque, après lui avoir demandé de croquer des scènes de rue, il lui fait remarquer la sûreté du trait, la finesse du fusain dans la saisie de l'ombre et de la lumière. Elle a presque envie de courir annoncer la nouvelle à Armand. Non, il faut attendre. Il faut dessiner encore, et peindre, et peut-être risquer l'aquarelle, que Luciano dit si difficile. Elle court à la boutique d'art où son amant l'a envoyée, revient avec un chevalet, des pinceaux, du canevas, des tubes de peinture à l'huile, et ces feuilles rugueuses au toucher dont le marchand lui affirme qu'elles sont *buone per l'acquarello*.

Les jours qui suivent sont merveilleux.

Le destin fait parfois bien les choses!

*

Pas toujours. Un soir de juin, il frappe à la porte et détruit le bel équilibre : Luciano lui annonce que sa fiancée arrivera bientôt de Naples avec sa mère. D'abord, Irène ne le croit pas : il est si plaisantin, parfois. Avec un sourire crispé par la panique, elle lui demande de répéter. « Dona, ma fiancée, arrive dans quatre jours *con sua mamma*. Je vais me marier, bellissima. Il va falloir que tu partes. » Il n'y a ni tromperie, ni trahison, ni mensonge, Luciano ne lui a rien promis. Mais elle est au bord du gouffre. Ce bonheur, elle y croyait. Mieux, elle croyait que c'était un prélude.

Elle se lève, marche vers le balcon comme une somnambule, s'appuie à la balustrade. Elle regarde, sans les voir, son chevalet, la palette, les toits rouges, le Duomo, fantomatique dans le crépuscule. Non, elle n'est pas Mimi. Mimi était heureuse, même malade, même phtisique, même pauvre, parce que Rodolphe l'aimait.

Luciano la rejoint sur le balcon. « Irena, tu ne croyais pas que ... ?

— Je n'y pensais pas. »

Il pose une main amie sur son épaule. « Il nous reste quatre jours, *poverina*... »

Elle lève le bras, furieuse... Envie de frapper au visage cet homme qui ne souffre pas. Elle se ravise. Il n'y peut rien, il est léger comme le chevreau auquel elle l'a comparé. « S'il te plaît, Luciano, tais-toi. Pars.

— Partir ?

— Ne reviens que dans deux heures.

— Je comprends. Tu veux être seule, tu es un peu triste...

— Un peu triste ! Je suis sur le point de défaillir, mon ami. »

Il se tait parce qu'il ne sait que dire. Puis il tend les bras, qu'elle repousse. « Pars. Reviens dans deux heures.

— Oui, oui, j'obéis, je pars. Nous commencerons nos adieux dans deux heures. N'est-ce pas, bellissima? De vrais adieux. Tu promets?» Irène baisse la tête, s'efforce de maîtriser sa colère. Quatre jours d'adieux! Quelle générosité!

«Tu promets?

— Oui, oui... Va-t'en.

— Je pars.»

Il saisit sa canne et, après le petit entrechat coutumier, sort de la pièce. Irène l'entend dévaler l'escalier. Soulagé, sans doute.

Elle s'assied sur le sofa du balcon, le souffle court, attendant que la nausée qui s'est emparée d'elle se dissipe. Comme elle n'arrive pas à réfléchir, elle se donne dix minutes pour se retrouver. Le mal de cœur ne la lâchant pas, elle prend son flacon de sels dans sa sacoche, l'ouvre, respire ce qui en émane, lentement, avec application, avec la volonté de surmonter l'insupportable. Petit à petit, la nausée disparaît, faisant place à une douleur crue, sauvage, qui lui donne envie de courir à la balustrade et de sauter. La tentation est si forte qu'elle se précipite à l'intérieur pour fouiller ses bagages à la recherche d'un autre flacon, de Véronal cette fois, prescrit par un médecin ostendais à Youri l'insomniaque. Les yeux fermés, elle laisse couler quelques gouttes sur sa langue. Le calme revient. Et la lucidité. Et la colère. Non pas contre Luciano mais contre elle. Tu avais décidé de ne plus te laisser prendre? Eh bien c'est raté, une fois de plus. Il ne te reste plus qu'à lécher tes plaies et à mettre un point final, c'est urgent. Sans t'apitoyer sur toi-même. Prends tes cliques et tes claques et va-t'en. Elle regarde son chevalet, la toile commencée, réprime un sanglot. Non. Accorde-toi un répit. Fais comme Edmond: assieds-toi, regarde ta montre, donne-toi une heure.

L'heure écoulée (en pure perte: la stratégie d'Edmond ne valait que pour lui), elle rassemble ses affaires, enfile un costume de voyage, puis descend héler un fiacre. Expliquer au cocher qu'il ne pourra transporter seul ses bagages est une autre affaire, il faut le faire monter chez Luciano pour qu'il constate lui-même. Il voit, contemple un instant la grosse malle, puis se lance dans un discours destiné, semble-t-il, à lui faire comprendre que l'entreprise est au-dessus de ses forces. Un billet de cinquante lires le convainc de se montrer ingénieux: levant les deux mains pour lui dire de ne pas bouger, de l'attendre, de patienter, il dévale l'escalier. Pour revenir après quelques minutes avec un compère hilare dont le sourire s'efface à la vue de la malle.

Nécessité de produire cinquante autres lires.

Une demi-heure plus tard, Irène est en gare de Milan, prête à monter dans un wagon-lit pour Bruxelles. Mais il n'y a pas de train avant demain matin. Le cocher et son acolyte, lestés de quelques lires supplémentaires, acceptent de porter les bagages à la consigne, puis attendent, comme si l'aventure n'était pas finie, ils y ont pris goût. Irène les renvoie, sort de la gare, réserve une chambre dans un hôtel. Puis elle tourne en rond dans le hall, indécise. La simple idée de se retrouver seule lui donnant des haut-le-cœur, elle décide d'aller marcher dans les rues, même si le soir tombe et que les abords de la gare sont peu recommandables. Et il va pleuvoir. Pourquoi n'as-tu pas pris ton parapluie? Parce que j'ai d'autres choses en tête qu'un stupide parapluie. Allons, avoue que tu es plus furieuse que désespérée! Tu es mortifiée, ma pauvre fille. Tu doutes de ton charme et de ta beauté parce que ton amant t'a éconduite.

Un homme la suit. Rien d'étonnant, les Italiens sont comme ça, ils vous repèrent, ils vous suivent, ils vous abordent et, avec leur panoplie de gestes ondoyants, vous débitent des fadaises jusqu'à plus soif. Si vous êtes de bonne humeur, vous les écoutez avec un sourire et vous vous éclipsez; si vous êtes d'une humeur de chien, vous appelez un gendarme et c'est eux qui s'éclipsent. Suis-je d'une humeur de chien? Pas à proprement parler, mais j'en ai soupé de l'Italie. Irène jette un coup d'œil par-dessus son épaule. Pourquoi n'est-ce pas Luciano? Pourquoi ne me cherche-t-il pas dans toute la ville pour me supplier, pour me dire qu'il s'est trompé, qu'il m'aime trop pour me laisser partir? Que ce mariage est une erreur et qu'il a compris qu'il m'aimait, moi et personne d'autre. Pourquoi ne me cherche-t-il pas? Parce qu'il va se marier. Il va se marier comme tous ces idiots d'Italiens, il va se marier parce qu'il faut faire plaisir à mamma et épouser une fille du village. Et avoir une kyrielle d'enfants. Cesse de ressasser, pense à ce qu'il sera dans cinq ans: un bonhomme grisonnant avec un ventre, augmenté d'une autre mamma, sa femme. Dis donc, tu ne t'étais pas donné une heure pour ne plus penser à lui? Bravo, c'est réussi. Tu es très forte, Edmond serait fier de toi. Et Edgard n'aurait pas de mots assez cinglants pour te reprocher ta mollesse. Car tu es molle, ma fille, regarde-toi, tes mains sont moites, tu es décoiffée, le bas de ta robe est sale et ton mascara a coulé. Bravo. Est-ce ainsi que tu comptes séduire ?

Séduire ? Plus jamais.

Serment d'ivrogne.

Une terrasse, à quelques mètres. Irène s'y réfugie, s'effondre à une table, prend son poudrier, scrute son visage défait. Ma pauvre vieille, tu as une mine de femme répudiée. C'est ainsi que cela s'appelle, n'est-ce pas ? C'est bien ce que font les hommes quand ils remplacent une femme par une autre ? Elle soupire, fait claquer le fermoir, jette le poudrier dans son sac. Tout de même, l'atmosphère du lieu est réconfortante, dans cette demi-pénombre éclairée par une guirlande de petites ampoules. L'homme qui la suivait s'est assis à une table. Irène fait pivoter son siège. Pas envie d'être soumise à d'autres œillades. Elle tourne le dos à l'inconnu, ostensiblement, puis change carrément de place, suivie par le serveur portant le verre de spumante. Une chance, on ne voit pas mon visage défait, dans cette obscurité. Voyons, ma pauvre, bien sûr qu'il l'a vu ; il a vu la femme en désarroi, la proie idéale. Mais qu'est-ce qu'il attend ? C'est énervant, à la fin, tant qu'il ne parlera pas, je ne pourrai pas l'envoyer au diable. Elle saisit son verre, boit quelques gorgées, se sent un peu mieux. Je vais m'accorder un autre spumante, ensuite je regagnerai mon hôtel. Elle veut appeler le garçon, mais il est penché sur l'homme, avec qui il tient un conciliabule, puis il se redresse avec une ombre de sourire et se dirige vers l'intérieur. Irène l'intercepte, lui montre son verre. Pourquoi prend-il cet air de conspirateur ? Bon, ignorons-le. Dans dix minutes, je sors d'ici.

La raison du conciliabule lui apparaît lorsque le serveur dépose sur sa table un seau à glace d'où émerge un goulot argenté. Furieuse, Irène se lève, puis, réalisant que changer à nouveau de place serait ridicule, elle se rassoit et demande au serveur d'emporter la bouteille. Trop tard, l'homme est devant elle. Il la salue. Avec une courtoisie si consommée qu'elle ne sait comment réagir.

« Madame, dit-il, me refuserez-vous ce minuscule hommage ? »

Voilà qui est plus français qu'italien. Du reste, la phrase a été prononcée en français. Irène fixe l'inconnu, l'œil écarquillé, incapable, devant tant d'audace et de raffinement, d'émettre une simple syllabe. Un «oui», par exemple. Oui, monsieur, je refuse l'hommage. Oui, je le refuse, bien qu'il soit minuscule. Transportez, s'il vous plaît, votre hommage à une autre table. Ce n'est pas la première fois qu'un homme l'aborde, mais ici, l'intention n'est pas claire. Il y a une sorte de froideur chez l'individu, et le regard posé sur elle, s'il est investigateur, est dénué, oui, de sympathie. Mais cette politesse, ce savoir-vivre, cette réserve l'intriguent. Advienne que pourra. De toute façon, nous sommes en public, mon hôtel est en face, je peux quitter la partie au moindre geste déplaisant. Il attend, le buste légèrement penché vers elle. Il a l'air d'un larbin, tout à coup, mieux vaut le faire asseoir. D'un geste, elle lui montre le siège qui lui fait face. Il fronce le sourcil, puis, avec un léger sourire, s'assied.

«Vous partez, semble-t-il?

— J'ai effectivement un train à prendre.

— Quand?

— Demain matin. Mais si je puis me permettre, cela ne vous regarde pas.

— J'en conviens.»

Il lève son verre. «Buvons aux heures qui nous restent.»

Irène le considère un moment, ahurie. Ce mélange de désinvolture, de légèreté, de folle audace... on est en pleine *commedia del arte.*

«Qui *nous* restent? Vraiment, vous ne manquez pas de toupet!» Elle s'est efforcée de prendre un ton mordant, mais «toupet» est d'un ridicule! Elle essaie de se lever. Impossible, le bas de sa redingote est coincé sous sa chaise. Elle tire sur le manteau, en vain, se rassied.

Il se penche, remplit son verre. La main est fine, délicatement hâlée. Une chevalière avec des initiales. Il surprend son regard. «Le temps des présentations est arrivé, semble-t-il.

— Peut-être auriez-vous dû commencer par là.

— Pardon. J'étais trop ému. Mon nom est Livio.» Un temps, puis: «Le nom de famille n'est pas nécessaire.»

Elle réalise, mais ses pensées sont floues – le vin (déjà trois verres), le dépit qui continue à colorer ses pensées, l'étrangeté de la situation, l'arrogance feutrée de l'homme –, que ce semblant de présentation va à l'encontre du savoir-vivre. L'impertinent a jeté son prénom du bout de lèvres, et il ne lui a même pas demandé le sien! Mais ça, c'est tant mieux, car dans quelques minutes elle sera à l'hôtel et oubliera cet épisode.

« Ainsi, vous partez demain ? » dit l'intrus.

Irène veut se lever, oubliant que le bas de la maudite redingote est toujours accroché, bien accroché ; elle retombe assise, lourdement, se soulève encore, vacille et, dans son trouble, attrape son verre et le vide. « Voilà qui est beaucoup mieux », dit-il. Il prend la bouteille, remplit le verre, puis, du bout des lèvres mais assez clairement pour qu'elle l'entende :

« Vidons cette bouteille et allons chez moi. »

Abasourdie, Irène s'efforce de respirer lentement, posément. Il faut que je me calme. Elle regarde la bouteille, dans le seau à glace. Oui, mais lui casser la bouteille sur la tête ameuterait tout le quartier ; les gendarmes viendraient, m'emmèneraient, m'emprisonneraient. Il faudrait que j'appelle Armand à l'aide. Elle imagine son frère sortant de la gare et tombant sur l'aubette à journaux. Il lit le grand titre du *Corriere de la Sera* : « *LEI ACCOPPA SUO AMANTE CON UNA BOTIGLIA DI ASTI SPUMANTE* ».

L'Italien prend la coupe et la lui tend. Elle lève la main, frappe violemment le verre. Le vin tourbillonne dans le récipient, puis gicle, inondant la manche de l'homme. « Oh ! » fait-il. Irène ferme les yeux, suffoquée par sa propre violence. Le décalage entre le cri presque enfantin de son vis-à-vis et ses idées de meurtre est si énorme qu'elle ne peut retenir un « pardon ! » Le poignet de la chemise blanche, la manche de la veste, la main de ce Livio sont trempés. « Pardon, je ne voulais pas... », répète-t-elle, plus calme, plus décidée que jamais à s'en aller. Elle lui tend un mouchoir.

« Non, dit-il. Je ne voudrais pas ruiner ce joli carré de soie. »

Du reste, le garçon arrive avec des serviettes. Livio lui tend son bras mouillé.

Irène voudrait profiter de l'intermède pour se lever et le planter là, mais le fichu manteau est toujours coincé (elle ne peut s'empêcher de sourire à l'idée de quitter la partie en traînant la chaise derrière elle). Le garçon s'en va, roulant en boule la serviette mouillée. « Allons, l'incident est clos, dit Livio. Où en étions-nous ? »

Irène se redresse, prête à fuir, vêtement coincé ou pas, s'il répète sa proposition scandaleuse. Mais il ne la répète pas, il l'explique : « Si je vous ai demandé de venir chez moi, c'est pour que vous vous reposiez dans un cadre ami avant votre voyage.» Elle n'en croit pas un mot, essaie de le fusiller du regard, mais ça ne marche pas, les munitions sont épuisées. Elle cherche des mots cinglants, mais les mots cinglants ne viennent pas non plus. «Je sais, mon invitation est quelque peu directe, dit-il en souriant, mais il me reste très peu de temps avant de vous perdre.»

Sidérée, Irène ouvre la bouche.

«Non, ne dites rien!» Il lève les mains. «Je me soumets, je vais vous laisser... Mais prenons d'abord le verre de l'amitié.

— Amitié! Vous déraisonnez.»

Il se penche, saisit son verre.

«Très bien, alors buvons à cette rencontre fortuite. Je vous ai invitée à m'accompagner chez moi, et vous refusez. Je m'incline.» Il porte le verre à ses lèvres mais, avant de boire, s'assure qu'Irène fait de même. Elle hésite, puis vide la coupe d'un trait. «À la bonne heure.» Il sourit. «Maintenant, nous pouvons nous quitter bons amis.»

Irène ne trouve pas de réplique: les quatre verres de vin lui ont embué l'esprit. Aller chez lui! Je n'ai jamais fait ce genre de choses. Si, tu as suivi Luciano dès le premier jour. Elle examine l'homme qui lui fait face. Ce Livio, malgré son assurance, malgré ses manœuvres, semble si sombre, triste, même! Il dépose de l'argent sur la table, se lève. «S'il vous plaît», dit-il simplement. Le ton a changé. Une sorte d'appel au secours, à la compassion. Le visage, assez beau, est grave; il n'y a rien, dans les traits fins et racés, qui traduise une quelconque grossièreté. Il se penche, délivre le bas de la redingote d'Irène du clou auquel il est accroché. «Dommage, dit-il en se redressant, l'étoffe est déchirée.» Le ton est si sincère, l'expression si désolée qu'elle en oublie les propos qui ont précédé. «Ça ne fait rien, répond-elle, rien qui ne puisse se réparer.» Il sourit, gentiment. Il est comme moi, il souffre, on l'a peut-être abandonné. Allons, fais quelques pas avec lui, ça n'engage à rien. Et cela te permettra de penser un peu moins à Luciano. Une vague de rancune la submerge. Dans la rue, l'homme lui prend le bras. Un moment, elle a l'illusion de rentrer chez elle, bien qu'elle n'ait plus de chez-elle depuis longtemps, après une journée de courses ou de promenade. Puis elle s'aperçoit qu'ils marchent vers la gare. «Mais... je ne pars que demain matin!»

— Je sais. Allons nous promener un peu. Venez.» Il s'arrête près d'une voiture, ouvre la portière, la pousse doucement à l'intérieur. Irène, tu es folle, réveille-toi, il est encore temps. L'odeur de cuir et de cigare lui rappelle la Minerva de son frère, c'est une sensation rassurante. Rassurante? Tu divagues, ma fille, tu ne sais pas ce qu'il te veut, ce Livio. Si, tu le sais très bien. Il veut ce qu'ils veulent tous. Elle met la main sur la poignée, trop tard, la voiture démarre. Advienne que pourra, après tout, on n'en meurt pas. Non, on n'en meurt pas, mais on perd un peu plus son âme. Arrête avec tes grands mots. L'homme se met à parler, il lui dit qu'il habite en périphérie avec deux chats et une nounou. Bon, voilà! Deux chats et une nounou, c'est charmant, c'est anodin. Soulagée, elle tourne la tête vers le conducteur. Le profil un peu âpre, l'extrémité amère de la bouche l'inquiètent à nouveau. Il a une tête de noceur fatigué, mais rien n'empêche les noceurs d'avoir un chat et une nounou. Il se tourne vers elle. «Vous verrez, dit-il, ma maison est accueillante, il y a un jardin où nous cultivons des roses.

— C'est vrai?

— Je vous les montrerai.»

Allons, tout va bien. Rien de bien méchant ne peut sortir de tout cela. Deux chats, une nounou et des roses, pourquoi s'inquiéter?

Dix minutes plus tard, la voiture s'arrête devant une maison de pierres. La rue est sombre, inhospitalière. Devant la demeure, une manière de jardinet. Sans roses.

«Où sommes-nous?

— Chez moi.

— Et les roses?

— Les roses sont au jardin, elles dorment», répond-il comme on parle à un enfant qui réclame un jouet.

Irène est vexée. «Ramenez-moi à la gare.

— Bien sûr, mais nous allons d'abord discuter un moment.

— Nous avons déjà discuté.

— Pas comme je le souhaite.» Il se tourne vers elle, aussi charmant, tout à coup, aussi désarmant qu'à la terrasse du café quand il a déploré l'accroc dans le manteau. «Ne me dites pas que je vous fais peur! Est-ce que j'ai l'air d'un ogre? Regardez-moi, est-ce que j'ai l'air d'un ogre?

— Je ne sais pas», répond-elle d'une voix un peu perchée.

Ce qui le fait rire. «Allons, je ne suis pas un ogre, je vous le jure. Venez.»

Après lui avoir offert une coupe de champagne et bu le reste de la bouteille, il dégrafe son manteau. Elle ne résiste pas, c'est trop tard, et jouer les mijaurées après l'avoir suivi chez lui serait ridicule. Irène jette un regard sur le sol. La plume de son chapeau s'est pliée sous le poids de sa redingote. Au moment où elle tend un bras pour la sauver du désastre, il la pousse sur un divan. Eh bien, nous y sommes, ma fille, subis, maintenant. Elle ferme les yeux, ne se débat pas. Que pourrait-elle faire? Protester, crier, frapper? Appeler au secours? Appeler les chats et la nounou? Il n'y a ni chats ni nounou, ou alors ils sont durs d'oreille. Endure, maintenant, c'est tout ce que tu mérites. Irène ferme les yeux, serre les mâchoires. De toute façon, même si elle arrivait à lui échapper et à sortir de cette maison, où irait-elle, dans ce quartier où elle n'a vu que des chiens errants? Et il l'aurait vite rattrapée. Elle n'a jamais pensé au viol, mais est-ce un viol? Ne l'a-t-elle pas suivi, n'a-t-elle pas accepté de monter dans sa voiture, d'entrer dans sa maison? A-t-elle jamais eu le moindre doute sur ses intentions? A-t-elle protesté quand il l'a poussée dans l'automobile? Non, mais j'étais un peu saoule, et je suis malheureuse. Oui, mais ce qui se passe maintenant ne va pas te rendre moins malheureuse, pauvre idiote, et ton chagrin ne disparaîtra pas parce qu'un homme t'a forcée. Non seulement tu vas rester malheureuse, mais tu auras honte. Le visage horrifié d'Armand, s'il savait! Dieu merci, personne ne saura rien.

Elle rouvre un instant les yeux. À l'avant-plan, le doux relief de ses seins, blancs, lisses, frais, sur lesquels il souffle, pourtant, comme s'ils étaient en feu. Poitrail glabre et hâlé, soutenu par deux bras plus nerveux que musclés. Il surprend son regard, s'immobilise, suspendu au-dessus d'elle. «Tu es bien avec moi?

— Oui», répond-elle, conciliante.

Il a un rire bref, il n'est pas dupe. «À la bonne heure. Mais tu pourrais me le montrer davantage! Je te trouve bien réservée pour une femme qui accepte de suivre un inconnu.»

Il veut m'humilier, seulement m'humilier. S'il avait voulu me faire mal, il ne m'aurait pas déshabillée avec une telle lenteur. Drôle de spécimen à faire entrer dans mon bestiaire. Faut-il le faire entrer dans ton bestiaire? Oui, il y faut de tout. Ce n'est pas un grand fauve, ni un reptile, ni un ruminant, ni un insecte… C'est un chasseur. Un de ces chats sauvages du désert qu'on voit glisser entre les cactées. Un chat sauvage, qui guette. Rusé, agile, endurant. Un lynx.

Le lynx se soulève, l'examine, puis, manifestement contrarié par sa passivité : « Tu ne dis rien ?

— Vous me faites mal.

— *Scusi.* » Il se laisse rouler à ses côtés, une main pesant sur sa taille. Non, il ne veut pas lui faire mal. Elle tourne la tête vers lui, ne peut éviter les yeux qui la fixent. Pierres noires trouées d'un éclat jaune. Sans chaleur. Le fond d'un puits, l'étang après l'orage, la nuit noire. Multiplié par deux. Elle regarde l'un, puis l'autre, n'y trouve pas son reflet. Ils n'expriment rien, même si la peau, autour, tressaille. La main pèse toujours sur sa taille. Il ne bouge pas, en attente, il la fixe de ses yeux immobiles. Qui cillera le premier ? Qui va perdre ? Moi, sûrement. Soudain, Irène s'aperçoit que ses pensées s'échappent, que sa tête se vide. Elle serre les mâchoires, ferme les yeux et, d'une voix blanche qu'elle s'efforce de rendre plus assurée : « Lâchez-moi, s'il vous plaît.

— Bientôt », dit-il en se soulevant pour se déposer sur elle.

Elle quitte la maison lorsqu'elle est sûre qu'il est endormi. La rue est déserte. Personne à qui demander sa route, sauf un chien amical qui vient flairer le bas de sa robe. Elle reconnaît la rue par laquelle ils sont arrivés, la prend en sens inverse, arrive à un carrefour. Il y a trois voies possibles, c'est beaucoup trop. Elle se dirige vers une maison, bien décidée à frapper pour demander son chemin. Au moment où elle lève le bras, une main s'abat sur son épaule. « Où allez-vous ? » Elle pousse un cri. C'est lui. « Où allez-vous ? » répète-t-il. Un bref instant, elle a envie de le provoquer, de lui demander pourquoi il ne la tutoie plus, pourquoi ce manque de chaleur, tout à coup... Elle n'a pas peur de lui, elle voudrait qu'il le sache, mais le regard de Livio est froid, abstrait, il se conduit comme si rien ne s'était passé. Ou comme si tout ce qui s'est passé était de sa faute, à elle, comme si elle l'avait suborné, elle. Non, le provoquer ne servirait à rien, il est trop maître de lui, il ne bronchera pas.

Il attend, planté devant elle comme la statue du Commandeur. « Je vous ai posé une question.

— Où je vais ? À la gare !

— J'ai dit que j'allais vous y conduire.

— Vous dormiez.

— J'ai dit que je vous y conduirais. Vous écoutez, ma chère, quand on vous parle ? »

Deux heures plus tard, dans le pullman qui l'emmène à Bruxelles, Irène s'efforce de chasser le souvenir de cette nuit plus embarrassante qu'insupportable. Une nuit à mettre au rebut. Curieusement, le souvenir de Luciano s'est estompé : la première image qui lui vient à l'esprit, quand elle pense à lui, est son dernier entrechat. Pauvre Luciano, en fera-t-il encore, des entrechats, quand des marmots piailleurs s'accrocheront à ses basques ? En face d'elle, un homme lui sourit. Ah non, pitié ! Elle se lève, va se promener dans le couloir, ouvre la fenêtre, se laisse caresser par le paysage qui fuit. Elle pense à ceux qui l'attendent. Allons, ils seront contents de me voir revenir entière, Alma me jouera des petits airs, Delphine m'apprendra à vivre.

Elle appelle son frère de la gare du Midi. Il accourt, l'emmène au Métropole : il veut discuter de l'avenir de sa sœur – et de sa conduite, qui compromet cet avenir. S'il savait, pauvre Armand ! Mais en la voyant, il s'inquiète. « Qu'as-tu, Irène, tu es si pâle ! » C'est vrai, sa petite sœur volage a les traits tirés. Allons, ménageons-la.

Mais ce n'est pas une raison pour excuser ses fredaines. Il le lui dit.

« Ce ne sont pas des fredaines, Armand.

— Tu as quitté Edmond Lévy ? »

Edmond Lévy ?

Elle est sur le point de lui répondre qu'Edmond Lévy est de l'histoire ancienne, puis se souvient qu'elle n'a fait qu'une simple allusion à Luciano, au mariage de Delphine. Faut-il lui parler de Luciano ? Non, mieux vaut ne pas rajouter un nom à une liste qu'il trouve déjà scandaleusement longue.

« Edmond n'était pas mon amant, si c'est cela qui te contrarie. Nous avions une relation… d'échange. Il bénéficiait de ma compagnie ; je bénéficiais de ses lumières. » Le souvenir du grand Belmonte en habit de lumière la fait sourire, mais pas question d'aborder le sujet avec son frère, qu'une allusion aux soirées dans les tavernes de Madrid suffoquerait, positivement. Armand finit par s'attendrir. « Alors, tu nous es revenue.

— Tu sais que tu es mon port d'attache, mon chéri.

— Tu vas rester, cette fois ?

— Peut-être. Et je vais peindre.

— Peindre ?

— Je te montrerai mes dessins. Tu comprendras. J'ai un autre but dans la vie, maintenant. Nous en parlerons. Il faut que tu comprennes… »

Armand ne retient que la seconde partie du projet. Il ne retient que ce qui l'inquiète.

«Comprendre quoi? Que tu veux des...

— ... amants? Dis-le, voyons, les mots ne mordent pas! Je ne veux pas *nécessairement* des amants, je veux vivre, avec ou sans.»

Dès le lendemain, l'humeur d'Alma est au beau fixe: sa chère belle-sœur s'est installée dans la grande chambre du haut et semble décidée à rester quelque temps en Belgique. En tout cas jusqu'aux fêtes de fin d'année: elle a promis à Armand «de faire acte de présence» au réveillon familial. Et elle assistera au prochain récital. Elle leur est arrivée un peu triste, mais la gaieté lui reviendra, tout doucettement. Elles vont voir le bébé de Delphine. Les quelques jours à la métairie leur font du bien à toutes les deux. «Delphine a toujours eu cet effet-là sur nous, n'est-ce pas, Irène?

— Delphine est un ange.»

Une nouvelle complicité s'est établie entre les deux femmes, sous l'œil perplexe d'Armand. Bien que ce soit surtout Alma qui parle, il se demande ce qu'elles peuvent bien se confier. La vérité, c'est que sa femme, qui a réussi à soutirer à sa belle-sœur quelques bribes de sa vie aventureuse, lui voue maintenant une admiration sans bornes – dont tout le monde profite à la maison.

*

Irène et son frère sortent du théâtre. *Hedda Gabler* n'a pas trouvé grâce aux yeux d'Armand. Il boude: tout être qui s'emploie à saccager les conventions sociales le rebute. «Et puis, tout cela est d'un pessimisme! grogne-t-il.

— Il n'y a pas que le vaudeville, Armand!

— Comme si je ne jurais que par le vaudeville! Tu es injuste.

— Ne nous disputons pas. Tiens, regarde là-bas!»

Au bout de l'esplanade, un homme leur fait signe.

«Tu le connais?

— Et comment! Et tu le connais aussi, mon petit.»

Intriguée, Irène cligne des yeux. Cette silhouette ne lui est pas inconnue. Elle ouvre son réticule, y prend ses jumelles de théâtre...

«Dis-moi que j'ai bien vu», murmure-t-elle.

— Tu as bien vu.»

Félix, l'ex-époux, accourt vers eux, conquérant, sûr de lui, parlant à la jolie femme qu'il tient par la taille.

«Méconnaissable! murmure Irène.

— À tous points de vue, ma chère. Félix Darbon est maintenant un journaliste en vue. Cela te surprendra peut-être d'apprendre qu'il a fini par opter pour la presse socialiste, mais c'est ainsi. Et il a ses entrées au cabinet du ministre. Ses papiers sont redoutés, on craint sa plume.»

Les mains tendues, Félix s'empresse vers Irène. Il rayonne. La femme qui l'accompagne est un peu garçonne, cheveux courts, démarche assurée. Irène observe le couple avec étonnement: ils sont bien ensemble, cela crève les yeux; non seulement bien ensemble, mais amoureux et complices. Les présentations sont faites. La garçonne aux cheveux courts se dit ravie de rencontrer l'ex-femme de son amant. Et elle est sincère!

Aucune banalité n'est échangée. Les deux hommes discutent politique; les femmes parlent de la pièce qu'Armand et Irène viennent de voir. «Nous avons assisté à la générale, dit l'amie de Félix. Qu'en pensez-vous?

— Laissez-moi un peu de temps», dit Irène en riant. La vérité est qu'elle ne sait pas. Le simple triomphe à l'idée d'avoir piégé Armand doit maintenant faire place à une réflexion plus personnelle. J'y penserai demain, se promet-elle.

Armand vient à son secours, lui rappelant qu'Alma les attend pour le souper. «Revoyons-nous!» propose un Félix enjoué. «Qu'en pensez-vous, Irène? Il paraît que vous êtes une grande voyageuse. Vous nous raconterez vos périples.

— Pour que vous les disséquiez dans vos journaux? Non merci!»

Sur le chemin du retour, elle reste silencieuse. «Tu es bien taciturne, lui dit son frère. Aurais-tu des regrets?

— Ne sois pas stupide.

— Alors dis-moi pourquoi tu es si songeuse.

— Armand, est-ce que tu te rends compte qu'il ne serait jamais devenu ce qu'il est aujourd'hui si je ne l'avais pas quitté?

— Je dois bien l'admettre. Mais si c'est pour faire l'apologie du divorce, je ne te suivrai pas.»

Il n'y a plus rien à dire. Sur ce point, ils ne s'entendront jamais.

*

En décembre 1930, sans crier gare, Irène quitte Bruxelles pour Paris et loue un studio sur les Champs-Élysées. Une solitude amie est nécessaire pour oublier les quatorze mois heureux passés auprès de son Italien. Ce n'est pas tant Luciano qui manque à sa vie que la vie qu'elle a connue grâce à lui, ce cabri si gracieux et si incroyablement *simple*. Amoureux de son métier, de Milan, de la trattoria qu'ils fréquentaient, du musée où ils allaient voir *leurs* peintres, du Duomo, de la Scala, de l'Italie, d'elle… C'était un grand tout, dont elle faisait partie. Est-il moins heureux maintenant qu'un élément manque à ce tout? Elle jurerait que non: la joie de vivre lui a été offerte au berceau par une fée.

Et puis, sans Luciano, combien d'années lui aurait-il fallu pour qu'elle découvre ce don qu'elle n'a pas été capable de détecter seule, pas même à l'école ménagère où quatre heures par semaine étaient pourtant consacrées au dessin? Voilà ce qu'elle garde des hommes qu'elle a connus: ce qu'ils lui ont fait découvrir. Les souffrances, les déceptions, et même le plaisir s'estompent, ne restent que les leçons tirées de ce que la vie, par leur entremise, lui a parfois infligé. Encore qu'«infligé» soit un bien grand mot pour décrire des déboires dans lesquels elle s'est jetée tête la première. Félix, Émile Desfossez, Youri, Edmond Lévy, Luciano et quelques autres, dont un certain Livio rencontré aux abords d'une gare, ont tous déposé leur quote-part dans sa sébile à surprises, et en dépit des souffrances, de l'amour-propre blessé et des désillusions, elle sait – et se le répète – qu'elle ne s'est pas trompée: il fallait en passer par là, il fallait amasser les fruits de l'expérience.

Dès son arrivée à Paris, elle s'inscrit à un cours de peinture, qu'elle fréquente assidûment pendant une année. Elle y acquiert les rudiments du dessin, croque une entière collection de bustes grecs et romains avant de passer aux modèles nus en tous genres, jeunes ou décatis, peau fraîche ou fatiguée, regards vifs ou éteints – ces modèles qu'elle croise après la classe, habillés, pressés de quitter l'atmosphère empoussiérée de l'atelier. Elle apprend à préparer un canevas, à associer les couleurs et, dans l'odeur fade de l'huile de lin et de la térébenthine, peint jusqu'à plus soif de sempiternelles coloquintes avant de passer aux pommes, pots et aiguières de natures moins mortes. Chaque étape la trouve docile.

Le soir, sur la terrasse minuscule de son studio, elle oublie les pommes et les pots et essaie de fixer des jeux de lumière sur la toile.

Elle a délaissé le prétentieux balcon donnant sur l'Arc de triomphe au profit de la terrasse arrière où, bien qu'elle soit juste assez spacieuse pour y faire tenir chevalet et guéridon, elle a l'impression de se mouvoir dans un monde sans limites. Le monde des toits, que la couleur du ciel et la course des nuages transforment à l'infini : la pluie les fait scintiller et, lorsque la nuit est claire, les astres y jettent de petites lueurs. C'est le reflet tremblant des étoiles, c'est la mer phosphorescente de son enfance quand, pieds nus sur le sable dur, elle courait vers les vagues frangées d'argent. Lorsqu'elle traverse son logis pour aller se pencher au balcon des Champs-Élysées, c'est seulement pour y voir défiler calèches, fiacres et promeneurs. Un instant d'effervescence avant de revenir à la terrasse où, quand il ne pleut pas, elle reste des heures, si absorbée par le désir de transmettre sur la toile les feux follets jouant sur les toits qu'elle en oublie de s'étonner d'être si heureuse d'être seule.

Elle est devenue une habituée du Louvre où, après les formalités d'usage, elle a obtenu la permission de copier un Reynolds.

Si Irène s'est énamourée du portrait de Master Hare, c'est parce que le bambin de deux ans ressemble à la petite Irène qu'elle a découverte, un jour, dans un album de photographies. Oui, l'enfant qui montre du doigt l'objet qu'il convoite ressemble à l'enfant du cliché – fillette en robe de mousseline qui tend un bras potelé vers un objet que l'on ne voit pas. Master Hare, c'est la jeune Irène aux cheveux dorés et à l'œil clair, la jeune Irène encore heureuse qui, découvrant qu'elle va peut-être vouloir autre chose qu'un bonheur tranquille, tend une main vers l'inconnu.

Étrange de se dire que le petit garçon au regard intense a été peint par un artiste qui, peu de temps après, a perdu la vue. Le portrait du jeune Francis George Hare, qui du doigt et des yeux désigne l'objet de son désir, a-t-il été la dernière vision du peintre ? Ce dernier l'a-t-il peint dans sa vérité ? L'enfant voulait-il vraiment ? Impérieusement ? Bien sûr, c'est ce qu'avait transmis Reynolds, mais tout cela n'était-il pas subjectif ? Car le bras tendu de l'enfant ne l'était peut-être que par la volonté d'un artiste désireux de doter son tableau de mystère. La manche de dentelle glissant sur l'épaule rose n'avait sans doute d'autre but que de satisfaire l'œil affaibli du peintre – ou celui de la personne qui avait commandé le portrait. Quant au paysage sombre, il ne traduisait vraisemblablement que l'inquiétude du créateur devant la cécité progressive qui enténébrait son monde.

Tout est subjectif, s'était dit Irène dans la salle des maîtres anglais du Louvre. Ce que j'ai perçu de mes amants l'était aussi.

Le rêve se poursuit le soir, sur la terrasse, dans le fauteuil d'osier qu'elle y installe après avoir repoussé son chevalet dans un coin. Tout est subjectif : ce que l'on voit dans un tableau ; ce que l'on ressent lors d'une histoire d'amour ; ce que l'on cherche dans l'affection que vous porte un être. Ces toits ne te paraissent-ils pas plus beaux parce que tu as l'impression d'être arrivée au port ? Mais ce port, est-ce le bon port ? Peindre est-il la clé de ton équilibre ? Et devras-tu, pour garder cet équilibre, nier ta soif d'aventure – et d'aventures ? À vingt-neuf ans ? Oui, mais cette soif qui t'a précipitée dans des liaisons douloureuses, que t'a-t-elle apporté ? De la souffrance. Sans doute, mais était-elle réelle, cette souffrance, bien réelle, ou était-ce le produit de ton imagination ? Tout de même, Youri... Oui, Youri, Youri t'a fait souffrir. Tu te croyais si attachée à lui, si responsable de son destin qu'il t'était impossible de le quitter. Tu voulais le changer, tu t'étais mis en tête d'en faire un homme raisonnable. Mais l'aurais-tu aimé aussi passionnément, cet homme, s'il avait changé, si le tigre s'était transformé en agneau ? Le lien qui te retenait à lui ne se serait-il pas brisé comme un coquillage écrasé par la vague ? Je l'aimais. En es-tu sûre ? J'ai souffert. Au moins, tu l'as cru. Et c'est peut-être cette leçon qui t'a amenée à souhaiter cette paix qu'apporte la solitude. Ta liberté n'est-elle pas plus vaste dans ce logis sans homme, où tu vis sans lois, sans obligations, sans autre aspiration que d'étaler des couleurs sur la toile ?

Les dernières taches de lumière éclaboussent les toits. Le soleil bascule derrière l'horizon, les pigeons clignent de l'œil sur les corniches. Bientôt, la nuit recouvrira la ville. Souvenirs, encore. Irène pense à Edmond Lévy, à l'insupportable Edgard. Le cher Edmond avait la partie belle avec ce cabot qui était le porte-parole de ses humeurs. Edgard n'intervenait que pour critiquer, condamner, ou, plus rarement, pour exprimer l'ennui mortel que ressentait parfois son maître – le tout accompagné d'un coup d'œil dudit maître vers celle qui n'arrivait pas à soulager ce marasme. Autrement dit, moi, Irène Desmarais. Mais ces deux-là ne se prenaient pas au sérieux, et ils m'ont bien fait rire.

Un soir, à Madrid, après une représentation d'*El Burlador de Sevilla*, ils avaient croisé dans la rue un représentant de la Guardia Civil. Edmond était guilleret; il tapait le pavé avec sa canne en scandant les derniers vers de la pièce. Edgard l'avait interrompu, lançant dans la nuit un «*Morte a la Guardia Civil*» qui avait arrêté net le militaire. L'homme avait prié les deux étrangers de le suivre. Avant d'entrer au poste de police, après qu'Edmond eut ordonné à Edgard de rester dehors – bien qu'il parlât à voix basse, l'injonction était claire –, Irène s'était dit, amusée et satisfaite, que son protecteur, outre une connaissance de la musique, avait aussi une conscience politique. L'étoile de Primo de Rivera commençait à pâlir, Alphonse XIII menaçait de l'exiler, et la Guardia Civil avait tendance à prendre parti pour le souverain.

Elle avait attendu dans une salle où des représentants de la loi allaient et venaient, poussant parfois devant eux un homme menotté ou une femme au visage peint. Irène était si passionnée par le défilé qu'elle en oubliait presque Edmond. Il n'était sorti qu'une heure plus tard. Comment il avait réussi à se tirer de cette situation périlleuse, elle brûlait de l'apprendre. Mais, lorsqu'ils avaient quitté le poste, il avait opposé à ses demandes d'explication un «ma chère, ce ne sont pas là affaires de femme». Elle était furieuse. Elle s'était même juré, cette nuit-là, que cette remarque serait en tête de liste quand viendrait la tentation de penser à la rupture.

En attendant l'hypothétique rupture, elle avait répliqué à sa façon à la muflerie de son compagnon: le lendemain, pendant la sieste d'Edmond, elle avait accepté qu'un homme s'asseye à sa table à la terrasse de l'hôtel. Elle y avait mis une condition, cependant: qu'il lui parle de son pays. Le gentleman avait offert de lui faire visiter la ville. «Je connais la ville, avait-elle répondu. Ce n'est pas à la topographie de la ville que je pense, mais à son histoire, et à l'histoire de ce pays.» Décontenancé – ces choses-là ne sont pas affaires de femmes –, l'homme, baissant la voix, lui avait demandé pourquoi diable elle s'intéressait à tout cela. «Et pourquoi ne m'y intéresserais-je pas?» Cette réponse n'avait suscité qu'un étonnement amusé. Vexée, mais cachant son déplaisir, Irène avait insisté.

«Très bien, avait-il dit, allons chez moi.

— Vous voulez dire dans votre chambre?»

La vivacité de la repartie avait amusé le gentleman. «En vérité, c'est plus qu'une chambre. J'y habite.» Voilà qui était intrigant. «Vous verrez.» Il avait hoché la tête, rassurant. «Venez dans mon domaine, belle inconnue, nous pourrons nous y entretenir, à l'abri d'oreilles indiscrètes, du sujet qui vous préoccupe.» Elle l'avait suivi dans le grand escalier menant au premier étage, où se trouvait le «logis» luxueux qu'il occupait, lui avait-il appris, lorsque ses fonctions au gouvernement le retenaient à Madrid. À ces mots, elle s'était un peu émue. Quel poste au gouvernement? Un poste lui permettant d'être informé des interventions de voyageurs par trop critiques? Ne l'emmenait-il chez lui que pour lui faire subir un interrogatoire? Un moment, elle avait été tentée de prétexter un malaise pour retourner à sa chambre, mais il lui avait pris si courtoisement le coude qu'elle n'avait même pas eu le temps de se composer un visage – et encore moins de concocter une phrase qui eût l'air sincère. «Alors? avait-il dit, s'effaçant pour lui céder le passage – la chambre donnait, effectivement, sur un vaste balcon –, par où voulez-vous que nous commencions?» Ce disant, il l'invitait à s'asseoir dans une balancelle. «Par nos rois catholiques? Par votre Joseph Bonaparte de sinistre mémoire?

— Ce n'est pas mon Joseph Bonaparte, avait-elle répliqué. Je suis Belge.

— Oh, bien, très bien.

— Et ce n'est pas le Joseph Bonaparte des Français qui m'intéresse, mais *votre* dictateur.» Puisqu'elle était promise au garrot, mieux valait en finir avec panache! Il avait éclaté de rire, puis, avec nonchalance, avait évoqué la possibilité d'un exil nécessaire pour le dictateur déchu. Pour ce qui avait trait à la politique, il s'en était tenu là, ou presque, ne fournissant plus à la curieuse que des potins de cour qui, eux, sont affaires de femmes. Irène n'avait pas questionné davantage. Quelques minutes plus tard, à défaut de comprendre un peu mieux le destin de la péninsule ibérique, elle avait compris que les intentions de son hôte étaient apolitiques.

Il le lui avait confirmé en dégrafant son corsage.

Dieu, que tu étais volage, mon enfant!

Irène se lève, prend son sac, dévale les trois étages de l'immeuble – il n'y a pas d'ascenseur – puis se dirige d'un pas alerte vers le petit restaurant où elle retrouve, chaque soir, le garçon en gilet pied-de-poule qui lui sert langoureusement à dîner.

9
DELPHINE

Delphine est enceinte, et raisonnablement heureuse. Charles n'est pas plus présent qu'au début de leur mariage, mais elle s'est adaptée à cette disette : son mari a la bougeotte, il n'est pas aussi paisible qu'elle. Elle accepte cette réalité comme on s'incline devant une habitude que l'on sait trop ancrée pour qu'elle puisse être rompue sans efforts démesurés. Efforts démesurés de part et d'autre, elle pour investiguer et essayer de comprendre, lui pour contraindre sa nature. L'entreprise est trop gigantesque, Delphine y a renoncé sans même avoir été tentée de discuter avec son époux de ce qu'elle appelle, sans en connaître les causes mais en sachant que probablement elle ne se trompe pas, son mal de vivre. Quant à Charles, il est bien trop occupé à courir d'une place à l'autre pour s'attarder sur des errements qu'il ne s'explique sans doute pas plus qu'elle. Plus tard, peut-être, dans quelques années, quand ils auront le temps, quand leurs enfants seront grands, quand ils seront devenus plus amis qu'amants. Et, surtout, quand elle aura acquis les rudiments du discours pour parler clairement de ce qu'elle perçoit avec acuité mais ne peut décrire. Elle déplore cette lacune : Charles a peut-être besoin d'une compagne plus encline à la discussion, même s'il semble s'accommoder – ce qui est bien sûr plus facile – du peu d'éloquence de sa femme.

Pour l'heure, la sagesse de Delphine lui dit de se contenter de ce qu'elle a, et ce qu'elle a, sans le moindre doute, c'est un mari aimant. Ses fredaines, comme dit Émilie, n'y changent rien. Et la bru partage cette certitude. Elle accepte donc Charles et ses tourments secrets comme elle a accepté Alma et ses tourments déchiffrables. En espérant qu'un jour tout deviendra clair, sans qu'il soit indispensable de se livrer à une agitation susceptible de saccager tout ce bon qu'ils possèdent. Non, elle ne forcera ni sa nature ni celle de Charles. Elle ne s'efforcera pas de faire de son époux un pantouflard. Et puis, a-t-elle vraiment envie de le voir passer des heures dans un fauteuil à lire le journal en écoutant la TSF ? Non. Tout est bien pour l'instant. Au bout du compte, elle lui est même reconnaissante de lui épargner ces vagues à l'âme qui le retiennent dans des bars où, en compagnie de gens qui ne posent pas de questions, il évacue son malaise avant de rentrer à la maison. Un peu éméché, la plupart du temps, mais apaisé.

10

IRÈNE

Parmi les entités silencieuses et affables qui séjournent dans les salles du Louvre pour y copier des œuvres, Kurt Erhard détonne. L'homme est solitaire, ombrageux, sombre comme la toile qu'il s'obstine à copier sans y parvenir. Près de son chevalet, quatre canevas zébrés de coups de pinceaux rageurs en témoignent.

Chaque après-midi à la même heure, l'homme s'installe, lèvres serrées, devant un petit tableau de Friedrich prêté au Louvre par le musée de Dresde. Déterminé à absorber l'atmosphère accablante qui s'en dégage, il reste prostré devant l'œuvre pendant quelques minutes, puis il saisit un pinceau comme on empoigne une arme. Et cette arme fait bien sûr des ravages. Irène, qui a terminé la copie du Reynolds, s'arrête souvent à l'entrée de la salle pour l'observer à son insu. Il s'y prend mal, elle voudrait le lui dire, mais comment aborder un être qui protège aussi jalousement sa solitude? L'homme au teint pâle, yeux gris à l'éclat métallique, ne s'égare jamais hors de l'espace dont il s'est emparé. Il l'a entouré d'un mur, cet espace, un mur qui pour lui n'a rien d'imaginaire. Il s'y enferme, puis se jette dans le sombre bord de mer de Friedrich, qu'une lune froide n'éclaire pas: elle ne fait que trouer le ciel, ses rayons sont invisibles, et la lueur jaune qui l'entoure semble venir d'un autre monde. Au premier plan, un voilier échoué, à peine visible, et une sorte de mur fait de branches dressées où pendent des filets dessinés à grands traits sur une mer immobile.

Kurt Erhard erre, patauge, s'embourbe dans cette noirceur, n'en ressortant qu'après avoir produit un cafouillis indescriptible.

Irène, dont les ambitions sont simples, utiliser la technique pour copier avec bonheur, n'en peut plus de voir avec quel acharnement cet homme détruit une œuvre tellement plus facile à reproduire que le portrait du jeune Hare. Elle voit très bien où il se trompe. Au lieu de superposer les branches sur le fond de mer, il s'obstine à les dessiner avant, au fusain. Puis il surcharge la toile de coups de pinceau désordonnés. Un jour, n'y tenant plus, elle s'approche du malheureux copiste. «Si je puis me permettre...», commence-t-elle. L'homme, qui a d'abord entendu le bruissement de sa robe, se retourne, pose un œil froid sur elle, la détaille rapidement, sans mot dire. Irène sourit, un sourire qu'elle s'efforce de teinter d'une timidité propre à désarmer. L'expression de l'homme change, il fronce les sourcils, mais sans colère. Le regard interroge, répondant aux paroles d'Irène, demandant qu'elle y donne suite. «Si je puis me permettre», répète-t-elle. Il hausse les épaules, mais la curiosité prend le dessus.

«Faites», laisse-t-il tomber.

Elle se lance, sans plus de détours.

«Vos coups de pinceau sont trop... véhéments, vous n'arriverez à rien comme ça.» Elle s'approche, montre la toile. «Regardez, Friedrich peint par petites touches, et il étale peut-être la couleur avec le doigt. Et je crois – non, je suis sûre – qu'il a dessiné le mur de branches – qui n'est pas une cabane comme vous semblez le croire – après, pas avant. Et regardez cette lune, elle a l'air d'être en papier, on dirait qu'elle ne fait pas partie du tableau, qu'il l'a simplement collée dessus une fois la toile terminée...

— Ce que vous dites va à l'encontre de tout ce qu'on a écrit sur cette toile.

— C'est possible. À chacun sa vision. Mais je voulais surtout vous parler de technique.»

Voyant le dos de l'homme se raidir, elle ajoute: «Écoutez, ce que j'en dis, c'était pour vous épargner... – elle montre les canevas posés par terre – ... ce *gâchis*.»

Trop tard, le mot est sorti, il l'a bien entendu.

L'homme se lève, range son matériel, replie le chevalet, enveloppe les cinq canevas dans un journal et quitte la salle.

Une semaine plus tard, lorsque Irène passe devant la salle des romantiques, elle constate que Kurt Erhard a repris sa place habituelle, mais il semble plus calme: au lieu de larder son canevas de coups de pinceau, il examine l'œuvre à copier avec attention. Irène s'arrête à l'entrée, hésitante. Il n'a sûrement pas oublié le «gâchis», qui l'a poussé à quitter la salle avec armes et bagages. Mais son attitude n'est plus la même, peut-être a-t-il décidé de tenir compte de ses conseils, après tout. Le mieux ne serait-il pas de lui demander d'excuser son intervention maladroite ? Non, pas aujourd'hui, il est trop absorbé, attendons qu'il ait bien entamé la copie. Je reviendrai demain. Cette décision prise, Irène reprend sa marche, mais dans sa hâte laisse tomber son ombrelle. L'homme n'a pas bronché. Attentive à ne faire aucun bruit, elle la ramasse et se prépare à disparaître.

« S'il vous plaît ! »

Kurt Erhard s'est levé et, très à l'aise : « Je tiens à vous dire que vous aviez raison. »

Il est froid, mais pas du tout hostile.

« Venez voir. »

C'est un ordre. Irène hésite, puis s'approche. Tout de même, cet homme pourrait se montrer plus accommodant, reconnaître ses torts est bien, mais encore faut-il se montrer civilisé. Mais peut-être se montre-t-il aussi civilisé qu'il peut l'être. Il s'efface devant le canevas posé sur le chevalet. « Oh, c'est beaucoup mieux ! » s'exclame-t-elle. Et, en elle-même : non, c'est raté, une fois de plus, même s'il semble avoir compris ce que je lui ai dit. Mais cette fois je m'en tiendrai là.

C'est alors que tombe une invitation inattendue. « Pour vous remercier de vos conseils, je vous invite à prendre le thé chez ma mère. »

*

Helda Erhard est Allemande, et si son fils est à Paris, ce n'est pas seulement pour copier Friedrich tout de travers, mais pour la convaincre de rentrer avec lui à Munich. Le beau-père de Kurt était Français. Il vient de mourir, ils l'ont enterré, et maintenant que les formalités de deuil sont terminées – de même que la malheureuse copie du Friedrich – le fils veut ramener sa mère allemande au bercail. Il dit que leur grande maison est vide, qu'il s'y sent très seul, que leur vieille domestique a besoin d'une présence féminine et, surtout, que sa mère doit être à ses côtés pour assister à la renaissance de l'Allemagne. Mais Helda Erhard refuse de quitter Paris, elle dit que le climat de son pays natal ne lui convient pas. « Aidez-moi à convaincre maman », dit Kurt Erhard à leur invitée qui, bien qu'elle soit nulle en politique, a très bien compris ce que la dame veut dire par « climat ».

Irène a suffisamment entendu parler de l'Allemagne par Armand et Émile – la guerre, la débâcle allemande, le traité de Versailles, l'apparition d'un personnage inquiétant – pour savoir que ce pays est balayé par des intempéries sociales et politiques qui en font la nation la plus calamiteuse et la plus sombre d'Europe. Sombre comme la toile de Friedrich, ce n'est pas pour rien que Kurt l'a choisie. Pauvre Friedrich mis au service d'une Allemagne qui moisit dans sa rancœur. Friedrich le mélancolique qui se fichait pas mal de politique, accablé par la disparition des siens, écrasé par les forces de la nature, inspiré par la mort, mais celle que l'on subit et non celle que l'on inflige. Non, Irène ne veut pas aider le fils à convaincre sa mère de rentrer à Munich : Helda Erhard a raison d'aimer Paris, où le « climat » est beaucoup plus clément. Mais elle essaie néanmoins de comprendre le fils. Au fond, c'est un grand romantique, ce Kurt, mais il n'est pas né à la bonne époque. Il est né dans une Allemagne orgueilleuse qui a perdu la guerre.

La visiteuse observe la dame souriante ; son fils lui ressemble, le sourire en moins, un dur éclat dans l'œil en plus. Hélas, leurs aspirations diffèrent. Elle veut rester dans cette ville légère et ignorer l'Allemagne ; il veut y rentrer au plus vite et se plonger dans une atmosphère aussi enténébrée que celle du bord de mer de Friedrich.

À défaut de convaincre sa mère de l'accompagner à Munich, Kurt Erhard propose à Irène d'y passer quelques jours, « en tout bien tout honneur ». Elle hésite, l'homme ne l'inspire pas. Mais son démon du voyage lui souffle que Munich manque à sa panoplie.

« La ville des musées, dit Kurt. Les plus beaux du monde, vous n'aurez que l'embarras du choix. Vous pourrez même y copier quelque chose, puisque vous êtes experte. Et quand vous aurez envie de verdure, vous vous promènerez dans l'Englisher Garten. »

Malgré tout, Irène hésite. Cet Hitler dont on parle lui fait peur. Outre les considérations politiques d'Émile et de son frère, qui paraissent déjà bien assez inquiétantes, elle est horrifiée par ce que l'on dit de l'homme. Un fou, un mégalomane qui hurle dans les brasseries. On dit que Geli, sa nièce, qui était sa maîtresse, s'est suicidée à cause de lui. Une effroyable histoire. En septembre de l'année dernière, un ami journaliste lui a demandé de traduire un article paru dans un journal communiste allemand. On y voyait une photo de la fameuse nièce, une fille au visage rond et aux yeux vifs. L'article dénonçait la jalousie maladive de l'amant : il la traînait partout, la faisait surveiller, régentait sa vie ; il choisissait même ses vêtements. Cet Adolf Hitler, qui se disait mélomane, voulait qu'elle apprenne le chant, mais c'était le cadet de ses soucis, à cette fille, elle était jeune, tout ce qu'elle voulait, c'était s'amuser, sortir, faire la fête. La jeune Geli voulait chanter, oui, mais pas à Munich, pas dans cette ville oppressante où l'on ne faisait que scander des chants guerriers et écouter cet assommant Wagner – Irène n'avait pas oublié la représentation de *Siegfried*, à Londres, avec Edmond Lévy – dont les Teutons va-t-en-guerre s'inspiraient à qui mieux mieux. Elle avait trompé oncle Alf avec le chauffeur. La surveillance s'était resserrée. La malheureuse ne pensait plus qu'à s'enfuir, mais c'était impossible, les sbires d'Adolf guettaient ses moindres gestes. Elle avait raconté à quelqu'un que cet homme était un monstre, que personne ne pourrait jamais imaginer ce qu'il exigeait d'elle. La veille du suicide, ils s'étaient disputés, violemment : elle lui avait dit qu'elle voulait retourner à Vienne, revoir ses amis d'enfance, sa famille. C'est là qu'elle voulait apprendre le chant, pas à Munich. Il avait refusé.

Elle s'était tuée avec son revolver.

Tout cela était bel et bien écrit dans le journal communiste. Les hommes du parti avaient expliqué que l'imprudente jouait avec l'arme et qu'elle s'était tuée par accident, mais l'opposition démentait, laissant même entendre qu'Hitler l'avait fait assassiner. « Bien sûr, le papier est inspiré par ses ennemis politiques, mais il doit y avoir du vrai dans tout cela, avait dit le journaliste.

— Que veux-tu dire, du vrai dans tout cela ? Ou il l'a fait assassiner, ou il ne l'a pas fait. Il n'y a pas d'autre possibilité.

— Si. Il l'a peut-être poussée à se tuer. Il en avait fait sa chose, tu comprends, et quand la chose n'a plus voulu obéir, il l'a séquestrée. Tu pourrais vivre séquestrée, toi ?

— Pourquoi ne s'est-elle pas enfuie ?

— S'enfuir ? N'oublie pas qu'un tiers de l'Allemagne est aux pieds de ce dément. Ses hommes de main l'auraient vite retrouvée. »

Bien sûr, Irène ne parle pas du drame à Kurt Erhard : Hitler est son idole ; il est convaincu qu'il va sauver l'Allemagne, «la sauver de la honte». Il se fiche pas mal de ce que disent les journaux «qui sont aux mains des traîtres, des ennemis de l'Allemagne qui méritent la hache qui s'abattra bientôt sur leur nuque».

Romantisme brutal à la Kurt, se dit Irène. Il dit cela pour me choquer. Il n'est pas mauvais, ce garçon qui insiste si tendrement auprès de sa mère pour qu'elle rentre avec lui en Allemagne. Si ce pays était aussi dangereux qu'on le dit, il préférerait la savoir à Paris. Allons, quelques jours à Munich auprès d'un homme qui a la courtoisie de ne pas me conter fleurette seront sûrement enrichissants. Et j'aurai peut-être la chance d'apercevoir le croquemitaine.

Un vague sentiment de crainte l'effleurant, elle se garde bien de prévenir Armand et Émile.

Quatre jours plus tard, Irène et Kurt sont dans le train pour Munich. Face à l'homme qui, une fois passé la frontière, s'est enfermé dans un mutisme nerveux – il ne cesse de se lever pour aller se poster à la fenêtre –, Irène se demande où est passé le fils de Helda. Il regrette sans doute de m'avoir invitée. Et moi je regrette d'être là, je n'aime pas cet homme, je ne comprends pas ses idées, et il peint comme un pied! Tu regrettes? Eh bien, il fallait y réfléchir avant. Oui, mais il y a les musées, et la maison que sa mère dit si belle, et je veux lire les journaux... me faire une opinion. Depuis quand as-tu des opinions? Un regard au dos de Kurt, une fois de plus planté devant la vitre. Un dos plutôt hostile. Je me fais des idées, une fois chez lui, il redeviendra l'hôte courtois qu'il m'a fait découvrir chez sa mère. Oui, mais tu regrettes quand même!

Soit, mais à moins de tirer la sonnette d'alarme, il est trop tard pour les regrets.

Irène observe Kurt Erhard entre ses paupières mi-closes. Je ne l'ai pas encore placé dans mon bestiaire. C'est trop tôt, mais ce que je vois n'est pas très engageant. Bah, laissons-lui quand même une chance.

Le fils de Helda Erhard se rassoit devant elle, ne lui octroyant qu'un mince sourire.

Deux jours après leur arrivée, la curiosité d'Irène est loin d'être satisfaite. Sauf sur un point: la «foi» de Kurt en l'homme des brasseries ressemble très fort à une idée fixe. Comme il ne pense qu'à cela, que toutes ses pensées se résument à des certitudes et que ces certitudes lui suffisent, il n'élabore pas, ne raisonne pas, n'explique pas. Le garçon romantique s'est métamorphosé en illuminé aux propos obscurs – quand il consent à parler. Elle ne le voit qu'au repas du soir et avant le coucher – lorsqu'il ne ressort pas pour une expédition nocturne.

La demeure familiale se trouve dans la Ludwigstrasse ; une domestique, Gertrud, y passe ses journées à cuisiner pour Herr Kurt, qu'elle appelle ainsi même si c'est elle qui l'a sorti du ventre de sa mère, une nuit de novembre où le médecin n'arrivait pas (Helda a conté l'événement à Irène). Son ultime ambition est de le gaver de kouglofs et de strudels. Il absorbe ces *Delicatessen* sans gratitude, en les arrosant de schnaps.

Irène sort sans lui, il a mieux à faire, dit-il, que de courir les musées. Elle les hante, ces musées, se demandant comment une nation aussi amoureuse de l'art a pu devenir aussi bornée. Les rues sont sinistres, les passants ont la mine basse, les hommes ne la regardent pas, c'est inquiétant. Et il y a ces individus en chemise brune.

Quant au croquemitaine, il est dans les airs : il a loué un avion et survole le pays pour aller porter la bonne nouvelle. Vingt grands discours dans plusieurs villes, un million de personnes idolâtres, dont le cher Kurt, qui a pris le train pour aller écouter la première harangue. Il en est revenu exalté. Irène se dit que tout cela va mal finir. Il ne parle que d'élections, de suffrages, de victoire. À la maison, il fait les cent pas devant la TSF en attendant l'heure de la grand-messe, où l'officiant Hitler va appeler à la vengeance. Alors il faut s'asseoir, écouter religieusement et – mais cela ne concerne qu'elle – « éviter de dire des bêtises ».

Après sept jours à parcourir la ville – et à espérer en vain que son hôte se montre plus disert –, Irène décide de rentrer à Paris. Elle le lui annonce. Il est ulcéré, il ne comprend pas qu'elle veuille partir, car, dit-il, « c'est ici que va s'écrire l'histoire ».

« Quelle histoire ?

— Je ne peux pas vous le dire. Un seul homme le sait.

— Cet homme qui s'égosille à la radio ? Eh bien, à moi, il me fait plutôt l'effet d'un énergumène. »

Kurt se raidit, comme au Louvre avec le mot « gâchis », mais la colère est glaciale, cette fois. Une bonne dose de sang-froid est nécessaire pour avaler l'« énergumène », mais il le possède, ce sang-froid. Et il la trouve sûrement trop ignorante, trop superficielle pour attacher de l'importance à ses paroles.

Curieusement, cette constatation semble éveiller en lui un désir jamais apparu jusque-là – à tel point qu'Irène s'est parfois demandé s'il préférait les hommes. Non, il aime les femmes mais, pour les nécessités du sexe, il les préfère sans doute sottes et ignorantes. Je suis parfaite : sotte, ignare, belle… et pas juive.

Il l'en a du reste «félicitée».

«Qu'en savez-vous ?

— Vous n'avez ni le nom ni le type. Et vous avez le nez délicat. Bien sûr, cette crinière rousse n'est pas très aryenne, mais on peut s'en accommoder.»

Là, elle a carrément eu envie de l'envoyer au diable.

Qu'attends-tu pour tirer ta révérence ?

Je partirai demain à l'aube.

Pourquoi pas tout de suite ?

Parce qu'il est tard et que les chemises brunes qui défilent aux flambeaux me donnent la chair de poule.

Kurt Erhard pose un bras sur son épaule, veut l'attirer à lui. Elle le repousse prudemment, essaie de faire diversion en lui parlant de sa mère, de Paris, du Louvre, de Friedrich ; elle lui demande ce qui l'a amené à la peinture. «Vous savez, répond-il, l'air insupportablement inspiré, *il* peignait aussi. Mais il préférait l'aquarelle. J'ai essayé, mais c'était trop difficile. Alors je me suis résigné à l'huile. Mais peindre n'a été qu'un hommage. Une mission plus importante m'attend.»

Tant mieux, pense Irène, ça nous fera quelques croûtes en moins !

Elle décide de profiter de cette soudaine disposition au dialogue pour le questionner encore. «C'est pour cela que vous avez passé tant d'heures à…

— À quoi ?

— À… essayer de peindre ?»

La nuance ne lui échappe pas, il ricane.

«Ne vous méprenez pas ! s'exclame Irène, je voulais simplement savoir ce que l'on ressent quand on fait une chose à laquelle on n'est pas destiné. Maintenant, j'ai compris : vous vouliez suivre ses traces.»

Il daigne sourire.

«Vous êtes moins sotte qu'il n'y paraît.»

Là, c'est trop. La colère l'emporte sur la crainte que l'homme lui inspire.

«Ses traces d'artiste d'abord ? De tribun de brasserie ensuite ?

— Ça, je vous le dirais peut-être si vous aviez la moindre notion de ce qui se passe ici. Mais je n'en ferai rien, vous êtes trop entichée de vos stupides certitudes. Et nous avons mieux à faire avant votre départ.

— Mais…

— Ne me prenez pas pour un imbécile, c'est écrit en grosses lettres sur votre front. Vous avez décidé de me fausser compagnie. Bien, très bien. » Il la détaille des pieds à la tête, tapote le divan : « En attendant, vous me devez des adieux convenables. Allons, venez ! Au lieu d'essayer de comprendre des choses qui vous dépassent, venez me dire adieu. »

Il est calme, tout à coup, presque affable. À moitié allongé sur le canapé, le bel homme blond tend vers elle deux longues mains fines ; ses paupières mi-closes laissent filtrer une lueur qu'il s'efforce de rendre amicale, mais Irène connaît l'éclat métallique de ces yeux-là, elle sait quand Kurt Erhard se livre à cette occupation à laquelle il s'exerce parfois : guetter, immobiliser, fasciner. Un crotale. Les efforts qu'il fait pour ressembler à l'homme qu'il serait s'il n'avait pas été contaminé sont vains. Irène sait que la peur qui s'est emparée d'elle est justifiée, même si les suppositions que son imagination lui souffle sont sans doute exagérées. Elle ignore les mains tendues, s'assied à l'autre bout du divan. « Vous dites que je ne comprends pas ce qui se passe ici et c'est vrai. Vous savez pourquoi ?

— Non, figurez-vous.

— Parce que je n'ai jamais rien compris à la haine, et que votre homme me paraît haineux.

— Oui, mais c'est une si belle haine ! Et elle va nous sauver. De quoi ? Vous le sauriez si vous aviez la moindre idée de ce qui accable mon pays. Il est haineux à juste titre, nous sommes tous haineux, sauf les imbéciles, et nous allons le servir avec notre haine, car cet homme va devenir notre Führer. » Il se lève, arpente la pièce en agitant les bras. « Nous l'aiderons à chasser la vermine qui grouille dans ce pays, et les fainéants se mettront à l'ouvrage. Les incapables, les débiles, les irrécupérables disparaîtront. Mais nous leur botterons d'abord le cul et les couilles. »

Irène se lève.

« Ce langage viril vous choque ?

— Viril ? Ce langage n'est pas viril, il est vulgaire. Vous devenez vulgaire, Kurt. Si votre mère…

— Laissez ma mère tranquille.» Il se rassied, tapote à nouveau le velours du divan. Le geste est beaucoup plus insistant, cette fois. «Allons, arrêtez votre manège. Vous croyez que je ne vois pas clair en vous? Vous essayez de gagner du temps. Allons, venez!» Il lève les mains en l'air. «N'ayez pas peur, je ne suis pas armé.»

Irène lui tourne le dos, se dirige vers la porte.

«Où allez-vous?

— Rassembler mes affaires.»

Il bondit, lui barre le passage. «Pas avant de m'avoir dit poliment adieu.

— Vous comptez me forcer?

— Non, car vous allez faire un effort pour vous montrer aimable.

— Et être aimable, c'est se soumettre?»

Il hausse les épaules et, sèchement: «La soumission a du bon, vous verrez.»

Irène a vraiment peur. Il ne s'agit pas d'un Livio, cette fois, mais d'un homme durci par la rancœur. Il est temps, grand temps de trouver une parade.

«S'il vous plaît, Kurt, remettons ces adieux à demain.

— Demain vous ne serez plus là. Vous aurez filé en douce.» Il ricane. «Pour aller où? À l'hôtel? Les hôtels sont pleins de gens comme moi! Vous savez pourquoi? Parce qu'il parlera après-demain au cirque Krone et qu'ils arrivent de toute l'Allemagne pour l'écouter.»

Irène frissonne. Il faut adopter une autre stratégie. Dire qu'elle est juive? Il ne la croira pas. Qu'elle a ses règles? Il ne la croira pas.

À tout hasard, elle dit qu'elle meurt de faim.

Un sursaut de civilité, enfin. Il se lève, lui dit de le suivre. Gertrud laisse toujours un en-cas pour la nuit. Métamorphose soudaine: ce moment doit lui rappeler les intermèdes dans la cuisine avec la bonne qui le gâtait. Il étale une nappe, y place couverts, assiettes et serviettes, sort les victuailles. L'atmosphère se détend; il découvre qu'il a faim, lui aussi. Irène jette un coup d'œil à sa montre. Deux heures du matin. Il faut tenir jusqu'à cinq heures, heure à laquelle Gertrud se lève. Disons quatre heures et demie: il n'entreprendra rien une demi-heure avant l'arrivée de la bonne. En attendant, il faut le garder dans ces dispositions plus affables. Irène avise un vase de fleurs sur un buffet, le met au milieu de la table, elle a lu quelque part que le croquemitaine aimait les fleurs. Tandis qu'ils mangent (elle très lentement), elle lui demande de lui décrire le cirque Krone. Il lui fait l'historique de la bâtisse. Et pourquoi aime-t-*il* parler dans cet endroit? Parce qu'il peut contenir deux mille personnes et que l'acoustique y est bonne. Les femmes y sont-elles admises? Ce n'est pas interdit, mais comme elles ne sont pas les bienvenues elles restent gentiment chez elles.

Cinquante-cinq minutes de gagnées!

«Donc, je ne pourrais pas vous y accompagner?»

Là, il est pris de court *et* agréablement surpris. Puis la méfiance reprend le dessus. «Pour quoi faire?

— Pour essayer de comprendre.

— Laissez tomber, c'est perdu d'avance.

— Mais je veux comprendre, Kurt!»

La supplication le flatte. Il parle. Irène l'écoute dans une sorte de brouillard, dans l'attente anxieuse de l'aube. Il reste une heure et demie. Il parle d'un traité, de la trahison de Versailles, des criminels de novembre, du chômage, de l'ordre noir et du prix du pain, et elle se demande ce que le prix du pain peut bien avoir à faire avec le reste. Ce sont les Juifs, sans doute, il dit que les Juifs sont responsables de tout. «C'est quoi, l'ordre noir?

— L'ordre noir n'est pas à votre portée.

— Qu'est-ce qui vous fait dire ça?

— Les conseils que vous m'avez donnés devant le tableau de Friedrich.

— Mais qu'est-ce que Friedrich a à voir dans tout cela? Friedrich était un grand romantique, un homme bon, qui a souffert, un immense artiste. Pourquoi le mêler à votre politique!

— Je ne parlais pas de lui, je parlais de vos conseils.

— Qu'est-ce qu'ils avaient de choquant, ces conseils?

— Ces conseils étaient au ras du sol, comme vous dites en France. Vous étiez incapable de voir ce que cette toile signifiait.

— Signifiait pour vous! Jamais Friedrich n'aurait épousé vos... théories.

— Taisez-vous.»

La bile continue de couler. Irène saisit quelques mots, dans le trop-plein qui se déverse. Ils n'évoquent que la rancune, l'humiliation, la vengeance. Le souvenir de Youri s'interpose. Lui aussi avait des choses terribles à raconter, mais elles étaient réelles, il parlait de son père, de sa mère, de ses frères ; il parlait de son pays comme d'un être humain, les assassins qu'il dénonçait avaient un visage. Et quand la vodka brouillait ses souvenirs, il appelait Pouchkine à la rescousse. Mais avant la vodka et Pouchkine, le discours était concret, passionné, violent parfois, mais généreux. Celui de Kurt est abstrait, et vénéneux. Irène jette un coup d'œil à la bouteille de schnaps sur la table. C'est moi qui ai besoin de boire, aujourd'hui, mon cher, cher Youri. Hélas, la bouteille est vide. Peut-être faudrait-il en trouver une autre, il reste une petite heure. « Puis-je goûter cet alcool ? » Il lève vers elle un œil agréablement surpris, se lève pour prendre une bouteille dans le buffet. « Notre alcool, ma chère ! Puisse-t-il vous ouvrir l'esprit ! »

Il remplit un verre à eau, le fait glisser vers elle.

Une heure. Elle prend le verre. « *Prost!* » dit-il. « À l'Allemagne de mille ans ! »

Et c'est reparti.

Kurt Erhard reparle du fameux traité, il dit qu'on a voulu écraser l'Allemagne et que Hitler ne laissera pas faire ça. Puis, dévotement : « Mon oncle m'a emmené à la Burgerbraukeller, sa brasserie. Nous avons bu ses paroles. Il a parlé longtemps, il n'a rien caché... L'Allemagne doit payer deux cent vingt-six milliards de marks. » Il martèle la phrase une seconde fois, puis éclate d'un rire strident. « Ce gouvernement de vendus a accepté de payer deux cent vingt-six milliards de marks or ! Il a accepté de faire de notre peuple un peuple d'esclaves ! Mais Hitler sait, lui, que nous ne sommes pas des esclaves. Nous sommes un peuple de dieux, de conquérants, de chevaliers, et nous marcherons bientôt vers l'Est pour y prendre l'espace qui nous appartient. L'empire de l'Est va s'effondrer, vous verrez. Tous les moyens seront bons. J'ai compris beaucoup de choses à la Burgerbraukeller. Et j'ai eu envie de m'agenouiller devant cet homme. »

Irène oublie, momentanément, ses bonnes résolutions. « C'est très religieux, tout cela. Ne m'avez-vous pas dit que cet homme haïssait l'Église ? »

Il hausse les épaules. « Vous savez quoi ? Vos remarques m'agacent. Elles m'agacent tellement que je vous invite à disparaître. »

Irène se lève, pour un peu elle serait blessée ! Puis, lentement, attentive à ne pas montrer sa hâte, elle va vers la porte, met une main sur la poignée.

«Une minute!»

Dieu merci, on entend les galoches de Gertrud dans l'escalier.

«Vous savez que votre pays y a participé, au traité de Versailles?»

Ah, ce n'était que cela! Elle respire. Puis d'une voix qu'elle s'efforce de rendre conciliante: «J'étais adolescente.

— Oui, mais toute responsabilité est collective.»

Des paroles de visionnaire!

*

Dès son retour à Paris, Irène rend visite à Helda Erhard. Elle a décidé de ne rien lui raconter, mais elle aimerait comprendre comment son fils a pu se transformer en individu sans âme. Madame Erhard n'est pas étonnée de la voir si tôt revenue. «Je suppose que tout ne s'est pas passé comme vous le souhaitiez. Je sais, il a changé. C'était un enfant très doux, très soumis. Puis il y a eu la guerre. Son père a été tué. Kurt avait quatorze ans. Il en a fait son héros, mais dans le mutisme le plus complet.

— Je comprends, murmure Irène.

— Il a poursuivi l'école, mais là non plus, il ne partageait rien avec moi, je devais me contenter de signer ses bulletins. Lorsqu'il a entamé ses études supérieures, il a exigé que je lui loue une chambre près de l'université. Je me suis dit que l'éloignement nous rapprocherait peut-être! C'est ce qui est arrivé, d'une certaine manière: il se montrait plus attentionné, le dimanche, quand il s'installait à la table pour manger le repas que Gertrud avait passé la journée à préparer.

«Puis j'ai rencontré mon second mari, un Français envoyé à la pinacothèque pour y emprunter des toiles. Hector était veuf. Nous nous sommes aimés tout de suite, j'ai accepté de le suivre à Paris. De toute façon, je ne voyais plus mon fils qui, en dehors du repas du dimanche, semblait entretenir vis-à-vis de moi une rancune inexplicable, comme si j'étais responsable de la mort de Franz. Sans doute m'en voulait-il de ne pas partager l'idolâtrie qu'il lui vouait. Curieusement, il a accueilli la nouvelle de ma rencontre avec Hector sans broncher, il a même exprimé le désir de faire sa connaissance. Un dimanche, nous lui avons annoncé notre départ. Il a eu un haut-le-cœur, mais s'est repris très vite. “Ainsi, vous emmenez ma mère en France ! Un beau pays. Mais vous savez que nous serons peut-être ennemis, un jour ?"

« Cinq ans ont passé, au cours desquels il m'envoyait une lettre par mois, toujours la même : tout allait de mal en pis dans notre chère Allemagne.

« Quand Hector est mort, il est arrivé tout de suite, comme un bon fils. Il m'a aidée à traverser les formalités de deuil, mais je voyais bien qu'il avait une idée en tête. Il n'en parlait pas, mais parlait de l'Allemagne, de Munich, de notre maison. Il m'a annoncé qu'il resterait à Paris jusqu'à la reprise des cours à l'université, où il avait obtenu un poste de suppléant. Il voulait peindre, c'était nouveau, mais au moins c'était anodin. Vous connaissez la suite, Irène. Les après-midi au Louvre, les essais ratés… Il nettoyait ses toiles dans la cuisine, sans desserrer les lèvres, elles y séchaient jusqu'au lendemain, puis il recommençait. Il partait au Louvre comme on part à la guerre. Le dimanche, il s'installait sur le balcon pour lire les journaux que lui envoyait son oncle, sans même lever la tête vers ce merveilleux paysage… »

Elle montre le parc Monceau qui s'étend sous ses fenêtres. « Au fond, j'ai toujours su qu'il voulait me ramener en Allemagne.

— Et vous ne vouliez pas partir.

— À aucun prix. C'est mon pays mais il me fait peur. Je lis les journaux allemands, vous savez. Je suis au courant. Vous parlez notre langue, je crois ?

— Un peu.

— L'avez-vous parlée avec Kurt, au moins ?

— J'ai essayé. Il déteste mon accent. »

Helda Erhard baisse la tête et, dans un murmure : « Vous, Irène, que pensez-vous de mon fils ?

— Je ne sais pas, Helda. Peut-être ne s'est-il pas remis de la mort de son père… Il m'a aussi parlé d'un oncle qui l'emmenait dans les brasseries.

— Mon beau-frère. Kurt ne vous l'a peut-être pas dit, mais il fait partie d'un mouvement d'extrême droite. Vous avez dû les voir, ces hommes qui portent une chemise brune ? Ce sont des fanatiques. »

Irène n'ose pas dire à Helda Erhard que son fils est lui aussi un fanatique.

Elle est à peine réinstallée chez elle qu'Armand la réclame à Bruxelles pour les funérailles de leur mère. Coralie est morte comme elle a vécu, en priant le bon Dieu. Elle se languissait un peu depuis la mort de sa sœur, au printemps précédent. Le pécule de Coralie, et quelques actions amassées par son époux au cours d'une vie vouée à l'épargne, ira à l'Église – son confesseur y a veillé –, mais la belle maison de l'avenue de Tervueren reste la propriété d'Irène et de son frère. Ils ont décidé de la vendre ; une ambassade a déjà fait une offre.

Le mobilier revient aux cousins et cousines.

Comme les dispositions notariales exigent la présence des héritiers principaux lors du partage, Armand et Irène doivent assister, quelques jours plus tard, à la distribution des meubles, bibelots et portraits de la royauté – un long pensum au cours duquel les légataires, arrivés avec une liste établie d'avance, prennent un air détaché chaque fois qu'un déménageur emporte un meuble dans un des camions stationnés dans l'allée. Pendant ce temps, les enfants emballent les bibelots. À une heure, interruption pour un repas de famille dans un restaurant de l'avenue Louise, gracieusement offert par les héritiers secondaires. « Pour vous remercier de votre patience », susurre une des cousines. L'épreuve du partage se prolonge jusqu'au soir. La fatigue aidant, et la liste devenant moins précise, quelques mises au point acides émaillent la distribution.

« Après cet intermède, je ne veux plus jamais les revoir », souffle Irène à son frère.

Ils restent seuls dans la maison vide. Devant la baie vitrée donnant sur le jardin, ils échangent des souvenirs. « C'est cette véranda que je regretterai, dit Irène. Je me réfugiais souvent ici quand j'en avais assez des bondieuseries de maman. »

Armand pose un bras sur son épaule. « Tu te souviens de la fierté de papa quand il a acheté cette maison ?

— Tu as raison, je ne pense pas assez à tout ce qu'a fait notre père, mais avoue, Armand, c'était surtout pour toi !

— J'avoue. »

Il serre sa sœur contre lui. « C'était une autre époque, ma chérie. » Puis, avec une légère ironie : « Et toi, Irène, *avoue* que tu ne t'es pas trop mal débrouillée !

— Mais tu deviens amoral, mon frère !

— C'est à cause de cette journée de fou. Rentrons. Delphine et Alma nous attendent. »

Deux jours plus tard, Armand dépose Irène à la gare. « Un départ de plus », soupire-t-il. Quand donc t'arrêteras-tu,

Irène ? » Elle proteste. « Mais de quoi parles-tu ? J'ai un appartement, je suis des cours, je n'ai pas d'amants, je vis comme une moniale !

— Oui, mais sans clôture !

— Viens me voir plus souvent, au lieu de me réprimander, tu verras comme je suis sage.

— Tu n'as pas fait de nouvelles connaissances, au moins ? »

Irène hésite un instant, puis :

« J'ai passé quelques jours en Allemagne.

— Quoi ! Mais l'Allemagne est un brûlot, Irène ! Quel diable t'a piquée ?

— Le fils d'une amie m'avait invitée à visiter Munich – en tout bien tout honneur, je peux te le jurer.

— Bon, si tu as accompagné le fils d'une amie, ce n'est qu'un demi-mal. Où est-il, ce garçon ?

— Là-bas.

— Tu ne comptes pas y retourner, j'espère !

— Je peux t'en faire la promesse. »

11

DELPHINE

Quelques jours après le retour d'Irène à Paris, Armand arrive seul à la métairie. Delphine le regarde traverser la cour, intriguée par une soudaine élasticité dans son pas. Elle dépose Odile dans le couffin, ouvre la porte. Que se passe-t-il? C'est quoi, cette expression hardie, ce port de tête audacieux? Armand la serre dans ses bras, se laisse tomber dans un fauteuil et, sans préambule, lui annonce qu'il a rencontré une «personne très gentille». Delphine écoute ces mots avec une stupéfaction mêlée de perplexité. D'abord, elle n'est pas sûre de comprendre. Parle-t-il d'une cliente? D'une habituée des récitals d'Alma? D'une serveuse de salon de thé? (Les serveuses des salons de thé, a-t-elle déclaré un jour à son père, sont toutes gentilles parce qu'elles peuvent manger tous les gâteaux qu'elles veulent.) Son père *regarde-t-il* les femmes? Non! Oui. Un jour, au cinématographe, il a dit qu'une actrice était belle, mais ce n'était pas une vraie personne, c'était une image. Le visage qui emplissait l'écran était aussi abstrait, aussi inaccessible que les saintes vierges sur les cartes offertes par les sœurs aux élèves pieuses. La personne gentille ressemble-t-elle à la femme du cinématographe? À la Sainte Vierge? Son père l'a-t-il aperçue, en vrai, dans une rue, un parc, dans son cabinet, au hasard d'un voyage? A-t-il été, au début, trop troublé, trop bouleversé pour lui adresser la parole? L'a-t-il suivie sans oser l'aborder? Pensait-il à elle, le soir, quand il écoutait d'une oreille Alma la rouspéteuse? Rêvait-il d'elle, la nuit, près de sa femme endormie? Cet homme, son père, si timide, si compassé parfois, s'est-il dit, quand la personne très gentille lui a souri, qu'il devait saisir sa chance, *et vite*, sans se poser de questions, sans même réfléchir, en ne pensant qu'à lui, en occultant tout ce qui avait été sa vie jusque-là? S'est-il dit que le temps de la conquête était arrivé?

Delphine sourit, la métamorphose de son père en conquérant lui paraissant trop invraisemblable.

Armand se penche sur le couffin et, le visage rayonnant, répète la bonne nouvelle au bébé. Odile pousse un cri joyeux, tandis que Delphine poursuit son soliloque. Quel genre de personne, à part la gentillesse ? Jusqu'ici, l'idée que son père puisse avoir une vie sentimentale ne lui a jamais effleuré l'esprit. Ce qui lui tient lieu de vie sentimentale se résume à quelques instants minuscules qui, d'un point de vue strictement passionnel, sont peu probants : Armand tenant la main d'Alma pour l'aider à gravir l'escalier de la digue, à Ostende ; lui tendant les bras lorsque, après avoir chanté, elle se prépare à descendre de l'estrade pour rejoindre les invités de la notairesse ; lui prenant le coude pour l'aider à monter dans la voiture ; posant sur sa joue un baiser de fête ou d'anniversaire.

Armand prend Odile dans ses bras, se promène dans le salon, joue contre joue. Le soleil éclaire le fin duvet de la tête ronde du bébé, le front un peu dégarni du grand-père. Il s'approche de la fenêtre, saisit la menotte de l'enfant, l'agite à l'intention de Firmin qui, dans la cour, étrille son brabançon. « On arrive », crie-t-il.

Et moi, je compte pour du beurre ? se dit Delphine. Du fauteuil dans lequel elle s'est effondrée, elle appelle son père, se rendant soudain compte qu'elle le fait avec sa voix de petite fille.

« Ça ne va pas, Delphine ?

— C'est tout ? Tu n'as rien d'autre à me dire ? Tu as rencontré une gentille personne et c'est tout ? »

Il sourit devant son air offensé. « Non, ce n'est pas tout. » Il s'assied devant elle et raconte. La personne en question est veuve. Elle est apparue dans sa vie sans qu'il s'y attende. Elle est venue à son cabinet parce que son père était mort subitement et qu'elle ne savait que faire des titres et actions qu'il lui avait laissés. Il l'a trouvée charmante, simple. (Évidemment, tout le contraire d'Alma ! pense Delphine.) Il a réglé le problème des titres et des actions et, une fois l'opération terminée, s'est dit, comme elle de son côté, que tout avait été trop vite. Alors il lui a donné un autre rendez-vous sous prétexte de titres à changer contre d'autres titres, mais sans avoir la moindre idée de ce qu'il pourrait faire de mieux que ce qui avait déjà été fait. Il n'a pas fait mieux, il a fait n'importe quoi – mais la bourde était heureusement réparable. Lorsqu'il lui a avoué son erreur, elle a souri. Alors, soulevé par un élan d'exaltation «comme je n'en ai jamais connu de toute ma vie», il s'est levé d'un bond et a eu l'incroyable audace de l'inviter à prendre un thé au Rouge-Cloître.

C'était le début de l'idylle, gentille comme la personne qui en était l'héroïne.

«Je n'aurais jamais pensé, ni même imaginé, que je pourrais un jour quitter Alma.»

Quitter Alma!

Delphine fixe son père avec stupeur.

«Delphine, peux-tu m'imaginer avec une maîtresse, une double vie?»

Elle fait non de la tête, mais quitter Alma! Ce couple impossible pouvait donc se défaire! Et par la volonté d'Armand!

«On va avoir un tremblement de terre, papa.

— Je sais.»

Les épaules d'Armand s'affaissent, mais l'accablement est passager. Il sourit. Il pense à l'autre.

«Tu ne m'as même pas dit son nom.

— Rosy.»

C'est le bouquet, se dit sombrement Delphine.

*

Il n'y a pas de tremblement de terre. Ni de divorce. Armand prend tout simplement ses «cliques et ses claques», comme il le confie à son ami des échecs, et quitte le toit conjugal. Mortifiée, Alma téléphone à sa fille et annonce son arrivée imminente à la métairie. «Je ne peux pas rester dans cette maison. Je viens de louer un appartement. Le temps de l'installer, de m'y faire, et je viendrai passer quelques jours avec toi, ma fille.» Une semaine plus tard, elle débarque avec six valises. «Je pars à Milan dans cinq jours, annonce-t-elle. Je m'installerai près de la Scala et j'oublierai cet épisode déplaisant grâce à la musique.» Cette mise au point étant faite, elle refuse de parler de l'affaire, ce qui arrange sa fille, qui ne sait sur quel pied danser, d'autant plus qu'elle ne peut s'empêcher de se dire – et cette pensée ne découle pas seulement du bonheur qu'elle a lu sur le visage de son père – que c'est peut-être mieux ainsi.

Les jours qui suivent, la femme répudiée (c'est ainsi qu'elle s'est présentée en arrivant à la métairie) se promène toutes voiles dehors dans la cour et les chemins environnants, chante des petits airs à bébé Odile, foudroie Charles du regard chaque fois qu'il arrive en retard au dîner, défait et refait ses malles, boude dans sa chambre quand Émilie vient en visite et, trois jours avant son départ, décide de monter à cheval. Au grand dam de Firmin qu'elle appelle «mon écuyer».

Le soir, elle retient sa fille dans sa chambre parce qu'elle ne peut pas dormir. Se prêtant alors à ce que Charles appelle un autre caprice, Delphine s'assied sur le lit d'Alma et écoute. Car si cette dernière observe, le jour, un silence farouche au sujet de la «répudiation», la nuit c'est une autre histoire. «Pauvre Armand, qu'il soit heureux s'il le peut!» constitue l'entrée en matière, puis elle laisse couler quelques souvenirs, dans lesquels, malgré un besoin de faire la part belle au sarcasme, surgissent parfois des détails qui, s'ils ne sont pas de l'ordre de l'amour, le sont au moins de l'affection. Delphine l'écoute, sans questionner. Ce sont les questions, justement, qui excitent l'ironie d'Alma.

«Et comment s'appelle la dulcinée? demande-t-elle une nuit.

— Rosy.

— C'est le bouquet!»

Difficile de ne pas rire.

Une nuit, la voyant fatiguée de soutenir son gros ventre, Alma lui dit de s'étendre près d'elle. L'invitation est surprenante. Et, plus surprenant encore, Alma lui prend la main et l'embrasse. «Bien sûr, nous t'avons réussie, ton père et moi, j'aurais mauvaise grâce à le nier. Je crois même que j'ai ressenti quelque chose le soir où nous t'avons faite. Tu veux que je te raconte?

— Je ne sais pas, maman, murmure Delphine, troublée.

— Mais si! Je vais te raconter.»

Le bras de sa mère, contre le sien, est chaud comme le bras d'une maman. Elle pleurerait si elle avait la larme facile.

«Voilà. Nous avions échappé à Florine le vampire pour aller passer une fin de semaine à Ostende. Je n'aime pas cette mer, tu le sais, mais il faisait beau, et il m'a convaincue de m'étendre sur un transatlantique qu'il avait placé à l'abri du vent, derrière une toile. Il est resté sagement près de moi pendant une heure, puis il est allé se baigner. Je l'ai regardé courir sur le sable dur. Il était si léger, si enfantin... Quelque chose a remué en moi, ne me demande pas ce que c'est, je ne le sais pas. En quelques heures, sa peau avait bruni, la couleur de ses yeux avait changé, dans toute cette lumière.

Ils étaient comme de l'or fondu. » Alma rit, donne un coup de coude à sa fille. « Tu dois me trouver bien romantique. Et en plus je n'ai jamais vu d'or fondu !

— Je sais que les yeux de papa changent à la lumière, dit doucement Delphine. Je le sais parce que je le regarde, moi.

— Et moi je ne l'avais jamais regardé. Mais ce jour-là, il était devenu... charnel, tu comprends ? Avant de plonger dans la vague, il s'est tourné vers moi. Il ne bougeait plus, au milieu des enfants qui pataugeaient, des femmes qui poussaient des cris, des hommes qui se jetaient comme des sauvages dans cette horreur salée. Il était si jeune, si gracieux, si délicat... j'en avais le cœur serré. Il me regardait comme si j'étais le centre du monde, comme si tout ce qui m'entourait n'existait plus, comme s'il attendait tout de moi. Un moment, j'ai cru qu'il voulait que je vienne le rejoindre, mais cette eau grise... Je lui ai fait signe que je ne voulais pas me baigner. Alors il s'est retourné et a marché lentement vers la vague. Et je me suis dit que j'aurais pu aimer cet homme-là. Que j'aurais pu l'aimer *si*.

— Si quoi ?

— Je ne sais pas. Je te jure que je ne sais pas... Mais laisse-moi continuer, je n'ai pas fini. Tu vois, en le regardant s'avancer vers la mer, j'ai pensé qu'on pouvait peut-être aimer malgré les *si*, que les *si* n'empêchent rien. Mais ce n'était pas pour moi, parce que mes *si* étaient si énormes qu'ils empoisonnaient ma vie. Quoi qu'il en soit, ce jour-là, j'ai adoré cet homme debout au milieu des vagues. Je l'ai adoré jusqu'au soir, et je l'ai adoré la nuit. Tu en es la preuve, Delphine. Nous t'avons faite cette nuit-là, à Ostende, cette nuit où il a cru, où j'ai cru que je l'aimais. »

Elle tourne la tête vers sa fille. Elles se font face, sur le traversin de plume. Un long moment s'écoule. C'est la première fois que je la regarde dans les yeux, se dit Delphine. Alma ne cille pas, tandis que l'émotion se retire lentement de son visage. Puis Delphine voit réapparaître l'autre Alma, narquoise, provocante.

« Il me quitte ? Eh bien, si tu veux mon avis, je ne l'ai pas volé.

— Mais, maman, au début, quand vous vous êtes mariés ?

— Tu veux dire quand j'ai trouvé le moyen de quitter la mégère ? »

Delphine ferme les yeux. « Alors, c'était seulement pour ça ?

— Oui. Il fallait survivre. Il n'y avait pas d'autre moyen. Ton père était satisfaisant. Et il m'a juré que je continuerais l'école de musique.

— Satisfaisant... », murmure Delphine.

Elle a envie de pleurer, mais retient ses larmes. « Et ensuite ?

— J'ai continué. Pendant un an. Puis tout a commencé à s'écrouler.

— Malgré la nuit d'Ostende ?

— Malgré la nuit d'Ostende. Car après la nuit d'Ostende, il y a eu neuf mois de grossesse, la guerre, et toi. »

Delphine a un haut-le-cœur ; elle veut se lever.

« Reste où tu es. Tu étais bien, non ? Alors oublie le reste. Il y a des moments qui sont plus forts que d'autres, il faut les prendre. J'ai pris cette nuit où j'ai aimé mon mari ; prends cette nuit où tu vas t'endormir près de ta mère.

— Pourquoi gâches-tu toujours tout, maman ?

— Tu sais pourquoi. »

Lorsqu'elle sent le sommeil la gagner, Delphine éprouve le besoin soudain de confondre Alma, de lui clouer le bec, même si elle ne dit plus rien.

« Moi, j'ai beaucoup de moments avec Charles. »

Alma sourit, nullement déconcertée par le ton vindicatif de sa fille.

« Je sais. Je vous ai observés, ton sacripant de mari et toi. Ce qui prouve que tu savais quoi faire avant que je te le dise : prendre les moments, laisser le reste. »

Le jour du départ, Delphine fait atteler la jument et conduit sa mère à la gare. Alma est très calme, mais elle est redevenue distante. Elle est déjà loin. Elle parle peu et, dans la salle d'attente, s'intéresse davantage à ses précieux bagages qu'à sa fille. Elle fouille dans son sac pour y trouver un miroir, se repoudre le nez, puis ouvre une des valises afin de vérifier si ses robes de gala ne sont pas trop froissées. La voyageuse est si absorbée par elle-même qu'elle en oublie sa fille et l'imminence du départ. Delphine regarde sa mère avec la perplexité qu'elle a toujours ressentie devant cet être fantasque. Fantasque et malheureux. Depuis leur visite à la terrible Florine, statufiée dans son fauteuil de déesse cruelle, elle a souvent essayé d'imaginer Alma à deux ans, cinq ans, dix ans... Une gamine obligée, pour ne pas trop souffrir, de foncer en aveugle vers le narcissisme qui allait lui permettre de tenir le coup. Elle n'est pas méchante, elle a tout simplement fait ce qu'il fallait pour survivre. Jamais je ne lui en voudrai.

«Ah», dit Alma, se tournant vers sa fille comme si elle venait de se matérialiser sur le banc de la salle d'attente, «j'oubliais! Tu diras à ton père que je n'ai aucun ressentiment. Nous avions si peu en commun.» Ce disant, elle détaille Delphine comme si elle s'avisait soudain de sa beauté, de son élégance, comme si elle découvrait tout à coup ce qui la sépare, elle, être insatisfait, de la femme épanouie qui lui fait face. Comme si elle revivait la nuit où elles se sont endormies côte à côte. «À part toi, chair de ma chair. Quoi qu'il arrive, tu seras notre consolation. Mais pour en revenir à ton père, je dois reconnaître qu'il a fait de son mieux.» Petit rire. «Mais c'était peine perdue. Je suis une artiste, Armand est un comptable.»

C'est vrai.

Sauf, chère maman, os de mes os, qu'aujourd'hui le comptable est heureux.

Il est temps d'appeler un porteur. Delphine soulève le manteau de velours de sa mère, l'aide à l'enfiler. Ses mains se posent sur les épaules d'Alma, elle se souvient du manteau d'astrakan de ses douze ans, et de l'insistance avec laquelle son père lui répétait que, oui, c'était un cadeau de maman. Elle se revoit près de lui, sur la digue, devant la mer déchaînée, fière de son beau manteau, mains blotties dans le manchon doublé de soie prune, les poils de la toque lui chatouillant le nez. Le souvenir est si délicieux qu'elle ne peut résister au désir de plonger le visage dans le col de soie de sa mère. C'est la seconde fois qu'elle ose ce geste. La première fois, c'était au pensionnat, le jour de la rentrée. Alma s'était raidie, comme aujourd'hui, mais aujourd'hui Delphine sait qu'elle ne se raidit que pour lutter contre une tendresse qui lui fait peur. Elle pose une main prudente sur l'épaule ronde: le corps de sa mère ne lui a jamais paru très réel, sauf cette nuit encore si proche où elles se sont endormies côte à côte. Alma ne bouge pas, un peu figée. «Ma fille, tu m'étouffes!» murmure-t-elle. Delphine perçoit un frémissement, une vibration qui lui rappelle ce qu'elle aime, justement, dans la voix de sa mère, quand, chantant pour elle-même, dans la salle de bain ou la cuisine, Alma n'éprouve que le besoin de libérer, comme un oiseau, cette voix qu'elle a si belle et à qui elle ne demande que de lui faire du bien. Le contact ne dure que quelques secondes; Alma glisse une main entre sa poitrine et celle de sa fille, la repousse, légèrement, avec un sourire fragile que Delphine ne lui connaît pas.

Au bout du quai, le chef de train siffle. Un préposé longe les voitures et commence à fermer les portes. Alma saute sur le marchepied, un œil inquiet sur le porteur qui hisse les valises sur la plate-forme, ne revenant à Delphine que lorsque celles-ci sont rangées dans le porte-bagages. «Ne reste pas là, le train va partir!» Son œil clair se voile, un bref instant, mais elle détourne la tête. «À moins que tu ne veuilles m'accompagner à Milan!»

Le moment de grâce est passé: c'est le ton qu'elle avait, il y a dix ans, lorsqu'elle parlait à Delphine l'empotée.

Crotte, Alma. Va parader à la Scala et fiche-nous la paix.

*

Le lendemain, la Minerva fait une entrée solennelle dans la cour de la métairie. Delphine s'avance, Odile à cheval sur ses hanches. Armand sort de la limousine, ouvre la portière du passager. Un pied chaussé de fine toile se dépose sur les pavés de la cour. Puis une femme toute en rondeurs apparaît. «Je te présente, Rosy», dit Armand. Il s'avance vers sa fille, tenant sa conquête par la main. Les deux femmes s'embrassent. Gentiment habillée, la gentille personne, elle fait sûrement ses vêtements elle-même, rien à voir avec les toilettes d'Alma, qu'elle a toujours la hantise de froisser. La gentille personne n'a pas peur qu'on chiffonne sa blouse, elle: elle prend tout de suite le bébé dans ses bras. «Rentrez, vous deux, je vais faire un tour avec Odile.»

Armand et Delphine la regardent se diriger vers la porte de l'écurie, où Firmin apparaît, casquette à la main. Il se réjouit, sans doute: cette dame-là n'a pas l'air de venir ici pour jouer les cavalières. «Tu vois, elle est toute simple!» dit Armand. Puis, presque innocemment: «Tu comprends pourquoi j'ai su tout de suite que c'était elle?» La phrase est si puérile, dans la bouche de son père, que Delphine se met à rire. «Tu as retrouvé tes vingt ans, papa!» Le visage d'Armand se voile, un bref instant. «Tu sais, je n'ai jamais ressenti cela.»

C'est vrai, à vingt-deux ans, papa épousait une femme réticente. Delphine a envie, soudain, de lui parler de la nuit d'Ostende. Un tribut à Alma. Franchement, ma vieille, tu crois que c'est le moment? Il s'en fiche de la nuit d'Ostende! Il l'a peut-être même oubliée. Oui, mais je ne veux pas qu'il oublie. Je ne veux pas qu'il oublie l'unique moment d'Alma.

D'accord, mais aujourd'hui, laisse-le être heureux.

Armand pose un bras sur ses épaules. «Tu te souviens de ce que tu m'as dit un jour devant un canal de Bruges?

— J'ai dit quelque chose, moi?»

Il rit. «C'est vrai, tu n'étais pas très causeuse. Mais quand tu parlais…

— Qu'est-ce que j'ai dit?

— Que nous étions comme deux orphelins.

— Ah, ça!

— Tu t'en souviens?

— Bien sûr.»

Il l'embrasse. «Nous ne le sommes plus, n'est-ce pas?» Puis, penché à la fenêtre: «Regarde-la!»

Rosy a mis Odile sur ses épaules. La petite lui donne des tapes sur la tête, jouant au cheval. Firmin les suit, au cas où.

12

IRÈNE

Il est huit heures. La terrasse est déjà inondée de soleil. Les pigeons du matin sont là, sur la balustrade, affairés, picorant le grain qu'Irène a répandu sur le bord. Elle les connaît, leur parle ; ils s'arrêtent un instant, tournent vers elle leurs petits yeux ronds. L'un d'eux est trop amoureux pour manger : il roucoule et virevolte et tournicote autour d'une belle dame. Ils sont nés pour ça, l'un pour poursuivre, l'autre pour se laisser poursuivre. Ces deux-là ont adopté la terrasse. À force de les observer, Irène les a nommés. Et elle veut croire que Julius et Marion s'intéressent un peu à elle, entre deux envols, lorsque le premier tourne autour de l'autre, son petit moteur en quatrième vitesse, baissant et relevant la tête, et que la seconde se donne un élan pour s'élever dans les airs. Irène sourit au souvenir des pigeons voyageurs de son enfance. Un de leurs voisins était colombophile ; il vivait dans l'attente des lâchers, désappointé lorsque la voix, à la radio, annonçait lugubrement : « Les colombophiles attendent. » Ils attendaient souvent, les colombophiles, et leurs pigeons se languissaient en espérant leur prochain périple. Ses pigeons à elle voyagent, eux aussi, mais à leur manière, de toit en toit. Ils ne s'ennuient jamais.

Irène a déposé la lettre d'Armand sur la table. Elle l'a lue, mais tout cela est si invraisemblable…

Ma chère petite sœur,

La décision que je viens de prendre va t'étonner. J'ai rencontré une femme avec qui je suis bien et j'ai décidé de refaire ma vie avec elle. Elle s'appelle Rosy, elle est bonne, généreuse, et semble avoir une prédisposition au bonheur. Je me sépare, avec tristesse, d'Alma, que je n'ai jamais pu rendre heureuse.

Sans doute n'étions-nous pas faits l'un pour l'autre.

Je pourrais te parler longuement de Rosy, mais je préférerais venir te la présenter en personne. Je suis sûr que tu l'aimeras. Crois-moi, il est difficile de faire autrement.

Ma chère sœur, nous nous verrons bientôt. Fais-moi savoir... etc.

Irène dépose la lettre sur ses genoux. Elle croit entendre son frère lui en lire quelques passages, mais ne reconnaît pas la voix altérée par l'émotion. Elle ne se souvient que d'une autre voix, celle du moralisateur, de celui qu'elle appelle Frère la Vertu, qui juge souvent sans essayer de comprendre. Et le voici amoureux! C'est incroyable.

Amoureux au point de quitter Alma.

La dame prénommée Rosy n'a sûrement rien de commun avec les Youri et Luciano de ma vie, mais Armand n'en quitte pas moins Alma sur ce qui ressemble à un coup de tête... Où l'a-t-il trouvée, cette perle? Ou est-ce elle qui l'a trouvé? Difficile d'imaginer Armand en séducteur. Non, il a été séduit. Irène sourit à la pensée de son frère succombant à une Ève. Elle s'assied pour réfléchir. Attiré par le poudrier que Helda Erhard a oublié sur la table, Julius vient d'y atterrir, oubliant son idée fixe. «Tu te prends pour une pie, Julius!»

Il s'envole, laissant derrière lui un nuage de poussière dorée.

Armand amoureux? Il faut que je téléphone à Delphine. Machinalement, Irène ramasse le poudrier, le met dans son sac. Puis elle quitte son logis pour aller chez Helda Erhard, qui a le téléphone.

Elle pense au cliché glissé dans l'enveloppe. Un instantané pris à la terrasse d'un restaurant, au dos duquel une main a écrit: «*Rosy et Armand, Rouge-Cloître, août 1932*». La dame rayonne sous son bibi à fleurs; elle regarde l'objectif, attentive, souriante; Armand lui tient la main et ne regarde qu'elle. Irène sort la lettre de son sac, la relit encore.

En post-scriptum, Armand a ajouté qu'Alma était sur le point de partir pour Milan.

Est-ce qu'elle souffre, la diva? Que pense-t-elle de l'événement? Souffre-t-elle comme il m'est arrivé de souffrir pour un homme? A-t-elle délaissé son vieux tourment au profit d'une douleur plus tangible? Je dirais que non. Elle crâne, elle persifle, elle raille, c'est sa manière, on ne la changera pas. Pour souffrir, il aurait fallu qu'elle soit, ou qu'elle ait été amoureuse. Elle ne l'est pas et ne l'a sans doute jamais été. «Amoureuse» est un terme inadéquat pour qualifier la pauvre Alma. À moins que sa passion pour Puccini, ou Verdi, ou Rossini – j'ai oublié lequel –, ne soit un sentiment bien réel, et d'autant plus douloureux que l'objet du désir s'est évaporé dans les brumes du temps. Peut-être souffre-t-on quand même, après tout. Un jour où elle était en veine de confidences, mais n'était-elle pas toujours en veine de confidences avec elle, Alma avait tenté de lui expliquer que son amour pour Puccini – c'était Puccini, maintenant elle s'en souvenait – avait pris une acuité tragique le jour où, dans la clinique de Bruxelles où il se mourait, elle avait pu le voir grâce à une infirmière compatissante. La femme, qu'elle avait suppliée pendant plusieurs jours, avait fini par capituler. Elle lui avait dit de revenir la nuit.

Il était deux heures, Armand la croyait dans son boudoir. Elle s'était glissée hors de la maison et avait pris un fiacre. À la clinique, elle avait suivi sa complice le long des couloirs déserts, jusqu'à la porte de la chambre. Après l'avoir entrouverte, l'infirmière avait dit : « Cinq minutes, pas plus. » La pièce n'était éclairée que par une veilleuse. Le mourant était seul. Inconscient. Alma n'a pas pu résister. D'abord paralysée par l'émotion, elle a tendu une main et caressé la joue livide. L'infirmière est apparue à la porte, lui a fait signe de sortir.

« Trente secondes, a supplié Alma, s'il vous plaît, trente secondes ! »

Giacomo a senti une présence, entendu sa voix, peut-être, et peut-être a-t-il perçu, dans cette voix, une intonation musicale. C'est ce que voulait croire Alma. Les trente secondes écoulées, elle a quitté la chambre, mais elle est restée près de la porte entrouverte. En la voyant là, obstinée, malheureuse, l'infirmière a haussé les épaules. Puis elle est entrée dans la chambre, où l'on avait placé un gramophone.

Cio-Cio-San s'est mise à chanter.

Alma n'a pas quitté l'hôpital. Elle est descendue dans le hall, s'est assise sur un banc. Puis elle est remontée pour supplier encore l'infirmière. « Écoutez, lui a dit la femme, je vois bien que vous êtes triste, mais monsieur Puccini a ses amis, sa famille… ils vont bientôt arriver. Que diraient-ils s'ils vous trouvaient dans sa chambre, comment pourrais-je justifier votre présence ? Soyez raisonnable, rentrez chez vous. Ne me mettez pas dans l'embarras. Cela me fait de la peine de vous renvoyer ainsi, je vois bien que vous êtes vraiment triste, mais mettez-vous à ma place. Écoutez, le pauvre homme n'est déjà plus de ce monde, mais il vous reste sa musique. Rentrez chez vous, écoutez-la. » La soignante l'a poussée vers la porte. Alma s'est laissé faire, elle sentait bien que la partie était perdue, mais elle est revenue s'asseoir dans le hall.

Le matin, l'infirmière l'a trouvée endormie sur le banc. « Madame, il faut partir, maintenant. Rester ne sert plus à rien. Il nous a quittés. »

Elle a ramené Alma chez elle, où Armand, mort d'inquiétude, faisait les cent pas.

Allons, se dit Irène, elle sera bien à Milan.

Et moi je vais proposer à Armand de venir me voir avec son amie. Je suis curieuse de savoir ce qu'elle aime, cette Rosy. La musique ? La peinture ? Ou rien qu'Armand ?

13

DELPHINE

En gare du Midi, Alma a soudainement décidé de ne pas rentrer chez elle – un appartement loué à la hâte avant de partir en Italie, qualifié immédiatement de taudis – et a pris un train de banlieue pour aller retrouver sa fille. Delphine a confié Odile à sa belle-mère. «Quelque chose ne va pas? a demandé Émilie. C'est Charles?» Delphine l'a rassurée, puis a fait atteler. Le coup de fil de sa mère l'a surprise en plein après-midi, alors qu'elle préparait le goûter de la petite. Sur la route de campagne, assise près de Firmin, un peu somnolente, son gros ventre pesant sur ses cuisses, elle laisse courir son regard sur les champs. Ils sont si paisibles, en cette fin d'automne. Tous les travaux agricoles sont terminés, la terre se prépare au repos. La mer reste le paysage de prédilection de Delphine, mais elle aime ces vastes étendues qui la lui rappellent, l'été, lorsque les blés ondulent sous le vent. Mais aujourd'hui, les blés sont rentrés et tout semble immobile.

Sauf qu'Alma est de retour et que tout sera, dans une demi-heure, beaucoup moins immobile. Maintenant que l'épisode milanais est terminé, que leur réserve-t-elle? Sa première carte postale – il n'y en a eu que deux – disait: *Je me gave de musique. Ces voix magnifiques me ravissent, c'est un enchantement. J'entends leur écho tout le long du jour, je me promène avec elles, attendant impatiemment le soir pour les retrouver, dans cette Scala où je me sens chez moi.* La seconde était moins déchiffrable. *Nous vibrons tous de la même passion pour la musique*, suivi d'un simple «*Alma*». Nous? Pourquoi a-t-elle eu l'impression que ce «nous» cachait quelque chose? C'était étrange, ce changement de ton, ce laconisme, puis ce silence. Enfin, elle n'allait pas tarder à savoir de quoi avait été fait ce voyage, et dans quelles dispositions d'esprit il laissait sa mère.

Firmin n'a rien dit depuis leur départ de la métairie. Je suis sûre qu'il redoute l'arrivée d'Alma. Delphine étouffe un rire, se souvenant qu'avant Milan sa mère avait soudainement décidé de jouer les cavalières. Le calvaire de Firmin, adoubé chevalier servant, avait duré trois jours. Pauvre Firmin, elle va encore lui tomber dessus, avec ses «Mon bon ami, aidez-moi à escalader cet animal».

«Ça va, Firmin?»

Il tousse pour s'éclaircir la voix, puis: «C'est une bien belle femme, votre mère...»

Il hoche la tête, rêveur, mais n'en dit pas davantage.

«C'est vrai, c'est une belle femme», dit Delphine. Elle se tourne vers lui, il y a une réticence dans cette voix-là, elle a envie d'en savoir plus.

«Il me semble que vous ne dites pas tout, Firmin. Quoi d'autre? Allez-y, n'ayez pas peur!

— Elle n'est pas simple.

— C'est vrai aussi. Mais vous la trouvez belle.

— Sauf votre respect, madame Charles, vous êtes plaisante à regarder, mais votre mère...» Il hoche la tête. «Cette femme-là est d'une beauté à se damner.»

Il se tait un moment, puis, lugubre: «Mais elle ne vaut pas un clou à cheval.

— Firmin!

— Excusez, madame Charles, mais je ne sais pas si vous avez remarqué, elle m'en a fait voir de toutes les couleurs.

— Vous avez été très patient.

— Vous n'avez pas idée.

— Oh si!

— Vous croyez qu'elle va recommencer?

— Je l'ignore. On ne sait jamais avec ma mère. Il y a toujours des surprises. Mais vous pourriez peut-être lui apprendre, Firmin!»

Il se tourne vers elle, horrifié. «Ne me demandez pas ça!

— On pourrait lui faire monter Prince.

— Nous ne pouvons pas faire ça à Prince, madame Charles. Prince est vieux, il n'aime pas qu'on lui chante dans les oreilles.»

*

Alma est seule sur le quai, en plein soleil, entourée de ses bagages comme d'un rempart. Tête nue, immobile, elle regarde les champs, derrière les voies, comme Butterfly l'océan. «Maman?» Elle tressaille, se retourne, offrant à sa fille le spectacle du désespoir. Delphine examine avec étonnement cette étrangère décoiffée, pas maquillée, et qui a pleuré. «Mais que se passe-t-il? Pourquoi restes-tu au soleil, tu as horreur de ça!» Pas de réponse. Delphine appelle un porteur, saisit le sac de voyage de sa mère, lui prend le bras pour l'entraîner à l'intérieur de la gare. «Non, pas là, chair de ma chair, on va nous entendre! supplie Alma d'une voix étouffée.

— Entendre quoi?

— Ce que j'ai à te dire, l'aveu que j'ai à te faire.»

Delphine soupire, excédée.

«Maman, s'il te plaît, pourrais-tu être simple, pour une fois?

— Oh, c'est tout ce qu'il y a de plus simple. Ça, je peux te l'assurer!» Alma redresse un menton provocateur, mais n'en dit pas plus.

«Bon, ça suffit, maman. Firmin nous attend en plein soleil. Rentrons à la maison, nous irons dans ta chambre, et tu me raconteras ton histoire.

— Non! crie Alma.» Puis, plus bas, avec une moue d'enfant gâtée: «Ton mari ne m'aime pas. Je vais rentrer chez moi.

— Mon mari n'est pas là. Et puis on ne change pas d'avis comme ça! Tu m'as demandé de venir te chercher, et je vais te ramener à la métairie.

— Restons un peu ici, je t'en prie. Restons un peu sur ce quai. Je me sens mieux ici. Je suis moins oppressée.» Elle montre un banc, à l'ombre, le long du mur de la gare. Delphine est de plus en plus mal à l'aise, quelle tuile, elle voudrait déjà être sur la banquette avant de la calèche, près de Firmin, bien séparée d'Alma, de ses bagages et de ses grands airs. Les grands airs, toujours les grands airs. Quand elle ne peut pas les chanter, sa mère les mime. Alma ouvre son sac, y prend un carré de dentelle, s'essuie les yeux. Pourvu qu'elle ne recommence pas à pleurer. «Maman, que se passe-t-il? C'est quoi, cet air de martyre? Tu nous fais une indigestion d'opéras? Et c'est quoi, cette fantaisie soudaine?

— Quelle fantaisie?

— Rester au soleil! Sans voilette! Tu veux avoir l'air d'une moricaude, c'est ça? Bon, tu voulais venir à la maison. Tu n'as pas changé d'avis, j'espère?

— Tu as raison, j'ai désespérément besoin d'un havre. Mais il faut d'abord que je parle à ma fille.»

Delphine soupire, vraiment excédée, cette fois. Il faut en finir, rentrer à la métairie, l'installer dans sa chambre, lui dire de se reposer jusqu'au souper. Mais avant, il faut se résigner à l'écouter.

«Très bien, ta fille t'écoute. Que s'est-il passé?

— Un cyclone.

— Un cyclone! Intéressant!» Delphine scrute le visage d'Alma, voit les yeux rougis, les cheveux en désordre. «C'est vrai, tu as l'air d'avoir traversé un cyclone. Maman, regarde-toi, tu as l'air d'une folle!

— Ta mère n'est pas folle, ma fille, elle est au désespoir. Ce qu'elle a vécu est un véritable séisme.

— Cyclone, séisme... Je vois que tu as ajouté quelques mots fracassants à ton vocabulaire.

— Ce sont les mots qui conviennent, tu peux me croire.» Alma lève une main dolente pour s'éponger les yeux. Delphine ne peut s'empêcher de sourire. «Là, tu as vraiment l'air d'une veuve éplorée!»

Crotte, pourquoi ai-je dit ça? Après tout, elle a peut-être découvert que papa lui manquait. Elle se sent peut-être horriblement seule. Je n'aurais pas dû dire ça, c'est méchant et c'est inutile. Mais c'est le genre de choses qu'elle dit, elle! Oui, mais tu n'es pas elle, justement.

«Je n'ai pas voulu dire ça, excuse-moi, maman.»

Alma fait non de la tête, hausse les épaules. Ce que ce non signifie, Delphine n'en sait rien, mais elle commence à penser que le veuvage, éploré ou pas, n'a rien à voir avec l'apparent désespoir de sa mère. «Allons, raconte-moi ce qui ne va pas», dit-elle gentiment. Cet élan soudain l'étonne autant qu'il étonne Alma, qui recommence à pleurer. Agacée, Delphine décide de se taire et d'attendre; ce chagrin subit, qui en plus paraît sincère, la déconcerte. Sa mère ne s'est jamais montrée aussi faible, elle l'aiderait si elle le pouvait, mais quel est le mode d'emploi de cette femme, elle l'ignore. Elle s'appuie contre le mur, s'efforçant de surmonter son impatience devant les pleurs et les reniflements de sa mère. Une voix mouillée interrompt sa rêverie. «Ta mère est malheureuse!» Delphine veut bien le croire, encore qu'il y ait toujours une part de spectacle dans les attitudes de cette mère. Alma transforme tout en théâtre, non, en opéra – et parfois même, hélas, en opérette. Mais ces vêtements en désordre, ces cheveux défaits, c'est inhabituel. «Mon mouchoir est trempé, peux-tu me prêter le tien ?» Delphine a envie de répondre qu'elle l'a oublié, mais elle se ravise, sort de son sac un des mouchoirs de Charles. Alma le déplie, regarde le C brodé sur le carré de percale. «Un mouchoir de ton mari…

— Oui, répond nerveusement Delphine, je prends toujours les mouchoirs de Charles.

— Moi aussi, je prenais les mouchoirs de ton père.

— Maman, je t'en prie, nous ne sommes pas là pour comparer nos manies. Tu me dis ce qui te tourmente, oui ou non ?

— Oui. Mais laisse-moi une minute.

— À ta guise. Une minute.»

L'étrangère sans chapeau soupire. Un dernier sanglot, puis : «Je n'ai que toi à qui me confier…»

Suit l'interminable compte rendu de son périple à Milan. Le voyage en train, l'exaltation du départ, malgré la souffrance…

Souffrance ? Quelle souffrance ? Pour le coup, Delphine est sidérée. Les sarcasmes de sa mère, avant Milan, lui reviennent en mémoire, elle a envie de les répéter à Alma, tous, les uns après les autres. Souffrance ! Quelle bonne blague ! Elle réprime un mouvement d'impatience, tandis qu'Alma poursuit la description du voyage idyllique… l'installation à l'hôtel, «où j'ai pris une chambre modeste mais près de ma chère Scala. C'est là que je me suis efforcée de me réconcilier avec la vie. Cette séparation incompréhensible, après une si longue union, une union sans…» Elle cherche les mots.

«Sans passion», laisse tomber Delphine, qui n'a plus qu'une envie : clore le bec à cette femme. Elle a failli dire «sans amour», mais ce mot-là ne va décidément pas avec sa mère, même pour le nier.

«Que tu es cruelle ! gémit Alma.

— Maman, s'il te plaît !»

Curieusement, son interlocutrice ne proteste pas, mais l'Alma de toujours reprend le dessus, un bref instant, le temps de rappeler, sèchement : «Le destin m'a forcée à épouser ton père.

— Ça, c'est une rengaine que tu nous as trop souvent servie. Tu n'as jamais eu envie de devenir adulte, maman ? Non ? Eh bien, je pense qu'il est grand temps de faire un effort si tu ne veux pas tomber dans le rabâchage.»

Un train entre en gare. Quelques personnes en descendent, des gens du coin, que Delphine connaît. Le tableau qu'elle forme, sur ce banc, avec cette femme échevelée les déroute, personne ne s'approche pour les saluer. Un bref coup d'œil, un signe de tête, puis chacun s'engouffre dans la gare. Le soleil commence à descendre, des zones d'ombre envahissent le quai. Les pois de senteur, dans le jardinet du chef de gare, referment leurs pétales; un chat sort de la salle d'attente et, clignant des yeux, va se coucher dans un dernier rayon. Alma a repris sa narration, les promenades dans les rues de Milan, l'opéra, ah, l'opéra! Les musées, les lectures sur le balcon de sa chambre ou dans le salon de l'hôtel, les conversations avec d'autres mélomanes, puis cette rencontre, dans le grand hall de la Scala... cette rencontre...

Delphine, qui n'écoute que d'une oreille, perçoit l'hésitation, l'altération dans la voix, mais elle ne questionne pas, elle devine. La lumière jaillit dans le soleil couchant: le gros chagrin de sa mère est un chagrin d'amour! Partagée entre la surprise et l'ironie, elle se dit qu'Alma a enfin trouvé la grâce. Il fallait bien que cela lui arrivât un jour. Au moins, elle ne mourra pas idiote. Ça suffit, cesse de railler, tout le monde n'a pas la chance d'avoir un mari aussi convaincant que le tien. Delphine regarde la femme assise à ses côtés. Alma a le visage baigné de larmes. Firmin a raison, c'est vrai qu'elle est belle, malgré ses trente-huit ans et ses traits boursouflés. Elle s'est souvent vantée d'avoir un teint de pêche, elle n'avait pas tort. Mince, élancée, beaux cheveux châtains, lourds, soyeux... qui se répandent en ce moment sur sa tête comme ceux d'une pauvresse.

«Où sont tes épingles?

— Pourquoi?

— Donne. Je vais refaire ton chignon.

— Oui, mais tu m'as écoutée, Delphine?

— Bien sûr que je t'ai écoutée. Tu viens de me faire part d'une très bonne nouvelle.

— Mais... qu'est-ce que tu as compris?

— J'ai compris que tu avais été frappée par la foudre.

— Tu te moques de moi, je le sens bien, mais sache qu'il n'y a pas d'autre mot. Oui, j'ai été frappée par la foudre.

— Et... il porte un nom, cet éclair foudroyant?»

Alma baisse la tête, rougissante. C'est ridicule, se dit Delphine, elle se conduit comme une pucelle. Je suis sûre qu'elle doit se prendre pour une de ses héroïnes d'opéra. Voyons, quelles sont les vierges effarouchées du répertoire?

Alma interrompt ses pensées. «S'il te plaît, Delphine, essaie de me comprendre.»

Delphine a un haut-le-cœur. «Essayer de te comprendre! Mais c'est ce que je fais depuis toujours, maman!»

Alma fait oui de la tête. Elle est si naturelle, si simple, tout à coup, que sa fille laisse tomber sa garde, sa colère aussi, car tout de même, sa mère qui *demande* qu'on la comprenne... c'est pour le moins inusité.

Alma appuie la tête contre le mur. Il est couvert de vigne vierge, ce mur, et les feuilles lui font une couronne, c'est joli, elle a l'air d'un petit César. Delphine voudrait le lui dire, pour faire diversion, pour la réconforter, mais, se penchant vers elle, elle remarque les rides au coin des yeux. Ils n'ont pas le même éclat, ces yeux, et les paupières sont rouges, fatiguées. Depuis quand pleure-t-elle? Depuis Milan?

Alma a repris son monologue. «... Il s'appelle Eduardo, murmure-t-elle. Je n'ai pas eu le temps, ni la force de lui résister, ni de le fuir... j'ai été balayée. Nous étions en train de parler de l'opéra de la veille et, soudain, il s'est tu et m'a regardée... Ce regard, Delphine, ce regard m'a anéantie.» Elle tend ses longues mains blanches vers sa fille. «Regarde, j'en tremble encore... Il s'était tu et ne faisait plus que cela, me regarder, c'était troublant, c'était... Je sentais bien que j'étais perdue, perdue dans l'ouragan. Il n'y avait plus rien à faire.» Elle soupire. «Ne dis rien, je sais que c'était pure folie. Ne dis rien.

— Je ne dis rien.»

Alma ferme les yeux, chuchote: «Mais tu désapprouves, n'est-ce pas?

— Non! Non! Tu es une femme libre, maintenant.

— Oui, mais penses-y, chair de ma chair, je suis une vieille dame.

— C'est vrai, tu es une vieille dame de trente-huit ans. Mais ça ne t'a pas empêché de séduire un homme! Ce qui veut dire que cette vieille dame est plutôt appétissante.»

Au lieu de sourire, Alma secoue la tête.

«Allons, dit Delphine. Faisons une pause. Tu as tout avoué et ta fille se réjouit. Maintenant, lève le menton, je vais te recoiffer. Quand tu seras plus présentable, tu me raconteras ton idylle.

— S'il te plaît, Delphine, ne raille pas.

— C'est toi qui dis ça, maman?»

Alma étouffe un sanglot. «Je ne t'ai jamais raillée.

— Ah non? Tu n'as pas bonne mémoire.

— C'était anodin, c'était... pour te secouer un peu.

— Oui, tu aimes secouer. Tu as secoué pas mal de gens. Tu as même fait carrière dans le secouage. Tu es la philanthrope du secouage.»

Alma lève la main comme pour chasser la mouche qui vient de piquer sa fille. «Pourquoi abordes-tu ce sujet alors que je vis, moi, une vraie souffrance? Car tout de même, je t'aime, Delphine, je t'ai toujours aimée. Mal, c'est vrai, mais je t'ai aimée et tu le sais. Tu l'as toujours su.» Point final. Delphine se tait. Que répliquer à cela, puisque c'est vrai. «Où est passée ton indulgence habituelle? poursuit Alma. C'est parce que tu es enceinte?» Elle jette un regard au gros ventre de sa fille, soupire.

«Ça veut dire quoi, ce soupir? Ça veut dire "Mon Dieu, encore un! Pourquoi se compliquer ainsi la vie"?

— Je ne sais pas. Je ne sais plus.

— Alors ne te mêle pas de ce que tu ne peux pas comprendre.

— Pardonne-moi.»

Le ton est sincère. Allons, il faut passer à autre chose, et l'écouter, puisqu'elle a décidé qu'elle dirait tout sur ce quai et pas ailleurs.

Delphine peigne les cheveux d'Alma; émue, soudain, par les petites boucles qui se sont formées sur les tempes moites. Mis à part les baisers obligés et le semblant d'étreinte avant le départ à Milan, c'est la première fois qu'elle prend ainsi soin de sa mère, et que sa mère s'abandonne. Elle rassemble la masse de cheveux, l'enroule, puis la fixe sur la nuque avec les épingles. Ses mains s'attardent un instant sur les épaules qui s'abandonnent.

«Voilà, maintenant que tu es présentable, continue ton histoire.

— Mon histoire?» Les épaules d'Alma tressaillent sous la pression des mains de sa fille. «Oh, c'est très simple! Il n'y a eu qu'une nuit.»

Une nuit?

Décidément, ma pauvre maman, tu es spécialisée dans les nuits uniques.

«Pourquoi une seule nuit?

— Il fallait qu'il parte.»

Alma a répondu à voix basse, presque inintelligible. Elle sort un écrin de son sac, l'ouvre. Un camée y repose sur fond de velours rouge. Dans la monture d'argent, un profil de femme gravé sur onyx. «Il m'a donné ça en souvenir. Il disait qu'elle me ressemblait.» La voix se casse comme celle d'un enfant qui mue. Cette voix-là est cent fois plus triste que la romance. «Il s'appelle Eduardo.»

Delphine n'ose pas lui rappeler qu'elle l'a déjà dit, ce prénom. Elle sent bien que sa mère veut le répéter, encore et encore. Elle pleure. Elle pleure comme une petite fille, c'est insupportable. Delphine a une grosse boule dans la gorge, qui l'empêche de parler. Mais pour dire quoi? Que ce n'est rien? Que ça va passer? Que ce gros chagrin ne sera bientôt plus qu'un mauvais souvenir? Que le temps guérit les blessures d'amour comme toutes les autres? Oui, mais c'est aux adolescentes qu'on dit ça, pas à une femme de trente-huit ans qui vit son premier amour.

«Ne dis rien, souffle Alma, ça va aller.

— Je ne dis rien.

— Je vais l'oublier. C'est ce qu'on dit, non? Tu sais, j'ai compris beaucoup de choses...»

Les mots restent en suspens. Un train vient d'entrer en gare, le grincement des essieux rendant toute conversation impossible. Une femme en descend, un enfant dans les bras. Alma la suit des yeux. «Comment va ta petite fille? demande-t-elle distraitement.

— *Ta* petite-fille, tu veux dire? Elle va bien. Qu'est-ce que tu as compris, maman?

— J'ai compris que je venais de vivre un moment vrai, que c'était le premier et le dernier, et que ma vie était finie.

— Ne dis pas de sottises.

— Très bien, je ne dirai plus de sottises. Mais je vais faire quoi, maintenant que ma vie est finie?» Elle rit. «Et tu sais quoi? Je ne peux même plus accuser ma mère!

— Voyons, maman, ta vie n'est pas finie. Tu peux revivre d'autres moments!

— Tu veux que je retourne en Italie pour y faire la chasse aux amants?

— Non, non! Ce n'est pas ce que je veux dire... Ce que je veux dire, c'est que tu as ta voix, tes récitals. Et que tu nous as, nous...» Delphine pense à Charles, à Émilie, si peu indulgents envers sa mère. «Tu m'as, moi. Tu as au moins ça.

— Tu as raison, j'ai au moins ça.»

Alma se lève, regarde distraitement ce qui les entoure, le chat qui dort roulé en boule, les herbes, de l'autre côté de la voie, qui ploient sous le vent qui vient de se lever, le chef de gare qui arrive sur le quai et les observe avec curiosité. Elle soupire. «Je vais rentrer dans mon taudis, maintenant.

— Viens quelques jours à la maison.

— Pas tout de suite, laisse-moi d'abord me reprendre.»

*

Le lendemain, en rentrant du marché, la concierge d'Alma se demande pourquoi la locataire du rez-de-chaussée n'est pas encore debout. C'est pourtant une lève-tôt, tout le monde le sait à cause de sa musique. Mais là, c'est le silence, et aucune lumière ne filtre à travers le vitrail surmontant la porte. La concierge rentre chez elle, déballe ses provisions, préoccupée. Préoccupée au point de sortir la tête de la loge toutes les dix minutes pour voir s'il y a du nouveau. Rien. Une heure passe. Elle n'y tient plus, va frapper à la porte. Pas de réponse. Pourtant je suis sûre qu'elle est là, murmure-t-elle.

En rentrant hier soir avec armes et bagages, Alma lui a dit qu'elle resterait «cloîtrée» pendant quelques jours. Cloîtrée peut-être, grommelle la femme, mais en musique. J'aimerais bien l'entendre, cette musique. Je l'aime bien, sa musique. Mais je n'ai pas aimé la tête qu'elle avait, madame Desmarais. Je l'ai bien regardée, en l'aidant à rentrer son fourbi. Pâle comme la mort. Et fermée comme une huître, impossible d'engager la conversation. Mais elle a remonté son gramophone. En tout cas, elle s'est couchée avec sa musique, et ça, c'est rassurant. La concierge trottine à nouveau jusqu'à l'appartement, frappe encore, retourne à la loge, se disant qu'Alma a peut-être décidé de faire la grasse matinée. Elle décide d'attendre encore un peu, puis d'aller cogner jusqu'à ce qu'elle ouvre.

Midi. La femme va et vient dans le couloir, colle l'oreille à la porte. Un locataire descend, elle lui fait signe de venir, répète son laïus – revenue hier, cloîtrée pour quelques jours, pâle comme un parchemin, pas de musique. L'homme frappe, fort, puis appelle. Il essaie d'ouvrir, à tout hasard et, bien sûr, la porte est verrouillée.

«Appelons un serrurier», dit-il.

*

Alma est étendue sur le lit, coiffée, maquillée, dans sa robe rouge de récital. Sur la table de nuit, un flacon de Véronal. Les tentures de la chambre sont tirées, mais une veilleuse jette une faible lumière dans la pièce.

Lorsque Delphine arrive avec Charles et Armand, deux policiers sont déjà là, arpentant la chambre sur la pointe des pieds – ce décor de théâtre les déconcerte. La morte couchée comme une grande poupée sur le couvre-lit les intimide. L'affaire est simple, pourtant : suicide, le flacon de barbituriques en témoigne. Ainsi que le médecin appelé par la concierge. Il vient de partir mais a laissé un mot, demandant qu'on lui téléphone. « Pourquoi ? dit Delphine. Pour nous confirmer que maman s'est tuée ? C'est on ne peut plus clair, non ? » Le chagrin ne lui est pas encore tombé dessus, elle est fâchée, elle en veut à Alma, et elle s'en veut, surtout. Elle s'en veut de ne pas l'avoir ramenée de force à la métairie, de ne pas avoir pris sa souffrance au sérieux.

Elle s'assied sur le lit, repousse Charles qui se penche vers elle.

La main droite d'Alma est posée sur son cœur, comme si, avant de partir, elle avait voulu en sentir les derniers battements. Pas un pli dans la robe rouge découvrant une épaule ronde et juste assez charnue pour qu'une tête puisse reposer dans son creux – ce creux dans lequel Armand ne s'est jamais endormi. Sur la table de nuit, l'écrin rouge ramené de Milan et un cadre doré entourant la photo de Puccini, l'homme à qui elle a fait ses adieux, une nuit de novembre, dans la clinique de Bruxelles où il se mourait en écoutant Cio-Cio-San. Dans le coin inférieur du cadre, une autre photo. Est-ce celle de l'homme qui l'a aimée une nuit, à Milan, puis qui est parti après lui avoir offert un camée ?

Charles écarte la tenture, regarde dans la rue, il a besoin de respirer. Charles n'est pas comme sa femme, il n'a pas l'habitude du drame, et encore moins de la tragédie : il n'a jamais rien compris à sa belle-mère, n'est jamais allé à l'opéra, ne sait pas que l'on s'y tue par amour ; il n'a jamais connu le débordement des passions et la violence.

La lumière du jour entre dans la chambre, les longs cils d'Alma font une ombre sur son visage. Deux traces brillantes luisent sur ses joues.

«Papa, elle a pleuré!» crie Delphine. Armand regarde le visage de la morte, hoche la tête. Oui, elle a pleuré.

Un moment terrible. Un moment où tout s'allie pour produire en lui une double souffrance: celle des larmes d'Alma; celle qui le déchire quand il entend la voix de petite fille de Delphine. Il veut la rassurer, cherche une explication, ne trouve rien qui puisse la convaincre.

Delphine n'attend pas de réponse. Qui a une réponse, à part Alma?

Elle revoit sa mère sur le quai de la petite gare, elle l'entend. «J'ai été frappée par la foudre.» Oui, une foudre qui n'a fait, au début, que l'éblouir, la plonger dans le ravissement, lui démontrer qu'elle n'était pas condamnée, qu'elle pouvait vivre, aimer, s'exalter pour un être de chair plutôt que pour un fantôme. Une bonne foudre qui l'a réchauffée jusqu'aux tréfonds – puis qui l'a tuée, car c'est cela que fait la foudre.

Les larmes ont peut-être coulé quand le disque s'est arrêté et qu'elle n'a pas eu la force de se lever pour remonter le gramophone. Peut-être a-t-elle voulu appeler à l'aide. Peut-être ne voulait-elle plus mourir; elle voulait peut-être que quelqu'un vienne, lui prenne la main, lui parle doucement, lui explique que l'on peut vivre avec un souvenir, car ce souvenir peut réconforter, faire du bien, réchauffer, donner l'élan nécessaire pour marcher, respirer à pleins poumons, chanter.

Mais c'était trop tard, sa gorge, cette merveilleuse gorge qui émettait des sons si puissants et si beaux, était paralysée.

Horrible de penser qu'Alma a raté sa mort comme elle a raté sa vie. Delphine se lève, fait quelques pas, retient un cri de douleur. Armand vient vers elle: «Ma petite fille, écoute-moi! Le gramophone ne s'est arrêté qu'à la fin du disque, Alma a écouté la voix jusqu'au bout, les larmes qui ont coulé sur ses joues sont de bonnes larmes, des larmes de douceur. Tu dois le croire.»

Delphine ferme les yeux. Je te crois, il faut que je te croie. Oui, ce sont des larmes de douceur, même si tu ne sais pas pour qui elles ont coulé, pauvre papa.

«Ma petite fille, écoute-moi», dit Armand.

Elle regarde son père qu'elle n'a pas envie d'écouter. Il montre le gramophone.

«Alma l'a voulu. Et elle n'est pas morte seule.»

Delphine se lève, va vers l'appareil. L'aiguille est sur le dernier sillon du disque. Alma n'était pas seule, elle veut le croire, et les larmes qui ont coulé sur ses joues sont des larmes de douceur. Des larmes qui ont débordé tandis qu'elle écoutait Cio-Cio-San.

C'étaient de bonnes larmes. Des larmes qui lui ont permis de s'abandonner au souvenir de l'homme dont elle avait adoré la peau, les yeux, les lèvres, les larmes qui lui ont permis de s'endormir en ne pensant plus qu'à ce qu'il lui a donné.

«Tu veux l'écouter?» demande Armand. Elle hoche lentement la tête. «Oui, mais demande à ces hommes de s'en aller.»

Bref conciliabule. Delphine réprime un sourire lorsqu'un des gendarmes rougit en subtilisant le flacon vide sur la table de nuit. Comme s'il était pris la main dans le sac. «C'est pour l'enquête, madame», bafouille-t-il.

Quelle enquête?

Armand caresse la tête de sa fille. «Il y a des arrangements à prendre, tu t'en doutes. Charles va m'accompagner. Nous allons te laisser avec Alma.» Il scrute le visage de Delphine. «Ça ira?»

Elle les regarde sortir tandis que s'élève la voix de Butterfly. Elle se couche près de sa mère, comme cette nuit à la métairie... touche la main posée sur le cœur. Tout est apaisé, le front lisse, les lèvres qu'un sourire amer n'étire plus, les paupières closes comme celles d'une poupée qui dort. Delphine s'apaise, elle aussi. Parmi les souvenirs que lui laisse Alma, elle décide de ne penser qu'à ce soir où, après l'opéra, elle lui a parlé comme on parle à une fille qu'on aime, à qui l'on fait confiance, à qui l'on dit tout.

La voix de Butterfly s'éteint. La concierge passe la tête à la porte. «Je peux vous voir une minute, madame?

— Pas maintenant.

— C'est que...» Elle entre, une enveloppe à la main. «Je ne voulais pas vous la donner quand ils étaient là... les gendarmes, je veux dire... J'ai pensé que ça ne les regardait pas.» Elle tend l'enveloppe. «Votre nom est écrit dessus. Et, madame, je voulais vous dire... Les yeux de votre mère étaient fermés. Elle s'est endormie avant...»

Delphine s'assied au bord du lit, prend l'écrin sur la table de nuit, le pose sur ses genoux. Puis elle déchire l'enveloppe.

Ne garde pas un mauvais souvenir de moi, Delphine. J'aurais dû t'aimer mieux, je sais. Je ne peux pas t'expliquer pourquoi je ne veux plus vivre, je n'y comprends rien moi-même, mais tout est devenu trop sombre et je suis fatiguée. Dis à ton père que j'avais beaucoup d'affection pour lui, malgré les apparences. J'aurais voulu vous rendre heureux, mais comment l'aurais-je pu, moi qui ne l'étais pas. Tu en connais les raisons. Peut-être aurais-je dû te parler plus souvent, t'expliquer, te raconter. Maintenant c'est trop tard, je n'en ai plus la force. Ne sois pas triste, je vais m'endormir doucement. Il y a des morts plus terribles que celle-là.

Sois heureuse.

S'IL TE PLAÎT, NE ME METS PAS DANS LE MÊME CAVEAU QUE MA MÈRE.

Ni dans le même cimetière.

Enterre-moi le plus loin possible d'elle.

Alma.

14

IRÈNE

Les chrysanthèmes de la Toussaint enneigent le cimetière ; le ciel bas emprisonne leur odeur douceâtre. Irène est arrivée la veille de Paris, Émile Desfossez l'a rejointe à la métairie. Les funérailles ont attiré beaucoup de monde, ceux qui doivent être là et les curieux qui les accompagnent. De bons catholiques qui espèrent grappiller des détails sur cette mort réprouvée par l'Église. Les visages sont compassés, tradition belge oblige. Le notaire des grandes occasions est présent avec la notairesse des récitals. Leur fille marche derrière eux, au bras d'un garçon boutonneux. Colette Rondeaux a coiffé sainte-catherine ; le soupirant a enfin une chance. Le public d'Alma suit – ces gens qu'elle traitait de béotiens, de pedzouilles, de *vulgum pecus*. Irène les a vus, dans le salon de la notairesse, se tortiller sur leur chaise en lorgnant les amuse-gueules. Elle les méprisait mais elle avait besoin d'eux, la pauvre petite.

Ces gens vêtus de noir qui s'efforcent de prendre une mine de circonstance, Irène les trouve plus infréquentables que jamais ; c'est bien la bande habituelle de calotins qui profitent de l'occasion pour étaler leur bigoterie. Et pourquoi portent-ils le deuil d'une femme qu'ils détestaient ? C'est le comble de l'hypocrisie. Pendant un instant, elle a envie de quitter le cimetière, mais un regard de Delphine la retient. Elle reste, dans l'odeur sucrée des chrysanthèmes, au milieu de ces femmes poudrées comme des marquises sous leur épaisse voilette et de ces hommes guindés qui attendent que l'intermède se termine pour aller téter les cigares de Charles et boire son alcool de poire à la métairie. Et, bien sûr, il se met à pleuvoir. Les parapluies se lèvent, avec un synchronisme parfait, formant au-dessus du troupeau un dôme qui, Dieu merci, dissimule un moment les visages.

On chuchote dans les rangs. Facile d'imaginer les commentaires. Vous avez vu, il n'y a pas de prêtre ! C'est bien ce que je pensais. Ce n'est pas officiel, mais tout le monde sait qu'elle… Bien sûr ils ne le diront pas. Ils sont peut-être soulagés, au fond, la malheureuse était instable, jamais contente, elle en faisait voir de toutes les couleurs à son mari et à sa fille. Une exaltée. Si elle chantait bien ? Oui, il faut lui laisser ça, mais elle était tellement prétentieuse, elle vous regardait de haut comme si elle se croyait supérieure, elle était persuadée que le monde tournait autour de sa personne. En tout cas, le chant ne la rendait pas plus fréquentable. Vous croyez qu'elle était neurasthénique ? Peut-être, mais neurasthénique ou pas, il valait mieux ne pas s'y frotter. Il paraît qu'elle abusait des barbituriques, c'est sans doute pour ça que son mari l'a quittée. Regardez-le, le pauvre, il a l'air triste quand même. Vous avez vu sa nouvelle femme ? L'opposé. Une veuve de guerre, grosse maison aux étangs d'Ixelles. Non, elle n'est pas là, elle est restée à la métairie avec le bébé de Delphine.

Oui, il est triste, Armand, il se souvient sans doute de l'Alma de dix-huit ans qu'il a épousée, petite jeune fille tendue, à bout de nerfs, dont il est tombé amoureux à un concert et à qui il a promis qu'elle pourrait vivre pour la musique. La fille qu'il a essayé de guérir de sa mère. Mais elle ne voulait pas guérir, elle voulait haïr sa mère et que sa mère la haïsse. Il avait essayé, il l'avait gâtée, l'avait comblée de cadeaux, avait fait tous ses caprices. Mais il ne lui avait jamais parlé, hélas, il n'avait jamais trouvé les mots, il ne l'avait jamais prise par les épaules pour la secouer, pour la regarder dans les yeux et lui dire qu'elle gâchait sa vie et la sienne. Et celle de leur fille.

Irène soupire. Ont-ils eu des moments heureux ? Peut-être, mais s'il y en a eu, ils étaient minuscules. Sauf la nuit d'Ostende, que Delphine lui a racontée. Elle sourit en imaginant son frère en amant passionné. Au moins, il a eu cette nuit-là. Mais la nuit d'Ostende est un mystère. Quelque chose a distrait Alma, à Ostende. L'air puissant de la mer du Nord ? L'air puissant de la mer a-t-il abattu ses défenses, une à une, lorsque, étendue sur le transatlantique, elle regardait Armand plonger dans les vagues comme un gamin ? Le cocktail d'iode, de varech, d'algue et d'air salin l'a-t-il saoulée ? A-t-il dissous dans sa tête, son cœur et sa chair, le poison nommé Florine ? Lui a-t-il servi d'antidote ? Oui, mais pour une nuit seulement. L'antidote était périmé, il n'a fait effet qu'une nuit, et Alma est redevenue insupportable, égoïste, méchante parfois. Et malheureuse.

La preuve, elle s'est tuée.

Je l'aimais bien, Alma. Et elle aurait tant voulu que j'aime sa musique! C'était peine perdue. Je le savais, j'en avais fait l'expérience avec Edmond! Ces deux-là auraient pu s'entendre, sauf qu'Alma n'avait pas besoin d'un Edgard pour dire ce qu'elle pensait. Ce qu'elle pensait, elle vous l'envoyait droit dans le mille, sans intermédiaire.

Irène jette un coup d'œil par-dessus son épaule. Les culs-bénits suivent toujours, ils n'ont pas le choix, sinon pas de repas à la métairie. Ces bigots n'aimaient pas Alma mais ils courtisent sa fille. Delphine est accueillante, ne critique jamais, et son mari ne crache pas sur une petite goutte. C'est intéressant, la métairie, on y reçoit bien, on y mange bien, et les enfants y prennent un bol d'air.

Les cousines détestaient Alma, je suis sûre qu'elles l'enviaient. Les grenouilles et le rossignol. Bien sûr, on l'oubliait un peu quand j'étais là. On ne lorgnait plus que la pécheresse, la courtisane, la mangeuse d'hommes. En somme, j'étais la seule à les distraire d'Alma. Les hommes? Je ne sais pas. Ils devaient la trouver belle, la femme d'Armand, mais ils avaient trop peur de leur rombière pour l'admirer.

Émile Desfossez se tourne vers elle, lui demande si ça va. «Non, j'ai froid et j'ai mal aux pieds.» Il tapote la main gantée posée sur son bras, patient, protecteur. Qu'il est dévoué, mon Émile. Toujours amoureux malgré mes incartades. Comme la vie est mal faite, c'est le seul homme qui m'a toujours tout pardonné et je le repousse.

Le trajet de la métairie au cimetière est interminable. Sous la houlette du cocher attentif au bon ordre du cortège, les chevaux avancent au pas, solennels, leur robe noire luisant dans l'air humide. Ils portent les plumets noirs et les harnais rehaussés d'argent des funérailles. C'est la Toussaint, le cimetière est noir de monde. Des familles endimanchées sont serrées autour des tombes surchargées de potées de chrysanthèmes. Les retardataires se pressent dans les allées, leur vase dans les bras, se hâtant comme si leurs morts allaient leur reprocher de les avoir fait attendre. Un enterrement le jour des morts! Alma se réjouit sûrement de nous avoir joué ce bon tour!

Les chevaux s'arrêtent devant le portail. Ils savent. Quatre hommes en noir sortent le cercueil du corbillard et s'engagent dans l'allée centrale. Delphine marche au bras de son père, alourdie par la grossesse. Son mari la tient par la main. Appuyés sur leur pelle, les fossoyeurs attendent dans une allée transversale. Lorsque les croque-morts déposent le cercueil près du trou, Charles prend sa femme dans ses bras, lui dit que c'est presque fini, qu'on va rentrer à la maison et parler d'Alma vivante en écoutant sa musique. Les invités se taisent, fascinés par le trou béant dans lequel on va déposer une femme qui, il y a quelques jours encore, était jeune, belle, pleine de vie. Irène pense à l'aveu d'Alma, sur le quai de la gare. Delphine lui a tout raconté. Si quelqu'un peut comprendre ce que sa mère a vécu, c'est peut-être moi. Je lui parlerai, je lui dirai ce que fait la passion quand elle surgit sans qu'on s'y attende.

Elle observe l'assistance : les beaux-parents, qui se disent que leur vie sera simplifiée maintenant que la diva a quitté la scène ; les cousins et cousines augmentés de leurs rejetons que le bol d'air est en train d'affamer ; les pedzouilles d'Alma, qui serrent les mâchoires tant ils s'efforcent de cacher leur satisfaction de se savoir délivrés de ses réflexions acides. La belle-mère s'inquiète de la fatigue de sa bru. (Elle est persuadée qu'elle va leur donner un petit-fils, cette fois, elle compte sur elle, lui fait confiance.)

Et il y a Firmin, qu'Irène aime bien. Il est un peu à l'écart, tête nue malgré le froid. Il tient son chapeau serré contre son ventre. Un homme marche à ses côtés. Celui-là, Irène ne le connaît pas, mais elle jurerait qu'il n'a rien à voir avec les bigots.

Les invités forment un cercle autour de la tombe. Ils se remettent à chuchoter. Quelqu'un rappelle que la défunte n'a pas eu droit à la concession des Pattini à Bruxelles. Certains pensent que Delphine voulait garder sa mère près d'elle ; d'autres prétendent que l'évêché leur a mis des bâtons dans les roues à cause du suicide. Les indécis disent n'importe quoi. Certains ont fait le voyage la veille pour aller voir le corps, dans la chapelle ardente installée chez les jeunes Durant. Ils ont mis leur tête d'enterrement et ont défilé devant la bière, puis ils sont rentrés chez eux pour commenter le spectacle. Vous avez vu la robe rouge ! Les fleurs dans les cheveux ! On n'a jamais vu ça. La femme du notaire dit que c'est son costume de récital. D'accord, c'était une originale, mais tout de même, une robe rouge ! Une des cousines essaie d'adopter un ton plus compatissant: «Pauvre femme, c'est comme si on la mettait en quarantaine.» Mais les autres l'approuvent, cette quarantaine, c'est ce que mérite Alma Desmarais, qui ne les invitait jamais chez elle.

Les fossoyeurs empoignent les cordes passées sous le cercueil, le soulèvent. Quand ils descendent la bière dans la fosse, Delphine vacille. Charles la serre contre lui.

Terrible de se dire qu'un être qu'on a aimé va bientôt pourrir entre quatre planches.

Un nouveau défilé commence, devant Delphine et son père, cette fois. Ils répètent tous la même chose, à l'envers et à l'endroit: «Condoléances, c'était une grande artiste.» C'est la seule chose positive qu'ils trouvent à dire, et la conciliante Delphine leur en est sûrement reconnaissante.

La conciliante Delphine qui a tout de même de qui tenir! Irène sourit en se remémorant son insolence, la veille, à l'adresse de l'entrepreneur des pompes funèbres. L'homme n'approuvait pas la robe d'Alma. «Avec tout le respect que je vous dois, madame, et celui que nous devons à ceux qui nous quittent, je crois que la toilette de la défunte n'est pas appropriée.

— Appropriée? a dit froidement Delphine. Appropriée à quoi?»

L'autre s'est empourpré. «Appropriée à quoi?» a-t-elle répété.

Il s'est mis à bafouiller – les convenances, les usages, les coutumes... Elle l'a interrompu.

«Ma mère, monsieur, se fichait des convenances comme de son premier corset!»

*

Elles se rencontrent sur le palier avant de descendre au salon où, au risque de se couper l'appétit, les invités se gavent de hors-d'œuvre. On entend leur conversation insipide, puis leurs gloussements: Rosy est descendue avec bébé Odile, que les cousines prennent dans les bras à tour de rôle, s'extasiant sur ses joues roses et ses «petits petons potelés». Odile, qui n'aime pas les gesticulations sentimentales, fronce sûrement le nez à chaque exclamation.

Irène met une main sur la rampe. «Tu viens, Delphine?

— Ma tante, attends.»

Delphine est un peu tendue, c'est normal, mais il y a autre chose. Quelque chose qui ressemble fort à la colère froide offerte, hier, à l'homme des pompes funèbres.

«Ma tante, tu te souviens de la robe rouge que tu m'as donnée?

— Oui, pourquoi?

— Je vais te la prêter.

— Mais, Delphine, elle est extravagante, cette robe! Elle fait terriblement Moulin Rouge!

— Tant mieux. Je veux que nous descendions en rouge.»

Quelques minutes plus tard, elles se retrouvent sur le palier en robe rouge, celle de Delphine très sage: col montant et simplement ornée, de haut en bas, de minuscules boutons de nacre; celle d'Irène comme elle l'a décrite: extravagante.

«Tu ne changes pas d'avis?»

Réprimant un rire nerveux, Delphine fait non de la tête.

«C'est la robe portée par Mistinguett dans *Tais-toi, tu m'affoles*. Je n'ai pas pu résister, j'ai demandé à la couturière de la copier. Delphine, tu as pensé à ton père? Tu veux vraiment lui faire ça? Pense à ce que cela va provoquer.»

Bref sourire. «C'est toi qui dis ça, ma tante? Bien sûr que j'y pense. Mais j'ai mal à la tête à force de penser. Je n'ai pas l'habitude de penser, tu comprends, ni d'être triste; j'ai appris très tôt à ne pas être triste. Mais on dirait que tout ce chagrin rentré remonte. Quand je me dis que personne, à part toi, ne la regrettera, que personne ne connaîtra jamais la femme que j'ai découverte, ça me rend malade. Mais tu vas partir et je n'aurai plus personne à qui parler d'elle. Ma belle-mère ne l'aimait pas. Armand? Je ne peux pas lui faire ça: il veut être heureux, mon père. Charles? Il n'y comprendrait rien. Il faut que je la défende en silence, à ma façon. Descendons.»

À l'entrée des deux rebelles, une des femmes pousse un cri. Les autres, bouche bée, sont statufiés par la stupeur. Rosy est un peu embarrassée, Firmin ne sait plus où se mettre.

Armand se lève, vient vers elles.

«Irène, Delphine, vous avez perdu la tête?

— Ce n'est pas Irène, c'est moi, dit Delphine. On le fait pour Alma. Va te rasseoir, papa, fais comme si de rien n'était.»

Plus facile à dire qu'à faire. Rosy essaie de rompre le malaise en annonçant que le dîner est servi. Le troupeau se lève et la suit à la salle à manger. Jules-Henry et Émilie prétextent la fatigue pour rentrer chez eux; Firmin emporte son assiette à l'écurie ; l'inconnu discret dont Irène a oublié le nom réprime un sourire ; Charles se dit que sa femme doit être terriblement triste pour se montrer aussi provocante.

Le vin aidant, les invités finissent par oublier les robes rouges, le décolleté plongeant d'Irène, la conduite inattendue de Delphine – qui s'est sans doute laissé entraîner par sa tante, la pauvre petite. Un rire fuse entre deux bouchées de rôti. Vite réprimé, ce rire, par les regards sévères des autres : tout de même, il faut ménager la fille d'Alma, à qui personne n'a jamais rien eu à reprocher. Un gamin pouffe, vivement rappelé à l'ordre par une tape sur la tête.

Irène est frappée, une fois de plus, par le contraste entre cette nuée de corneilles et les habitants de la métairie. Delphine est assise à la droite de son père, attentive, malgré sa tristesse, au bon déroulement du repas. Elle ébauche un sourire quand on lui parle, ne répond que par monosyllabes.

La certitude que sa nièce a besoin de sa présence s'impose soudain à Irène. Je reste. Et je vais la débarrasser une fois pour toutes de cette bande de bigots. Coralie est morte, il n'est plus question que Delphine s'inflige, une fois par mois, la présence de ces gens qui ne viennent à la métairie que pour se mettre à table.

Irène a bien conscience d'exagérer un peu, mais il le faut pour compenser la trop grande bienveillance de sa nièce.

Delphine n'a lu à personne – même pas à Charles – la lettre que lui a laissée Alma. Cette lettre n'était que pour elle. Mais elle a dû informer ses proches de sa dernière volonté. *Ne me mets pas dans le même caveau que ma mère. Enterre-moi le plus loin possible d'elle.*

Après le départ des invités, lorsque Irène s'étonne de cette insistance, Delphine évoque le souvenir de Florine, la mauvaise mère. Armand, qui a été, pour un temps, son souffre-douleur, raconte. Il en sait du reste beaucoup plus long que sa fille : il a même connu les parents de Florine, encore en vie lorsqu'il a épousé Alma. La mère était dentellière, et la minutie qu'elle accordait à ses délicats ouvrages n'avait d'égale que le zèle avec lequel elle torturait sa fille. « Alma était un ange à côté de ces deux femmes. Elle a réussi à rompre avec la mauvaise lignée. » Il embrasse Delphine, dont le visage s'est illuminé. « Et toi, ma chérie, tu y as mis fin.

— Grand-père Joris nous y a aidés, papa. Et toi aussi.

— Oui», répond Armand. Il sourit tristement aux trois femmes, qui voient bien que ses pensées sont retournées à Alma. Il est très atteint. Outre le fait que sa femme n'a pas reçu la bénédiction de l'Église, ni un enterrement religieux, il a l'impression d'avoir manqué d'égards envers elle, il se sent responsable. Un soir, Delphine le trouve si affreusement chagrin qu'elle décide de lui révéler l'idylle milanaise. «Elle a découvert un éventail d'émotions qu'elle n'a pas connues avec toi, papa. Mais celui qui… l'a aidée à faire cette découverte n'était pas libre. C'est cela qui a causé son désespoir. Tu n'y es pour rien.»

Au rappel de l'épisode milanais, Irène est émue: il ne lui rappelle que trop sa rupture avec Luciano, pour les mêmes raisons: une autre femme. Mais elle chasse ces pensées importunes. Et le soir, dans la belle chambre que Delphine a fait préparer pour elle, elle lui annonce qu'elle restera jusqu'à la naissance du bébé.

L'inconnu des obsèques n'est pas étranger à cette décision. Irène évoque souvent l'éclair d'amusement qui a traversé le regard de l'homme à la vue des deux rebelles en robe rouge. Elle en éprouve du plaisir, sans trop savoir pourquoi. Hélas, il ne lui a pas laissé le temps de l'observer, au repas de funérailles: à la seconde tasse de café, il a disparu. Intriguée par ce personnage dont le visage ouvert se démarquait des longues faces de tartuffe de la famille, Irène a demandé à Jules-Henry qui il était.

«Jan de Meester dirige nos bureaux administratifs à Bruxelles. C'est presque un ami.»

L'ami est revenu une semaine plus tard, à l'invitation de Charles et de Delphine, puis a pris l'habitude de débarquer chaque week-end.

Il est veuf, jeune encore, il parle peu, sauf de politique. Il reste à coucher à la métairie, et l'on voit bien, le lundi matin, qu'il n'a pas envie de s'en aller. C'est un homme posé, intelligent, sans doute plus intelligent que tous les hommes que j'ai connus, se dit Irène, sauf peut-être Edmond. Il me plaît. Mais suis-je mûre pour une passion tranquille? Sauf que «passion» et «tranquille» ne vont pas ensemble. Mais tu es peut-être mûre pour une liaison réfléchie, calme, pondérée, penses-y. Sans doute, mais qui te dit qu'il y pense, lui? Ce qui me dit qu'il y pense? Deux ou trois regards que je connais bien.

Appuyée au dossier de sa chaise, Irène observe les trois hommes, puis sourit à Delphine. Sa nièce pense moins à Alma quand Charles est à la maison. Elle vient de coucher Odile, Rosy découpe un quatre-quarts et sert le café. Elle est épatante, cette Rosy, il faut que j'emmène Delphine à Bruxelles, nous passerons quelques jours chez elle, sans bébé, sans mari, sans beaux-parents. On dira que c'est pour la layette. Une virée layette, ça me changera des boutiques de mode. Émilie gardera Odile. Irène tourne rêveusement la cuillère dans sa tasse; elle écoute la voix grave de Jan. De quoi parle-t-il? De celui dont parlait Kurt Erhard: Hitler, l'homme qui jure de sauver l'Allemagne.

15

DELPHINE

À la mi-novembre, Armand annonce qu'il doit s'absenter pendant deux jours pour aller conclure une affaire. Rosy invite Delphine et Irène à Bruxelles. Émilie s'occupera d'Odile.

Delphine ne se fait pas prier. Même si Irène a décidé de rester à la métairie, elle sait qu'elle ne digérera pas la mort d'Alma entre Charles, le bébé et ses beaux-parents plus soulagés que compatissants. Elle a compris, tout à coup, qu'il faut parfois s'en aller, dire *au revoir*, même à ceux qu'on aime, prendre congé d'eux pour aller ailleurs, près d'autres femmes de préférence, pour se laisser aller, pour raconter, oser raconter, rire, et parfois pleurer, pour essayer de définir ce que l'on veut, ce que l'on ne veut pas, ce que l'on redoute, ce à quoi on pense quand on a fini sa journée et qu'on attend le sommeil ou un homme qui ne rentre pas.

Pour se réveiller avec un mal de crâne en se souvenant de tout ce que l'on a dit à ces femmes, de tout ce qu'elles nous ont dit et que nous ne savions pas, de ces choses très intimes que l'on s'est confiées, ces secrets qui nous paraissaient si lourds et qui sont pourtant aussi légers que des secrets d'école.

Pour se demander, le matin, devant une tasse de café, s'il fallait vraiment *tout* raconter.

Pour se questionner du regard.

Pour avoir la certitude que l'on a eu raison, pour se promettre de recommencer.

Pour parler de sa mère et dire qu'on l'aimera toujours.

Pour dire ce que l'on sait d'elle et se sentir mieux.

16

IRÈNE

Quatre heures du matin. Irène se réveille en sursaut; une main presse son épaule. Elle regarde autour d'elle, se souvient qu'elle est chez Armand et Rosy et non pas dans sa chambre à la métairie, et que Delphine dort avec elle dans le divan-lit du salon parce qu'on fait des travaux dans les chambres. Armand est rentré la veille, ils se sont couchés tard.

Soulevée sur un coude, sa nièce lui sourit, un peu embarrassée.

«Tu ne te sens pas bien, Delphine?

— Si, mais je crois que le bébé veut sortir.»

— Oh mon Dieu!»

Irène bondit comme si elle avait été piquée. Figée au milieu de la pièce, elle regarde sa nièce, s'attendant à la voir hurler, se tordre, pousser des cris, enfin, tout ce qu'on raconte... Mais Delphine ne bouge pas, et elle sourit toujours. Elle a repoussé drap et couverture et attend, placide, les mains sur le ventre. «Tu sais, ma tante, ce n'est pas si terrible.

— Je sais, je sais», répond nerveusement Irène. (Elle ne sait rien du tout.) Le paisible visage levé vers elle la rassure un peu. «Ne bouge pas, ne bouge surtout pas, je reviens tout de suite.» Elle se précipite à l'étage, entre en trombe dans la chambre de Rosy et Armand, leur dit de sortir du lit tout de suite, vite, vite, le bébé est là!

«Que veux-tu dire, le bébé est là? demande Rosy. Tu l'as vu?

— Seigneur, non! Mais Delphine...

— Delphine va accoucher, j'ai compris. Allons-y.»

Armand enfile fébrilement sa robe de chambre, Irène resserre la ceinture de son pyjama; elle est blanche comme un drap. Avant de quitter la chambre, Rosy les examine des pieds à la tête. «Vous deux, vous n'êtes pas prêts à affronter ça. Alors vous vous contenterez de faire exactement ce que je dis.»

Personne n'est prêt pour l'événement, pas plus Rosy que les autres, la naissance n'étant prévue que dans trois semaines. Quelques secondes plus tard, tout le monde est au salon. La compagne d'Armand a décrété que ce serait là que Delphine mettrait son enfant au monde. «On a de l'espace, pas de marches à monter ou à descendre, et la cuisine est à côté.

— Je n'ai pas faim, murmure Irène.

— Qui te dit qu'on va manger? Nous mangerons après. En attendant, va faire bouillir la marmite. Porte à ébullition, puis laisse refroidir.» Elle se penche sur Delphine. «Combien de contractions?

— Deux.»

Rosy soulève drap et couvertures. «Les eaux?

— Pas encore.»

«Armand, va chercher le médecin! Irène, pendant que ça chauffe, apporte-moi la pile de torchons neufs qui se trouve dans le placard de la cuisine.»

Irène est terrifiée – mais prête à obéir aveuglément à Rosy, qui semble n'avoir fait que cela toute sa vie. C'est une nuit de pleine lune, froide et claire, on y voit comme en plein jour. Une seule lampe est allumée au salon, dont l'abat-jour diffuse une lumière rose. Assise sagement dans le divan-lit, Delphine caresse son ventre, tandis que Rosy lui explique qu'elle va devoir respirer à petits coups.

«Pourquoi? demande Armand.

— Je t'expliquerai. Va chercher le docteur.»

Vingt minutes plus tard, Armand revient bredouille – en même temps qu'une nouvelle contraction et la perte des eaux. Le docteur est en visite, annonce-t-il, son épouse a appelé la sage-femme, mais elle n'est pas chez elle non plus. «La femme du médecin dit que c'est à cause de la pleine lune.

— Cela se peut. Mais ne t'inquiète pas. Ce n'est pas la première fois que des femmes doivent se débrouiller seules.»

Nouvelle contraction. «Respire comme je t'ai dit, Delphine.»

«Pourquoi la fais-tu respirer comme un chien?

— À cause de ma Fifi. Elle faisait ça quand elle mettait bas. Si ça marche pour les chiens, ça marche aussi pour nous.»

Delphine obéit. À chaque contraction, les deux femmes respirent au même rythme, sous l'œil perplexe d'Armand et d'Irène. Les douleurs de la future maman sont supportables, grâce à Fifi. Delphine est bien, entourée de ceux qu'elle aime. Charles n'est pas là, mais ce n'est pas de sa faute, cette fois.

Irène a téléphoné aux Durant: il est à la filature, à Verviers, mais il viendra dès qu'Émilie aura réussi à le joindre. Ils viendront tous ensemble, avec Odile qui veut voir son frère.

«Ou sa sœur», corrige Delphine.

Les contractions, plus longues et plus douloureuses, se succèdent à intervalles réguliers. Pendant les pauses, on discute, on fait des plans, la maman passera la première semaine à Bruxelles, pas question d'envisager le voyage de retour alors qu'il gèle à pierre fendre. On improvisera un couffin, la malle en osier qui se trouve au grenier fera l'affaire. «C'est le coffre qui contenait mon trousseau de mariée», dit Rosy. Une autre contraction, et toujours pas de médecin, ni de sage-femme. «Va chercher le coffre, Armand, et toi, Irène, dépoussière-le.» Rosy soulève le drap qui recouvre Delphine. «Ouvre les jambes, petite, il vaut que je voie où tu en es.»

Brève inspection.

«Il va bientôt falloir pousser.» Elle se tourne vers Irène. «Va chercher l'eau.

— Quelle eau?

— Celle que tu as fait bouillir.

— Mais tu ne m'as pas dit de faire bouillir de l'eau!

— Comment, je ne t'ai pas dit de faire bouillir de l'eau!

— Je t'assure...!» gémit Irène.

Rosy la regarde un instant sans comprendre. Puis la stupeur se peint sur son visage.

«Tu as fait chauffer la soupe!»

Delphine éclate de rire, mais elle dit que rire lui fait mal. Rosy se tourne vers Irène et, comme si elle s'adressait à une enfant attardée: «Va à la cuisine. Remplis une marmite *vide* avec l'eau chaude du robinet, fais bouillir, puis mets la marmite dans la pièce froide. Quand elle sera tiède, apporte-la.»

Irène disparaît sans demander son reste.

Trente minutes plus tard, elle revient avec la marmite et la pose sur le tapis du salon. «Attention, c'est chaud! Je ne sais pas à quoi ça va servir, mais au moins on l'a.»

«Arrêtez de me faire rire, vous deux!» supplie Delphine. Armand passe la tête dans l'embrasure de la porte. «C'est quoi, ce chahut? Vous trouvez que c'est le moment?» Il a l'air si indigné que tout le monde pouffe, cette fois, même Irène. Delphine confirme que rire lui fait mal, alors chacun s'efforce de prendre un air navré, ce qui déclenche un autre accès.

«Un accouchement dans la bonne humeur fait un joyeux bébé», dit Rosy.

Une nouvelle contraction, plus douloureuse. Irène et Armand pâlissent.

«Tout de même, j'aimerais bien que la sage-femme arrive, grommelle-t-il. J'y retourne.

— Reste ici, dit son amie. Et cesse de gémir. Ce n'est pas toi qui accouches, c'est ta fille.»

Quelques minutes plus tard, Delphine prend la main de Rosy. «Je crois que ça y est.» La sage-femme improvisée soulève le drap. «Tu as raison. Respire, puis pousse.»

Irène n'en peut plus. Elle se dirige vers la porte de la cuisine sur la pointe des pieds. Rosy s'aperçoit du manège.

«Bonne idée. Apporte-moi les ciseaux qui se trouvent dans ma boîte à couture.

— Pour quoi faire? demande Irène d'une voix mourante.

— Pour couper le cordon! Mais d'où sors-tu? Du jardin d'enfants?

— Je crois que je vais m'évanouir.

— Armand, va chercher l'éther dans la pharmacie et ranime ta sœur.»

Nouvelle contraction. Rosy se penche. «Pousse, Delphine. Il est presque là.»

Irène revient, tenant les ciseaux devant elle comme s'ils allaient exploser. Elle les pose sur la table, puis se tient prudemment à l'écart.

«Viens t'asseoir.» Irène s'écroule dans un fauteuil. «Pas là. Ici, près de Delphine. Et toi, Delphine, prends sa main et n'hésite pas à serrer. Tu peux même la mordre si ça peut te soulager.»

Irène frissonne, puis, à Rosy: «Je dois enlever ma bague?

— Je te le conseille, elle pourrait croquer ton diamant!»

«Rosy, arrête de me faire rire!» supplie Delphine. Puis, à Irène: «Ne crains rien, ma tante, je ne te mordrai pas.»

«Ne parle pas, toi, pousse!» Delphine répond par un cri. Armand et sa sœur sont épouvantés. Le premier ne pense qu'au médecin qui n'arrive pas; la seconde se jure qu'elle n'aura jamais d'enfant. Je ne tiendrai pas le coup, c'est trop effrayant. Elle n'ose pas regarder le visage de sa nièce, gonflé, crispé par l'effort. Elle jette un coup d'œil à Rosy, dont le chignon s'est défait. Une mèche de cheveux lui tombe sur le nez, elle souffle pour la chasser, mais sans succès. «Tu veux que j'attache tes cheveux?

— Pas le temps. »

Ça n'en finit pas. Irène ferme les yeux. Pourquoi doit-on s'infliger ça ?

Elle oublie qu'elle s'est juré de ne pas avoir d'enfant.

« Je vois une crinière noire ! crie Rosy.

— Tu exagères toujours, chevrote Armand.

— Pousse, Delphine ! ... Là, là... ! Continue... Encore une fois... C'est bien, tu es aussi experte que ma Fifi. Une dernière fois... oui... oui... Le voilà ! »

La main de Delphine devient toute molle. Irène ferme les yeux, se renverse sur le fauteuil.

« Je peux le voir ? chuchote Armand.

— Tu peux *la* voir. »

Armand se penche sur la chose enveloppée dans un linge. Irène se dit qu'elle n'est pas prête. Dans quelques minutes... J'irai mieux dans quelques minutes.

« Maintenant, vous deux, rendez-vous utiles, dit Rosy. Préparez le petit-déjeuner. Nous sommes affamées. »

17

DELPHINE

Une heure plus tard, le bébé est couché entre les seins de sa mère. C'est une toute petite fille. «Crinière» était un peu exagéré, mais un duvet noir lui couvre le crâne. «Elle est un peu maigrichonne, décrète la sage-femme qui a fini par arriver.

— Pas étonnant, rétorque Rosy, elle a quinze jours d'avance.» Elle toise la femme: «Et vous deux heures de retard.»

«Elle est passée comme une lettre à la poste», dit rêveusement Delphine.

Cette désinvolture soudaine choque un peu Rosy. «En voilà une façon de parler!» Delphine sourit. Elle se souvient d'une conversation avec sa mère et sa belle-mère, quand elle était enceinte d'Odile, Émilie s'extasiant sur le «miracle de la naissance», Alma l'écoutant d'une oreille sceptique, avant de laisser tomber la phrase sacrilège.

Les trois femmes sont épuisées, Rosy et Irène autant que Delphine. Quand Armand lui demande comment elles ont fait, son amie éclate de rire, puis l'entraîne près du coffre en osier dans lequel elles ont improvisé un berceau. Charles arrive avec ses parents, Odile dans les bras. Odile dont Delphine prétend qu'elle est le portrait craché d'Alma. Tant mieux, on manque un peu d'insolence, à la métairie.

L'enfant a la mine grave. Perchée sur les bras de son père, elle domine l'assistance. «Donne la petite à Odile.

— Chut! Elle dort, souffle Rosy.

— Donne quand même.»

Émilie se penche vers le bébé, attendrie, elle a oublié qu'elle prie depuis huit mois pour la naissance d'un garçon. Jules-Henry fait contre mauvaise fortune bon cœur, sa belle-fille est jeune, il y en aura d'autres.

Charles est un peu mélancolique, mais sa femme est si belle dans les draps de satin de Rosy!

18

IRÈNE

Début février 1934, Irène est toujours à la métairie. Elle est la marraine de la petite Charlotte et prend son rôle à cœur. Le parrain est Jan de Meester. Il est amoureux d'elle, mais ne se déclare pas. Timidité? Réserve? Indécision? Préoccupations politiques trop accaparantes? L'attirance qu'Irène éprouve pour le parrain de la petite Charlotte étant loin d'être impétueuse, elle accueille cette attente sans impatience. Elle découvre un homme à l'opposé de ceux qu'elle a connus: calme, posé, politiquement engagé, dans quoi, elle ne le sait pas car il parle peu, et seulement à Charles et à Armand, et allergique aux mondanités. Le samedi soir, il arrive à la métairie pour y rester jusqu'au lundi. Il emmène Irène dans les chemins de campagne, lui parle de leur pays, lui lit Verhaeren. On est loin de Pouchkine et de Larbaud. Quand Irène frissonne dans le vent qui cingle les hautes herbes, il la serre contre lui, lui frictionne les bras, souffle de l'air chaud dans son cou. Avec lui, elle apprend à aimer les paysages, les crépuscules, le vent que chante le poète. *Sur la bruyère longue infiniment, Voici le vent cornant novembre. Sur la bruyère infiniment, Voici le vent qui se déchire et se démembre, En souffles lourds, battant les bourgs, Voici le vent, le vent sauvage de novembre...*

C'est bon d'être là, dans ce paysage austère, dans ce vent qui fouette, d'être là avec ce grand Flamand qui vous souffle du chaud dans le cou, qui remonte le col de votre manteau, vous frictionne les bras, veut vous emmener chez lui, dans les polders des Flandres, parce que c'est beau, parce que c'est son paysage. C'est bon d'écouter sa voix chaude et rugueuse. *J'ai pour voisin et compagnon un vaste et puissant paysage qui change et luit comme un visage devant le seuil de ma maison.*

C'est bon de l'écouter parler du poète de Sint-Amands qui parlait le français, l'ami d'Albert et d'Élisabeth, le pacifiste des ailes rouges de la guerre. Quand on sent sur sa joue le souffle mouillé de la pluie, on a l'impression qu'il se matérialise.

Quelques mois passent dans cette calme euphorie.

Jusqu'au jour où Émile Desfossez, qui occupe de temps à autre le studio parisien, apporte un mot que l'on a glissé sous la porte.

Irène, je suis désespérée de ne pas vous trouver chez vous. Je suis sans nouvelles de mon fils et très inquiète. Vous aurait-il par hasard écrit ? Je sais que vous étiez en Belgique, mais ne m'aviez-vous pas dit que vous comptiez rentrer à Paris après la naissance du bébé de votre nièce ? Si vous êtes là, venez me voir, je suis très seule et très angoissée. Il se passe des choses, lesquelles, je l'ignore, mais je sais que c'est terrible. Je suis sur le point de partir à Munich, mais j'attendrai votre visite. Je viens d'écrire à Gertrud, qui connaît peut-être les allées et venues de Kurt, mais je sais qu'elle ne me dira rien sans le consulter. Je crains le pire. Je vous en prie, venez dès que possible. Helda Erhard.

Il n'en faut pas plus pour décider Irène à rentrer à Paris. À vrai dire, la lettre d'Helda Erhard la surprend à peine : elle savait, en quittant Munich, que Kurt s'était engagé dans des activités qui, bien qu'elles fussent marquées par la confusion, n'en étaient pas moins inquiétantes.

Jan lui propose de l'accompagner. Outre le plaisir qu'il a d'être avec elle – ça, au moins, il le lui a dit –, il s'intéresse à tout ce qui touche à l'Allemagne.

Il fait nuit quand ils arrivent à Paris. Ils y trouvent une autre lettre.

Irène, j'ai reçu une réponse de Gertrud. Ou plutôt un semblant de réponse, comme d'habitude. Et Greta, ma nièce, m'a envoyé un journal. Je ne dors plus, je ne vis plus. Et je ne sais pas où vous êtes. Ma nièce me dit qu'il ne faut pas que je vienne en Allemagne, c'est trop dangereux. Mais je veux y aller, je veux savoir ce que fait mon fils, dont je suis sans nouvelles, comme je vous l'ai dit dans ma lettre précédente. Je vais donc partir, mais j'aurais tant aimé vous voir avant. J'ai pris un billet pour la semaine prochaine. Si vous revenez avant, venez, je vous en supplie, j'ai besoin de parler à une amie.

Il est minuit. Trop tard pour aller voir madame Erhard. Dieu merci, elle n'annonce son départ que pour la semaine prochaine. Irène se fait du souci pour la mère de Kurt, mais elle est heureuse de retrouver son studio, ses pigeons, sa terrasse; la nuit est magnifique, elle y emmène son compagnon; les toits ont cette couleur chaude et mate que leur prêtent les ciels d'été.

«Nous irons voir Helda demain matin. Tu trouveras peut-être les mots pour la convaincre de rester.

— Pourquoi moi? demande Jan.

— Parce qu'elle ne m'écoute pas. Tu sais, les quelques jours passés avec Kurt Erhard m'ont apporté la certitude qu'il est déjà trop tard pour lui. Il ne pense qu'à cet Hitler, il y pense comme à Dieu le Père, il le vénère, il ne s'aperçoit pas que les discours de cet homme sont ceux d'un dément. Se retrouver avec un fils méconnaissable, hostile, prêt à tout serait terrible pour cette femme. Tu vas lui expliquer, tu vas trouver les mots pour…»

Jan la prend dans ses bras. «Nous y penserons demain.»

L'étreinte n'a rien à voir avec les accolades amicales sur les chemins de la métairie. Elle est douce, enveloppante, déterminée.

«Je commençais à désespérer! souffle-t-elle.

— Je n'étais pas sûr.

— Et maintenant tu l'es?

— Non, mais qu'est-ce que je risque?»

Ce premier baiser sur la terrasse où elle a passé des heures si paisibles est de bon augure. Elle le lui dit.

«Puisses-tu ne pas te tromper.

— Pourquoi dis-tu ça? Tu as peur de l'avenir? C'est à cause de cet Hitler?

— Cet Hitler est devenu chancelier du Reich. Ce n'est plus le type qui gueulait dans les brasseries habillé comme toute la Bavière, c'est un politicien qui porte un costume trois-pièces. Il traite avec des hommes d'État, les convoque à Munich. Et ils accourent comme des petits chiens. Ils ont tellement envie de croire ce qu'il raconte! Et pendant ce temps, les usines d'armement allemandes tournent à plein régime.

— Tu n'as pas dit qu'on y penserait demain?»

Une liaison confiante commence, affectueuse, sans attentes. Jan ne manque pas d'humour, mais il est inquiet, et la lettre qu'Irène lui a lue n'a fait que donner corps à cette inquiétude. «Je vais t'accompagner chez cette dame, nous la dissuaderons d'aller là-bas. C'est une jungle. Les plus faibles sont condamnés d'avance.»

Le lendemain matin, lorsqu'ils sonnent à la porte de Helda, c'est une femme aux paupières rougies qui leur ouvre. Jan a apporté des roses, Irène, un col en dentelle de Bruxelles. «Je me suis permis d'amener mon ami, qui voulait vous connaître.» Puis, plus bas: «Il s'intéresse beaucoup à ce qui se passe dans votre pays.»

Helda se tourne vers Jan. «Êtes-vous aussi désespéré que moi, monsieur?

— Inquiet, madame, très inquiet, mais Irène m'a dit que votre inquiétude était plus personnelle. Votre fils est là-bas.

— Mon fils! dit tristement Helda Erhard. Oui, mon fils, mais je me demande si je suis encore sa mère.» Puis, à Irène: «Gertrud m'a envoyé ceci.» Elle sort une carte postale de sa poche. Une photo de la porte de Brandebourg. Derrière, un gribouillis presque illisible, mais Irène déchiffre l'essentiel: «Herr Erhard est très occupé.»

Très occupé, elle n'en doute pas. L'agitation de Kurt, ses discours enflammés, les expéditions dont il revenait exalté, et ce besoin de singer l'énergumène des brasseries... Elle connaît le sens de ce «très occupé».

«Vous savez ce qu'elle veut dire? demande Jan.

— Ou plutôt ce qu'elle ne veut pas dire! Ce qu'elle ne veut pas dire, c'est que depuis l'élection de cet illuminé à la chancellerie, mon fils est possédé. J'ai appelé ma nièce pour lui demander d'aller à la maison. C'est à peine si Gertrud lui a ouvert la porte. Mais elle est entrée quand même. Il n'y avait plus de livres sur les étagères. Mes livres et ceux de son père! Ils les ont brûlés, pouvez-vous croire cela? Ma nièce les a vus, place de l'Opéra. Des universitaires, des professeurs, des étudiants. Ils brûlaient les livres en scandant des chants teutoniques. Cet Hitler les a ensorcelés. Greta dit qu'on écrit des odes en son honneur, qu'on plante des arbres qui portent son nom, qu'on rebaptise les rues. Les brigades de surveillance frappent aux portes pour s'assurer que les gens écoutent les émissions du parti.

— Et vous voulez vraiment voir ça? demande doucement Jan.

— Je ne veux pas voir ça, je veux voir mon fils. Je veux lui parler. Je veux qu'il me dise pourquoi il s'est entiché de cet homme.

— Il n'est pas le seul, hélas.

— Mais je ne vous ai pas encore montré le pire.» Helda prend un journal, l'ouvre. «Le pire est ici, dans ce journal envoyé par ma nièce.» Elle montre un cliché: un groupe d'hommes devant un énorme bâtiment.

«Le Bundestag, chuchote Jan.

— Je ne vois pas Hitler, dit Irène.

— Hitler n'est pas là.» Jan pointe un visage du doigt. «Mais regarde celui-là. C'est le propagandiste.

— Oui, dit madame Erhard, c'est Goebbels, le propagandiste, comme dit votre ami, celui qui fait jouer du Wagner avant ses discours. Mais regardez bien, Irène, regardez les autres.»

Irène examine le groupe. Ils sont six, ou sept. Ils ont tous la même expression. Chevaliers teutoniques prêts à sangler leur armure. «Ils font peur», murmure-t-elle.

«Regardez celui du milieu, derrière Goebbels.»

C'est le crotale.

C'est l'homme qui saccageait ses copies ratées au Louvre, l'homme qu'elle a accompagné à Munich. La photo est surexposée mais on voit la pâleur du visage, le visage extasié qu'il avait lorsqu'il écoutait le croquemitaine promettre à son peuple un règne de mille ans. Helda s'est effondrée sur une chaise, comme si elle venait de découvrir le cliché, alors qu'elle n'a probablement pas cessé de le regarder depuis qu'elle l'a découvert dans le journal.

«Cela ne veut peut-être rien dire, dit Irène. Il était déjà comme ça quand j'étais à Munich. Mais je ne savais pas qu'il connaissait cet homme. Il n'en a jamais parlé.

— Ce sont des moments où la contagion se propage très vite, dit Jan. Où tous ceux qui sont susceptibles d'être des partisans sont contactés, subjugués, asservis.» Il se tourne vers Helda. «Votre fils était sans doute informé de ce que l'Allemagne a subi après la guerre, la révolte a fait le reste.

— Il était déjà comme ça quand j'étais à Munich, répète Irène, mais cela ressemblait plutôt à une rébellion... adolescente.»

C'est faux, mais elle est prête à travestir la réalité pour réconforter Helda.

«Sauf que ce n'est plus un adolescent, dit Jan.

— Oui, mais ça y ressemble quand même. Ça va lui passer. Vous m'avez dit que c'était un enfant très tendre, Helda. On ne peut pas changer comme ça! Vous savez, il y a eu de bons moments, à Munich!»

Faux.

« Il était exalté, il disait que l'Allemagne se mourait, que cet homme allait lui redonner vie. Il allait dans les brasseries pour l'écouter, il revenait plein d'espoir... »

Helda montre le journal. « Oui, mais il n'était pas encore avec ceux-là. »

Elle pose ses lunettes sur la table. Elle a maigri, se dit Irène. Il faut l'empêcher de partir, elle est trop faible pour supporter l'arrogance de son fils. Il faut l'empêcher de partir.

Leur hôtesse se lève. « Excusez-moi, je manque à tous mes devoirs, je vais nous faire du café. »

Dos voûté, elle se traîne vers la cuisine.

Irène et Jan examinent la photo. « Tu es sûre que c'est lui ?

— Sûre.

— Sale histoire. »

Ils vont vers la fenêtre, attirés par la lumière, le soleil, la ville en paix.

Les arbres du parc Monceau sont en fleurs, des enfants jouent dans les allées. Près du massif de rhododendrons, des bonnes d'enfants discutent pendant que bébé dort. Les cousettes terminent leur déjeuner sur les bancs, chassent les miettes tombées sur leur cache-poussière.

« Elle est bien ici, ton amie. À l'abri de toutes ces horreurs. Il faut qu'elle reste. Cet homme semble prêt à faire la sale besogne. Empêche-la d'aller là-bas, elle deviendrait une de ses victimes.

— Mais c'est son fils, Jan !

— Tu as entendu ce qu'elle a dit : il est mon fils mais je me demande si je suis encore sa mère. Ce type est fanatisé, Irène. Il est déjà trop tard.

— Mais qu'arrive-t-il à ces gens ? Ce n'est pas l'Allemagne, ça ! Ce n'est pas le pays où j'allais quand j'étais petite. Ils étaient tellement heureux d'être en paix ! Et nous, nous ne pensions qu'à apprendre leur langue, et on riait ensemble parce qu'on la parlait tout de travers. Et ils venaient chez nous pour apprendre la nôtre. Tu sais, après mon divorce, un ami m'y a emmenée souvent. Nous allions à l'opéra, au concert. Autour de nous, les gens avaient l'air de se nourrir de musique. Que leur est-il arrivé, Jan ?

— Ils se nourrissent encore de musique, mais ce n'est plus celle de Mozart. C'est celle de Wagner, qui leur affirme qu'ils sont des surhommes.

— Tu sais ce qu'il disait, ce Wagner? Qu'il préférait l'injustice au désordre.»

Jan fronce les sourcils, amusé. «Où as-tu pris ça?

— Dans le carnet intime de l'ami dont je viens de te parler.

— Tu lis les carnets des autres, toi?

— Je m'ennuyais.» Elle soupire. «Dis-moi pourquoi ces gens ont changé.

— Des mesures ont été prises, après la guerre. On les a durement punis et cet homme le leur a rappelé. Et aujourd'hui ils font ce qu'ils savent le mieux faire : obéir. Ce Goebbels les manipule, et il le fait très bien. Empêche ton amie de partir.

— Pour cela, il faudrait que je sois ici.

— Tu ne comptais pas te réinstaller au studio?

— Je le voulais hier.

— Tu as changé d'avis? Si soudainement? Ça ne te ressemble pas.

— Tu sais très bien pourquoi, Jan. Si je reste, nous ne nous verrons plus!

— Qu'est-ce que tu racontes, *liebke*? Paris n'est qu'à quelques heures de Bruxelles!»

Helda pousse la porte du salon. Jan s'empresse, la débarrasse du plateau, puis lui dit qu'il ne servirait à rien d'aller à Munich, que si son fils évolue dans l'entourage de Goebbels, elle ne le reverra pas, ou ne reverra qu'un être sous influence. Helda Erhart l'écoute, pâle, lèvres tremblantes.

«Et puis vous n'êtes pas seule ici, ajoute-t-il, vous avez Irène, qui a décidé de rester.»

Plus tard, dans l'intimité du studio, lorsque Jan la prend dans ses bras, Irène le repousse. «Dis-moi la vérité, Jan. Tu veux que je reste pour garder le contact avec Helda Erhardt, c'est ça?»

Il l'attire vers le lit. «Si les sources d'informations de ton amie sont bonnes, il va se passer des choses terribles en Allemagne. En gardant le contact avec elle, nous apprendrons l'essentiel, et nous pourrons nous préparer.

— Tu te rends compte de ce que tu dis! Tu te rends compte à quoi tu réduis cette femme! Et ça va nous servir à quoi, d'apprendre? À nous préparer, dis-tu? Nous préparer à quoi?

— À la guerre.»

Irène se lève comme s'il venait de lui jeter un sort. Elle se précipite sur la terrasse avec un tel emportement que les pigeons qui y picoraient s'envolent. Julius et Marion se perchent sur le balcon voisin, clignent des yeux, si effrayés qu'ils en oublient leurs amours. Jan l'a suivie, il la prend par la taille. Elle se dégage.

«À cause de toi, mes oiseaux se sont enfuis. Ils ne reviendront peut-être plus jamais.»

Puis: «Comment peux-tu dire une chose pareille? La guerre! Tu crois que tu vas l'empêcher, cette guerre, en utilisant cette pauvre femme? Et en m'utilisant, moi? Tu veux que je te raconte ce que mon frère a vécu, pendant la guerre?

— Je sais, Irène.

— Non, tu ne sais pas. Tu étais jeune, toi, tu n'as pas connu ces horreurs. Armand a été gravement blessé. Il était dans ces tranchées de boue... Il a failli être gazé. Il a passé des mois dans un préventorium. Et tu veux que ça recommence? Il faut résister, Jan, il faut tout essayer, il faut que les chefs d'État discutent. Personne n'aime la guerre, on ne peut pas aimer la guerre!

— À ton avis, que ferait Kurt Erhard si on lui demandait de la faire?»

Irène vacille, s'appuie à la balustrade. Elle sait ce qu'il ferait. Il marcherait vers l'Est. Il lui a dit qu'ils allaient marcher vers l'Est pour y reprendre ce qui leur appartenait.

«Viens plus près», dit Jan

La voyant bouleversée, il adopte un ton plus optimiste. «Écoute, tu as peut-être, raison, après tout, les diplomates l'empêcheront peut-être, cette guerre. En tout cas ils s'y emploient.»

Mais il n'y croit pas. Irène voit bien qu'il ne dit cela que pour la rassurer, qu'il lui ment comme elle ment à Helda.

«Mais en attendant les diplomates, tu veux que j'espionne la mère de Kurt.

— Non, je veux que tu l'empêches de partir. Et pour cela, il faut que tu restes.

— Ensuite?

— Tu me tiendras au courant de tout ce que sa nièce lui écrit. Tous les détails.

— Ah, tu veux aussi te servir de moi.

— Ne dis pas de bêtises.»

Jan se lève, prend Irène par la main, l'emmène près du lit. Il commence à la déshabiller, gentiment, en la regardant dans les yeux, mais ses doigts robustes se battent contre les minuscules boutons de la robe, s'emberlificotent dans les rubans du jupon, les agrafes du soutien-gorge, les cordons du corset. Elle ne l'aide pas. « *Wat is dat ?* » grommelle-t-il. Son visage s'est empourpré, il souffle un peu, il a très chaud. Lorsqu'il se coince le doigt entre deux baleines et pousse un juron, elle n'y tient plus, éclate de rire.

Jan ne rit pas, il est vexé. Il la renverse sur le lit.

« Mais, Jan, qu'est-ce que tu fais ?

— Je vais te faire l'amour comme seul un Flamand furieux peut le faire. »

DEUXIÈME PARTIE

19

DELPHINE

Il est quatre heures. Odile et sa maman sont venues voir le pédiatre. La petite a été opérée des amygdales. Delphine a décidé de passer une heure dans un petit parc en bord de Meuse avant d'aller rechercher Charlotte chez sa belle-mère. Odile s'est endormie dans ses bras, elle est encore un peu faiblarde. Delphine ne bouge pas de peur de la réveiller, c'est si rare, ces moments de calme avec sa turbulente petite fille.

Une grande blonde en paletot à carreaux est assise à l'entrée du square. Près d'elle, un gamin balance les jambes en regardant les jeux. Il pose une main sur le bras de sa mère, lui parle, elle hoche la tête. Comme ce garçon est sage, il pourrait donner des leçons à ma fille ! Delphine se penche sur Odile, écarte prudemment une mèche qui risque de lui chatouiller le nez.

La femme se tourne vers elle. Le mouvement est rapide, mais Delphine la reconnaît, c'est l'ouvrière qui l'a regardée avec animosité le jour où son beau-père lui a fait visiter l'atelier de tissage. Elle n'avait pas l'air commode, ce matin-là, mais aujourd'hui elle est carrément hostile. D'habitude, les mères qui viennent au parc avec leur progéniture discutent, font connaissance, échangent des recettes ou des confidences. Celle-là préfère ne rien dire et fusiller du regard. Le garçon lui parle, sans doute lui demande-t-il pourquoi elle surveille la dame et la petite fille qui dort, est-ce qu'elle les connaît ? Delphine risque un hochement de tête amical, la femme courbe les épaules comme si elle lui avait lancé un caillou. Curieux personnage. Front haut et buté, traits qui seraient moins durs si elle souriait un peu. Mais le sourire n'est manifestement pas à son programme, en ce 28 août 1939.

Il y a deux jours, le gouvernement a déclaré la mobilisation générale. C'est peut-être pour ça, se dit Delphine. Son mari est parti et elle se retrouve seule avec l'enfant. Mais pourquoi a-t-elle l'air de m'en vouloir? Ce n'est tout de même pas moi qui ai rappelé les troupes!

La robe de la femme dépasse du manteau, elle reconnaît le lin de l'atelier de tissage des Durant, où les ouvrières se partagent parfois un rouleau invendable pour vice de fabrication. Mais pourquoi traîne-t-elle au parc un jour ouvrable? Perdu son emploi? Partie pour protester parce que Charles est resté? C'est ça, elle m'en veut, elle croit que Charles a eu un passe-droit, alors que son mari est parti, lui. Pourtant, Jules-Henry a parlé aux ouvrières, il leur a expliqué qu'il ne peut pas tout faire, que son fils doit rester pour l'aider à faire tourner la boutique. J'irai la voir dès qu'Odile sera réveillée.

Le gamin se lève, court à la barre fixe. Sa mère le suit, le soulève pour qu'il puisse la saisir. Il se balance quelques secondes et, d'un coup de rein, fait passer ses fesses entre ses bras. Puis il tend les jambes, les replie sur la barre et se laisse pendre par les genoux. Heureusement qu'Odile ne voit pas ça! Tête en bas, joues gonflées de plaisir, il rit. «T'as vu, maman, comme c'est facile!» La mère étant face à son fils, Delphine n'entend pas la réponse.

Dix minutes plus tard, ils sont revenus au banc et mangent des tartines. Delphine jette un coup d'œil à sa montre. L'après-midi s'achève, il est temps de rejoindre Firmin qui attend à l'entrée du parc avec la carriole. Odile se réveille, veut aller sur la balançoire. Difficile de résister à une petite bonne femme de neuf ans aux désirs impérieux.

«Cinq minutes, dit Delphine, tu as entendu ce qu'a dit le docteur, pas d'efforts inutiles.

— C'est pas des efforts inutiles, maman, c'est du sport.»

Delphine se lève, prend la gamine par la main. «On va d'abord parler à la dame.» Elle se doute bien que son audace ne lui apportera rien de très amical, mais il est trop tard pour rebrousser chemin. «Pourquoi tu veux parler à la dame? demande Odile en trottinant, elle nous a regardées méchamment.

— Nous allons lui demander pourquoi.

— Le garçon a l'air gentil.»

La femme se raidit à leur approche. Il n'y a plus de doute, il y a de l'aversion dans ces yeux-là. Le gamin les regarde, regarde sa mère, puis sourit à Odile. Delphine est mal à l'aise, mais elle trop intriguée pour faire demi-tour. Depuis qu'elle a épousé Charles, il lui est arrivé de surprendre, à l'atelier de tissage, des regards peu amènes, ou envieux, mais ce n'était rien de plus qu'une antipathie abstraite contre la belle-fille du patron. Cette fois, il s'agit d'une inimitié réelle, concrète, dont elle veut connaître la cause. Bon, je me jette à l'eau, on verra bien. Et si elle ne change pas de tête, je la plante là et je m'en vais.

«C'est votre garçon?»

La femme hausse les épaules. «Bonne déduction.»

Le ton est acide, mais on voit bien qu'elle attend la suite, qu'elle désire en quelque sorte cet affrontement. Odile, qui n'a peur de rien ni de personne, s'assied à côté du gamin. Elle lui demande pourquoi il ne va pas jouer. «J'ai déjà joué, mais tu ne m'as pas vu parce que tu dormais.

— C'est parce que je suis très fatiguée.

— Pourquoi?

— On m'a arraché les amygdales.

— Oh! Ça t'a fait mal, alors?

— Très.

— Tu es guérie?

— Oui, mais c'est parce que je ne suis pas une gnangnan.»

Les deux femmes écoutent les enfants, Delphine en souriant, la femme au paletot avec un air indéfinissable. Elle hausse les épaules, impatiente: la conversation ne tourne pas comme elle l'espérait.

«Votre fils est très obéissant», dit Delphine.

Une sorte de rictus se dessine sur les lèvres de la mère; elle apprécie peut-être, à sa façon. «Puisque vous le dites.

— Il a quel âge?»

Une lueur de triomphe fait étinceler l'œil aux aguets. La femme se redresse, se cambre: c'est la question qu'elle attendait. Elle respire un bon coup, lève les mains, fait mine de compter sur les doigts. Puis, d'un coup de menton, elle désigne Odile. «Un an de plus que celle-ci, trois de plus que l'autre, ça fait dix, si on sait compter.»

La phrase est tombée comme un coup de poing. Delphine reste clouée sur place. Un, trois, dix? Qu'est-ce que c'est que ces comptes d'apothicaire?

«Ça t'étonne que je sache tout ça? dit la femme.

— Mais... nous nous connaissons? C'est parce que vous m'avez vue à l'atelier de tissage de mon beau-père, c'est ça?... Je vois que vous portez une jupe de lin...

— Exact, je porte les restes des Durant.»

Delphine est si offensée qu'elle en oublie le un trois dix. «C'est injuste de dire ça!... Vous savez, ils pourraient vendre les rouleaux pour les soldes des magasins... Mais monsieur Durant ne le fait pas parce qu'il est généreux. Monsieur Durant est très bon avec ses employées, il veille sur leurs enfants... il...

— Tu ne crois pas si bien dire», interrompt l'autre. Mais Delphine est lancée. «Monsieur Durant ne laisse jamais tomber une ouvrière quand elle est malade. Et son fils est comme lui.»

Une lueur de triomphe apparaît dans l'œil de son interlocutrice. «Tu crois ça, toi. Tu crois que Charles Durant ne laisse jamais tomber une ouvrière.»

Le dialogue devient de plus en plus bizarre. Delphine ne comprend qu'une chose: cette femme en veut à sa famille. Elle a peut-être été renvoyée. Mais si mon beau-père l'a renvoyée, c'est qu'il avait de bonnes raisons.

«Pourquoi dites-vous ça?»

Pas de réponse, et toujours le même rictus. Delphine a envie de tourner les talons, de s'éloigner de cette femme. Mais le garçon et Odile discutent avec animation, surtout Odile. Elle doit sûrement décrire *l'arrachage* des amygdales. Au moins, ces deux-là sympathisent!

«Pourquoi dites-vous que votre garçon a un an de plus que ma fille?

— Cherche fort, tu vas trouver.

— Trouver quoi?» Delphine est furieuse, l'arrogance affichée de la femme la met hors d'elle, ses joues s'empourprent. «Mais pour qui vous prenez-vous? Et d'abord, pourquoi me tutoyez-vous? Est-ce que je vous tutoie, moi? Pourquoi ne prenez-vous pas exemple sur votre fils, qui est poli, lui? Cessez de tourner autour du pot. Si je vous ai fait quelque chose, dites-le.»

L'inconnue la considère un moment en silence, sourcils froncés, comme si elle réalisait que la femme qui se trouve devant elle est très simple, très candide, et que le ton agressif qu'elle a adopté jusque-là est injustifié. Mais le naturel revient au galop, la lueur de triomphe réapparaît dans l'œil insolent. Il est clair qu'elle a longtemps attendu ce moment, qu'elle en a longtemps rêvé. Elle le savoure, le fait durer.

«Pourquoi dites-vous que votre garçon a un an de plus que ma fille? répète lentement Delphine.

— Parce que j'ai de bonnes raisons de le savoir.»

Odile pousse un cri, son ours en peluche vient de tomber. Le gamin le ramasse, frotte le museau souillé de terre humide. «Tiens-le bien, dit-il, sinon il va attraper des microbes!»

La femme a observé la scène avec jubilation: son fils vient de lui fournir l'occasion de prononcer la phrase qui va provoquer un tremblement de terre.

«C'est bien, Paul, donne des conseils à ta petite sœur.»

Elle a prononcé les mots beaucoup plus à l'intention de son interlocutrice que du gamin, qui n'a du reste pas entendu, il est trop absorbé par sa discussion avec Odile. Estomaquée, Delphine reste figée sur place, regardant l'inconnue avec stupeur. Les paupières de la femme se plissent, ses lèvres dures s'étirent, elle jubile. Puis, sans transition, elle plonge une main dans son sac et en sort une brochure. Elle a dit ce qu'elle avait à dire, n'a rien à ajouter, elle est contente du choc qu'elle a provoqué. Delphine se laisse tomber sur le banc, la femme recule lorsque sa cuisse entre en contact avec la sienne. Elle saisit le livre posé sur ses genoux, humecte un doigt, tourne une page. «Vous êtes contente, maintenant?» murmure Delphine. Bien sûr qu'elle est contente. Tout s'est passé comme elle le souhaitait, elle n'est plus la seule à souffrir.

Un an de plus que celle-ci, trois de plus que l'autre... Donne des conseils à ta petite sœur...

Delphine absorbe lentement la révélation que l'autre vient de lui faire, le regard posé sur les enfants assis dans l'herbe de l'autre côté de l'allée. Odile raconte en détail la terrible opération. Le gamin pose des questions. Ils sont si calmes. Il faut que je me reprenne, ce n'est pas la fin du monde. Elle se tourne vers la femme. «Quand on dit des choses comme ça, on s'explique.»

Pas de réponse.

«Très bien, vous ne dites rien. Et moi j'en ai assez.»

Elle se lève. J'en ai plus qu'assez. Je m'en vais. Crotte. Pourquoi demanderais-je des explications à cette mégère qui n'a qu'une idée en tête: me faire mal. De toute façon, ce sont les explications de Charles qui m'intéressent. C'est Charles que je vais questionner.

«On va jouer à la bascule?» demande Odile au gamin. Il fait non de la tête, saute sur ses pieds et revient à sa mère; il a vaguement entendu la conversation des deux femmes, mais il n'y comprend pas grand-chose, sauf peut-être que c'est grave.

«Nous partons, Odile. Dis au revoir à...»

À qui?

La femme a redressé la tête, prête à persifler, à mordre. Delphine respire un bon coup, puis: «... à ton camarade.»

La femme doit être déçue, au fond. Elle aurait préféré que l'autre fasse celle qui n'a pas compris, ce qui lui aurait donné l'occasion de retourner le fer dans la plaie. Elle hausse les épaules, reprend la brochure, faussement indifférente. Delphine attrape la main de sa fille. «Maman, la balançoire! gémit Odile.

— Firmin attend depuis longtemps, ma chérie, et la jument aussi.»

Firmin et la jument étant deux personnages sacrés pour Odile, elle se soumet. Le gamin lui tend l'ours en peluche. «Tu viens souvent ici? demande-t-elle.

— Pas très souvent. Ma maman travaille.

— J'aimerais bien te revoir, pourtant!»

Le souhait est si sérieux, si sincère!

Elle aimerait revoir son frère.

La femme a écouté le dialogue. Impossible de deviner les sentiments qui l'agitent, mais son attitude a changé, elle examine Odile, lui sourit vaguement. Delphine prend sa fille par la main, fait un geste d'adieu au gamin, jette un dernier coup d'œil à la blonde qui, oui, elle ne se trompe pas, la considère maintenant sans agressivité. Mais le regard est bref, elle détourne aussitôt la tête. Évidemment, maintenant qu'elle s'est débarrassée de ce qui lui brûle les lèvres depuis des années, elle se sent mieux. Tout de même, j'aurais bien aimé lui demander pourquoi elle m'en veut, à moi. C'est un peu fort, quand même! Une fois passée la grille du parc, Delphine se retourne. La femme a posé un bras sur les épaules de son fils.

Il sera plus grand que sa mère et aussi grand que Charles.

Delphine ne ressent plus que de la curiosité. Et de l'impatience. Pourvu que...

Que quoi?

Je ne sais pas.

Si, tu sais.

Pourvu que ce soit une histoire d'amour.

Il commence à pleuvoir, le gamin se dégage, saute sur ses pieds, dit quelques mots à sa mère. Elle prend un fichu dans son sac, le noue sur sa tête. Ils s'éloignent dans la direction opposée. C'est la dernière vision qu'en a Delphine : une grande femme et un jeune garçon qui marchent sous la pluie.

Dès son arrivée chez les Durant, elle interroge sa belle-mère. Émilie connaît sûrement la femme du banc. La femme du banc est sans doute une grosse épine dans le pied d'Émilie. L'espace d'un instant, le visage de son interlocutrice se ferme, puis, l'air détaché : « Oui, on la connaît dans le voisinage, ne fais pas attention, elle n'a pas toute sa tête.

— Mais pourquoi lui laisse-t-on l'enfant ?

— Oh, j'imagine qu'elle s'en occupe bien, sinon on le lui enlèverait. »

La belle-mère évite le regard de sa bru, s'affaire autour du samovar, prétexte un ordre à donner à la bonne pour quitter le salon, revient tout aussi vite. « Il est presque l'heure du souper. Ça t'ennuie de rester avec nous ? J'ai prévenu nos maris, ils arrivent. Ton beau-père est soucieux en ce moment, avec ces menaces de guerre. Il pense fermer la fabrique d'armes. Il a peur que… Tu sais, il ne croit pas à l'apaisement ; il ne parle que de ce Chamberlain. En se levant, en se couchant, en lisant le journal, en se rasant, bref, à longueur de journée. Qui est-ce, ce fameux Chamberlain ? Tu le connais, toi ? Non, bien sûr… Qu'en pense Charles ? Il est obsédé par la guerre, lui aussi ? En tout cas, Jules-Henry, lui, ne cesse de m'en parler. Comme si j'y comprenais quelque chose ! Il dit que l'affreux moustachu va envahir la Pologne pour une affaire de corridor ! Un corridor ! Qu'est-ce que c'est que cette histoire ? Se battre pour un corridor ? Dans un corridor on se bouscule, on ne sait jamais de quel côté marcher, on rencontre des gens qu'on n'a pas envie de voir…

— Mais ce n'est pas…

— Je sais ! Je plaisantais. Je voulais simplement détendre l'atmosphère. Que veux-tu que nous fassions, nous qui ne comprenons rien à ces hommes qui veulent guerroyer à tout prix ? Car ils vont y aller, c'est plus fort qu'eux. Je suis contente que Jules-Henry pense à liquider les armes de chasse, même si Charles va nous faire une crise. En tout cas, si tu comprends quelque chose à cette embrouille, explique-moi. »

Delphine soupire, elle n'y comprend rien non plus. Elle ne comprend rien à la libération des Sudètes, au dépeçage de la Tchécoslovaquie, au « lâche soulagement » munichois, au pacte germano-soviétique. Tout ce que Charles a condescendu à lui expliquer, c'est que Staline a pactisé avec le bourreau des communistes en Allemagne («Le bourreau, tu veux dire Hitler?») et qu'ils se sont déjà partagé la Pologne.

«Je n'en sais pas plus que vous, maman. Par contre, ce que...

Émilie fait celle qui n'a pas entendu. Elle poursuit son discours, de plus en plus vite, elle en est presque essoufflée. Odile, qui sent que quelque chose se passe, la regarde avec intérêt. «En tout cas, moi, ce soir, je prends congé! déclare Émilie. Si Jules-Henry veut parler de ses contes à dormir debout, il le fera avec son fils. Les hommes adorent la politique, ils s'imaginent qu'ils règlent les problèmes du monde en tirant sur leur cigare. Tiens, installe-toi dans ce fauteuil. Prends tes aises, ma chérie, tu dois être fatiguée après cette escapade à Liège.» Elle se tourne vers Odile. «Pourquoi me regardes-tu comme ça, petiote? Viens plutôt m'aider!

— Je te regarde parce que t'as un drôle d'air. D'accord, je vais t'aider, mais tu ne parles pas d'école!

— Mais pourquoi veux-tu que je parle d'école, elle n'est même pas encore commencée!

— Tu peux pas t'en empêcher, grand-mère.

— Mais c'est important, l'école!»

Le flot de paroles étourdit Delphine, elle en oublie presque la scène vécue une heure plus tôt. Mais elle lui revient à l'esprit quand elle se penche pour ramasser l'ours en peluche de sa fille. Elle revoit la femme sarcastique, décide de questionner à nouveau Émilie. Trop tard, les hommes sont là. On les entend, dans le couloir, parler de la menace allemande.

Le soir, dans leur chambre, Charles se montre plus amoureux que jamais. Il s'est refait une vertu, Charles, depuis quelques semaines, il a cessé de rentrer tard. «Tu sais ce que nous allons faire? Nous allons passer quelques jours dans les Ardennes! Il faut en profiter avant la rentrée des classes, et avant que...» Il s'interrompt, le front barré d'un pli.

«Avant quoi?»

Il caresse les seins de sa femme, mais elle voit bien que des parasites se sont glissés dans ses pensées. Delphine ne peut s'empêcher de sourire: pauvre Charles, si tu savais ce qui t'attend, tu serais encore plus inquiet.

«Tu veux aller dans les Ardennes?

— Pas toi?

— Tu oublies que la jument va pouliner.»

Charles n'a jamais quitté une jument prête à pouliner. Il n'était pas là à la naissance de ses filles, mais ses juments n'ont jamais pouliné sans lui. «Avec les juments, j'ai tout à faire, tu comprends? Avec toi, que veux-tu que je fasse? Faire les cent pas au salon pendant que vous, les femmes, vous vous... activez? Observer les mystérieuses allées et venues de la cuisine à la chambre sans oser poser de questions parce que je sais d'avance qu'on va me traiter comme un demeuré?... Ou comme un coupable parce que tu as mal?» Il pose la tête sur l'oreiller, contrarié à l'idée de devoir abandonner le séjour en Ardennes.

Le front marqué d'un pli ressemble au front buté rencontré dans le parc.

«Charles, ça te dit quelque chose une grande femme blonde avec un garçon de dix ans?»

Comme je suis rusée! Je ne me reconnais plus. Pauvre Charles.

«Une femme blonde?»

Il pâlit, considère son épouse avec appréhension.

«Une femme blonde et un garçon de dix ans», répète-t-elle, détachant bien ses mots.

Charles est si mal à l'aise que c'en est presque cocasse. Au fond, cette histoire lui va bien. Il ne manquait que la jeune fille séduite puis abandonnée pour que le portrait du fils à papa trop gâté par maman soit complet. Il y en a des filles à séduire à la filature, à l'atelier et à la fabrique d'armes!... C'est vrai, une fois écartées les femmes mariées et celles qui avaient coiffé sainte-catherine, le choix restait vaste pour un charmeur comme Charles. Fille séduite. Delphine a lu ce genre d'histoires dans des romans de la bibliothèque de sa mère. Les auteurs qualifiaient les suborneurs d'êtres abjects, à moins que ces derniers ne se soient repentis et n'aient épousé leur victime. Delphine partage leur conviction: profiter d'une fille sans défense, c'est sordide. Oui, bien que la femme du parc n'ait pas l'air d'une fille sans défense. Mais peut-être l'était-elle au départ? Puis elle s'est endurcie. Comme elle doit détester Charles! Comme elle a raison.

Et s'il avait été amoureux? Sincèrement amoureux?

Charles est assis au bord du lit, la tête dans les mains. La pose classique de l'homme frappé par le destin. Delphine réprime un sourire. Elle se lève, s'installe dans le fauteuil qui lui fait face.

« Pardonne-moi, dit-il.

— Te pardonner quoi ? C'était dans une autre vie, Charles ! Ce que tu as fait avant moi ne me regarde pas.

— Mais alors… tout va bien ?

— Non.

— Non ?

— L'enfant, Charles.

— L'enfant ne manque de rien. On a tout réglé, mon père et moi. Il ne manque de rien et sa mère non plus. Et quand il atteindra sa majorité, il… »

Delphine secoue la tête. Son beau-père s'occupe de tout, elle n'en a jamais douté. Ce n'est pas cela qu'elle veut savoir. Le résumé des dispositions de Jules-Henry vis-à-vis de la fille séduite peut attendre. Elle ne doute pas de son beau-père. Son beau-père prend toujours les bonnes dispositions.

« Tu l'aimais, cette jeune fille ?

— Oui… Du moins je l'ai cru. »

Elle revoit la femme et le jeune garçon sur le banc du parc. Si seuls. Où sont-ils ? Où habitent-ils ? Au coron ? Et pourquoi Charles ne connaît-il pas son fils, ce beau garçon si sage ? Et Émilie, elle sait ? Bien sûr qu'elle sait.

« Parle-moi, Charles. Parle-moi de ton fils qui a un an de plus qu'Odile. »

Il la dévisage, bouche bée, confondu, décontenancé, ahuri. Si ahuri qu'elle ne peut s'empêcher de rire.

« Pourquoi ris-tu ? dit-il d'une voix blanche.

— Parce que ça fait du bien.

— De rire à mes dépens ?

— Surtout à tes dépens.

— Tu n'es pas comme ça, pourtant !

— Pardon, mon amour. »

La stupéfaction fait grimacer Charles, il n'y comprend plus rien, scrute le visage de sa femme : on dirait que tout cela l'amuse ! Pour un peu, il préférerait qu'elle se jette sur lui pour le frapper.

« Comment l'as-tu su ?

— Su quoi ?

— Ce que tu viens de me dire sur mon… sur le garçon. »

Delphine triomphe. Envie de danser, d'embrasser son simplet de mari. « Tu as failli dire *mon* garçon, Charles !…

Tu te rends compte?» Puis: «Comment je le sais? Parce que je lui ai parlé.

— Tu as parlé au gamin?

— Non, nigaud, à sa mère!

— Et elle t'a parlé?

— Parler n'est pas le mot qui convient. Disons qu'elle m'a informée.

— Mais pourquoi as-tu entamé une conversation avec elle? Elle est... elle n'est pas commode.

— J'ai remarqué. Pourquoi j'ai entamé une conversation avec elle? Tu sais, les mamans se parlent, dans les parcs où jouent leurs enfants. Mais elle était... comment dirais-je, distante. Alors je suis allée vers elle. Ça te choque? Tu n'avais pas l'intention de me le dire?

— J'allais te le dire. Je te jure que j'allais te le dire.

— Quand?»

Il baisse la tête. «Je ne sais pas. Écoute, j'avais peur de te perdre. Tu étais si jeune, si naïve. Mon père a tout arrangé, il lui a juré qu'elle ne manquerait jamais de rien... Tu es si calme, ça me fait peur!»

Elle sourit. «Si tu veux, je peux essayer de me mettre en colère.»

Ils se regardent un moment sans rien dire. Elle souriant toujours, lui se demandant ce que cette révélation va provoquer. C'est un coup de tonnerre dans l'univers que sa femme a créé, leur a créé. Mais elle n'a pas l'air de lui en vouloir. Delphine n'en veut jamais à personne, elle est née comme ça, mais Charles est confondu par ce calme – qui lui prouve une fois de plus que sa femme est plus forte que lui. Il ne sait plus que dire, alors il dit n'importe quoi:

«C'était une erreur de jeunesse.»

Delphine n'en croit pas ses oreilles. Une erreur de jeunesse! Elle a presque envie de le lui faire répéter. Ah, il est bien le fils d'Émilie! C'est ce qu'Émilie a dû dire à son grand garçon quand elle a tout découvert. Il fallait le consoler, ce pauvre petiot qui s'était laissé séduire.

«Charles, laisse ce genre de réflexion à ta mère.

— Mais c'est vrai!

— Tu avais vingt-cinq ans!

— Oui.

— Que s'est-il passé ensuite?

— Ensuite?

— Cesse de faire le perroquet. Tu l'as abandonnée?

— Non! Non! Comment peux-tu croire ça! Ils ne manquent de rien. Nous subvenons à leurs besoins.

— Tu l'as déjà dit. Et c'est tout?

— C'était avant toi, Delphine. Tout est réglé.

— Et un jour, ton père me dira que cela arrive dans toutes les bonnes familles.

— Je ne sais pas ce qu'il te dira. Mais je te le répète, ils ne manquent de rien.

— Tu en es sûr? Elle a l'air pauvre, son manteau est élimé, les bottines du gamin sont en mauvais état.»

Charles fronce les sourcils, ses yeux se voilent, on y lit de la rancune, pour un peu il taperait du pied! «Elle le fait exprès, je te jure qu'elle le fait exprès. Elle ne manque de rien. Elle n'a jamais manqué de rien, nous avons toujours été là.

— Toi ou ton père?

— Mon père. Gabrielle ne veut plus me voir.

— Gabrielle?

— Gabrielle Jones. L'enfant s'appelle Paul.

— Tu ne crois pas que Paul aimerait connaître son père?

— Elle ne veut pas que je le voie.

— Ça t'arrange bien.

— Oui, ça m'arrange. Elle est terrible, tu sais.»

Sur ce point, pense Delphine, tu as raison.

«Au fait, elle travaille où? Aux textiles ou à la filature?

— Elle s'est fait renvoyer des deux. C'est une mauvaise tête, elle ne supporte pas la moindre remarque. Elle ne supporte personne.»

On verra bien.

Le lendemain, Delphine doit partir à Bruxelles pour la veillée funèbre de l'oncle des balades à vélo. L'oncle Maurice n'était l'oncle de personne, mais c'était un grand ami de la famille. Il était vieux garçon, on disait qu'il avait été fiancé mais que la belle était partie avec un autre. Delphine n'a vraiment fait sa connaissance qu'à ses fiançailles, lorsque Alma et Émilie l'ont nommé chaperon officiel – mais à cette époque elle n'a vu en lui qu'un vieux monsieur en culotte de golf qui ne pédalait pas très vite.

Armand vient la chercher, avec les petites. Ils les laissent à Rosy et vont veiller l'oncle. On l'aimait bien, Maurice, à l'hospice où il a coulé des jours paisibles. L'été, il portait un chapeau de paille et le complet léger que Jules-Henry

Durant lui avait fait tailler dans une pièce de lin. On allait le voir à tour de rôle. Il abandonnait alors ses amis joueurs de cartes pour une promenade dans le parc. Delphine n'est allée qu'une seule fois à l'hospice, et elle s'en veut, mais l'oncle Maurice ne lui en tenait pas rigueur. Il lui avait du reste rappelé, avec un clin d'œil, qu'elle ne s'occupait pas de lui non plus quand il les escortait, Charles et elle, sur les routes de la côte après leurs fiançailles.

Les hommes se lèvent à l'entrée des visiteurs, repoussent quelques chaises pour leur faire place. Ils chuchotent un peu, puis reprennent leurs prières. C'est une veillée très calme, très sereine, pas du tout funèbre. Elle est à l'image de celui qui est parti après avoir soulevé son canotier pour saluer la compagnie. Une table a été dressée dans un coin. À deux heures du matin, un préposé y dépose des biscuits, du café et des petits verres de curaçao pour aider les veilleurs à tenir le coup. Mais la goutte a vite raison de certains : leurs paupières se ferment, ils luttent un peu, puis s'en vont sur la pointe des pieds. Delphine se souvient de Florine sur son lit de mort, avec son nez de sorcière et sa mâchoire calée par une boîte. L'oncle Maurice n'a pas besoin de boîte, ses bajoues encadrent des lèvres paisibles qui souriaient toujours.

Elle s'endort, tête posée sur l'épaule de son père.

*

Charles les rejoint le lendemain pour les funérailles. Il arrive en retard à l'église, doit rester au fond. À quoi pense-t-il, derrière les vieux amis de Maurice? Delphine se retourne, croise son regard. Il fait un de ces gestes contrits, enfantins, auxquels elle ne peut résister. Au cimetière, lorsque les fossoyeurs déposent le cercueil en terre, elle se dit qu'une partie de son passé disparaît avec l'oncle. Il parlait peu, trop essoufflé qu'il était à essayer de les suivre, mais il savait pourquoi on l'abandonnait sur la route… Je n'ai pas été assez gentille avec lui. C'est à peine si je le voyais. Je ne pensais qu'à me coucher dans le sable avec Charles.

Après la cérémonie, ils se retrouvent dans le salon de Rosy. Les derniers rayons du soleil entrent dans la pièce, caressent les belles rides d'Armand, les mains fines de son amoureuse, les joues rondes des filles. Elles veulent rester, les filles. Delphine aussi. Envie de rester là pour souper, pour dormir, pour quelques jours. Envie de retrouver son père, d'aller manger des gâteaux au Métropole, de faire les courses avec Rosy, d'oublier les frasques de son mari. Mais il faut dire au revoir, installer les filles endormies sur le siège arrière et, avant d'arriver au coin de la rue, se retourner une dernière fois pour saluer le couple heureux enlacé devant la grille.

Dans la voiture, la bonne humeur de Charles s'estompe, il conduit nerveusement. Delphine ne dit rien, elle attend, elle voudrait qu'il lui parle, mais les seuls mots qui lui viennent sans effort sont ceux murmurés dans la chambre à coucher. Faire l'amour semble tout résoudre pour Charles, c'est vraiment trop facile. Il pose une main lourde sur sa cuisse. «Tu m'en veux pour cette histoire, c'est ça?

— Non, c'est cette femme qui t'en veut.»

Elle revoit le visage fermé, hostile, de la femme au paletot. «Elle m'en veut aussi. Ce n'est pas juste.

— C'est ça qui te contrarie?

— Il faut faire la paix.»

Il donne un coup de frein, la regarde comme si elle avait perdu la raison.

«Quoi?

— Il faut faire la paix avec elle.»

Delphine revoit l'expression fuyante de sa belle-mère. Les réponses d'Émilie étaient vagues, mais c'était volontaire. Émilie éludait non parce qu'elle ne connaissait pas la femme du parc, mais parce qu'elle ne la connaissait que trop bien. Delphine imagine son émoi quand elle a su que son précieux fils avait une «liaison» avec une ouvrière, son horreur quand Jules-Henry lui a appris que la fille était enceinte. Il avait sans doute essayé de le lui cacher, mais la fine mouche avait fini par avoir des doutes, elle était beaucoup plus futée que ses hommes. Que la mère fût «dédommagée», que l'enfant fut pris en charge n'a sans doute pas posé de problème pour elle, après tout, ils étaient riches, et il s'agissait de l'honneur de Charles, mais son aveuglement à son égard était tel qu'elle a certainement rendu Gabrielle Jones responsable de tout: c'est elle qui a séduit son fils, pas le contraire.

Et Charles n'a sans doute pas démenti.

Il range la voiture au bord de la route. «Tu te rends compte de ce que tu demandes? C'est insensé. Elle est féroce! Elle va se méfier, se demander pourquoi on fait ça. Écoute, je n'ai jamais rien promis. Elle avait dix-huit ans. Ce n'était pas la première fois. Et je te l'ai dit, elle ne manque de rien et l'enfant non plus.

— Mais il n'a pas de père.

— Il a un grand-père.

— Jules-Henry ?

— Non, mon père ne le voit pas souvent. Je parle du père de Gabrielle.

— Ce n'est pas la même chose.

— Tu te rends compte du chambard que ça va faire ?

— Oui, mais tout finira par se calmer. Ton père a du cœur, et ta mère se résignera.

— Mais tu veux faire quoi, au juste, Delphine ? Tu veux devenir l'amie de cette femme ?

— Non, je veux simplement faire la paix.

— Simplement ! Eh bien j'aime autant te prévenir que c'est beaucoup plus facile à dire qu'à faire. »

Il regarde la route, à sa gauche. Sans doute voit-il défiler, sur la toile de fond du paysage, un drôle de cinéma : la stupeur de ses parents quand il leur annoncera que sa femme veut faire la paix avec Gabrielle Jones, leur réticence, leur refus, peut-être. Et Delphine qui insiste, calmement comme toujours, et qui, comme toujours, finit par avoir gain de cause.

Elle pose une main sur son épaule. « Mon amour, regarde-moi ! » Il s'appuie au dossier, tourne la tête vers sa femme.

« Il a tes yeux, Charles. »

Le lendemain, la jument est prête à pouliner. Charles passe la journée à l'écurie avec Firmin et, le soir, rentre fourbu à la maison, où les filles terminent leur souper avant d'aller au lit. « Où c'est que t'as trouvé le bébé, papa ? » demande Charlotte. Odile ne lui laisse pas le temps de répondre et, regardant sa mère d'un air entendu : « Dans un chou cabus, on te l'a déjà dit.

— On peut aller le voir ?

— Demain. Laissons d'abord sa maman lui faire sa toilette, dit Delphine.

— Avec du Cadum ?

— Mais non, *sotteke*, dit Odile. En le léchant partout. »

Elle explique à sa sœur que ce n'est pas la peine d'aller voir le chou car il est tout scraboutchi et que papa l'a donné aux lapins. Elle regarde ses parents, fière de son improvisation.

Charles est pensif. Il observe les gestes posés de sa femme, avale machinalement son souper, embrasse distraitement les filles. Il est toujours là, devant sa tasse de café, quand Delphine redescend après les avoir mises au lit. Elle ne questionne pas, débarrasse la table en silence. Il la suit des yeux, ébauche un sourire quand elle le regarde. Il pense à ce que va dire sa mère. « Tu te rends compte du chambard que ça va faire ? » a-t-il dit en rentrant de Bruxelles. C'est vrai, ça va faire du chambard, mais elle s'habituera, et Jules-Henry, qui voit parfois l'enfant et ne peut pas ne pas l'aimer, sera sans doute d'accord, et tant pis pour le qu'en dira-t-on. Pauvre Charles, s'il continue à réfléchir aussi fort, il va me faire une migraine. Elle pose une main sur son épaule. Il la saisit, l'attire à lui.

« Je crois que tu as raison. Mais je ne sais pas par où commencer.

— Ne t'inquiète pas, je vais m'en occuper. Ne nous pressons pas, attendons le moment idéal. Laissons passer quelques semaines. J'irai la voir. En attendant, tu demanderas à ton père d'augmenter sa pension. »

Il soupire. Delphine l'embrasse, elle a presque envie de le rassurer. Le rassurer parce qu'il est un peu lâche ? Non, tout de même ! Ou peut-être oui, car il n'y peut rien, ou pas grand-chose. Les hommes qu'elle connaît sont tous pareils. Mais Armand, qui a été lâche devant Alma, s'est réveillé. Oui, mais il a fallu qu'un événement extérieur survienne, quelque chose d'inattendu, de très fort, qui ne faisait pas partie de son quotidien. Delphine sent monter un léger mal de crâne : elle n'a jamais pensé à ces choses, c'est compliqué et ça ne mène à rien. Pourquoi se casser la tête avec des suppositions, s'adapter est déjà assez difficile. Elle s'assied devant Charles, regarde le front penché sur la jatte. Aujourd'hui comme les autres jours, il s'en remet entièrement à elle. Il a aidé la jument à pouliner et il est fatigué. Pauvre Charles, quelle pagaille dans sa vie. Je suis sûre qu'il n'est même pas parvenu, quand il a sorti le poulain du ventre de sa mère, à oublier mon projet « insensé » ! Il s'est sûrement demandé pourquoi les femmes s'ingénient à compliquer ce qui est simple. Il s'est dit que Gabrielle Jones – qu'il n'a pas la moindre envie de revoir parce qu'il a peur d'elle – ne manque de rien, que l'enfant ne manque de rien, puisque Jules-Henry y veille.

« Charles !

— Oui ? »

Il questionne sa femme du regard, l'air désespéré.

«Nous avons un beau poulain, nos filles sont joyeuses et en bonne santé, ton père veille au grain, ta mère nous donne un coup de main quand c'est nécessaire, et tu auras bientôt un fils...»

Il plonge la tête dans sa jatte.

«*Que la musique et la joie nous inondent...*»

Il la regarde, suppliant. «C'est quoi, ces grands mots, c'est pour me torturer?

— C'est ce que disait ma mère avant ses récitals.»

*

C'est la drôle de guerre. La Belgique attend, comme les autres pays que Hitler n'a pas encore attaqués, mais elle se dit que rien de bien terrible ne peut arriver à un coin de terre qui fait profession d'être neutre. Les Belges donnent la Suisse en exemple, oubliant que la Suisse est un château fort. Firmin rappelle à son entourage que la Belgique est un bon raccourci pour les troupes du Reich; ses stratèges ne se gêneront pas pour l'emprunter, un enfant de cinq ans comprendrait ça. D'ailleurs, leurs blindés sont déjà aux frontières. La Luftwaffe survole le pays, la Kriegsmarine sème des mines dans la Manche.

À tout hasard, des chefs d'État courent signer des accords à Munich. La petite Belgique ne fait pas partie de la délégation. «On a quand même de la chance, dit Firmin à Delphine, en France ils réquisitionnent tout, chevaux, mulets, automobiles. On dit aux gens qu'ils doivent apprendre à se protéger des bombes explosives, incendiaires ou toxiques, vous vous rendez compte, madame Charles, des bombes toxiques comme en 14! Mais ils essaient encore de croire à l'apaisement, même si c'est sur le dos de la Pologne, parce que la Pologne, ils s'en foutent si vous voulez mon avis.»

Malgré l'optimisme de Firmin, la drôle de guerre commence à avoir des effluves de vraie guerre. C'est ce que pense Delphine lorsqu'elle écoute Charles et Jan. Cet Hitler est fou: il signe des pactes de non-agression, d'assistance, de l'acier, de bonne entente, il envoie des ultimatums, convoque des hommes d'État, les menace, puis il envahit leur pays.

Lorsque ses panzers entrent en Pologne, la France et l'Angleterre lui déclarent la guerre. Malgré ses liens avec la France, la Belgique réaffirme une fois de plus sa neutralité, mais elle mobilise près de la moitié des hommes de vingt à quarante ans. «Si vous me permettez l'expression, madame Charles, ça sent mauvais tout ça, dit Firmin à Delphine. Va falloir tenir notre Gus à l'œil.

— Il est trop jeune pour être appelé, Firmin.

— Oui, mais ces jeunes-là c'est plein d'idées de grandeur, ça croit que ça va sauver le pays avec une pétoire.»

Jan revient de Paris avec des nouvelles. La nièce de madame Erhard a écrit pour raconter ce qui est arrivé à son cousin Fritz, soldat dans l'armée allemande. Quand la Pologne a bloqué sa frontière de Dantzig, les troupes y étaient déjà massées, avec des groupes de la S.S. Fritz était là. Les uhlans polonais comptaient sur leurs routes défoncées pour bloquer l'avancée des blindés, mais leurs chevaux n'avaient aucune chance contre les panzers de la Wehrmacht. Lors de la prise de Varsovie, le cousin a été poignardé par un partisan polonais. Dans l'hôpital du Reich où on l'a rapatrié, une infirmière lui a dit que des grands blessés racontaient, dans leur délire, que des groupes de la S.S. emmenaient des gens hors des villes pour les tuer d'une balle dans la nuque. Des familles entières, des vieux, des enfants. Les charniers débordaient. Ils pendaient les partisans aux balcons des places publiques.

Ça, le cousin l'a vu : à commencer par celui qui lui a planté un couteau dans la poitrine.

Greta est allée sonner à la maison des Erhard. Gertrud a entrouvert la porte et s'en est tenue à sa réponse habituelle : «Herr Erhard est très occupé.» Il y avait une chaîne à la porte, Greta s'est mise en colère, elle a menacé la vieille femme d'aller raconter n'importe quoi à une chemise brune pour qu'il vienne la briser. La servante a eu peur. Greta a visité toute la maison, cette fois, suivie de Gertrud qui disait qu'elle allait tout raconter à Herr Erhard, et que Herr Erhard lui réglerait son compte car il était maintenant haut placé.

Helda en a conclu que son fils est toujours avec Goebbels. «Au moins, a-t-elle dit tristement à Irène, il n'est pas allé se faire tuer en Pologne.» Elle reste de longues heures sans parler, et quand elle parle, c'est pour évoquer la gentillesse du petit Kurt. Elle n'a rien d'autre à quoi se raccrocher. Les albums de photographies ne quittent pas la table du salon, elle les ouvre sur un garçonnet potelé et rieur, sur un adolescent au visage doux et grave, heureux de poser entre son père et sa mère. Elle garde l'espoir que ce Kurt-là va sonner un matin à sa porte et se jeter dans ses bras. Irène passe beaucoup de temps avec elle. Il faut l'empêcher de retourner à Munich.

Le gouvernement belge ne sait plus à quel saint se vouer, mais il conseille aux familles de faire des provisions. Un colis type de trois mois est proposé. Émilie le trouve mal ficelé, ce colis! Et très incomplet. Un matin, elle emprunte Firmin et la carriole et fait la tournée des fermes et des maraîchers. Le soir, les étagères de la chambre froide des Durant croulent sous les provisions.

Le lendemain, branle-bas de combat dans la cuisine. L'autoclave attend sur la table, avec les entonnoirs et les pinces à bocaux. Trois aides ont été engagées, Jules-Henry est prié d'aller prendre ses repas chez sa belle-fille.

Le premier jour est consacré aux chapons et poulardes. On commence à six heures du matin, cheveux serrés dans un turban, long tablier blanc. Il faut trousser les volailles, mettre les foies à part pour faire un pâté. On cuit les volatiles par fournée de six dans l'énorme cuisinière au charbon. À dix heures, la chaleur est intenable; les femmes s'essuient le front avec le torchon à vaisselle accroché à leur ceinture. Des perles de sueur ornent leur lèvre supérieure comme un petit diadème. On ouvre portes et fenêtres. Attiré par l'odeur, le jardinier passe la tête et propose un coup de main. «Pas avant ce soir», lui crie la cuisinière en chef.

De sept heures du matin à dix heures du soir, Émilie et ses aides marinent dans l'odeur du poulet grillé, carburant au café et aux gaufres de Liège – elles ne mangeront que lorsque tous les bocaux seront alignés dans la cave. Une fois plongés dans l'autoclave, ceux-ci devront bouillir pendant une heure. Puis on les sortira avec des pinces pour les aligner sur la table.

Le soir, quand le contingent au complet est refroidi, Émilie appelle le jardinier. L'homme ne se fait pas prier, l'odeur du poulet lui chatouille les narines depuis le matin. Les bocaux sont placés dans une bassine, qu'il transporte à la cave avec la cuisinière la plus costaude. C'est lourd, plusieurs trajets sont nécessaires. Tout le monde est de bonne humeur, on va enfin manger. C'est la coutume: on mange quand tout est fini, rangé, étiqueté, fourneau récuré, plats de cuisson et ustensiles nettoyés, sol lavé au savon vert. Émilie a mis de côté deux poulets de la dernière fournée, ils sont encore chauds. Pendant qu'elle va chercher une bouteille de goutte dans la réserve de son époux (le dernier café sera arrosé), les femmes sortent deux miches de la huche et, de la chambre froide, une motte de beurre et du fromage de Maredsous. Comme les carottes, oignons, poireaux, pois, navets et scorsonères du lendemain occupent une grande partie de la table, on mange sur un coin, serrés les uns contre les autres dans la tiédeur de la cuisine.

Une des femmes a trouvé une place dans le four pour y cuire un somptueux pâté au cognac. Avec ses rondelles de citron, la croûte est une œuvre d'art. C'est dans la terrine qu'on plonge d'abord, y découpant de fines tranches qu'on étale sur une tartine beurrée. Cette terrine, c'est le clou du festin.

Émilie rayonne.

«Nous sommes parés pour soutenir un siège.»

Pendant ce temps, Jules-Henry somnole au salon; il voudrait bien aller se coucher mais il doit d'abord ramener les cuisinières chez elles. Elles gloussent un peu en montant dans la voiture; elles sont un peu pompettes.

Le lendemain, c'est le tour des légumes et des fruits. Blanchissement des légumes, tri soigneux – pas question de permettre à un haricot de s'introduire dans un bocal de coings –, stérilisation, mise en bocaux, défilé à la cave. Comme c'est moins lourd, on se passe du jardinier. Il attend au salon avec monsieur Jules. Ils savent que les femmes vont les convier à boire une goutte pour fêter le succès de l'opération. C'est la tradition et, cette année, on a vu grand.

Deux jours plus tard, Émilie invite Delphine à venir admirer son œuvre.

«Il y a de quoi nourrir un régiment pendant un an», dit-elle fièrement à sa bru en lui faisant les honneurs de la cave. La pièce est plongée dans une semi-obscurité. Delphine suit sa belle-mère le long des étagères où s'alignent bocaux de poires, prunes, abricots et coings, à côté des haricots verts, pois et carottes, pieds de céleri, asperges et légumineuses. En face, les poulets entiers baignent comme des petites personnes dans leur réceptacle.

«Il ne faut pas que les filles voient ça», se dit Delphine.

Échange de bons procédés: pendant qu'Émilie stérilisait, Delphine stockait du café, du sucre, de la farine, et faisait des confitures avec les fruits du verger.

Il fait froid, le prix du charbon augmente. Le matin, chaque élève doit apporter vingt boulets pour chauffer la classe. Félicien Lambert l'instituteur a été mobilisé, on l'a remplacé par un homme qui a dépassé, de très loin, les fameux quarante ans. Il en a soixante-cinq, et il est Juif, on lui a fait une fausse carte d'identité. Monsieur Georges Dupont, né Isaac Meyer, fait la classe avec un zèle inquiet : il sait que Hitler chasse les Juifs d'Allemagne, qu'il les massacre en Pologne.

Le gouvernement en sait plus long que la population, mais il ne parle pas de ce qu'endurent les Juifs et la Pologne. Il ne parle pas non plus de ce qu'endure l'Allemagne. Après tout, c'est l'ennemie, on ne va tout de même pas s'inquiéter pour des gens qui gobent tout ce qu'un fou furieux leur raconte. Chacun chez soi et les vaches seront bien gardées.

Irène a appelé Jan. Dans sa dernière lettre, Greta, qui est infirmière dans un hôpital psychiatrique, raconte – dans un langage qu'elle s'efforce de rendre métaphorique (elle sait que son courrier est «vérifié» avant de quitter le pays) – que les malades mentaux sont examinés par des «spécialistes qui leur accordent des soins spéciaux leur permettant de trouver un soulagement à leur longue misère». Un soulagement rapide, a-t-elle ajouté de peur qu'on n'ait pas compris. Jan explique à Charles et à Delphine que Hitler proposait déjà cette élimination dans son livre. Il y a une escalade dans l'horreur, mais on est encore à l'époque où il est difficile de croire à l'horreur.

Une nuit où Delphine lui demande s'il est possible que tout cela soit vrai, Charles répond que puisque Jan le croit... Il n'en dit pas plus, mais elle sent bien qu'il est inquiet. Elle passe un bras sous sa nuque, le serre contre lui.

«Ces quatre jours dans les Ardennes, tu te souviens, ceux qu'on n'a pas eus à cause de la jument? Eh bien nous allons les prendre. Demain, je ferai les valises. Firmin s'occupera de tout pendant notre absence, ton père viendra voir si tout se passe bien. Et les filles seront folles de joie.»

*

Au retour des Ardennes, Delphine revoit Gabrielle Jones au village. Elle veut lui parler mais se heurte à un refus. «Je ne vous en veux pas à vous, madame, mais vous êtes sa femme, essayez de comprendre. De toute façon, je ne veux plus rien avoir à faire avec lui.

— Très bien, mais acceptez au moins une chose.

— Quoi?

— Je viendrai vous voir au printemps. Nous parlerons, mais seulement du présent, rassurez-vous. Nous sommes mères toutes les deux, nous avons des choses à nous dire. Je viendrai vous voir... Dans quel coron habitez-vous?»

Gabrielle Jones hésite, puis fait non de la tête.

«Ce n'est pas une bonne idée.

— Si. Vous changerez d'avis. Ce sera mieux pour tout le monde, surtout pour Paul. Je vous retrouverai.»

Gabrielle Jones répond par un semblant de sourire. C'est de bon augure.

Delphine essaie de ne plus penser à ce demi-échec et prépare la Saint-Nicolas, le saint des enfants sages auquel Charlotte croit encore dur comme fer. Des doutes commencent à germer dans la tête chercheuse d'Odile, mais l'histoire des trois enfants découpés en morceaux et mis au saloir la passionne parce qu'elle terrorise sa sœur. «De toute façon, tu sais très bien que Saint-Nicolas remet tous les morceaux ensemble!

— Oui, mais c'est quoi qui arrivera si y se trompe de morceaux?

— Tu sauras que Saint-Nicolas ne se trompe jamais.

— Mais s'il se trompe quand même?

— Alors ils auront des bras à la place des jambes et des oreilles à la place des yeux.»

Charlotte fond en larmes.

«Odile, qu'est-ce que tu as dit à ta sœur? demande Delphine.

— J'ai presque rien dit mais elle est tellement bête qu'elle croit tout!

— Qu'est-ce que tu lui as dit, Odile?

— Que Saint-Nicolas ne se trompe pas en recollant les morceaux.

— Elle dit qu'ils zentendront avec leurs yeux et verront avec leurs oreilles, hurle Charlotte.

— Odile, ça t'amuse de terroriser ta sœur?

— Delphine, peux-tu lui dire de ma part que c'est comme les contes de fées, qu'il faut toujours lire la fin avant comme ça on sait que ça finit bien.»

Le 6 décembre, Rosy et Armand débarquent avec Irène et la mère de Kurt Erhard, arrivées la veille de Paris. La sœur d'Armand a réussi à convaincre son amie de l'accompagner à Bruxelles : elle craignait que Helda ne profite de son absence pour filer à Munich. Reste maintenant à la convaincre de rester avec eux pour les fêtes de fin d'année. Jan, qui les accompagne incognito, se glisse dans l'écurie avec une grosse valise : il a été réquisitionné pour porter la mitre et la crosse. (On a dit aux filles qu'il était parti dans sa famille des Polders.) Rosy a fabriqué l'habit du Père Fouettard – qu'un Gus mort de trac se prépare à interpréter – et a loué le costume, la barbe et la perruque de Saint-Nicolas dans un magasin de farces et attrapes. La veille, Odile et Charlotte ont déposé sur la cheminée un verre de vin pour le saint, des carottes et du sucre pour l'âne. « S'il boit un verre de vin dans chaque maison, ça va finir mal, dit Odile. J'espère qu'il en laissera un peu à Fouettard. Sinon, il va nous fouetter jusqu'au sang. »

Vers les quatre heures, Rosy s'éclipse pour aider Jan à s'habiller. Il faut distraire Odile, qui voit tout. C'est une belle journée de décembre, pas un nuage, les étoiles commencent à apparaître ; l'air est presque cristallin, on entendra bien les clochettes de l'âne.

Une demi-heure plus tard, Rosy réapparaît, très rouge, sa boîte à couture sous le bras. Mission accomplie. Jules-Henry et Émilie la suivent, ils viennent tout juste d'arriver. Dix minutes après, tintement des clochettes. Odile se précipite sous la table, tandis que Charlotte l'enfant sage attend sagement sur les genoux de son père. Trois coups à la porte. « Entrez, grand Saint-Nicolas ! » dit Delphine. Il entre, grand comme c'est pas possible, il doit presque s'accroupir pour ne pas cogner la mitre au chambranle de la porte. Ses yeux bleus étincellent derrière les lunettes de verre blanc. On aurait dû lui mettre des lunettes de soleil, pense Delphine. Il s'avance, lentement, tapant sa crosse sur le parquet, suivi de Gus le palefrenier qui se contorsionne, façon serpent, pour correspondre à l'idée qu'il se fait du Père Fouettard. Le visage du pauvre garçon est tellement enduit de cirage qu'il n'arrête pas de se gratter le nez. « Vous êtes enrhumé, Père Fouettard ? demande Émilie.

— Oui », répond-il d'une voix haut perchée : il sait que son accent de Verviers pourrait éveiller les soupçons. Il prend son rôle à cœur, Gus. Il lève son fouet, essaie de le faire tournoyer dans les airs. Charlotte pousse un cri strident et plonge sous la table. «Oh, oh! Père Fouettard!, dit Charles sur le ton qu'il emploie pour calmer Dilon, il n'y a ici que des petites filles sages...»

Gus regarde Odile.

«...ou qui ont promis de l'être.»

L'autre se calme, mais avant de rengainer il attrape un vase au lasso. Du coup, il oublie qu'il est le Père Fouettard, et c'est avec la voix de Gus qu'il se répand en excuses. Jules-Henry se plante devant lui en faisant les gros yeux, Saint-Nicolas fait diversion en vidant sa hotte. On assied le bon vieux au milieu du divan, dans lequel il trône en lorgnant Irène, belle comme un cœur dans sa robe de velours bleu. Distribution des jouets. En plus d'un manteau en crêpe de Chine rose et d'un bonnet en mercerisé bleu pour sa poupée Bleuette, Charlotte reçoit un Tricotin des filatures de La Redoute, ramené en grand secret de Roubaix par son grand-père: on fête son anniversaire le 18 avec un gâteau, mais elle reçoit son cadeau à la Saint-Nicolas; Odile, qui demande un chien à chaque fête, doit se contenter d'un jeu de construction et de deux *Semaine de Suzette*. «Je commence à avoir l'habitude, confie-t-elle à madame Erhard, chaque fois que je demande un chien on me donne un Meccano. Les tricotins et les bleuettes c'est pas mon genre, vous comprenez.»

Après vingt minutes de torture, Saint-Nicolas, qui étouffe sous sa moustache, se lève et fait ses adieux, bâclant les recommandations d'usage. Il se précipite vers la sortie, pile dans sa robe, grommelle un *gotferdom*. Sa mitre s'accroche au chambranle, tombe sur son dos comme un gros entonnoir. Son assistant, qui a envie de s'arracher le nez, le bouscule pour sortir au plus vite.

«Papa, Père Fouettard a boxé Saint-Nicolas!» crie Charlotte.

Odile se tourne vers Delphine et, tout bas:

«C'est qui qui lui a ciré le nez comme une botte?»

Une demi-heure plus tard, Jan fait son apparition, miraculeusement revenu des Polders. Clin d'œil d'Odile à sa mère.

Le soir, quand Delphine met les filles au lit, son aînée lui chuchote à l'oreille qu'elle a reconnu Jan. Charlotte est déjà endormie, serrant dans les bras sa nouvelle poupée. «On ne lui dira rien, c'est promis, mais, s'il te plaît maman, ne cirez plus Gus! Et il vaut mieux prendre quelqu'un d'autre pour Saint-Nicolas. Parce que Jan, je l'ai reconnu tout de suite à ses yeux d'azur!

— Tu te moques de maman, Odile?

— Non! Si tu dis zyeux d'azur, c'est parce que tu es poétique.» Puis, en confidence: «Tu sais, moi aussi je suis poétique.»

Irène a décidé de rester à la métairie jusqu'à la mi-janvier. Elle veut faire le portrait des filles. Delphine insiste auprès de Helda Erhard pour qu'elle retarde son retour à Paris. Toute la famille s'y met pour la convaincre – y compris Odile, qui a entendu dire que l'amie de tante Irène voulait aller à Munich la ville du fou.

Delphine a fait tisser, sur un des métiers de l'atelier, deux gros écheveaux de laine. Un bleu, un jaune. Puis Rosy a fait une robe aux filles. Bleue pour Charlotte, jaune pour Odile. Charlotte est contente. Odile dit qu'elle a l'air d'un soufflé. Elles posent, assise chacune à leur tour sur le couvercle de la machine à coudre. Charlotte se prête volontiers aux séances, mais on voit déjà, sur l'esquisse d'Odile, une moue boudeuse démontrant qu'elle n'apprécie pas cette immobilité forcée.

Le 24 décembre, la famille prend place autour de la table de la salle à manger. Pas de cousins ni de cousines, cette année. Irène y a veillé. Elle s'est mise à lire André Gide, et quand elle se demande si on a eu raison de ne pas les inviter, elle se répète le «famille je vous hais» des *Nourritures*. La veille, pour se dédommager, Armand et sa fille, qui ne lisent pas Gide, ont invité la cousinerie au complet au Métropole, où ils ont mangé suffisamment pour tenir jusqu'à la Saint-Sylvestre. Lorsque l'une des cousines leur a suggéré d'en faire désormais une habitude, les remords de Delphine ont disparu. Mais elle a promis de venir chercher les enfants, à l'occasion.

Son petit monde est là, autour de la table. Rosy et Émilie, les joues cramoisies parce qu'elles ont mis la main à la pâte, Irène parce qu'elle a essayé, mais elle n'est pas très douée. Jules-Henry est soucieux, ses partenaires de Roubaix lui ont confirmé que l'Allemagne s'intéresse beaucoup aux textiles belges. Charles et Jan ont promis de ne pas parler de l'homme de Munich, alors ils parlent de Mussolini et de Staline. Helda Erhard se dit que Kurt aurait pu être là; elle pense aux Noëls de l'enfance, entre son mari et leur fils. Où passe-t-il Noël? Avec Goebbels, à boire du schnaps dans une brasserie? Non, Goebbels se donne des grands airs depuis qu'il est ministre, il mange du caviar russe et boit du champagne. Ils sont peut-être chez leur Führer, à l'écouter religieusement et à lui promettre de devancer ses désirs.

Charlotte est près de sa maman, dans sa belle robe bleue. Odile porte sa robe jaune avec une bonne volonté dont Delphine l'a félicitée. Firmin et l'ex-Père Fouettard ont été invités. Le premier est à la droite de la maîtresse de maison, dans son costume de mariage. Delphine a prêté à Gus une chemise blanche de Charles. Elle pense à Gabrielle Jones et au fils de Charles. Un jour, ils seront là, avec eux.

Les invités font de leur mieux pour être joyeux. Allons, c'est encore la paix, se dit-elle, s'efforçant de refouler le souvenir des paroles de Firmin – «mais c'est sur le dos de la Pologne, si vous voulez mon avis». Que peut-elle y faire? Que peut-on y faire? Charles a l'air de comploter avec Jan. Ils recommencent! Jules-Henry leur parle des textiles et de la nécessité de rester neutre. Je n'y comprends rien. Jan dit que les Allemands veulent nos textiles. Ça veut dire qu'on va devoir tisser pour eux aussi? Ce n'est pas neutre, ça! Il faut que Charles m'explique. Mais elle sait déjà ce qu'il va lui répondre: ou on produit aussi pour eux, ou on ferme boutique.

Il manque quelqu'un. Alma. Alma et ses caprices, ses airs de diva, ses rosseries. Si elle était là, elle chanterait sûrement, au dessert, une chanson canaille, de Mistinguett peut-être, ou de Joséphine Baker, pour faire plaisir à tout le monde et surtout à Irène. Mais avant de chanter, elle me demanderait de l'accompagner à sa chambre. «Desserre mon corset, chair de ma chair, comment veux-tu que je chante ficelée comme un rosbif?» Delphine a envie de pleurer, mais le bonheur de son père, penché sur Rosy pour lui parler à l'oreille, la console un peu. Elle surprend un regard d'Odile. Elle ressemble à Alma, mais à une Alma sûre d'être aimée. Odile lève un sourcil en point d'interrogation. Demain je lui parlerai d'elle. Je l'emmènerai au grenier pour lui montrer ses robes, ses chapeaux, ses partitions... Je lui raconterai l'histoire du manteau de fourrure, et cette soirée où elle a chanté comme un ange et où ceux qui l'écoutaient étaient si émus qu'ils en oubliaient d'applaudir. Je lui dirai qu'elle a été gentille quand je suis revenue triste des Marolles avec un ange à l'aile cassée. Je lui raconterai nos soirées à l'opéra.

Je l'emmènerai à l'opéra, pour qu'elle comprenne.

Il faut que je le fasse avant que...

C'est drôle, je dis comme Charles: avant que...

20

ODILE

Samedi dans la villa de mon grand-père dans les Ardennes de notre chère Belgique

Tante Rosy nous a doné un carnet de poésie et elle a desinné une maison et un arbre et une cheminé qui fume et un personâche avec un cartable (moi) à la première page et elle a écri un poème le voici

Après l'école, Odile est heureuse
Sa maman l'attend avec des baisers
C'est l'été, la terre est joyeuse
Les oiseaux chantent dans les prés

Sans comentaire comme dit ma grand-mère Émilie.

Ma maman nous attend pas avec des baisers mais avec des tartines de choco.

Rosy dit qu'il faut donner le carnet aux filles de la classe pour qu'elles écrive aussi des poèmes. J'ai dit oui mais c'est non.

Parce que :

1. La seule amie que j'ai, c'est la dernière de la classe et mal heureusement elle fait beaucoup de fautes et j'ai peur qu'elle fasse un gribouilli comme dessin (mais c'est quand même mon amie).
2. Y a pas assez de place.
3. Les maisons avec des cheminés qui fume ne m'intérécent pas et je ne veux pas de roses, de princesses, de ciel bleu et de lapins à pattes de moutons.

J'écris tout petit parce qu'un carnet de poésie c'est pas gros. Et écrire tout petit avec une plume qui crache c'est un exeploit. Dabitude maman corrige mes fautes car jen fait encor mais ce carnet ce sera juste pour moi et il va s'appeler journal d'Odile et personne va ne lire alors tant pis pour les fautes. Je vais écrire tout ce que je pense même si après ma mort des gens vont le lire. On est dans la villa de grand-père Jules-Henry qui est aussi la villa de papa car il est fils unic. Les unics on tout pour eux. Mal-heureusement je le ne suis pas car il y a Charlotte. Ça veut pas dire que j'aime pas ma sœur. J'expliquerai tout un jour et on comprendrat qu'une sœur de 7 ans très sage c'est pas facile pour une grande de 9 qui l'est pas mais c'est plus fort que moi je l'ai expliqué à ma mère qui a dit fait un effort Odile et maman sera fière de toi. Des efforts j'en fais mais ca marche pas car je n'ai pas la disposition (c'est la maîtresse qui a dit ca quand elle était encore là). Mais je parlerai de cette femme plus tard et je dirai tout sur cette femme, mais voici d'abore un poème sur le cheval de mon père qui s'appelle Dilon Frisco. Je suis une Odile à cause de Dilon. Quand je suis née, on a demandé à mon père comment il voulait m'apeler et il a pencé à son cheval qu'il aime comme un fils et il a dit Odile. Odile-Dilon pour ceux qui sont trop bêta pour faire la collision. Je vais dessiner sa tête (du cheval) pour mon carnet mais voici d'abore le poème.

Le pursan de mon père
Dilon est dans son box
Il croque croque croque
Le bon foin que Firmin
Lui donne chaque matin
Crounch-crounch
Crounch-crounch

J'aime quand il croque
J'aime quand il trotte
J'aime quand il botte
J'aime pas quand il crotte
Crounch-crounch
Crounch-crounch

On ma enlevé mes amidales parce que ca sert à rien. Comme j'ai beaucoup souffère, on est venu dans la villa de mes grands-parents Jules-Henry et Émilie (mais pas eux) pour me récompanser, et on y est aussi parce que papa dit qu'il faut en profiter avant. Avant quoi je sais pas car il l'a pas dit. Parfois mon père commence une phrase et la fini pas mais les parents c'est jamais parfais sauf ma mère, et les enfants encore moins car c'est des enfants avec la vie devant eux pour apprendre.

Le Firmin du poème est un vrai Firmin qui vit dans l'écurie avec les chevaux et avec un réchaud pour son café et une chambrette tout confort. Mais il mange à midi à la maison car ma mère est une chef couque et une cordon bleue. Il y a aussi un Gus pour aider Firmin qui mange a midi aussi mais Firmin doit tout le temps l'empêcher de mettre ses coudes. Lui il a une paillasse parce que c'est un jeune sans rumatisme. Firmin en a mais c'est parce qu'il a gelé pendant la guerre de 14.

Dimanche après-midi

La villa de mon grand-père Jules-Henry Durant est dans la forêt. Comme dans la forêt profonde on entend le coucou mais tout ce qu'on a ici comme coucou c'est une horloge tyrolienne avec un coucou couillon qui ose pas sortir. Bref c'est la célèbre forêt des Ardennes connue dans le monde entier pour ses saucissons. Mon grand-père est un chasseur et c'est dans cette forêt qu'il chassait quand il n'était pas encore vieux. Je ne parlerai pas de la chasse parce que non. D'ailleurs maintenant la villa est seulement une villa où on vient aux vacances et le dimanche quand il y a du soleil dans la forêt profonde. Sinon on pèle de froid et c'est cache nez et compagnie. La maison de mon grand-père Jules-Henry est couverte de lierres et entourée de sapins et d'arbres que je ne connais pas encore, mais ma mère sait tout sur les arbres (elle a toutes les feuilles de tous les arbres dans un nerbier) et elle me le dira. Il reste trois page et on va les finire. Mais ici c'est surtout des sapins et les branches de sapin dans lerbier ça va faire des bosses. Mais on les aplatira au fer a dit ma mère.

Il y a des animaux, sangliers et leurs enfants les marcassins, cerfs et renards et d'autres mais je viens d'arriver et je ne peux pas tout savoir. Une chose est sûr, il y a des lézards dans le lierre et ça au moins ça ne se chasse pas, sauf pour se faire une mini carpette. Laissez-moi rire. Mon père chasse aussi, mais je crois que c'est parce que son père l'a obligé et comme il est l'unic il doit obéir. Y disent que c'est pour manger de la viande fraîche mais moi je ne mange pas d'animal qu'on tue comme des sauvages et j'espère qu'ils vont comprendre que ca ne se fait pas car toutes ces bêtes ont une mère, un père et des enfants.

Dimanche 1er janvier 25 jours après la Saint-Nicolas, 8 après Noël, 9 après l'anniversaire de ma mère, 14 après celui de Lolotte, 6 avant l'épiphanie et la galette des rois, 34 avant la chandeleur et les crêpes, 3286 jours avant le 16 mai 1949, jour de mes 19 ans (qu'on recompte si on veut).

J'ai pas écri après les Ardennes parce que j'étais trop énervée parce que Papi et Rosy et tante Irène et madame Erhard l'amie de tante Irène mère d'un fou munichois (pas le grand, le petit) allaient venir pour la Saint-Nicolas et Noël et la bonne année. Cette madame Erhard qui s'appelle Helda voulait s'en aller à Munich parce qu'elle croit que son fils Kurte le petit fou est dans les griffes de Hicler le grand fou et est obligé de poursuivre des pauvres gens pour les faire souffrire jusqu'à ce que mort s'ensuit.

Je lui ai dit ma façon de pensée et ouf elle est resté.

Pour la Saint-Nicolas, je dis tout de suite que c'était Jan, et le Fouettard c'était Gus ciré au noir même dans les trous de nez. Ça fait qu'il éternuait tout le temps et que je l'ai reconnu à sa voix, et Jan à ses yeux d'azur (c'est ma mère qui dit ça). Donc, j'y crois plus et c'est pour toujours. Mais ma sœur oui, alors maman et moi on a décidé de rien lui dire pour que la petite garde ses ilusion. C'est moi qui pense ca, mais ma mère dit que c'est pour qu'elle croit encore à cette belle histoire. Belle histoire, des enfants coupés en morceaux et salés a mort? Laissez-moi rire. Mais alore je dis et je répète à ma sœur qu'en voyant ce carnage le bon saint Nicolas fait trois tas de morceaux pour pas se tromper d'enfant, puis remet chaque morceau à sa place, et que c'est comme un puzzle et qu'il est très fort en puzzle car il le fait depuis qu'on l'a inventé. Quand j'ai finit de raconter, je demande à Lolotte de chanter la fin de cette histoire abracabrente. Elle dit toujours non au début, mais elle aime trop ca pour pas chanter. Voici comment sa se passe.

Charlotte: Chante, toi, Odile, moi je sais pas.

Odile: Non, c'est toi qui chante. Moi j'ai raconté l'histoire, toi tu chante. Chante ce que les enfants ont dit à saint Nicolas.

Charlotte: Je le sais pas.

Odile: Si, tu le sais. Allez, Lolotte…

Charlotte: Le premier dit j'ai bien dormi, le second dit et moi aussi, et le troisième je me croyais au paradis.

Ce qui est tout de même incroyable pour des morceaux de petits salés.

Lolotte a toujours son cadeau d'anniversaire en même temps que sa Saint Nicolas, ce qui lui fait trois cadeaux, mais c'est normale. Et le 23 décembre, c'était déjà 28 ans pour ma maman, mais pas du tout vieille et belle dans sa robe de satin. Elle a reçu cette belle robe de papi faite par Rosy, avec de la crème Tokalon aliment pour la peau, un bracelet de papa, un apparelle pour mélanger les soupes de grand-mère Émilie et grand-père, un bowa en fourrure de tante Irène, une assiette en pâte à modeler de Lolotte avec écrit bonne anniversaire maman (avec une faute à bonne), un livre de Jan, un bouquet de fleurs de Firmin, un autre bouquet de Gus, et de moi une poésie que voici.

Ma mère
Ma mère est dans mon cœur
Pour toute la vie
Et même après
Même si je ne sais pas
Où je serai.

Ma mère vient du ciel
(et de papi et mamie Alma)
Car Dieu a permi à cet ange
De descendre sur la terre
Pour s'occuper de nous

Ma mère veille sur tous
Moi et la petite Charlotte,
Papa et papi et Rosy
Jan et Irène les amoureux,
Dilon, Prince et notre Bertha,
Toutes les vaches et leurs veaux
Et les autres bêtes,
Et même Firmin et Gus,
Et bientôt mon chien

Maman a des oreilles de cheval
(mais beaucoup plus petites)
Elle voit tout, elle entend tout
Elle sait tout

Maman, tu seras toujours
Dans le cœur de ta fille Odile
Pour l'éternité.

On est allés à la messe de minuit à Liège, puis on est revenu pour le réveillon où on a mangé mais pas du boudin que papi et maman détestent. À la place, ils ont mangé des zuitres (pas moi et pas Lolotte), des sakouskis et du fésan. Charlotte et moi on a mangé du poulet et on a reçu des dringuelles et elle veut s'acheter des livres à colorier, mais moi c'est un secret. À la messe de minuit le Jésus pleurait tout le temps et le Joseph avait pas l'air content malgré le miracle au goût du jour. Mais quand les bergers lui ont joué de la flute dans les oreilles, le moutard s'est endormi assommé. Marie je l'ai reconnue c'est la femme du barbier qui est aussi Joseph et qui coupe les cheveux de grand-père. D'habitude elle prend des airs mais là elle faisait la sucrée. On n'a pas le choix quand on est sainte vierge. Le curé a dit en ce jour de la nativité pardonnons à nos ennemis. À ce moment-là, le Jésus a recommencé à brailler et le Joseph a regardé Marie comme pour la calotter ce qui n'est pas pardonner et malgré que le faux Jésus est à lui aussi le faux Joseph et qu'antant que parent il est responsable. Peut-être qu'il avait fait caca et que ça lui picotait les fesses. C'est la vie, Jésus ou pas on fait caca. On aurait du lui donner une goutte au Jésus pour qu'il dorme à poins fermés. Gus dit qu'une petite goutte a jamais tué personne.

Nuit enchanteresse divin ravissement comme dit le rossignol Rossi

C'est une année qui commence les amis. Il faut prendre des bonnes résolutions comme disent les grands qui croient que c'est facile. Maman a dit que je dois être plus gentille avec ma sœur. Je vais le faire pour ma mère mais ma sœur m'énerfe avec ses poupées et ses dinettes, et ses coloriages, et sa robe bleu qui me donne envie de la mordre. J'ai demandé à ma mère pourquoi elle me met toujours du jaune et du bleu à Charlotte et elle m'a dit ma chérie tu es très jolie en jaune puis elle a parlé d'autre chose ce qui veut dire qu'elle est pas sûre. Firmin et Gus ont reçu une dringuelle et Firmin a dit je vais mettre ca sur mon livret. Mais on sait ce que Gus va faire, il va aller la boire au café et rentrer avec sa casquette de travers et une mèche dans le nez mais c'est son affaire du moment qu'il est au travail lundi. L'après-midi papa a fait atteler la grande carriole et on est allé faire un tour. On était entassé comme des saurets, papa, maman, Jan, Irène, madame Helda, Papi et Rosy et nous deux les filles tous en manteaux de fourrure mais heureusement parce que sinon on aurait gelé comme des glaçons d'ouiski des cosses. On était comme un gros nid de poiles avec des têtes. Et la tête de Jan des Polders disait avec une voix d'apocalype une poésie de son préféré Verhaeren. À la gloire du vent, criait-il à nous gelés comme des iseberges. Puis c'était : j'aime le vent, l'air et l'espace et je m'en vais sans savoir où. Heureusement que Firmin n'est pas comme le Verhaeren sinon on se serait retrouvés en Nalaska.

Pendant ce temps, Prince nous faisait des chapelets de proutes. Tout le monde riait sauf Firmin qui était géné et Jan qui entendait pas à cause de la gloire du vent.

Quand on est rentrés, j'ai demandé à Jan la poésie qu'il a dit. La voici (pas tout).

À la gloire du vent
J'aime le vent, l'air et l'espace ;
Et je m'en vais sans savoir où,
Avec mon cœur fervent et fou,
Dans l'air qui luit, le vent qui passe.

Bonne chance Émile mais attention que ton cœur fou se fasse pas renversé par le vent qui passe.

Lundi soir

Mademoiselle Charlotte qui est ma sœur se croit parfaite. Mais moi j'aime mieux être comme je suis qu'une béni oui-oui. D'ailleurs c'est plus facile d'obéir que désobéir. Je le sais. Quand j'étais plus jeune (6 ans) la maîtresse dont j'ai parlé m'a attaché à mon banc parce que je sortais de la classe par la fenêtre. J'ai défait la corde et quand la cloche a sonné et la maîtresse est venu me délivrer j'ai dit c'est pas la peine madame je suis défaite. Du cou elle a fait venir ma mère qui est venu avec mon père. J'ai pas entendue ce qu'ils disait parce que la maîtresse a dit va dans la cour ma petite fille puisque tu aimes tant ca. Mais elle m'a plus jamais attachée. Et je ne suis plus sortie dans la cour parce mes parents m'ont fait promettre que non. Quelle misère l'école. Maman a dit tu as trop de facilités ma fille, mais n'en profite pas. Facilités de quoi? Ma mère a toujours raison mais pour les facilités pas. La seule chose que je fais maintenant que j'ai promis de plus aller dans la cour c'est faire les devoirs de Bernadette (la dernière) et on dira ce qu'on voudrat moi je dis que c'est pas des facilités mais une bonne action. Pauvre Bernadette qui a des anneaux dans les oreilles. Les anneaux dans les oreilles c'est quand tu habite au coron, mais elle en peut rien la pauvre si son père est mineur. En Afrique les femmes ont des anneaux dans le nez. Je lui ai donné un béret pour cacher les anneaux et je partage mon dessert avec elle. C'est dur l'injustice de vivre dans un coron et moi à la métairie, mais c'est plus dur pour elle.

Lundi dans mon lit

Beintôt l'école. Firmin nous conduit en carriole et il vient nous rechercher sauf quand maman doit parler au maître qui s'appelle Georges Dupont mais qu'on appelle monsieur. La maîtresse s'est mariée bonne chance au mari j'espère qu'elle va pas l'attacher celui-là. Tous les matins c'est la course car mademoiselle Charlotte ne sait pas se lever et pendant ce temps-là Firmin et moi et la jument de maman on pèlent de froid dans la cour. L'hiver sera dure les amis. Jan va venir dimanche prochain et il va encore parler du moustachu avec mon père, c'est sa marotte à ce garçon. Mais je l'aime bien ce Jan qui est un grand Flamand des Polders avec un accent qui fait bouillire les oreilles. En tout cas tante Irène l'aime bien aussi, même si elle va retourner à Paris et qu'il doit faire 5000 kilomètres pour aller la voir.

C'est ca l'amour.

Papa a promis qu'on irait la voir aussi mais pas tout de suite. Il paraît qu'elle a des pigons qui viennent manger dans sa main sur sa terrace de ses toits de Paris. Ma tante Irène en a peint deux, un pour moi un pour Charlotte et on les a mit au mur dans notre chambre. Le mien est gris avec une tache blanche et des yeux ronds et s'appelle Julius, celui de Charlotte est bleu comme les yeux de Jan avec des yeux ronds aussi et s'appelle Marion. Marion parce que c'est une fille.

Lundi la nuit, tout le monde dort

J'ai oublié de dire que quand on ira à Paris on montera sur la tour Eiffel à pied parce que j'aime pas ces ascenseures qui sont des invencions de paresseux. Nous les Belges on est plus forts que les Français parce que notre lion a vaincu leur Napoléon. Il est sur une montagne (le lion) et regarde la France d'un air menassant. Depuis ils osent plus venir. Papa dit que ce Napoléon est mort sur l'île saint des laines en tenant son estomac parce qu'il avait mal de remords d'avoir obligé de bons jeunes gens à mourir pour même pas sa patrie car il était né en Corse qui est l'appendicite de la France.

Mardi et bientot la rentrée

Ma tante Irène fait notre portrait sur la machine à coudre. Elle m'a dit si tu continues à bouger, Odile, je vais devoir t'attacher.» J'ai froncé sévèrement les sourcils. «Pourquoi fais-tu cette tête, Odile?» J'ai dit ma mère te dira tout sur le martire des enfants attaché.

Maman lui a en effet dit tout. Tante Irène s'est alors essclamée: Mais cette femme méritait le renvoi. Alors j'ai dit elle s'est renvoyée pour se marier. Alors elle m'a demandé si je passais vraiment par la fenêtre et j'ai répondu oui parce que pour la porte y fallait passer devant l'attacheuse. Et avec quoi est-ce qu'elle t'attachait? Avec de la ficelle qui entrait dans ma chair. Maman a dit ca suffit Odile.

Ma sœur est plus belle que moi et ca va se voir sur les portraits et ca m'énerfe. Elle est plus belle à cause de sa robe bleue. Et moi pas belle à cause de ma jaune qui me grossie. Avec le ruban derrière, j'ai l'air d'un mouton jaune avec une queue de lapin. Papa a dit mais non ma chérie tu as l'air d'un poussin dodu. Comme j'étais en colère à cause de cette remarque, j'ai répondu dodu toit même et j'ai été salir ma robe dans la cour.

Oui, mes amis, c'est la misère des grandes sœurs moins belles, on leur met toujours du jaune.

21

DELPHINE

1940. Vague de froid sur l'Europe. En février, les filles ont la rougeole, en mars, une coqueluche qui n'en finit pas. Gabrielle Jones, rencontrée à l'épicerie, dit à Delphine que Paul a eu une bronchite et qu'elle a dû quitter son emploi pour rester à la maison. Delphine lui rappelle qu'elle ira la voir bientôt. L'hiver s'accroche. En avril, on se demande quand les coquelicots fleuriront ; les champs sont gris et, dans les ruisseaux, les alevins tardent à apparaître. Delphine entend dire que l'Allemagne a envahi le Danemark et la Norvège. Charles et Jan en parlent, le soir, devant leur verre de cognac, ils disent que la Belgique refuse que les alliés entrent sur son territoire. Quels alliés ? Pourquoi ? Elle s'inquiète mais ne pose pas de questions, quel casse-tête. Après la coqueluche, au retour du premier jour d'école, Odile revient à la maison en disant que le fou de Munich va attaquer, c'est le maître qui l'a dit.

Le 9 mai, ils arrivent à Bassenge, dans la vallée du Geer, pour passer le week-end chez un ami éleveur de chevaux. Charles a décidé d'offrir une pouliche à ses filles. La journée du samedi est calme, entre les promenades et la baignade dans la rivière bordée de saules. Les filles sont très excitées à l'idée de ramener leur cheval à la métairie. Le van attend dans la cour, avec ses panneaux intérieurs rembourrés. Odile court sans arrêt à l'écurie pour dire à la pouliche qu'elle va « adorer » sa nouvelle maison, avec ses bons chevaux et ses bonnes vaches. Charles, Jacques et le père de l'éleveur n'arrêtent pas de parler « de ce qui se prépare », autrement dit la guerre : le père, un combattant de la Première Guerre, dit qu'il « sent » venir la Deuxième.

Le lendemain, des aboiements aigus réveillent Delphine. Assise au bord du lit, elle entend, sous les jappements du corniaud, un grondement sourd. Elle se lève, enfile son peignoir et court à la fenêtre. Le plancher vibre. Les feuilles du marronnier de la cour ballotent comme si un souffle traversait l'arbre. En nouant la cordelière de sa robe de chambre, elle se souvient d'une fille du pensionnat qui disait que la terre tremblait dans sa province. Les gens, accusaient la mine, ils prétendaient que c'étaient des coups de grisou. Ce n'est pas loin, le Hainaut, de toute façon rien n'est jamais très loin en Belgique, mais il n'y a pas de charbonnages ici, rien que des aciéries et les hauts-fourneaux de Seraing. Et ce qui fait vibrer le sol n'est pas un tremblement de terre, c'est trop long, trop régulier. Il y a des sifflements, des détonations, des bruits qu'elle n'arrive pas à déchiffrer. Jacques, l'ami de Charles, est dans la cour en pyjama. Il la voit à la fenêtre, lui fait signe de descendre. Le père est là aussi, avec un homme d'écurie en caleçon et singlet. Il inspecte le ciel avec des jumelles.

Charles ouvre les yeux, jette un coup d'œil au réveil, demande à sa femme pourquoi elle est debout à quatre heures du matin.

«Tu n'entends pas?»

Le chien se met à hurler à la mort. Jacques essaie de le faire taire, puis lui court après et l'enferme dans l'écurie.

Charles et Delphine dévalent l'escalier sans un mot. Il veut prendre les jumelles qu'il a accrochées la veille au portemanteau. Disparues. «Je crois que le papi les a prises», dit Delphine.

Le ciel est plombé du côté de Liège et du canal Albert. Les déflagrations s'intensifient. Plusieurs à la fois.

«C'est les Boches, dit le père de Jacques. Des avions silencieux sont passés au-dessus de Liège, ils ont lâché des parachutistes près du fort, je les ai vus tomber.» Il se tourne vers le sud. «Regardez! Les stukas!»

Des avions traversent le ciel à basse altitude – leur grondement effraie les chevaux qui donnent des coups de sabots sur les parois des stalles. «Doux, doux!» crie Jacques. Dans le champ de blé attenant à la ferme, les épis se courbent. Les oiseaux gris semblent suspendus dans les airs. Soudain, dans un accord parfait, ils piquent du nez et lâchent leurs bombes. Le père se tourne vers Charles. «Ça, ça veut dire que l'infanterie a déjà traversé le canal pour attaquer les fortins et les casemates.»

«Charles, rentrons, les petites vont avoir peur, crie Delphine.

— Elles ne sont peut-être pas réveillées. Rentre, toi, j'arrive. Il faut qu'on aille calmer les chevaux.»

Trop tard, Odile et Charlotte sortent de la maison, la première traînant l'autre. Charlotte pleure. Delphine la prend dans ses bras. Odile court vers son père. «Soulève-moi, papa.» Puis: «Pas la peine de mentir, j'ai tout vu par la fenêtre. Ça ressemble à des suppositoires mais c'est des bombes et ça tue des gens. J'ai pris tes jumettes d'approche et j'ai tout vu.»

Les chevaux tapent toujours. «Va près de maman, Odile.

— Mais…

— Tu o-bé-is, Odile. Je vais voir les chevaux.

— Je viens avec toi. Je veux parler à ma pouliche.

— Tu obéis et tu rentres.

— Ça m'est égal, dit-elle, furieuse, je vais continuer à regarder par la fenêtre avec tes jumettes.

— Non, tu vas les remettre à leur place, et tout de suite.»

«Ils ne viendront pas ici, dit le père de Jacques, il n'y a que le canal et les forts qui les intéressent, comme en 14. Ils ont pris la même route qu'en 14.»

«Lui, il nous énerve avec son 14», grommelle Odile avant de passer la porte.

Deux minutes plus tard, on voit sa tête apparaître à la fenêtre d'une chambre.

Charles monte sur une vieille moissonneuse au fond de la cour. Ce n'est pas assez haut. «Allons sur le toit», dit Jacques.

Cinq minutes plus tard, ils sortent par une tabatière, s'accrochant à la cheminée pour ne pas glisser sur les ardoises. On dirait des vigies sur le mât d'un navire. «Ils bombardent les fortins», dit Jacques. Pétrifiés, les deux hommes regardent tomber les chapelets de bombes. Des geysers d'eau grise jaillissent du canal puis retombent, mêlés d'une fumée noire zébrée d'éclairs orange. À certains endroits, on dirait que l'eau flambe. Les déflagrations s'intensifient pendant quelques minutes, puis s'espacent, puis on n'entend plus que le grondement des avions qui s'éloignent en formation serrée, ne laissant derrière eux que la fumée noire qui roule sur le canal.

Delphine est ressortie, Charlotte dans les bras. Odile la suit.

«On est ici!» crie Charles du toit.

Odile s'apprête à foncer pour les rejoindre. «Reste ici, dit Delphine. D'ailleurs, ils redescendent.»

Quelques minutes plus tard, les deux hommes sont dans la cour. Le père de Jacques lève les bras. «Et voilà, c'est commencé.»

«C'est ça qu'ils appellent la guerre éclair?» demande Delphine. Odile tire sur sa manche.

«Qu'est-ce que tu veux, Odile?

— C'est bizarre que ce soit si beau, hein?»

Que répondre, d'ailleurs ce n'est pas une question. Mais il faut faire diversion. «Allons voir les bêtes.»

Les chevaux soufflent, ils sont effrayés, leur robe fume. Charles caresse l'encolure d'un étalon. Delphine va vers la pouliche, qui roule de gros yeux effrayés. «Mets-moi sur son dos, papa, je vais la raisonner», dit Odile.

Elle se couche sur le dos du cheval, frotte sa joue contre sa crinière. Tout est si calme, soudain, c'est à se demander s'ils n'ont pas eu la berlue, s'ils ont bien vu, bien entendu.

Mais ils sont tous dans l'écurie à cinq heures trente du matin, et le canal Albert a flambé: ils ont bien vu.

Jacques frappe dans les mains. «Allons déjeuner.»

Ils se rassemblent dans la cuisine, sans parler. Leur pays vient d'entrer dans la Deuxième Guerre. Silence autour de la table, tandis que le père de Jacques coupe les tartines. Charles et son ami bâclent leur repas, prennent un vélo et partent aux renseignements.

Une heure plus tard, ils reviennent avec de très mauvaises nouvelles: onze planeurs ont largué une centaine de parachutistes sur Eben-Emael, le fort enterré réputé imprenable. Imprenable par voie aérienne, mais pas par voie terrestre. C'est la première fois, dans l'histoire militaire, que des parachutistes sont tombés du ciel. Il n'y a eu ni ultimatum, ni avertissement. Les bombardiers ont arrosé les fortins, les casemates et les blockhaus, puis les sapeurs parachutistes ont traversé le canal en canots pneumatiques et ont attaqué le fort au lance-flammes et à la grenade. On dit qu'ils ont pris Emael en dix minutes. C'est faux. Les militaires qui tiennent le fort résistent encore.

Les Durant rentrent à la métairie sans la pouliche. Charlotte pleure, Odile a essayé de parlementer avec son père, mais il a refusé d'embarquer un cheval effrayé. Dès son arrivée, il prend son vélo et pédale vers la maison communale. Le maire lui apprend que les Allemands ont pulvérisé la première ligne belge de défense, que la Luftwaffe pilonne les champs d'aviation. Les bombardiers survolent les plaines, près de la ligne Maginot, en Ardennes. Les Pays-Bas ont été bombardés. Rotterdam a voulu se rendre, mais la ville est en flammes. Wilhelmine est à Londres. À neuf heures, la Luftwaffe a arrosé Bruxelles.

Armand téléphone pour les rassurer, leur quartier n'a pas été touché. «Des parachutistes allemands sont tombés dans la forêt de Soignes. Des hommes se sont précipités pour les capturer, sans armes! Sans armes contre des paras armés jusqu'aux dents!»

Pendant ce temps, les panzers allemands forcent la frontière, s'engouffrant dans toutes les brèches. Traversant le massif ardennais soi-disant impénétrable, suivis de leurs Mercedes et de leurs motos à side-car. Il n'est pas défendu, le massif des Ardennes, puisqu'on le croit impénétrable. Près d'Anvers et sur la Côte, les bombes ont éventré des maisons, des champs, des vaches, laissant des taches de roussi sur les routes, les prairies, les places publiques, des traînées huileuses sur les eaux. Quarante morts à Bruxelles.

Les Belges sont en proie à la panique: le spectre de la Pologne les hante, avec les mots de la rumeur: martyrisée, broyée, crucifiée, écartelée, écrasée, assassinée... Les superlatifs font surgir des images auxquelles ils n'ont pas vraiment cru jusque-là. «Allons donc, disaient-ils, on exagère, on ne fait pas tout ça pour un corridor! Même Hitler ne ferait pas ça.»

Et demain ils diront que c'est une autre bonne vieille guerre, comme en 14. Et qu'on va la gagner, comme en 14.

Le 12, les panzers entrent à Liège. Eben-Emael est tombé la veille à midi.

Les gens entassent matelas, provisions, enfants, vieillards sur tout ce qui roule. Tout véhicule se déplaçant sur roues est mis à contribution, même s'il n'en a qu'une. Automobiles, carrioles, charrettes à bras ou tirées par un cheval, tombereaux, landaus, poussettes, vélos, brouettes et motocyclettes sont de la partie. Il y a même un corbillard, avec un cercueil plein à ras bord de vivres, les non périssables au fond, les périssables au-dessus, près du réchaud à alcool, d'une provision de chandelles et de la lampe-tempête. Des paysans ont confié leur bétail à ceux qui restent, mais certains ont emmené un âne ou un mulet. Quelques moutons et chèvres trottinent près de leur propriétaire, agitant leurs clochettes. Les enfants sont à la fête, c'est congé, pas d'école. Mieux, c'est l'école buissonnière, une énorme récréation. La cacophonie est indescriptible. La volaille encagée proteste. Les coqs des harems, transportés pour la survie de l'espèce, dépriment.

Devant le portail de la métairie, Delphine, Firmin, les petites et Gus regardent passer la procession. Quelqu'un s'en détache pour venir remplir une cruche. Delphine dit à Gus d'apporter des seaux d'eau. Des gens s'arrêtent.

«Où allez-vous? demande Delphine à un homme.

— Dans le Midi de la France. Il paraît qu'ils sont encore plus neutres que nous!» Il essaie de rire, mais ça ne marche pas. Il a peur, comme les autres. Ils partent parce qu'ils ont peur. Certains disent qu'ils vont à Calais, où ils s'embarqueront pour l'Angleterre. Une fillette pleure, serrant son nounours contre elle. Son père n'a pas voulu s'encombrer du canari. Il n'y a que quelques chiens, pas de chats. Une voiture roule au pas, le toit couvert de malles. Deux enfants à l'arrière, une fille et un garçon. Ils se penchent à la vitre, appellent les petites. Odile réagit au quart de tour. Elle se précipite vers la conductrice, une belle dame en chignon porté haut sur la tête. «Madame, arrêtez-vous, vos enfants veulent me parler.» Delphine s'approche, demande à la voyageuse où elle va. «Dans ma famille de Bruxelles. Nous habitons Herstal, mon mari travaille aux aciéries. Il ne veut pas collaborer et est parti en France. Il dit que les aciéries seront visées les premières.

— Pourquoi les Allemands les viseraient-elles, puisqu'ils en auront besoin? demande Delphine.

— Je suis comme vous, je n'y comprends rien. J'ai eu du fil à retordre pour convaincre les enfants, ils ne voulaient pas quitter la maison, nous avons une colonie de chats et de chiens.» Pour confirmer ces paroles, la petite fille se met à pleurer. Odile jette un regard désapprobateur à la mère. «Nos voisins nous ont promis d'en prendre soin.»

«Maman, on doit faire quelque chose!» crie Odile.

«On doit faire quête chose», répète Charlotte.

«Combien en avez-vous? demande Delphine, résignée.

— Deux chiens et trois chats.

— Entrez un instant. Mettez la voiture dans la cour.»

Une demi-heure plus tard, les voyageurs repartent avec une promesse et en laissant une clé : Delphine et les filles iront chercher la ménagerie à Herstal.

À la fin du cortège, deux hommes en sueur portent une chaise à accoudoirs sur laquelle est assis un grand-père. La grand-mère suit, racrapotée dans un landau d'enfant. Delphine leur fait porter une jatte de café. « Nous, on ne voulait pas partir, lui confie la mamie, mais ils n'ont pas voulu nous laisser. J'ai dû quitter mes chats. » Elle fait signe à Delphine de s'approcher. « J'en ai quand même pris un, chuchote-t-elle. Le roculot. Il s'en serait pas tiré.

— Je vais vous donner du lait », souffle Delphine. (Il ne faut pas que les filles entendent. Assez de chats pour aujourd'hui !) Mais Odile a l'oreille fine.

« Quoi, maman ? Quoi ? C'est qui le roculot ? Je ne le vois pas. Il est où ?

— Odile, s'il te plaît ! » Puis, à Gus : « Va chercher une bouteille de lait à la cuisine. »

« Maman, gardons au moins la bobonne et le bon-papa ! » supplie Odile. Pense à ces pauvres gens qui portent et à celui qui pousse ! »

Delphine lui explique que c'est une famille et qu'ils ne veulent pas se séparer.

« Et moi, je suis sûre que les jeunes seraient bien contents de voir le papi et la mamie bien confortables chez nous. »

Delphine se dit que ça promet. Odile va vouloir adopter tous les évacués. C'est à ce moment que le chat, sentant le lait que Gus vient de déposer sur les genoux de la vieille dame, se met à miauler. Odile regarde sa mère, un reproche dans les yeux. Delphine soupire. « Nous allons garder votre chat, madame. Vous le reprendrez quand vous reviendrez. »

Pendant ce temps, les blindés français entrent en Belgique pour aller arrêter les panzers allemands. Ils se frayent difficilement un passage dans la longue file de fuyards qui se traîne sur les routes. Firmin, qui joue les stratèges, explique que le but des bombardements de la Luftwaffe n'était pas de tuer des civils, mais d'envoyer des dizaines de milliers de réfugiés sur les routes pour retarder l'avance des Français.

Deux jours plus tard, la plupart des évacués repassent : tous les ponts de Bruxelles ont été détruits par l'armée belge. Ceux qui sont allés jusqu'à La Panne reviennent, épuisés d'avoir attendu, dans une pagaille infernale, et en vain, que les Français ouvrent leur frontière. Ils sont fatigués, ils en ont assez de se jeter dans les fossés quand les stukas piquent en faisant gueuler leur sirène. De toute façon, c'est foutu, Hitler est entré en France. Bientôt il sera partout.

*

Chaque fois que des réfugiés repassent, Odile se cache avec le chat. La mamie arrive une semaine plus tard. Odile est introuvable. «Ça ne fait rien, dit la vieille dame à Delphine, je sais qu'il est mieux chez vous.»

Certes, il est beaucoup mieux. Ainsi que son congénère ramené de Herstal (les deux autres ont été adoptés par des voisins) et les deux chiens. Mais Odile a gravement prévenu sa mère: «Ceux-là, c'est nos réfugiés. Ça ne veut pas dire que je ne veux pas un chien à moi, maman. N'oublie jamais ça.»

L'armée belge réquisitionne chevaux et automobiles. Charles va chercher la Packard de son père, qu'on va cacher dans une section de l'écurie avec la Minerva d'Armand. Le brabançon de Firmin devra s'installer ailleurs – on ne verra plus sa bonne grosse tête dans l'ouverture aménagée en haut de la porte. Le pauvre vieux va émigrer dans une stalle jouxtant les box de l'étalon de Charles et de la jument de Delphine, et l'étable où l'on trait les vaches. Jules-Henry a envoyé quelques bras pour abattre le mur. Des bidons d'essence arrivent de l'usine, on les entasse dans la cachette à laquelle on ne pourra accéder, lorsqu'elle sera murée, que par la soupente où dorment Firmin et Gus. Le palefrenier est posté à l'entrée de la métairie, prêt à signaler toute apparition suspecte. À l'étage, les petites assistent aux opérations de la fenêtre de leur chambre. On leur a défendu de sortir. Quand tout sera fini, il faudra leur expliquer ce qui se passe. Et leur faire jurer le secret.

À Liège, Jules-Henry se partage entre ses fonctions de responsable municipal et d'industriel. Le lendemain de l'attaque, après un long conciliabule avec l'avocat de l'entreprise, il a démissionné pour cause de maladie et confié ses affaires à son héritier, Charles Durant, mal préparé à cet honneur, mais ce changement lui évitera d'être mobilisé, c'est tout ce qui compte. Le départ à la retraite de Jules-Henry Durant est purement fictif, sa main de fer continuera à peser sur les textiles. La fabrique d'armes est démantelée, les machines et l'outillage sont transportés dans les souterrains d'un château voisin, inhabité, placé sous la tutelle de la mairie depuis que ses propriétaires se sont expatriés pour fuir leurs créanciers. Jules-Henry Durant sait que l'armée belge lui demandera des comptes – encore faut-il qu'elle découvre les locaux vides –, mais il est prêt à répondre que le «vol» a eu lieu pendant un de ses séjours dans sa propriété des Ardennes. Personne ne croira une fable aussi grossière, mais devant le fait accompli…

À la métairie, on s'organise, Delphine applique des bandes de papier collant sur les fenêtres, fait remplir des sacs de sable. Armand et Rosy arrivent avec la Minerva. Les deux voitures entrent dans leur cachette. Les ouvriers de Jules-Henry construisent un nouveau mur.

Le 16 mai, anniversaire d'Odile. Elle a dix ans.

«Cette année, on est trop occupés pour te préparer une vraie fête, ma chérie, dit Delphine.

— Ce qui veut dire qu'il n'y aura toujours pas de chien, j'ai compris.»

L'armée belge et ses alliés franco-britanniques, acculés en bord de mer sur une trentaine de kilomètres et emprisonnés dans une poche qui rétrécit de jour en jour, continuent à résister. Le 27 mai, après dix-huit jours de résistance, le roi fait déposer les armes. Il capitule – sans conditions – pour sauver ses soldats et la population civile. Tollé des Alliés. Le commandement allemand assigne le roi et sa famille à résidence au château de Laeken. Le drapeau nazi flotte sur le Palais Royal.

Delphine met la main à la pâte, au propre et au figuré. Elle a stocké une cinquantaine de sacs de farine dans l'établi. De quoi faire du pain pendant plusieurs mois. Mais les leçons de piano, d'aquarelle, d'étiquette et la tenue d'un herbier ne sont d'aucun secours à l'ex-pensionnaire de l'Annonciation : les premiers pains sont une catastrophe, trop cuits, difformes, immangeables. Rosy fait une tentative. Ratée. Le gaspillage de la précieuse farine est un crève-cœur. Armand s'en mêle. Après une incursion au village, il revient avec un livre qu'un boulanger compatissant a bien voulu lui prêter. Mais *Le bon pain du pays de Liège* ne tient pas ses promesses : la fournée est un désastre. Alors Firmin va chercher sa sœur qui, sous l'œil admiratif des apprenties boulangères, procède à la confection d'une douzaine de miches dignes de figurer dans une exposition agricole.

Deux jours plus tard, à six heures du matin, Rosy et Delphine s'enferment au fournil – dont elles ont interdit l'entrée – vident un demi-sac de farine dans le pétrin, y ajoutent l'eau et le sel et, manches retroussées, pétrissent. Puis elles façonnent les miches et, après leur avoir administré des claques aussi sonores que celles de la sœur de Firmin, les alignent sur la table et les recouvrent d'un linge. Une heure d'attente. Le cœur battant, elles guettent l'infiniment lente progression de la pâte qui lève. Puis elles repétrissent et enfournent avec une prière.

Trente minutes plus tard, elles retirent du four une douzaine de pains d'allure tout à fait acceptable. «Goûte, toi», dit Delphine. Rosy prend son couteau, coupe le bout d'une miche... Son œil s'illumine.

«On a réussi.»

Les autres, à qui elles ont promis un déjeuner au pain frais, attendent devant la porte.

Une routine s'installe. Le mardi à dix heures, une femme arrive du village à vélo. Rosy lui donne trois pains. C'est pour les vieux de l'hospice. Trois villageoises font leur apparition en fin d'avant-midi, repartent avec leur miche. Le secret s'évente après quelques jours, l'odeur aidant. Le nez fin d'Émilie, venue en visite, ne s'y trompe pas. Elle sourit avec indulgence lorsqu'elle apprend les activités distributrices de sa bru, il faut bien lui passer quelques caprices.

Un matin, Gabrielle Jones arrive à bicyclette, son garçon sur le cadre. Par la fenêtre du fournil, Delphine la voit s'arrêter à la grille. Comme elle semble hésiter, elle sort, lui fait signe d'approcher. Elles se sont rencontrées quelques jours plus tôt au village, Delphine lui a dit de venir chercher du pain, elle a embrassé le gamin. Gabrielle semble prête à «faire la paix», mais il ne faut rien brusquer, l'apprivoiser d'abord. Elle entre, tenant Paul par la main, mais il veut courir dans la cour, poursuivre les chats, s'approcher des filles. Delphine croise le regard de la mère, appréhendant un «dis bonjour à *tes* petites sœurs!», mais non, rien. Le salut de Gabrielle Jones est presque amical. Et ce n'est pas à cause du pain: Delphine sait déjà que cette femme ne fait pas de courbettes. Et même si c'était pour le pain, tant pis, il faut un début à tout. Le gamin s'approche, lève les yeux vers elle.

Oui, ce sont les yeux de Charles.

Au fait, où est-il, Charles? En vadrouille, comme dit Armand. Après avoir fait creuser, sur l'ordre de son père, des abris pour les gens du village, il a recommencé à rentrer tard. Par deux fois, Delphine a sellé son cheval pour se mettre à sa recherche, mais cette démarche lui a paru si incongrue qu'elle ne l'a pas répétée. De la métairie au village, sur l'étalon de Charles, elle avait l'impression de faire la parade. Elle aurait préféré la jument, mais la jument, elle, ne s'arrête pas devant les bars fréquentés par Charles. Durant père semonce son fils, à l'occasion, mais sans succès. Armand lui fait grise mine. Quant à Émilie, elle ne voit rien, ou elle fait semblant. Elle se dit que Delphine l'épouse n'est peut-être pas très heureuse, mais qu'elle l'est tout de même davantage que Delphine l'enfant et Delphine l'adolescente.

Pas heureuse, Delphine?

Delphine se dit qu'elle aime Charles pour toujours, que c'est la guerre, qu'on peut mourir demain et que la vie n'est pas si mal, au fond, même si on aime un homme qui oublie trop souvent d'être là.

Émilie vient voir ses petites-filles, bat les cartes avec Charlotte et Odile, demande à la maman de jouer le marché persan. Comme tout le monde aime ça, Delphine s'exécute. Les partitions de Mozart restent sur le guéridon. Quand la guerre sera finie, peut-être…

Jan de Meester dit que la guerre ne fait que commencer.

Amand et Rosy ont décidé de rester à la métairie. Ils prennent soin des filles, Firmin et Gus des chevaux et des vaches, Delphine de tout le monde. La guerre prête un autre aspect aux gens, aux choses, aux paysages. Chaque mardi, elle sourit au jeune garçon aux yeux clairs qui vient chercher un pain avec sa mère. Gabrielle Jones semble apaisée. C'est bien.

*

Un soir de juin, une religieuse sonne à la grille et demande à la jeune madame Durant de venir aider à l'hôpital. La rupture du front de la Somme a fait beaucoup de blessés. Les Belges sont ramenés dans les hôpitaux du pays.

«Mais, ma sœur, je ne suis bonne à rien!»

La religieuse sourit. «Vous pourrez toujours les laver, leur parler. Ils ont besoin de cela aussi.»

Delphine accepte. Ses beaux-parents pensent que ce n'est pas une bonne idée, Charles ne dit rien : il faut bien que sa femme s'occupe, puisqu'il la délaisse ; Armand approuve et Rosy décide de l'accompagner.

Elles s'en vont tôt le matin, à vélo, laissant leur petit monde aux mains des hommes. Firmin a promis de s'occuper de tout et Émilie passe chaque jour pour présider aux repas. Il fait beau, les champs seront bientôt prêts pour la récolte. Les traces de l'occupation ne sont pas encore évidentes, mais on sait qu'on va bientôt devoir partager. Les évacués sont tous revenus, ou presque. Ils ont retrouvé leur maison, leur lopin de terre, dont ils tirent tous ce qu'ils peuvent afin d'engranger. Une remise a été aménagée pour la vache ; le verrat et les truies sont à l'abri dans leur soue. Le verrat – qu'on appelle toujours Adolf – s'attend à de grands égards. Ses concubines n'auront pas cette chance, elles attendent, elles, le couteau sacrificiel. De quoi nourrir la famille pendant un mois. On commence à échanger des morceaux de viande contre de précieux ingrédients. Pour une côtelette : vingt-cinq grains de café. Pour trente centimètres de boudin, une demi-livre.

Delphine et Rosy laissent leur vélo dans une épicerie à l'entrée de la ville. Elles arrivent un peu à l'avance car elles savent qu'on les attend pour parler un peu. La patronne leur sert un café de malt sucré à la saccharine. C'est un bon moment, une trêve. Le mari de l'épicière a été blessé près d'Emael, il doit rester couché. Une fois par semaine, elles arrivent plus tôt pour aller le saluer. « Ça lui fait chaud au cœur », dit l'épouse. Ce jour-là, elles sortent avec un paquet de spéculoos, cadeau de la patronne reconnaissante : le mari, flatté d'avoir pris le café avec « trois belles femmes », sera de bonne humeur toute la journée.

L'hôpital est au centre-ville ; elles font le reste du chemin à pied.

Les premiers jours, Charles boude un peu, rentre à l'heure, puis il s'y fait et reprend ses habitudes. En fait, il les modifie : certaines nuits, il ne rentre pas.

*

On a installé un des blessés dans une véranda de l'hôpital, ses quintes de toux réveillaient les malades. C'est un tout jeune homme. Il est content, et amoureux de Delphine. Il dit qu'il est heureux et que ce bonheur lui fait du bien à la poitrine, et qu'il va guérir, de sa blessure et de l'autre mal. Il parle de la guerre, de son dernier combat avant la bonne blessure. Il dit «la bonne blessure» parce qu'elle lui a permis d'être ici, avec elles. «Elles», c'est d'abord Delphine, mais c'est aussi Rosy et toutes les sœurs qui, dit-il, forment un troupeau miséricordieux. Il sourit. Et lorsqu'il sourit, il ne regarde pas seulement le beau visage de Delphine, les cornettes des religieuses et les rondeurs de Rosy, mais le ciel derrière les carreaux de la verrière, le gros marronnier du jardin, la jacinthe sur l'appui de la fenêtre. La guerre, il ne voulait pas la faire, il voulait être tailleur, comme son père, il voulait faire des complets, pas la guerre. Il déteste les habits militaires, qui grattent. Il aime sa chemise d'hôpital, qui ne gratte pas, elle est douce, elle n'irrite pas sa poitrine constellée de taches rouges. Les taches rouges de la fièvre. Il est phtisique. Stade avancé, a dit la sœur infirmière, ne vous approchez pas trop, Delphine, et portez votre masque. Le jeune soldat a dû partir à la guerre, on lui a dit qu'il devait la faire, la guerre, comme tous les hommes qui aiment leur patrie. Assise au bord du lit, Delphine l'écoute. Il délire un peu, le faible délire offert par une fièvre qui couve. Il réclame son père, mais son père est mort et on n'ose pas le lui dire. Il affirme qu'il aime sa patrie, mais qu'il aime encore plus les beaux costumes qu'il taillait avec son père, avant, et l'odeur musquée des coupons empilés, et celle du café rabouli sur le poêle, et les coups de craie si adroits du tailleur, ces traits si nets, si précis sur le tissu étalé.

Delphine découvre une autre facette de la guerre. Ce n'est plus le défilé désordonné de l'exode, mais celui des chairs et des os brisés. Dans ce lieu clos qu'est l'hôpital, loin des champs de bataille, des combats, des hommes qui s'entretuent, des stratégies militaires sur lesquelles discourent Charles et son beau-père, le jeune soldat lui révèle la vérité du dehors. Il raconte les hurlements de ceux qu'on ne pouvait pas toucher parce qu'ils étaient blessés au ventre, les pleurs des gamins qui appelaient leur mère, les yeux des morts qu'on fermait en détournant la tête.

Il est tard. Dans le couloir qui mène à la salle, Delphine aperçoit Rosy qui ôte sa blouse d'hôpital; c'est l'heure de rentrer. Mais le jeune homme lui tend une main brûlante. Il explique qu'il a pris froid, qu'il tousse parce qu'il a pris froid, mais qu'il va guérir maintenant qu'il est ici, bien au chaud avec elle. Il évoque le froid qui lui serrait la poitrine, les épaules, le forçait à se recroqueviller, à se coucher dans la boue sans bouger de peur que la chaleur qu'il avait réussi à emprisonner ne s'échappe. Il lui demande de rester, il dit qu'il a moins mal quand elle est là, qu'il n'a pas fini de raconter, mais qu'il doit, avant, dormir un peu.

Rosy pose une main sur l'épaule de son amie. «Tu viens?

— Non, je vais rester.

— Et Charles?

— Tu lui expliqueras.»

Elle reste trois jours et trois nuits, à changer les compresses d'eau froide, à enduire les lèvres gercées de glycérine, à redresser les oreillers, à appeler une autre infirmière pour la panne, parce que ça, non, il refuse que ce soit elle. La nuit, quand il s'endort, elle va chercher la paillasse qu'on lui a allouée, l'installe entre son lit et le lit voisin, se demande comment il se fait qu'elle puisse, entre deux quintes de toux de son malade, dormir d'un sommeil aussi profond. À cinq heures, une religieuse lui tend une tasse de café. C'est le seul luxe. On le doit à monsieur Durant, le conseiller municipal, que l'on bénit à chaque gorgée. Le malade, lui, ouvre docilement la bouche quand il voit s'approcher la sœur avec le gros thermomètre. Delphine s'assied près de lui; il dit qu'il n'a jamais été aussi heureux. Il annonce qu'il va beaucoup mieux, qu'il se sent bien, qu'il n'a plus de fièvre, qu'il est guéri.

Durant père est envoyé en émissaire. Il repart de l'hôpital bredouille. Le lendemain, très tôt, Charles entre en hésitant dans la salle, impressionné par le nombre de blessés, le va-et-vient pressé des infirmières, les médecins allemands. Il cherche Delphine, la trouve, vient vers elle. Charles, l'homme qu'elle aime. Il est pâle, pas rasé. Il regarde le mourant sans rien dire, met une main sur l'épaule de sa femme. Elle penche la tête, y dépose sa joue, lui dit qu'elle ne peut pas rentrer, pas aujourd'hui. Demain peut-être, sois patient, joue avec les petites, essaie de rester à la maison, dis-leur que maman pense à elles.

Charles hoche la tête, s'en va.

À la maison, un vent de panique souffle depuis deux jours. Armand ne sait plus où donner de la tête: Odile ne cesse de réclamer sa mère, son petit chat serré contre elle. Charlotte a la colique. Firmin court de l'écurie à la maison pour donner un coup de main. Gus veut aller se battre. On a beau lui dire que la Belgique a capitulé, il n'en démord pas. Alors on lui demande d'attendre madame Charles pour lui dire au revoir. Mais il dit que la guerre n'attend pas. Il part un matin, avec un thermos et un briquet préparé par Armand. Où est-il? personne n'en sait rien. Et personne n'a le temps d'y penser.

Émilie renvoie Jules-Henry à l'hôpital. Trois heures plus tard, il revient sans sa belle-fille. Lorsque sa femme lui demande pourquoi il a pris trois heures *pour ne pas* ramener Delphine, il lève les bras en signe d'impuissance, mais c'est seulement pour calmer sa femme. En réalité, il est content. Une sœur lui a fait faire le tour des lits, puis lui a demandé de s'asseoir près d'un homme qui, depuis le matin, attendait qu'on vienne lui lire la Bible. Il a lu. Une des religieuses l'a reconnu – son frère travaille à l'usine. Elle lui a apporté du café, et lorsqu'il s'est levé pour partir, le patient s'étant endormi, elle lui a demandé de revenir. « Ça leur fait du bien, et les infirmières sont débordées. »

Émilie regarde son mari avec stupeur. « Tu n'as tout de même pas... ?

— Si.

— C'est un comble, on t'envoie chercher ta bru, et tu te fais enrôler! »

Depuis, Jules-Henry Durant, qui a démantelé sa fabrique d'armes de chasse mais va devoir livrer du tissu à l'Allemagne, lit la Bible une fois par semaine aux blessés.

*

Le soldat a une quinte de toux. Delphine aide la religieuse en chef à le redresser pour qu'il puisse cracher – beaucoup de sang – dans le bassin. Puis elles l'installent sur les oreillers et attendent, de chaque côté du lit, qu'il reprenne son souffle. Il sourit, il dit qu'elles lui ont encore une fois sauvé la vie. Il tourne la tête vers Delphine et lui dit qu'il veut se marier avec elle. Elle dit oui. De surprise, la religieuse s'assied au bord du lit. Le malade veut se lever, il veut se lever pour se marier, il dit que le bonheur lui donne des ailes, qu'il n'a plus de fièvre, qu'il se sent tout léger, que sa poitrine est guérie. Il demande son blouson. Personne n'ose lui dire qu'on l'a donné, son blouson, puisqu'il va mourir. Il insiste.

Une infirmière apporte un manteau, trop petit. Il le regarde avec étonnement, il croit que c'est une farce. Quelqu'un lui explique que son blouson est à la lessive. Il sourit à Delphine: «Ça dure longtemps la lessive, et moi je voudrais qu'on se marie tout de suite.

— Moi aussi.

— Oui, mais il faut un prêtre pour se marier. Les bonnes sœurs connaissent sûrement un bon prêtre.»

Bonne blessure, bonnes sœurs, bon prêtre, Dieu que la vie est bonne. Il veut se lever pour essayer le pardessus. Il est trop court pour le grand corps, les manches lui arrivent à mi-coudes, il est mal coupé – et il s'y connaît – mais ça le fait rire quand même... «Pour me marier, j'aurais préféré mon blouson», dit-il. La sœur lui dit qu'il sera prêt demain, et que ça vaut la peine d'attendre, parce que ce manteau est vraiment trop juste et qu'il faut être beau pour se marier. «Oui, dit-il, mais je serai quand même beau parce que je suis heureux et guéri.» Il demande qu'on l'emmène à la chapelle car il veut remercier le Seigneur. On le porte sur une chaise, ça le fait rire.

Arrivé dans l'église, il prend la main de Delphine et s'évanouit. Il faut le ramener à la salle. Un médecin allemand croise le cortège. Il est furieux. «Assez de promenades pour aujourd'hui, remettez-le au lit.»

Quand il reprend connaissance, le soldat demande à Delphine s'ils sont mariés.

«Oui», murmure-t-elle.

Elle se penche, le prend dans ses bras. «Ma fille, faites attention!» chuchote la religieuse.

Le marié veut savoir où son épouse veut aller en voyage de noces.

«À Venise», répond-elle.

Il pousse un soupir joyeux et meurt, marié et guéri, dans son pardessus trop petit.

22

ODILE

On se souviendra du dimanche 10 mai jusqua la fin de nos jours

J'ai entendu le bruit infernale, j'ai pris les jumettes de mon père et j'ai réveillé Lolotte. J'aurais pas du. La petite a commencé à crier maman maman le bon Dieu y fait tout trembler. J'ai dit tais-toi c'est pas le bon Dieu c'est les smits et maman t'entends pas elle est dans la cour. Lolotte a mis ses pantoufles à l'envers mais j'ai rien dit pour pas l'énerver. C'était donc enfin la guerre dont parlait Jan et mon père. Le fou allemand voulait voler la Belgique et ses richesses et ses valeureux habitants. J'avais pas peur car nous les Belges on na pas peur. Personne donc avais peur sauf les poissons du canal Albert. On est descendues et je devais tenir ma sœur qui s'empratouillait dans ses pantoufles. Papa et maman et Jacques et son père étaient dans la cour et regardaient en l'air les méchants smits des boches. Mon père a ri et a dit c'est pas des méchants smits Odile c'est des messersmits. De toute façon on s'en balance, c'est des saligots quand même. Quand Lolotte a vu les avions, je lui ai dit c'est des mouettes géantes mais elle m'a pas cru alors je l'ai passé à ma mère en lui disant (à ma mère) attention elle se tore les pieds avec ses pantoufles. Moi j'ai été près de papa pour lui dire ça va barder les Boches sont là. Les chevaux ont commencé à taper.

J'ai demandé à papa pourquoi ils volaient serrés comme ça, il a dit parce que c'est une espadrille. Alors des bombes sont sorties par en dessous comme des crottes et le père a dit ils attaquent les forts du canal. Le canal c'est le canal Albert en souvenir de notre bon roi chevalier qui est tombé du rocher de Marches-les-Dames en se prenant le pied dans une branche et toute la Belgique le pleure encore et sa reine Élisabeth est au désespoire d'avoir perdu ce cher épous mais avec la guerre et les boches la vaillante Belgique va se battre et oublier son chagrin. Puis y a eu de la fumée rouge en dessous et noire au dessus et papa a dit allons près des chevaux y a plus rien à voir. C'était pas vrai mais j'ai pas voulu le contrarier. Et tout ce rouge et ces espadrilles c'était beau malgré la guerre. Puis on est rentré pour obéir à maman qui était toute blanche et on l'a regardée beurrer des tartines dans un silence de môrt. Sauf Lolotte qui arrêtait pas de dire maman, maman, Odile a dit que les Boches y vont me ronger les orteilles.

J'arrête parce que j'ai mal à mon poignet.

Je sais que j'ai des fautes mais c'est à cause de l'émotion.

Je continue. Pendant qu'on mangeait nos tartines, Papa se levait tout le temps pour aller près de l'évier avec Jacques pour un concilabule. Ils parlaient donc tout bas. Puis on est revenu chez nous pour voir nos bêtes mais sans la pouliche car elle aurait tapé de peur dans le van. Papa a avalé une jatte de café et il est parti sur son Peugeot pour aller voir et maman a dit aujourd'hui pas d'école. J'ai couru chez Firmin, mais il faisait une drôle de tête alors j'ai rien demandé. Je men fous je vais écouté ce que papa va raconter aprè. En attendant j'ai été voir Dilon et Prince. Eux aussi faisait une drôle de tête même si on sait jamais à quoi ça pense un cheval. Et encore moins deux. Je leur avais apporté des carottes et y a pas mieux pour les intérécer. Dilon grattait quand même, mais Prince était tranquille et Bertha s'en foutait. Firmin est arrivé pour leur donner le picotin. Il a soupiré et a rien dit. J'ai dit c'est pas la peine de rien dire, je sais que c'est la guerre. Et comment tu sais ca il a dit d'un air suspect. Je le sais parce que le père de Jacques l'a dit à papa. Donc c'est la guerre et c'est pas la peine de mentir. Du coup je suis rentrée et je l'ai planté la.

Après, les évacués sont passés avec leur bataclan. Généralement tu évacues parce que tu as peur mais parfoi aussi pour aller faire la bringue à la mer. Nous on névacue pas parce qu'on ne peut pas laisser nos bêtes. Et si les allemands arrive j'ai demandé à ma mère. Alors c'est pas essclu a telle dit. Moi je crois qu'on devrait y aller, papa montrait Dilon, Lolotte et moi sur Prince, Gus sur la jument, et Firmin resterait car il faut que quelqu'un se sacrifie pour s'occuper des vaches. On nétait comme au pestacle. Un gros chien fort comme un nercule tirait une charrette avec des paquets de manger et un cochonnet dans une mane à linge. Pour le cochonnet j'ai des soupçons mais j'aime mieux pas y penser. Une très vieille mamie était dans une poussette confortable et son mari très vieux aussi sur une chaise porté par deux hommes vigoureux. J'ai demandé à maman qu'on les prenne mais elle a pas voulu séparer les familles et elle leur a donné une jatte de café. Les autres évacués n'ont eu que de l'eau car ma mère ne peut pas nourrir toute la Belgique, et aussi ils avait des provision et ils voulaient seulement de l'eau. Alors un chat est sorti de la manche de la mamie quand Gus a apporté du lait et a miaulé (le chat) pour l'avoir et aller faire sa crotte alors j'ai dit à ma mère on n'a pas le droit d'abandonner ce minuscule animal et la mamie m'a donné son chat à garder pour toute la guerre et m'a dit qu'il s'appelait Filou. On va avoir d'autres animaux d'ertstale ma mère la promis. On a fêté mon anniversaire malgré tout. Comme dit grand-mère Émilie, il faut bien vivre dans cette vallée de larmes.

Parfois ma grand-mère dit des choses abacadabrentes mais on n'a pas le choix.

J'ai rien d'autre à dire, sauf qu'ils n'ont pas encore vraiment compris, ma mère, mon père, mon grand-père Jules-Henry, ma grand-mère Émilie, mon papi et sa Rosy, et même ma sœur Charlotte, qu'un chien c'est mieux que des albums de Bécassine.

Bécassine est une imbécile.

Des jours et des jours après l'attaque de nos ennemis

Maman et Rosy en ont plein les bras avec ce pain à faire chaque semaine. Il fallait voir les boules de mastic. On a tous dit que c'était bon pour pas leur faire de peine. Moi, je me suis dit que c'était une calamité de guerre en plus, mais c'est maintenant très mangeable. En tout cas, les femmes du village aiment ça, elles sont plantées devant la grille deux fois par semaine et même la femme du parc qui est devenue polie, avec son garçon qui l'est de naissance. Attention, je suis très fière de maman qui donne du pain aux plus pauvres que nous, même si je pense qu'à ce train-là on n'aura bientôt plus de farine. Les jours de pain, je ne bouge pas du fournil. C'est pour chiper des petits morceaux de pâte, mais aussi pour les regarder pétrir. Avec leur chignon en l'air et leurs joues brillantes, maman et Rosy sont les deux plus belles femmes de Belgique. Quand maman ouvre le four pour enfourner, les flammes dansent dans ses yeux et elle est aussi belle que Dorothy Lamour bien que ne lui ressemblant pas.

Avec tout ça, j'ai oublié de dire que la vieille Nora a vêlé. Avec cette guerre on oublie tout. On a été voir le veau et évidemment Charlotte a pleuré. J'ai une sœur pleureuse on la changera pas. Je lui ai dit pourquoi tu pleure regarde comme il est minion. Oui mais pourquoi y tombe tout le temps. Maman a expliquer qu'avant de marché tous les bébés tombe. J'ai regardé Nora lécher son veau et j'ai oublié la guerre à nos portes. Mais pas longtemps. J'y pense tout le temps depuis les avions. Firmin parle toujours de la grande guerre, alors j'ai demandé à maman si celle-ci serait la petite. Elle a dit je l'espère ma chérie avec un soupir. Je crois que ma maman est découragé et j'ai décidé de jamais pleurer et de m'occupé de ma sœur même si elle ménerfe car maman en a vraiment plein les bras avec la bonne qui lui a dit madame avec cette guerre je ne sais pas si je pourrai encore venir parce que j'ai peur des Boches. Vous serez mieux protégé ici a dit maman à cette femme qui vient chaque matin pour faire le ménage. Oui mais y a le trajet a dit cette couillone. Faites comme vous voulez a répondu maman très découragée.

Je vais l'aider ma mère. À dix ans et l'âge de raison depuis trois ans on aide sa mère.

Plus d'école

On n'y va pas car les Boches continuent leurs maifaits et de toute façon elle est fermée. Nos vaillants soldats se battent mais pas ici. Mon papa ne partira pas parce qu'il est maintenant le chef de l'usine car grand-père est trop vieux. Chaque fois que grand-mère Émilie vient elle dit à maman je le savais. Et elle dit aussi je suis contente d'avoir stérélisé. Gus veut partir à la guerre et papi lui a dit attendez quand même que madame Charles soit revenue pour lui dire au revoir. On dit que les Allemands sont à la mer avec leurs panzères et leurs camions bourrés de Boches qui tuent des innocents en s'esclaphant. Les tommy anglais sont là aussi, mais pas avec leur Churchile devenu roi d'Angleterre. Il y a aussi les Français et nous les Belges mais pourquoi bon san je me le demande. En tout cas, pas question de se mettre en maillot pour aller brûnir sur la plage et aller manger des soles grillés car les Boches les font sauter avec leurs sales mines. Je hais ces Boches qui nous gâche la vie et se foute du cœur des mères. Mais Firmin dit qu'on les aura comme en 14. N'oublions pas que Jules César a dit de tous les peuples de la terre les Belges sont les plus braves. Donc on va les ratisser comme des crottes et les renvoyer chez le fou avec des catapultes géantes fabriquées dans l'usine de mon père.

Je vais mettre mon carnet en lieu sûre pour pas que ma mère ne lise car elle serait triste que sa fille parle comme une mal élevée mais c'est à cause de la colère et de la malédiction bochienne.

L'école a rouverte en fin de compte mais maman a dit c'est trop tard bientôt les vacances. J'ai quand même fini ma quatrième et Charlotte sa deuxième. On est allée deux jours par politesse et j'ai vu mon amie Bernadette qui n'est pas dans ma classe parce que quand on est dernière on double. On s'est parlée à la récréation. Elle a toujours ses anneaux, heureusement pas dans le nez comme en Afrique. Comme de coutume, j'ai partagé mon dessert avec elle, un côte d'or à la vanille. Le jour avant les Boches, elle m'a donné la moitié de son quartier de tarte aux pommes mais c'était dégueulasse (si maman savait que j'écrit ce mot, j'en entendrait). Elle aime pas les gros mots ma mère, mais elle saura rien. Dégueulasse, dégueulasse, dégueulasse, dégueulasse, je profite donc de ce carnet pour les mots qu'elle aime pas, comme stupre, sybarite, tire au cul, biroute et quéquette. J'ai une nouvelle cachette pour mon carnet, en dessous de mon matelas. Ça vaut mieux car je ne veux pas que ma mère ait du chagrin que sa fille écrive des mots soupçonneux. Mais il faut que jeunesse se pâsse comme dit ma grand-mère Émilie la philosofe.

Quinze jours après l'attaque de nos ennemis

Je n'écris plus parce que je dois m'occuper de Lolotte et des chats et des chiens avec Papi. La bonne est foutue le camp et ma mère et Rosy vont à l'hôpital pour faire leur devoir de patriotes et laver des blessés et leur mettre des compresses. J'ai oublié de dire que quand la vieille dame est repassée pour reprendre son chat, je me suis cachée (et le chat avec). Mais je crois qu'elle a dit c'est bien il est mieux avec cette bonne petite fille. Oui, et pour longtemps car les mamies de septante ans et plus leurs jours sont contés.

Dimanche après le 27 mai jour de la décision du bon Léopold

Notre roi a dit c'est fini je ne veux plus que mes vaillants sujets se battent et meurent laissant dans l'affiction femmes et enfants. Gus est quand même parti mais il est revenu avec un trou dans le mollet. Il enlève son pansement à tout bout de chant pour le montrer mais maman lui défend car ca va s'infecter et alors on va lui couper la jambe. Il l'a quand même montré à grand-mère Émilie et elle a dit il a muri ce garçon.

23

IRÈNE

23 juin 1940. À l'exception du portrait de Master Hare, il ne reste rien d'Irène dans le studio des Champs-Élysées. Il a retrouvé l'aspect qui était le sien lorsqu'elle y a emménagé : joli, confortable, anonyme. Master Hare en est devenu le gardien ; il veille, il attend, il garde toute chose en place. Tout restera pareil jusqu'à ce qu'elle revienne – si elle revient. Émile Desfossez a décidé de défrayer le coût de la location. « Ainsi, j'aurai un pied-à-terre parisien dans lequel tu pourras venir quand tu voudras », a-t-il dit à son amie.

Armand et Jan, arrivés la veille, ont entassé dans la voiture du bureau les bagages d'Irène, ses effets personnels, ses livres d'art, le matériel de peinture et quelques souvenirs de voyage – peu nombreux : Irène n'est pas collectionneuse. Rosy ne les a pas accompagnés : elle s'affaire à aménager le logis qu'elle réserve à Jan et Irène.

Le trio a rendu visite à Helda Erhard, qui leur a montré une lettre de sa nièce. Greta dit que tous les clochers carillonnent à Berlin, que chaque balcon a son drapeau. Les vainqueurs défilent, des fleurs sur le casque. Le chancelier est content, il a proposé « la paix » à l'Angleterre et est convaincu que Herr Churchill lui en est reconnaissant. Irène a proposé à son amie de venir passer quelques semaines en Belgique, mais Helda veut rester chez elle. Jan a eu beau lui dire que la situation est beaucoup plus dangereuse à Paris qu'à Bruxelles, elle ne veut rien entendre. Elle sait pourtant que la Luftwaffe a bombardé les banlieues et les aérodromes, qu'un exode massif a commencé – les Français entraînant avec eux les Belges réfugiés dans la capitale –, que les colonnes s'allongent interminablement sur les routes. Elle a vu, du balcon du studio, les troupes allemandes défiler sur les Champs-Élysées, a assisté à l'installation d'une énorme bannière à croix gammée sous l'Arc de triomphe. Malgré la ville déserte où il est difficile de s'approvisionner, malgré ses voisins devenus allergiques à son accent, malgré ses craintes, elle refuse pourtant de quitter Paris. Elle veut être chez elle quand arrivera la prochaine lettre d'Allemagne. La pauvre dame vit dans ses albums de photos, où le petit Kurt lui sourit gentiment. Armand lui a expliqué que l'on peut changer quand on tombe sous la coupe de voyous. Elle dit que son fils était un bon enfant et qu'il va s'amender.

Lorsqu'ils ont pris congé, elle a chuchoté à Irène qu'elle avait entamé une neuvaine pour que la guerre se termine.

Serrés les uns contre les autres sur le balcon, Irène, Jan et Armand regardent deux Mercedes décapotées s'arrêter devant l'Arc de triomphe. Adolf Hitler et son architecte sont venus jauger leur nouveau trésor de guerre. Hitler et Speer sont en grand uniforme, couvre-chef enfoncé sur la tête. L'architecte, renversé sur le dossier de la limousine, ne cache pas son émerveillement; l'autre semble renfrogné. Un homme de la bande lui ouvre la portière, il sort, marche vers l'Arc de triomphe. Des officiers descendent précipitamment de l'autre voiture, tête levée, puis entourent, congratulent leur Führer comme s'il venait, baïonnette au canon, de conquérir le monument. Un soldat filme. Le chancelier, qui porte bas la visière de sa casquette, doit lever la tête pour voir; son nez a l'air de grignoter sa moustache. «Il est de mauvaise humeur, dit Jan, il vient de découvrir que Paris est plus beau que Berlin.»

Le retour à Bruxelles est chaotique. L'auto se fraie un passage sur la route encombrée de gens qui avancent, lentement, n'échangeant que les mots nécessaires. On leur a dit d'aller vers le sud, ils vont vers le sud. En tête de colonne, des hommes et des femmes épuisés mais qui marchent quand même, tirant leur force d'une détermination têtue et de la conviction que leur vie dépend de cette marche vers un sud que beaucoup ne connaissent même pas. Leur fatigue est telle que leur visage ne reflète plus rien. Irène est muette, figée: de son refuge sous les toits elle n'a vu que très peu d'images de l'exode. Elle a vu Paris se vider, certes, mais elle s'est dit, naïvement, que partir dans le Sud n'était peut-être pas une mauvaise idée! Aujourd'hui elle a honte. Les palaces baignés de soleil, les repas fins, les orchestres argentins, les promenades en robe légère et ombrelle ne sont pas pour ces gens qui marchent.

Ils croisent une autre colonne. Une femme se traîne à l'arrière avec un bébé. Elle boite, essaie de rattraper les autres. «Arrête, Jan, je veux lui parler.»

D'abord étonnée de voir une dame élégante sortir d'une voiture qui va dans le mauvais sens, la femme l'écoute lui dire qu'elle ne peut pas continuer comme ça avec un bébé, qu'il vaut mieux qu'elle vienne avec eux, à Bruxelles, où on va lui trouver un logis, des ressources… Elle fait non de la tête, se remet à marcher. Jan et Armand attendent, appuyés contre le coffre de la voiture. Irène s'obstine, explique encore, puis, découragée, se tourne vers eux, bras levés en signe d'impuissance. Elle ouvre son sac, y prend de l'argent, court derrière la marcheuse. La femme a un recul quand Irène enfonce les billets dans sa poche. Le bébé se met à pleurer, il cherche le sein. Une femme se détache de la colonne, prend l'enfant pour permettre à la mère de dégrafer son corsage. Elles reprennent lentement leur marche, serrées l'une contre l'autre.

*

La maison de Rosy, rue de la Vallée, possède trois étages, des combles et un sous-sol. Un jardinet carré, entouré de panneaux de métal noir surmontés de têtes de lance, la sépare de la rue. Le père de Rosy, qui y cultivait la plus grande variété de glaïeuls capables de tenir dans un aussi petit espace (il n'avait aménagé, pour le passage des habitants et des visiteurs, qu'une mince allée de la largeur de deux briques), avait décrété que la porte du jardin devait rester fermée aux regards – et aux convoitises.

Constant Vandevelde a depuis longtemps quitté ce monde, mais il a d'abord fait promettre à sa fille, qui l'a si souvent aidé à placer des bulbes en terre, de veiller sur ce qu'il considérait comme son legs le plus précieux. Bonne fille, Rosy a promis, bien qu'elle déteste les glaïeuls. Par bonheur, le sous-sol est habité par un autre passionné des iridacées, qui dispose gratis des lieux à la condition de prendre soin du jardinet. Casqué d'un béret et sanglé dans une salopette jaune, Évangélisto Vermeulen veille jalousement sur ses protégées.

Le deuxième étage – au-dessus du rez-de-chaussée et du premier occupés par Armand et Rosy – était habité par un couple de professeurs de l'Université libre de Bruxelles, mais ils sont partis au début des hostilités, mettant ainsi fin à leurs carrières respectives pour rejoindre la bastide de Haute-Provence qu'ils s'échinent à retaper depuis dix ans. À

Rosy qui s'inquiétait pour leur subsistance – la parcimonie alimentaire était encore tolérable à Bruxelles – ils avaient répondu que leur potager et les lapins de la garrigue y pourvoiraient.

«Pour le reste, avait dit le mari, nous avons mis un peu de côté.»

L'appartement réservé à Irène et Jan est meublé, astiqué; le lit est fait, et un chevalet déniché au grenier trône dans la véranda jouxtant le balcon. «Comme à Paris, mais sans mes toits», dit rêveusement Irène.

«C'est le chevalet de papa, explique Rosy, et devine ce qu'il peignait.» Ce disant, elle désigne, d'un geste du menton, une toile où des glaïeuls se bousculent dans un vase en cristal de roche.

Le dîner se prolonge, la fumée des cigares des deux hommes s'échappent en volutes par la porte-fenêtre. Armand est heureux de vivre sous le même toit que deux des trois femmes de sa vie; Irène l'est un peu moins, mais elle apprécie la sérénité que lui apporte la certitude d'être là où elle doit être. Elle ne sait pas encore ce que Jan attend d'elle, dans cette guerre dont il ne croit pas, à l'instar de beaucoup, qu'elle sera courte, mais il le lui dira bientôt.

*

Le 10 mai, après l'appel du roi, Jan s'était engagé. Pendant trois jours, plusieurs divisions, dont la sienne, avaient résisté à toutes les attaques sur la tête de pont de Gand et sur l'Escaut. Pendant ce temps, plusieurs villes françaises étaient écrasées par les panzers ennemis. Les troupes belges, entravées par les bombardements incessants et les centaines de milliers de réfugiés tournant en rond dans un anneau de feu se resserrant d'heure en heure, n'avaient aucune chance. Et les alliés n'intervenaient pas. Le 28 mai, la partie était perdue.

Dix-huit jours après sa vibrante exhortation du 10 mai, le roi avait délégué un officiel au haut commandement allemand. La Belgique se rendait.

C'est par un journal allemand que les Belges avaient appris la capitulation.

Une semaine après, Jules-Henry Durant recevait une lettre de Jan. Ce dernier se trouvait dans un hôpital de Gand, gravement blessé à la jambe. D'après le médecin qui le soignait, il n'obtiendrait son congé que deux semaines plus tard, si tout allait bien. Irène, prévenue par Delphine, était arrivée de Paris avec la ferme intention d'aller rechercher son ami. La Minerva étant déjà en lieu sûr à la métairie, Armand avait emprunté la voiture d'un voisin. Ils étaient partis le lendemain. Comme Jan n'avait pas spécifié l'endroit où il se trouvait, ils avaient dû faire plusieurs hôpitaux avant de le retrouver. Irène voulait ramener Jan à Bruxelles, mais le médecin avait été catégorique : pas de billet de sortie pour le matricule 2329. La blessure était grave, on avait frôlé la gangrène. Lorsque Irène avait fait remarquer au médecin, de façon très peu diplomatique, qu'il avait suffisamment de blessés à soigner pour pouvoir se passer de celui-là, la discussion s'était envenimée. Et quand elle avait déclaré qu'il y avait d'excellents médecins à Bruxelles, l'homme, vexé, s'était montré inflexible. Jusqu'à ce que Jan, un doigt levé, demande la parole. Le geste avait détendu l'atmosphère. C'était simple : Armand repartirait à Bruxelles, Irène resterait à son chevet. Comme le médecin hésitait, elle avait fait amende honorable, puis lui avait appris qu'elle avait travaillé, pendant la Grande Guerre, auprès d'Edith Cavell. « Dans ce cas, vous pourrez peut-être nous être utile, mais en blouse d'infirmière et les cheveux serrés dans une coiffe. Et estimez-vous heureuse si on vous trouve un matelas. »

Armand avait refait la route pour aller chercher quelques objets de première nécessité pour le couple, et le bloc à dessin de sa sœur.

Le lendemain, Irène retrouvait les gestes qu'elle avait si bien appris auprès de miss Cavell, et, le soir, lorsqu'un semblant de calme s'installait, elle prenait ses fusains et dessinait. Jan, d'abord. Essai raté : la solide tête de Flamand résistait, on était loin du minois de Master Hare ! Le jour suivant, elle s'était obstinée, sans plus de succès. De guerre lasse, elle s'était tournée vers un autre blessé. Le coup de fusain avait été plus heureux, cette fois : les yeux de l'homme brillaient sous les bandelettes qui lui recouvraient le crâne. Puis elle s'était attaquée au « bon » profil de certains blessés au visage. Tout lui était bon, une main intacte, une jambe en suspension, les rangées de lit.

Les infirmières l'avaient acceptée, elle s'était réconciliée avec le médecin. « Bientôt, c'est toi qu'il ne voudra plus laisser partir », plaisantait Jan.

Quand le convalescent avait reçu son billet de sortie, Armand était arrivé avec Rosy. À l'arrière de la voiture, un ballot contenant un trench et un costume (le pauvre n'a sûrement rien à se mettre), et une valise pleine de victuailles (Dieu sait ce qu'ils ont pu manger pendant ces dix jours). Sur le chemin du retour, ils s'étaient arrêtés au bord d'une route, avaient étalé une nappe dans un pré.

Le soir, rue de la Vallée, Jan leur avait expliqué qu'il comptait désormais passer inaperçu, sous les apparences d'un chef de bureau conciliant. Conciliant avec l'ennemi, s'entend. À ses amis qui ne comprenaient pas, il a précisé qu'il se servirait de sa fonction pour empêcher les réquisitions et garder des gens en poste. Pour cela, il aurait besoin d'Irène.

C'est sur cette déclaration qu'elle est rentrée à Paris, où il n'a pas tardé à venir la chercher, pour de bon et pour la bonne cause.

*

Après la capitulation du 27 mai, le pays s'est installé dans une sorte de calme, annonciateur de quoi, on ne le sait pas encore. À Bruxelles, tout semble normal, les tramways roulent; il y a de l'eau, du gaz, de l'électricité, le téléphone fonctionne. Chaussée d'Ixelles, on peut acheter des cerises aux marchandes des quatre-saisons. Les soldats allemands font marcher le commerce. À les voir faire les boutiques, on peut difficilement croire qu'ils font partie d'une armée qui a tué plus de treize mille personnes sur les routes de l'exode. Ils sont polis, attentionnés, aident les vieux à traverser les rues, donnent leur place aux femmes dans les trams, font risette aux bébés. Et ils dépensent leur paie pour acheter des cadeaux à toute l'Allemagne. Les cinémas sont ouverts. Rosy et Irène vont voir *Autant en emporte le vent*, sortent de la salle en se disant qu'il y a des guerres plus sanglantes. Et en rêvant des toilettes de Scarlett O'Hara. De retour à la maison, Rosy contemple les tentures de velours grège du salon et déclare qu'on pourrait y tailler trois robes.

Une de leurs voisines a assisté à un défilé de mode allemand aux Beaux-Arts. À pleurer. Du brun, du moutarde, du caca d'oie, et les éternelles robes tyroliennes. «Nous ne nous déguiserons jamais», a décrété Rosy.

L'occupant est courtois, mais un tas de gens ont disparu. Chaque jour, la Bruxelloise de vieille souche reconnaît des noms et se désole en lisant les petites annonces des journaux. Des gens recherchent des membres de leur famille, des enfants ont été perdus dans l'exode ; les soldats emprisonnés dans les stalags ne sont pas revenus. Ceux qui écoutent les radios étrangères sont passibles de poursuites. Seule la radio allemande dit la vérité. Addendum pour les Juifs : ils ont *huit jours* pour aller déposer leur poste de TSF dans un local aménagé au centre-ville.

Celui de la rue de la Vallée est caché au grenier. Le soir, Armand, Jan et Évangélisto se collent au poste. Ils écoutent Churchill, qui a refusé la « paix » nazie. Ils l'écoutent avec passion. *Nous voulons,* dit le Premier Ministre*, les frapper jusqu'à ce que Hitler et l'hitlérisme passent de vie à trépas.*

La réponse est brutale : le 25 juillet, les Stukas et les Messerschmitt de Goering foncent sur les ports et la flotte britannique. Le soir, la mer est jonchée de bateaux renversés. Les pilotes allemands, des « anciens » des Jeunesses hitlériennes, sont aussi grisés par les sirènes de leurs Junkers qu'ils l'étaient par les chants teutoniques sur lesquels ils s'entraînaient. L'ogre jovial à grande cape leur a déclaré que la Manche n'est qu'une rivière, *Der Kanaal*. En août, ils s'attaquent aux aérodromes et aux radars, puis commencent à bombarder Londres, de nuit, par vagues successives. La RAF résiste et les frappe, comme Churchill l'a promis.

À Bruxelles, le rationnement commence, surtout pour le pain : la moitié de la ration habituelle. Cent cinquante grammes de viande et trente-cinq grammes de beurre ou de margarine par jour et par personne. Le lait est rare, comme le fromage, le sucre, les féculents, et même les pommes de terre. Rosy compte et recompte ses timbres. Elle « fait avec » le lait, le beurre, les œufs et le pain que Charles apporte une fois par quinzaine de la métairie, devient experte dans l'art d'assembler des denrées mal assorties. Elle connaît tous les bouchers, tous les crémiers, tous les maraîchers d'Ixelles, échange, dans les files où elle retrouve des ménagères aussi futées qu'elle, recettes, vivres et pelotes de laine. Armand fait sa part : il troque, rue des Radis, un haut lieu du marché noir, des coupons de tissu défectueux contre du café et de la margarine.

Quand les filles viennent à Bruxelles – ce qui arrive de plus en plus rarement –, il les emmène voir Laurel et Hardy.

Rue de la Vallée, Ray Ventura chante, et Charles Trenet, et Arletty. Il y a des concerts aux Beaux-Arts, mais Jan refuse d'y aller parce que ces salauds d'Allemands sont mélomanes et qu'il y en aura sûrement plein la salle. Les music-halls, eux, sont fidèles à leur vocation : ils ne présentent que des spectacles légers. À Liège, un petit malin a ouvert un cabaret qu'il a appelé Le Walhalla.

Les zazous dansent comme des fous.

« Si ce n'était pas la guerre et si tu n'avais pas fait de moi ton esclave, je serais zazou ! dit Irène à Jan.

— Vive la guerre », répond-il sobrement.

Par l'entremise du journal *Le Soir* et d'affiches alléchantes, la Kommandantur fait savoir que tous les hommes valides entre dix-huit et cinquante-cinq ans sont susceptibles d'être appelés pour aller travailler dans des fermes et des usines du Grand Reich. « On » conseille à ceux qui reçoivent une convocation de se présenter immédiatement, sous peine d'être arrêtés et envoyés manu militari dans des endroits moins accueillants. La plupart des Belges ignorent la menace. Des équipes de feld-gendarmes les attendent à la sortie du bureau ou de la fabrique pour les entasser dans des camions et les expédier en Allemagne à coups de botte. Pour faire bonne mesure, un encart allemand dans le même journal annonce que toute personne qui donnera des informations utiles permettant de procéder à l'arrestation d'un Juif ou d'un resquilleur recevra quarante francs.

Irène dort mal. Ce qu'elle vit depuis quelques semaines la plonge dans un état qu'elle est bien obligée de qualifier de gros malaise. Elle aime Jan, Jan le sage, mais il faut l'aimer si raisonnablement, elle n'a pas l'habitude. Pour un peu, elle rentrerait à Paris, c'était tellement mieux quand il venait la voir, quand il oubliait, pendant quelques heures, sa vie austère. Jan l'aime, à sa façon pondérée, réfléchie, mais elle sait qu'il ne le lui montrera que lorsque ses tâches seront accomplies – quelles tâches, elle l'ignore encore –, quand il n'y aura plus urgence, quand ce fichu pays sera libéré. En attendant, il faudra se contenter de moments, si moments il y a.

Et si je partais ? se demande-t-elle parfois. Si je partais loin ? Oui, sauf que ce fou de Hitler s'attaque à toute l'Europe ! Mais il y a l'Amérique ! Tu es folle, pense à Armand, pense à ces gens qui t'aiment. Oui, mais ces gens qui m'aiment me connaissent, ils ont l'habitude de me voir partir! Tu partirais en Amérique alors qu'ils sont encaqués dans ce petit pays occupé et qu'ils s'apprêtent à faire front tous ensemble? Tu ne veux pas faire front avec eux? Faire front à quoi? Tout se passe bien, ce n'est pas si difficile. Tu ne crois pas que ça risque de le devenir, difficile? Rosy fait la queue aux provisions, Jan se démène pour faire tourner les textiles, Delphine soigne des blessés dans un hôpital et Armand est obligé de traîner rue des Radis pour ramener trois grains de café! Et tu veux aller en Amérique!

Un soir, Jan lui annonce que ses visites à Herr Spitz, le grand responsable des textiles en Belgique, sont imminentes.

«Au lieu de rêvasser, je te conseille de potasser ton allemand.»

Autant pour l'Amérique, ma fille.

Le Flamand lui explique que des gens risquent d'être envoyés en Allemagne pour le service obligatoire, et que le seul moyen de leur éviter cette calamité est de convaincre les occupants qu'ils sont plus utiles à l'Allemagne *en Belgique*. Pour cela, la filature, l'atelier de tissage et les bureaux administratifs sont des prétextes très convaincants: les Allemands ont besoin des textiles belges, et les textiles belges ont besoin de main-d'œuvre.

*

Un matin, alors que Rosy fait la queue à l'épicerie, un officier allemand l'aborde et lui demande de lui vendre son vison. «Mais monsieur, sans mon manteau de fourrure, j'aurai froid.» Elle prend à témoin les femmes qui l'entourent, espérant entendre un chœur de protestations. Certaines protestent, certes, mais d'autres lui conseillent d'écouter ce que propose le Boche.

L'homme sort discrètement une liasse de marks de sa poche. Ces marks qui valent chacun dix francs! Rosy a le vertige. Elle pense à tout ce qu'elle pourrait acheter avec ces billets, notamment un nouveau vélo à Armand, qui roule sur une antiquité. Mais elle a honte du sentiment qui, à la vue de la liasse, lui a ôté toute pudeur. Elle ne sait plus où se mettre – ce qui est déconseillé quand on fait la queue. «Avec ça, vous pourrez acheter du chaud», chuchote l'officier. Puis il attend, aussi mal à l'aise qu'elle. Une femme qui a vu les billets souffle à Rosy d'accepter, elle dit qu'une chance pareille ne se présente pas tous les jours. L'Allemand ne bronche pas, puis il sourit, amusé : il croit qu'elle marchande. Les ménagères commentent l'événement à voix basse mais avec passion, si elles étaient des hommes, elles prendraient des paris. On aime bien Rosy dans le quartier, personne ne la critiquera, quoi qu'elle fasse, mais les unes sont contre, les autres pour. Celles qui sont pour savent trop bien ce qu'un peu d'argent peut apporter dans une existence soumise au règne du ticket de rationnement. Celles qui sont contre sont peut-être un peu envieuses. Et il y a les irréductibles, qui n'adressent la parole aux Boches sous aucun prétexte. Rosy est au supplice : elle revoit la liasse de billets, pense à l'excitation qu'elle ressentirait si elle se retrouvait dans son sac. Mais elle n'arrive pas à se décider. Une des femmes a pitié. Sur le point d'entrer dans l'épicerie, elle abrège les affres de Rosy et lui cède son tour. « Ça va vous donner le temps de réfléchir », dit-elle en la poussant vers la porte. Rosy fait ses courses tout de travers, elle est trop distraite.

Lorsqu'elle sort du magasin, les femmes discutent toujours... et l'officier a disparu. Du coup, elle est furieuse de s'être laissé pousser dans la boutique comme un mouton. Les femmes l'entourent, chacune donne son avis, deux ménagères se disputent. Découragée, elle quitte la partie et redescend en hâte rue de la Vallée, bien décidée à oublier les marks miraculeux.

En fin de matinée, on sonne à la porte.

C'est lui.

« Mais, monsieur, vous m'avez suivie ! s'exclame-t-elle.

— Oui, madame. »

L'officier a rougi. Rosy s'efforce de prendre un air réprobateur, mais elle est si contente, si soulagée qu'elle ouvre grand la porte et le fait entrer dans le hall. C'est vrai que c'est beaucoup plus facile quand on n'est pas entourée de femmes qui discutaillent et donnent leur avis. Et l'officier est jeune, timide, très embarrassé. Du coup, Rosy ne réfléchit plus, ne pèse plus le pour et le contre. Écartant toute pensée parasite, elle décroche le fameux manteau de la patère, le fourre dans un cabas à provisions.

D'abord, l'homme ne comprend pas. Il regarde le cabas d'un air ahuri, se demandant pourquoi la dame a caché le manteau dans un sac. Pour qu'on ne te voie pas dans la rue avec, nigaud! Ça, c'est ce qu'elle aimerait dire, mais c'est en silence qu'elle lui tend le cabas. L'officier se confond en remerciements, sort la liasse de marks de sa poche – elle a grossi. Rosy se retient à la rampe d'escalier, l'émotion est trop forte. Quant à l'homme, il est si content qu'il se met à chanter les louanges de la merveille, palpant, caressant la fourrure qui déborde du sac.

La dame de la maison, elle, se dit que la merveille aurait bien besoin d'un nettoyage à sec et de quelques coups d'aiguille aux emmanchures. Mais il faut en finir. Elle pousse doucement l'officier vers la porte. Il sort, descend les marches de l'entrée...

... s'arrête pile au milieu du jardin.

Rougissant, il demande *einen kleinen Strauss!*

Rosy n'a plus qu'une idée en tête, se débarrasser de lui, remonter chez elle, compter ses sous et faire la liste de ce qu'elle va acheter pour améliorer la vie de la maisonnée : garnir la cave à provisions, acheter le vélo d'Armand, de la laine pour tricoter des pulls. Un sentiment d'allégresse l'envahit, tandis que le soleil caresse la première rangée de glaïeuls. Tant pis, de toute façon elle les déteste, surtout les roses. Elle va lui donner les roses, pas les blancs. Hélas, il montre les blancs, lui expliquant, dans un français qu'elle est bien obligée de trouver charmant, que ce sont les préférés de sa femme.

« Votre femme est ici ?

— Oh non, madame, elle est dans mon pays.

— Et le vison est pour elle.

— Bien sûr, et les fleurs aussi. Quelqu'un part à Cologne demain et va lui porter ça. »

Rosy prend le sécateur caché sous un seau retourné, fait signe à l'officier de se taire, écarte quelques tiges – elle imagine la table qu'elle va dresser ce soir, les redingotes qu'elle va tailler dans un coupon de peigné qu'elle a vu chez un marchand, la tête d'Armand quand il verra le vélo – coupe une fleur, se penche vers la deuxième.

Un raclement de gorge.

Le gardien des glaïeuls est sur le seuil de sa porte, bras croisés sur sa salopette jaune, binette prête à faire justice. Il examine l'Allemand, examine Rosy... qui coupe prestement une troisième tige, lui lançant de côté un regard suppliant. Le jardinier reste impassible, il ne parlera pas en présence d'un

Allemand, ceci est une affaire de famille. Rosy tend le sécateur vers une quatrième fleur, hésite, sent la désapprobation d'Évangélisto, ne coupe pas.

Elle se redresse et, s'efforçant de cacher son trouble, tend le piteux bouquet à l'officier.

Il regarde les trois fleurs avec incrédulité, puis, levant vers elle un œil attristé : « Pourquoi, *meine Dame?* »

Elle rougit, cherche désespérément une réponse. Il attend.

Alors, saisie d'une inspiration subite, elle lève les bras en signe d'impuissance :

« Parce que c'est *verboten.* »

Satisfait, Évangélisto rentre dans sa tanière.

24

DELPHINE

Distribution des pains. Delphine a pris un jour de congé à l'hôpital. Elle attend dans la cour avec la manne. Odile accourt vers elle. «Maman, tu as vu, Paul n'est pas là.

— J'ai vu. Reste ici.»

La mère de Paul se tient à l'écart, elle attend que les autres femmes soient parties. Delphine prend un pain dans le panier et se dirige vers la grille. Gabrielle ne bronche pas; la relative aménité des dernières semaines semble avoir disparu, elle attend, les bras croisés, aussi farouche que lors de leur première rencontre. Ses traits sont tirés. «Ça va? s'enquiert Delphine.

— Ça va. Mon pain, s'il te plaît.

— Où est Paul?

— Pas là.

— Je vois bien qu'il n'est pas là! Vous l'avez laissé à la maison?

— Juste.

— Il est malade?

— C'est ça.

— Vous avez appelé le médecin?

— Pas besoin de me dire quoi faire.

— Écoutez, il faut en parler à monsieur Durant.»

La femme ricane. «*Parler à qui?*

— Vous le savez bien! Tout le monde sait qu'il faut parler de ces choses-là à monsieur Durant. Il va vous aider, comme d'ha...» Trop tard, les mots qu'il ne fallait pas prononcer lui ont échappé. Gabrielle Jones la fusille du regard. Et la réplique ne se fait pas attendre. «Ne te mêle pas de ça. Ce sont mes affaires.» Balayant d'un œil noir les bâtiments de la métairie, elle ajoute: «Je ne parle pas aux Durant.» Elle prend le pain des mains de Delphine, tourne les talons, enfourche sa bicyclette et s'en va.

Le surlendemain, elle ne vient pas. Delphine confie son inquiétude à Émilie, qui la dévisage avec un étonnement agacé. Elle ne comprend pas que sa bru puisse s'intéresser ainsi à une femme qui, tout de même, a eu des «rapports physiques» avec son mari. S'il lui venait à l'esprit de la critiquer, elle déplorerait cette indulgence un peu incongrue, mais elle ne critique jamais sa belle-fille, c'est un principe.

Devant la perspective d'une discussion qui ne mènerait nulle part, Delphine n'insiste pas: elle sait que la mère de Charles a construit un enclos mental dans lequel elle a enfermé Paul et sa mère.

Une heure plus tard, elle est à la mairie. Son beau-père promet d'envoyer un médecin mais refuse de lui donner l'adresse de Gabrielle. «Je la trouverai», dit Delphine, bien décidée à extorquer l'adresse à Charles. Mais Charles n'est pas là. Il rentre à l'aube, saoul. À six heures, quand il se glisse dans la chambre, elle en sort. «Ne me dis pas que tu retournes à l'hôpital! bafouille-t-il.

— Et toi, ne me dis pas d'où tu viens.»

Il n'insiste pas, s'écroule tout habillé sur le lit. Delphine lui enlève ses chaussures. Il soulève la tête, – «merci, mon amour» – tend une main – «tu viens près de ton petit mari?» Il n'attend pas la réponse, laisse retomber le bras et s'endort. Elle va droit à l'écurie, surprend Firmin à son réchaud, lui demande d'atteler. Une tasse de café à la main, le vieil homme la dévisage, inquiet, madame Charles ne fait jamais atteler si tôt, et sortir à six heures du matin, ce n'est pas prudent avec ces Boches qui ne dorment jamais. «Y a encore le couvre-feu à cette heure-ci, dit-il.

— Mais non, Firmin, vous savez très bien que le couvre-feu, c'est le soir et jusque six heures du matin.»

Traînant les pieds, Firmin se dirige vers la sellerie, personne ne voudrait contrarier madame Charles. Delphine va au réchaud, crie: «Vous m'offrez une tasse de café, Firmin? Préparez la carriole. Je vais sortir la jument.»

Une demi-heure plus tard, ils arrivent à la ville. C'est l'heure des travailleurs. Sur la place, des silhouettes grises se hissent dans les camions qui vont les transporter aux aciéries. L'église est ouverte, le premier office est commencé. Delphine traverse le parvis, pousse une des portes latérales, s'arrête un instant pour se faire à l'obscurité. Il fait froid, humide. Des femmes sont courbées sur les prie-Dieu, mains enfouies dans les manches de leur manteau, nez dans leur écharpe. Dès que la messe sera finie, elles ramasseront leur cabas et iront faire la file chez le boulanger, l'épicier, peut-être le boucher. Mis à part le curé, il n'y a que des femmes dans l'église; les hommes sont à l'usine ou aux champs. Delphine remonte l'allée jusqu'au transept, puis redescend lentement, essayant de reconnaître quelqu'un. Peine perdue, aucun visage ne lui paraît familier. Les ouailles lèvent un instant la tête, puis replongent le nez dans leur missel. Il faut attendre la fin de l'office. Résignée, Delphine s'assied au fond de l'église. Il doit bien y avoir un moyen de trouver celle qu'elle cherche. Mais il faut patienter jusqu'à la fin de l'office. Elle imagine mal Gabrielle agenouillée ici, sur un prie-Dieu: la piété colle mal au personnage. Et de toute façon elle est protestante, donc elle va au temple. Mais le curé est censé connaître tous les paroissiens, ceux qui fréquentent l'église comme les autres. Bercée par l'orgue poussif, la voix monocorde du prêtre et le marmonnement des femmes, Delphine s'assoupit, menton dans son foulard.

Un bruit de pas la réveille. Les femmes se sont levées pour communier. Le prêtre les attend, une hostie entre les doigts. On n'entend plus que le bruit des gros souliers qui raclent le sol. À quoi pensent-elles? Au Christ qui va mettre fin à la guerre? À leur homme dans les hauts-fourneaux? À ce qu'elles vont trouver chez l'épicier? Non, elles pensent à la tartine qu'elles ont mise dans leur sac, emballée dans du papier journal, et à leur thermos de café de malt: elles ont hâte d'entendre l'amen du curé et de se réunir sous le porche pour déjeuner. Une hostie, ça ne remplit pas l'estomac.

Une ombre se profile près de la chaise de Delphine.

Firmin.

Elle se redresse, mécontente. Pourquoi a-t-il abandonné l'attelage? Le visage bouleversé du pauvre homme lui dit que quelque chose de terrible est arrivé. Elle lui fait signe de s'asseoir. Il s'effondre.

«Ils ont tout pris, madame Charles.

— Qui?

— Une patrouille allemande. Ils ont tout pris. La jument, la carriole, tout. Ils ont dit que c'étaient les ordres.» Il fond en larmes. Delphine le laisse pleurer quelques secondes, puis l'attrape par la manche. «Ça suffit, Firmin. On n'a pas de temps à perdre. Venez.» Il sort un carré de tissu de sa poche, se mouche bruyamment. Une main en suspens, le curé les observe. Delphine fait un signe vague, une génuflexion rapide; ils quittent l'église.

« Vous savez où est la Kommandantur ?
— À la maison communale. »

La grand-rue est déserte. Delphine marche d'un bon pas, Firmin traîne la patte. Il a peur. « Dépêchons-nous, il faut faire vite. » Pourquoi ? Elle l'ignore, mais on dit qu'il faut rechercher tout de suite la personne disparue. Ici, la personne est une jument qu'elle a sauvée de l'abattoir. Des années et des années de bons et loyaux services. Un vieil amour de jument. Je ne rentrerai pas sans elle.

« J'ai peur des Boches, chuchote Firmin.
— Je sais.
— Vous n'avez pas peur, madame Charles ? Comment ça se fait ?
— C'est parce que je suis en colère. »

La jument est devant l'immeuble, entourée de soldats qui lui tapent sur la croupe. Arrêtez, imbéciles, elle déteste ça ! a envie de crier Delphine. Comme s'ils comprenaient, les hommes retirent prestement la main. L'un d'eux, plus jeune, plus effronté, fait glisser lentement sa paume sur la robe du cheval, remontant la main jusqu'au garrot. La peau frémit sous la caresse ; la jument tourne la tête, flaire les doigts immobilisés sur son encolure. Au moins, ils la traitent bien. Delphine ne s'arrête pas près de la bête, ne pose aucune question avant de monter les marches menant à l'entrée. Un des hommes lui barre la route, explique que c'est interdit ; il parle dans sa langue mais se fait bien comprendre. Elle l'écoute un moment, puis, l'écartant du bras : « Laissez-moi passer. » Elle reprend son ascension. Un soldat sort de l'immeuble, descend les marches. Celui-là parle français, il lui dit que son colonel est en réunion et qu'il ne reçoit personne, qu'il faut revenir plus tard et demander un rendez-vous. Elle continue à monter, tandis qu'il trotte derrière elle en répétant ce qu'il vient de dire. Quand elle pousse la porte de ce qui semble être le bureau principal, il essaie de s'interposer, mais elle le repousse et entre.

Un officier allemand est assis à une table dressée dans un coin. Nappe blanche amidonnée, service en argent. Devant l'apparition de cette jolie femme manifestement furieuse qui ne le salue même pas, l'homme reste en arrêt, doigts serrant l'anse de la cafetière. Un rayon de soleil fait miroiter le corps joufflu du récipient, Delphine cligne des yeux. Derrière elle, le soldat se répand en explications. L'officier lui fait signe de sortir. Il se lève, salue l'intruse et attend. Le lieu, les personnages, la lumière, le silence, tout est irréel, ça y est, je suis dans *Tosca*, se dit Delphine. Oui, mais Tosca voulait sauver son amant. Moi, je viens seulement réclamer Bertha, ma jument ardennaise. Je suis une mère de famille à qui des gamins en uniforme ont volé sa jument. Sans doute sur l'ordre de ce... Elle défie les yeux clairs du militaire. Devant le visage hostile de la visiteuse, il fronce les sourcils. Mais posez donc cette cafetière! a-t-elle envie de crier.

Ce qu'il fait, puis: «Puis-je demander pourquoi vous faites irruption chez moi?» Elle a envie de lui dire qu'il n'est pas chez lui, mais se ravise. Il faut ruser. D'un geste large, il lui montre la chaise qui se trouve devant le bureau. Elle ne bronche pas. «Alors?» dit-il.

Envie de crier «Rendez-moi ma jument!» C'est ce que ferait Odile. Oui, mais je ne suis pas Odile. Je ne suis pas Odile, je ne suis pas Tosca, je suis une mère de famille à qui on a volé sa jument. Crotte, Delphine, arrête de radoter et parle.

«Je vais vous le dire, articule-t-elle d'une voix blanche.

— Je vous écoute.» Il sourit. «Mais puis-je, avant toute chose, vous offrir du café?»

Non, non, non! Qu'est-ce qu'il lui prend, à cet homme? Où se croit-il? Dans un salon? Pour qui se prend-il, avec ses airs de maître d'hôtel?

«Non. Mais vous pouvez me rendre ma jument.

— Oh, une jument!» L'expression change. Il fronce les sourcils, contrarié. «Si votre jument a été réquisitionnée, c'est pour nos besoins de guerre.

— J'ai aussi des besoins de guerre. Cette jument m'appartient. Elle est vieille, elle ne vous rendra pas longtemps service.»

Il hoche la tête. «Bien sûr, je comprends, mais mes hommes ont besoin...

— Monsieur, je ne sais pas ce dont vos hommes ont besoin. Je ne sais même pas ce que vous faites ici. Tout ce que je sais, c'est qu'on a volé mon cheval et ma carriole. Rendez-les-moi.»

Il la considère un instant en silence, puis lui montre la chaise d'un geste si naturel qu'elle s'y retrouve assise sans avoir pris le temps de réfléchir. Elle le regrette, mais se dit qu'elle a quelque chose à obtenir et qu'il vaut mieux se montrer accommodante. Il approche un siège, s'y installe, donnant ainsi à l'entretien un tour plus intime. Comme il tarde à répondre à sa demande, Delphine la réitère. «Rendez-moi ma jument», dit-elle, adoucissant son ton revendicateur par un «s'il vous plaît» froid, poli.

«Madame... ce n'est pas comme cela que vont les choses. Nous sommes en guerre.

— Pas moi.»

Déconcerté devant une attitude qui lui paraît quelque peu inconsciente, l'homme se lève, fait quelques pas devant le bureau, regardant du coin de l'œil la jolie femme qui lui tient tête. Elle se lève à son tour.

«Je vous en prie!» – il montre la chaise – «voulez-vous, s'il vous plaît, vous asseoir un instant afin que nous discutions du problème.

— Il n'y a pas de problème. Je veux ma jument, c'est tout.

— Voyons, madame, c'est la guerre!

— Vous l'avez déjà dit.»

La remarque déplaît à l'officier. Son visage se ferme. D'un geste plus autoritaire, il lui désigne à nouveau la chaise. «Je vous le demande à nouveau, asseyez-vous et parlons.» Elle hausse les épaules, obéit. Il s'assied lourdement devant elle, lèvres serrées, puis, se ravisant, se lève à nouveau. «Nous ne nous sommes pas présentés.» Il claque légèrement des talons, salue. «Colonel Günther Schröder.»

Comme elle ne réagit pas, il attend, sourcils levés, interrogateur. «Madame...?

— Durant», répond-elle sèchement.

Il fronce les sourcils, puis, au grand étonnement de Delphine, change radicalement d'attitude. «Durant les textiles?

— Pardon?

— Durant, le tissu?»

Il prononce *tisou*, elle a presque envie de rire. «Oui.

— Ne bougez pas.»

Il sort, referme la porte. Remue-ménage à l'extérieur. Quelqu'un crie, c'est lui, c'est sa voix. Delphine reste figée au milieu de la pièce, son regard errant sur les cartes d'état-major épinglées au mur, la photo du monstre allemand à moustache, le bureau couvert de paperasses, dont l'austérité contraste avec la délicatesse avec laquelle la table a été dressée. Le lit de camp, dans un coin, est impeccable, draps et couverture tirés au carré. Un cadre, entre les piles de papiers. Une photo. Delphine se lève, contourne le bureau. Une femme blonde aux cheveux tressés sur la tête, avec deux enfants. Elle se penche pour examiner les visages. La pauvre, elle ne sait peut-être même pas où est son mari…

Elle sent sa présence avant de le voir: il est là, dans l'encadrement de la porte. «C'est ma famille», dit-il.

Deux petites filles comme Odile et Charlotte, qui ont perdu leur papa. Delphine chasse ces pensées, je ne vais tout de même pas le plaindre!

«Alors?

— Votre cheval et votre serviteur attendent à la porte.

— Et l'attelage?

— L'attelage aussi.»

Il semble indécis, comme s'il cherchait la formule adéquate pour relancer l'entretien. Delphine est sur le point de dire merci, mais se ravise. Dire merci parce qu'il me rend ma jument, et puis quoi encore! L'homme lui prend la main. Impossible de se dérober, après tout elle a obtenu ce qu'elle voulait. Même si ce qu'elle voulait lui appartient. C'est la guerre, a-t-il dit. Il garde la main de la jeune femme dans les siennes, cherche son regard; elle ne se dérobe pas, ce serait lui montrer qu'elle est mal à l'aise, ou pire, qu'elle a peur. Elle attend donc, patiemment. Peut-être veut-il des remerciements, après tout. Très bien. Elle remercie, poliment.

«J'aurais aimé que vous acceptiez mon invitation, dit-il.

— Quelle invitation?

— Le café.

— J'ai déjà bu mon café.

— Je doute qu'il soit aussi bon que le mien.»

Comment ose-t-il?

«C'est possible. Mais le mien me suffit.» Le sourire de l'officier s'efface, sa bouche se crispe. Il lâche la main de son interlocutrice, puis, sèchement: «La jument est à vous.

— *Je sais.*»

Il accepte mal la réplique. Menton levé de manière à regarder de haut son interlocutrice, il laisse tomber:

«Nous devons bien cela à messieurs Durant père et fils.»

Il s'incline, appelle son ordonnance.

Tout se passe si vite que Delphine se retrouve dehors avant même d'avoir enregistré ses paroles. Elle reste plantée là, devant le jeune soldat qui lui désigne la sortie. A-t-il vraiment dit: «Nous devons bien cela à messieurs Durant père et fils… »? Elle regarde la porte qui vient de se fermer. Le nom de l'officier est inscrit en lettres gothiques sur une plaque de métal : Oberst Gunther Schröder.

Firmin tient la jument par le licou, comme s'il avait peur qu'on la lui vole à nouveau. Allons, épargnons-le, le pauvre, il n'a qu'une envie, mettre Bertha en lieu sûr. Delphine grimpe dans la carriole, saisit les brides, tapote le siège, à ses côtés, pour inviter le vieil homme à s'asseoir. Quelques tours de roue, il se tourne vers elle, ébahi. « Comment avez-vous fait, madame Charles ?

— Je n'ai rien fait, Firmin, j'ai réclamé la jument, c'est tout.

— Remercions le Seigneur. C'est lui qui nous a rendu notre cheval. Le Seigneur nous protège. »

Non, le Seigneur n'y est pour rien. Ce sont les Durant qui nous protègent. Durant père et fils.

L'après-midi, Delphine retourne au faubourg à vélo. C'est une longue trotte. Les rues sont désertes, l'église fermée, mais quelques femmes sont rassemblées dans l'épicerie. Sourires entendus lorsqu'elle s'enquiert d'une femme seule avec un enfant. Bien sûr qu'on la connaît, elle habite au coron. Lequel ? Vous avez de la chance, c'est à côté. Où est sa maison ? Çà, il faut le demander au pasteur. C'est son père. Il suffit d'aller au temple. Attention, ce sont des protestants pas commodes.

Arrivée au coron, Delphine repère tout de suite le temple, seule bâtisse dotée d'une porte à deux battants. Autour, une vingtaine de maisons à un étage ; une porte, trois fenêtres, marches de pierre. Çà et là, un visage s'encadre dans une vitre, puis disparaît. La cour est désespérément vide. Pas de jouets, pas de trottinettes. Un chat. Delphine se prépare à pousser la porte du temple. Un appel la fait sursauter.

La mère de Paul est de l'autre côté de la cour, sur les marches d'un perron. « Tu es venue pour te convertir ? »

Delphine traverse la cour, appuie son vélo contre le mur. « Non, je suis venue vous voir. »

La femme fronce les sourcils. « Me voir pourquoi ? Qu'est-ce que tu veux ?

— Entrer. »

Delphine ouvre la sacoche du vélo, y prend les livres qu'elle a apportés pour le gamin. Gabrielle pousse la porte et, dans un simulacre de salut, lui cède le passage. Elle la fait entrer dans la cuisine, lui désigne une chaise. « Alors ?

— Comment va-t-il?
— Tu dois le savoir, c'est toi qui as envoyé le docteur.»

La femme fait glisser un bol devant la visiteuse, le remplit de café noir, casse un sucre en deux et le laisse tomber dans la tasse. Delphine fronce les sourcils, intriguée.

«Pourquoi fais-tu cette tête? demande l'autre.
— Comment savez-vous que je ne prends qu'un demi-sucre?
— Je t'ai vue dans ton restaurant de rupin.
— Le restaurant où...?» Elle a failli dire où nous allons, Charles et moi, mais il vaut mieux ne pas parler de Charles. «Vous y allez aussi?» demande-t-elle. Question stupide, mais c'est trop tard.

«Et comment! J'étais la reine de la plonge.
— Quoi?
— La vaisselle. Tu sais, les chaudrons graisseux, les assiettes sales, les verres avec du rouge à lèvres...»

Delphine s'attend à un éclat, des sarcasmes, un coup de poing sur la table... Non, l'expression de la mère de Paul reste la même. Elle tourne la cuillère dans son bol, impassible.

«J'ai besoin d'aide à la maison», dit Delphine.

La proposition lui est venue si spontanément qu'elle est aussi étonnée que son interlocutrice. Elles s'étudient un instant, Delphine avec appréhension, l'autre avec une surprise amusée qui transforme son visage crispé en visage réjoui. La proposition l'a tellement prise au dépourvu qu'elle a perdu toute méfiance: elle est désarmée, une fois de plus, par la candeur de Delphine. Ses traits se détendent, elle est presque amicale. «Pourquoi tu te fais du mouron? Ils sont corrects, les Durant, ils m'envoient des sous!»

Je ne me fais pas de mouron, se dit Delphine. Ce n'est pas ça. Elle repense à la jument, à sa joie de l'avoir ramenée à la maison. Et maintenant, c'est cette femme qu'elle veut ramener à la maison, avec le fils de Charles.

Oui, mais cette femme et son fils ne nous appartiennent pas.

«Ça te fâche? demande la femme.
— Quoi?
— Qu'ils m'envoient des sous.
— Mais non!
— Le père s'occupe de tout.» Un rire bref. «Tu veux savoir pourquoi?»

Alerte : le visage s'est crispé à nouveau. Delphine fait non de la tête.

« Je vais te le dire quand même. » Elle scrute le visage qui lui fait face, étonnée de le trouver inquiet.

« Parce que j'ai couché avec les deux. »

Delphine pique du nez dans sa tasse. Elle a rougi. L'autre regrette, elle a l'impression d'avoir frappé dans le dos cette femme douce qui ne lui veut pas de mal. Elle est mal à l'aise, alors elle en rajoute.

« Tu as entendu ce que j'ai dit ?

— Oui. Vous avez dit que vous aviez couché avec mon mari et avec mon beau-père.

— C'est tout ce que ça te fait ? »

Delphine prend sa tasse, avale une gorgée. « Le café est meilleur à la maison. »

Elle est plus forte que je ne le pensais, se dit Gabrielle Jones.

« Dis donc, tu ne manques pas de culot ! Pas étonnant qu'il soit meilleur à la maison, ici on le fait au rutabaga. Tu crois que je ne le sais pas, que ton café est meilleur ? Mais je m'en fiche, si tu veux le savoir. » Elle dévisage Delphine, sourcils froncés. « Tu as entendu ce que j'ai dit ? J'ai couché avec les deux.

— C'est le passé, Gabrielle.

— C'est vrai, c'est le passé. Je ne te chicanerai pas là-dessus. Tu voulais voir mon père ?

— Non, seulement vous.

— Il faut que je te présente, un jour. Mon père le pasteur. Le défenseur de la règle suprême, l'ennemi des mœurs corrompues. L'homme qui m'a fouettée quand je lui ai dit que j'étais enceinte.

— Il n'aurait pas dû.

— Mais si, mais si, c'était son devoir. Mais rassure-toi, maintenant il aime l'enfant. »

L'horloge sonne trois heures. Delphine se dit qu'il est temps de rentrer pour les filles. « Tu vas être en retard, dit Gabrielle.

— J'ai besoin d'aide à la maison. »

La femme éclate de rire. « Il n'y a pas à dire, tu as de la suite dans les idées. » Puis, sans transition, elle se fâche. « Non, mais tu te rends compte de ce que tu me demandes ? Tu crois vraiment qu'ils vont accepter ça ? Tu es naïve, ou quoi ? Tu crois que la mère Durant va accepter ça ? Ils m'envoient des sous, je te dis. Je ne suis pas dans le besoin.

— Et le pain?

— Quoi, le pain? Le pain, c'est parce que ton pain est meilleur que celui du boulanger!»

C'est la première fois qu'on félicite Delphine pour son pain. Son visage s'éclaire. «Vous trouvez?

— Oui, grogne l'autre. Mais on n'est pas là pour se complimenter.

— Alors, vous acceptez?

— Tu leur en as parlé?

— Ce n'est pas nécessaire.

— Tu es folle. J'ai couché avec ton homme.

— Ce sont des choses qui arrivent.

— Et si je recommence?

— Vous voulez recommencer?»

Delphine a l'air si consternée que l'autre éclate de rire. Puis, un drôle de petit geste, amusé, fataliste. «D'accord. Deux fois par semaine, ça ira?»

Elle se lève.

«Viens voir Paul.»

*

C'est dimanche. Delphine invite ses beaux-parents à dîner. Armand et Rosy viennent d'arriver pour deux semaines. Ils ont besoin de grand air. Armand est fatigué, et Rosy veut faire des robes aux petites. Après le repas, lorsque Delphine raconte l'épisode de la jument, Charles lui demande d'éviter, autant que possible, les bureaux de la Wehrmacht.

«Pourquoi? Ils sont dangereux?

— Certains le sont. Il ne faut pas s'y frotter. Laisse-nous faire, papa et moi, nous avons pris les choses en main.»

Armand suit sa fille à la cuisine et lui annonce qu'il rentre immédiatement à Bruxelles. Delphine connaît son père, elle sait pourquoi il veut partir, elle sait qu'il n'approuve pas la «stratégie» de son beau-père et de Charles. Elle se lance alors dans son plus long discours de l'année. «Papa, quelles que soient les circonstances, c'est ici que tu es utile. Utile à tes petites-filles et à ta fille. Irène et Jan pourront très bien se débrouiller seuls pendant deux semaines. Et comment rentrerais-tu? À pied? Dans un train infesté d'Allemands? Tu vas sortir ta voiture de sa cachette et risquer qu'on te la prenne? C'est si facile de juger, papa! Que ferais-tu si tu dirigeais une usine de textiles? Si toute une famille dépendait de toi? S'il te plaît, reste, j'ai besoin de toi. J'ai presque terminé mon travail à l'hôpital, la supérieure m'a dit qu'elle attendait un contingent d'infirmières. Tu feras ce que tu veux après, mais l'essentiel, pour l'instant, c'est que tu restes.»

Delphine informe Charles et ses beaux-parents que Gabrielle Jones viendra deux fois la semaine à la métairie avec son fils – nouvelle passablement traumatisante pour des gens qui croient qu'on peut tout régler avec des sous. Ils écoutent, bouche bée, comme s'ils étaient peints sur leur chaise. Lorsque Delphine ajoute que le jeune garçon sera un compagnon de jeu idéal pour les filles, Émilie balbutie:

«Mais est-il bien élevé, au moins, ce gamin?

— C'est le petit-fils du pasteur. Vous vous faites du souci pour rien, maman.»

Bientôt, il ne se passe pas un jour sans que Gabrielle, sur son vélo d'homme, le gamin sur le cadre, ne vienne passer quelques heures à la métairie. Il n'est plus nécessaire qu'elle travaille ailleurs: l'argent que lui donne Jules-Henry, ce qu'elle gagne à la métairie, les repas qu'elle y prend avec Paul lui permettent de subsister sans se soucier du lendemain. Et elle abat un travail d'homme. Sa robustesse, son franc-parler, son audace intriguent Delphine; l'univers que lui fait découvrir Gabrielle la surprend tout autant que celui entrouvert par Irène, mais contrairement au monde un peu ambigu de sa tante, elle adhère à celui de Gabrielle, si limpide. Tout est connivence entre elles, rien ne doit être discuté, expliqué, seuls comptent les actes. L'esprit d'entreprise de la mère de Paul – doublé d'une vision très crue de la réalité – leur permet d'affronter les mille et un tracas de l'occupation. Les deux femmes se sont associées, dans une bonne foi totale, sans arrière-pensées – mise à part une discrète ironie chaque fois qu'elles découvrent le cheval de Charles dans son box sans avoir vu le cavalier se glisser dans la cour. Les deux amies ne se font pas de confidences, se démarquant ainsi de la plupart des femmes qui les entourent: Delphine dans son cercle bourgeois, Gabrielle dans son coron, mais il y a entre elles une parenté certaine. Est-ce Charles, est-ce l'enfant? C'est sans doute l'enfant. Elles ont oublié que l'homme qui partage le lit de Delphine est celui qui a pris Gabrielle dans un hôtel garni de Liège. Leur nature ne les porte pas au rabâchage, elles ont bien trop à faire. Une seule ombre au tableau: la détermination et la lucidité, chez Gabrielle, lui font voir la guerre comme une calamité contre laquelle il faut lutter par tous les moyens : il ne lui suffit pas de distribuer des tracts, de rencontrer, au village, des gens que les Allemands appellent terroristes, elle veut se battre, et tout de suite.

Émilie cesse de venir à la métairie. Elle ne veut pas rencontrer « cette femme ». Jules-Henry y apparaît de temps en temps, mais reste au salon. Elle le surprend pourtant à observer Paul par la fenêtre. Mais il n'en parle jamais. Ni de lui, ni de sa mère. Quant à Armand et Rosy, ils aiment l'enfant, tout simplement.

Deux semaines plus tard, c'est le cœur lourd qu'ils rentrent à Bruxelles, où Irène et Jan les attendent.

Dans les mois qui suivent, Charles s'attache à Paul. Il enlève le gamin dans la cour, l'emmène dans son bureau. Assis sur le parquet, l'enfant dessine. Il est doué. Charles rappelle à sa femme que s'il n'avait pas été tenu de reprendre l'affaire paternelle, il aurait été architecte. Après le malaise des premières semaines, une sorte d'accord s'est établi entre lui, Delphine et Gabrielle. Muet avec Gabrielle ; laconique avec Delphine. Toute conversation concernant l'enfant est d'ordre pratique. « Est-ce qu'il a bien monté aujourd'hui ? » ; « Je le trouve pâlot, il va bien ? » ; « Est-ce qu'il a fait ses devoirs ? » Le cœur du sujet : la paternité de Charles, est occulté. Non pas que Charles ait peur d'aborder cette réalité avec sa femme, il sait que Delphine a accepté, mais pourquoi remuer de vieilles histoires ? Il a raison et n'est pas seul à le penser. Cette disposition d'esprit vise avant toute chose à lui simplifier la vie, mais le résultat est le même et chacun y trouve son compte.

Comme Paul ressemble à son père ! Même démarche, mêmes gestes, et cette ironie discrète qui ne blesse jamais. Delphine aime les voir ensemble. Elle les surprend parfois à l'écurie, Paul aidant Charles à étriller Dilon. Ils s'entendent bien, sans mots inutiles. Paul a adopté le ton de voix et l'attitude infiniment délicate de Charles avec les bêtes. Il a pour les chevaux la même affection que son père : la même manière, tranquille et assurée, de les aborder, de saisir leur licou, de donner au bon endroit la tape sonore qui fait courir un frémissement sur leur robe. De Charles, Paul accepte toutes les remarques. Là où Odile se montre volontiers rétive, et Charlotte discutailleuse, Paul est posé, attentif, ne perdant pas un mot de celui dont il boit les paroles. Delphine ne peut s'empêcher de penser que l'entente serait moins parfaite si ces deux-là se voyaient subitement forcés de se conduire en père et fils. Une seule différence, cependant, Paul n'a pas la désinvolture de gosse de riches de Charles. Mais il a hérité de ses accès soudains de mélancolie, de ses chutes dans des trous d'angoisse.

La vie s'écoule dans une certaine harmonie, malgré la guerre. Paul et les filles ont repris l'école, où Firmin les conduit chaque matin en carriole, avec leur dîner et leurs boulets. Monsieur Georges Dupont, né Meyer, est toujours là. Comme les Allemands ne doutent pas de la pureté de son sang, ils ne lui ont jamais demandé de baisser sa culotte. Paul ne rentre plus au coron, sauf pour passer le mercredi après-midi auprès de son grand-père. Delphine a terminé sa tâche à l'hôpital. Elle tient à nouveau sa maison, s'occupe des enfants, prépare le repas du soir. Gabrielle aide à la lessive, trait les vaches, fait bouillir le lait, baratte le beurre. Elle abat le travail de trois hommes, mais ses soirées sont à elle. Delphine se garde bien de lui demander où elle les passe, ces soirées, elle sait que la réponse ne lui plairait pas. Il arrive que son amie ne rentre pas la nuit. Un amant, peut-être. Que cette femme ardente ait un amant, c'est bien, mais quel amant? Quand Delphine y pense, elle imagine invariablement un homme au front rude s'adonnant à des activités qui ne peuvent appartenir qu'à la résistance. Tout autre amant ne conviendrait pas à Gabrielle. Même Charles ne lui conviendrait pas. Ce n'est pas d'un Charles que son amie a besoin, surtout pas d'un Charles, mais d'un homme qui ne recule devant rien. Mais a-t-elle besoin d'un homme? Non, un homme, amant ou amoureux, est le cadet de ses soucis, elle ne veut que des camarades – encore faut-il qu'ils soient prêts à tout.

Il y a de belles journées. Gabrielle semble contente. Ceux de Bruxelles se débrouillent. Émilie a fini par revenir. Delphine s'accommode des accommodements de son beau-père avec le diable, puisqu'il le faut bien.

Charles adore les petites. Et il aime Paul, son petit double.

25

ODILE

Samedi

J'ai oublié de dire que je sais tout sur comment arrivent les bébés. Ca m'a pas fait peur mais c'est dégoûtant. Y avait des cachotteries de Firmin alors je suis allé dans l'étable et j'ai vu le machin sortir du ventre de Nora. Papa a tout fait car Nora ne faisait pas d'effort. Papa disait pousse pousse ma belle fille, mais elle soulevait la tête et avec ses gros yeux répondait je fais mon possible. Alors mon père a été chercher l'affaire dans son ventre et je suis tombée assise car j'étais accroupie et j'ai fermé les yeux pour pas tomber raide dans la paille avec une crise de nerfs. Je les ai rouvert pour voir. C'était gluant mais heureusement Nora a tout lavé et finalement c'était un veau. Alors Firmin m'a vu et il est allé appeler maman dans la cour en criant madame Charles, madame Charles, la petite est dans l'étable. Alors ma mère est venue me chercher très pâle et a dit Odile nous allons avoir une conversation. J'ai dit c'est pas la peine maman j'ai tout vu. En résumé, les animaux et les mères ont le bébé dans le ventre pendant des années (neuf, je crois) mais j'ai pas bien écouté parce que je pensais à ce terrible spestacle. Alors l'enfant sort quand il est mûr et devient une Odile, ou une Charlotte, ou un veau ou un poulain. Mais comment il entre là-dedans pour murir ca j'en sais rien et ma mère m'a dit on en parlera plus tard. J'aurai sûrement pas d'enfant si ca doit être comme ca. Mais je dirai rien à Charlotte parce qu'y faut bien qu'une des filles n'en fasse.

Samedi dans mon lit

J'espère que Charlotte en fera pas parce que comme c'est ma sœur elle va peut-être me demander de sortir le machin et que je vais faire une crise de nerfs. Ca pourrait arriver si on est toutes seule à la maison sans ma mère partie faire des commissions, sans mon père au bar chez Hortense, sans

Rosy et Papy parce qu'a Bruxelles, et sans le père (il y en a toujours un) parti pour son travaille. Enfin, n'y pensons pas car elle est encore trop petite.

Samedi dans mon lit impossible de dormir

J'y pense quand même et je frissonne déjà devant ce martire qui va arriver à Lolotte et j'espère qu'elle va le pondre toute seule sinon ca sera à moi de le sortir.

Jeudi soir

J'écoute tout ce que je peux, mais c'est toujours des histoires de guerre et d'occupation et ce que je comprends le mieux dans tout ça c'est que c'est pour ca que je n'ai plus qu'une demi mère et qu'on a caché les autos. Si les occupants prennent les autos ils peuvent aussi prendre les mères. J'en ai parlé à papi et s'il me répond encore une fois de ne pas m'en faire je vais m'énerver et lui dire que sa Rosy va à l'hopital avec maman et que même si elle n'est pas une mère l'occupant ne le sait pas et la prendra par erreur. J'ai mal au ventre. Y a des jours comme ça où le Belge perd courage.

Vendredi

Je suis triste pour Prince parce que c'est un sinistré de la guerre. Sinistré, c'est quand quelque chose est arrivé dans un endroit et que les gens doivent quitter cette endroit devenu sinistre. Ce qui est arrivé, c'est qu'on a cassé le box de Prince où il vivait comme un roi dans la considération de tous. Je m'explique : Prince est le brabançon de trente-sept ans qui est arrivé chez nous avec Firmin pour que nous, les enfants de madame Charles, autrement dit Charlotte et moi, on puisse monter à une ou même à deux sur son dos pour se promener dans la cour et dans le chemin quand Firmin a le temps. Papa lui avait offert une belle stalle, à côté de celle de Bertha la jument de ma mère. Ainsi, ils pouvaient se voir et parler de leur vie de labeure. Et en plus ils pouvaient passer la tête dehors pour surveiller ce qui se passe dans la cour. Les chevaux n'ont pas l'air de ça mais ils surveillent. On sort de la maison, ils ont l'air de regardé ailleurs, mais ils savent très bien qu'on est là. Il y a des gens qui disent que les chevaux ont les yeux vides. C'est parce qu'ils ne savent pas qu'ils regardent avec les oreilles. J'explique encore : les chevaux ont des poils dans les oreilles qui sont en faite des minuscules antennes avec des yeux. C'est avec ça qu'ils voient tout. (Il faut écrire ça avec cédile, sinon ça fait ca comme caca.) J'imagine ces petits yeux qui fourmille et voit tout et pas seulement moi et Lolotte et tout le monde mais aussi les Boches qui casses leurs maisons, je veux dire celle de Prince. Mais attention ces oreilles sont quand même des oreilles donc ils entendent aussi avec et il ne faudrait pas s'imaginer que les chevaux qui voient avec les oreilles entende avec les yeux. Je dis ça parce qu'il y a des couillons qui croit n'importe quoi. Mais Prince est un combattant de la grande guerre qui en a vu d'autres comme dit Firmin et à l'époque ils avaient (les Boches) des casques avec des pointes pour foncer sur nos pauvres soldats de la guerre 14 et leur transpercer le cœur et leurs sacs de sable dans les tranchées de la môrt. Tout ça pour dire que Prince n'est pas content de son nouveau box, alors pour le consolé Firmin le sort souvent pour le faire tourner dans la cour avec moi sur son dos (et parfois Lolotte). Hier, il s'est arrêté devant le lieu du sinistre où, comme je l'ai déjà expliqué il y a maintenant un mur derrière lequel se trouvent les autos de mes grands-pères. Et bien je peux vous dire que les oreilles en avaient gros sur le cœur car il a gratté le sol et ses oreilles ont dit ce qu'elles avaient à dire. Comme j'étais sur son dos, j'ai pas compris mais je crois bien qu'il a dit je botteré bien ce mur-là.

Donc ça voudrait dire qu'ils voient, entendent et parlent avec les oreilles.

On n'en a jamais fini d'admirer ces merveilles de la nature.

Samedi

On a mis Nora et son veau près de Bertha, qui est, je le répète mais c'est la dernière fois, la jument de maman. Voici comment c'est arrivé. Un jour, maman va au village en carriole pour faire des commissions. En revenant, elle doit s'arrêter devant l'entrée de la ferme d'à côté parce qu'un gros camion est dans le chemin. Elle descend de la carriole, entre dans la cour, et paf voici venire un homme très laid et une jument très belle qui s'appelle Bertha mais ça elle ne le sait pas encore. L'homme dit pardon ma petite dame et la pousse sans vergrogne. Alors elle comprend qu'il trame des affaires pas catholiques mais lesquelles elle l'ignaure. Ce qui veut dire qu'elle comprent que le camion est là pour la jument mais pour aller où mystère. La fermière est devant sa cuisine, ma mère lui demande où on emmène la bête. La pauvre femme ne répond pas mais prend le bord de son tablier pour essuyer ses yeux car elle pleure. Le sang de ma mère ne fait qu'un tour, ce qui est très dangereux pour moi car je suis encore dans son ventre à l'époque. Alors elle court vers l'homme et lui demande si c'est vrai. J'espère que tout le monde a compris car il n'est pas question que j'écrive le mot. Ouai, dit l'homme, elle a une sale infection à la jambe et on ne peut pas la garder, on n'est pas une œuvre de charité ici. Moi je le suis, dit maman, je l'achète votre cheval, combien? Non mais vous voulez rire, dit cet honteux personnage, vous paieré jamais autant qu'à l'ab... Taisez-vous, dit ma mère, taisez-vous où j'appelle les gendarmes. Ce qui est une menace en l'air mais elle sait que les gens méchants ont peur des gendarmes. Elle se met entre la jument et la vane du camion déjà ouverte avec son gros ventre où je commence à tournicoter parce que je sens que ça va mal et que ma mère est en colère. De crainte du tribunal, l'homme la bouscule pas. De toute façon, tout ce qu'il veut c'est des sous. Combien? redis ma mère. Il dit qu'il veus le prix de l'ab... Taisez-vous, redit-elle encore, taises-vous où je les appelle. Combien? Deux cent francs. Elle n'a pas deux cent francs car elle a tout dépensé au magasin. Heureusement voici Firmin qui s'amène à vélo. Ça fera deux cent dix avec le transport et le harnais, dit le sal personnage. Ce qui est une somme astronomic dira papa plus tard. Maman renvoie Firmin à la métairie pour qu'il prenne l'argent dans la boîte à macaroni (sans macaroni) où elle met les sous du ménage. Pendant ce temps maman et moi on reste près de Bertha qui ne sait pas encore qu'on l'a sauvée d'une mort certaine et qui mange l'herbe entre les pavés de la cour. Firmin revient avec l'argent, le donne à maman. Elle se tourne vers le fermier mais au lieu de lui donner les billets elle les met par terre avec un caillou dessus car elle ne veut pas toucher une parcelle de cet homme. Pendant ce temps, Firmin traite l'honteux fermier de saligot de profiteur. Il est blanc de colère et dit encore d'autres insultes au saligot en mettant le harnais à Bertha (on sait maintenant son nom car la pauvre fermière est venue le dire à ma mère) en ajoutant chaque fois excusez mon fran parler madame Charles. Maman conduit la carriole, le vélo écrase les provisions, Firmin suit avec la jument. Le vétérinaire appelé sur l'heure dit ce salot de fermier avait raison c'est une sale blessure. Mais on jure tous de la guérir (sauf moi, bien sûr, encore dans le ventre de ma mère). Et depuis ce temps-là c'est le froid glacial avec la ferme d'à côté, mais pas avec la fermière qui est une malheureuse peut-être battue par son mari.

Dimanche

Je récheflit beaucoup à cette guerre car Gus m'a raconté des choses en cachette de ma mère mais j'ai promis de rien dire mais c'est dure car je suis estomacée de tant d'hôrreurs même si je crois que Gus exagère. Je demanderai à papi mais il ne vient pas souvent car il doit faire marché noir pour que Rosy et Jan et ma tante Irène puisse manger à leurs faims. Aussi je ne dis rien à ma mère car elle ne serait pas contente de Gus qui raconte des horreurs à des petites filles (mais pas à Charlotte car j'ai dit non Gus cette petite est trop jeune). Gus est un drôle de castard. Il dit qu'il en a tué deux. Je suis contre car ces deux étaient des fils ou des pères. Mais je crois qu'il faut quand même tuer le moustachu Hicler si on veut que ça s'arrête. Ce qui veut dire qu'un seul mort suffirait pour arrêter ça. Comment ça se fait qui en a pas un qui y pense?

J'en parlerai à papi.

Dimanche soir

On est allés à la messe à Liège et le curé a dit d'être patient devant l'épreuve. Après la messe, on est allés manger patiemment des couques au café et maman, Rosy et Papi on bu patiemment un café et moi et Lolotte du cacao. Firmin attendait patiemment devant le café et papi est allé lui porter des couques. Mon père nous attendait patiemment à la maison, bien content d'échapper au curé et à ses vobiscoume qui veule dire patience on les aura les Boches.

Lundi

Je l'aime bien ce Paul et peut-être un jour sa mère Gabrielle. Gabrielle c'est la femme du parc qui regardait ma mère comme si elle était une filoute. Elle regrette surement car elle aide maintenent ma mère. J'ai pas envie de parler de ça, mais j'ai quand même demandé à ma grand-mère Émilie car j'ai remarqué qu'elle vient plus très souvent et essaie de nous attirer Lolotte et moi chez elle avec ses stérilisétions. Elle a dit ma petite fille, tu es trop jeune pour pauser toutes les questions indiscrètes qui te passe par la tête. Ah oui j'ai dit et comment je saurais c'est lesquelles les discrètes. Tu le sauras quand tu seras plus vieille. Et en attendant? J'ai eu envie de dire en attendant je ferme ma geule, c'est ça que tu veux? Mais je voulais pas que ma mère meurt de chagrin devant ce langage inconvenable.

Mardi

Mon grand-père Jules-Henry nous a raconté que des soldats anglais qu'on appelle les Tommy sont venus à Roubaix pour distribué du tabac blond à tout le monde. Les hommes étaient contents même s'ils préfèrent leur tabac de la Semois. Grand-père nous a montré un journal où on voit ces tommys comiques avec leur pompon rouge et une chanson que voici.

Bonjour, bonjour, Tommy
Tu reviens donc en France
Nous voici réunis
Après vingt ans d'absence
Tu reverras ici de vieilles connaissances
Toute la France
Te souhaite bonjour, Tommy
Bonjour et bonne chance!

Pourquoi ils ont attendu 20 ans pour revenir, ça je me le demande. Je vais demander à Firmin car grand-père m'a dit c'est trop long à expliquer. Moi je pense qu'ils étaient là pour la guerre. De toute façon, ils sont pas restés longtemps car notre roi n'a pas voulu la guerre et nos soldats non plus. Alors il les a renvoyés avec leurs pompons.

Au revoir les Tommy.

Mercredi

Grand-père Jules-Henry a reçu des masques à gaz d'un ami des textiles de Roubaix. Chacun a essayé le sien, en suivant bien les recommandations sur le mode d'empois qui dise UN MASQUE PROTÈGE EFFICACEMENT LORSQU'IL EST CORRECTEMENT AJUSTÉ. On s'est promené dans le salon comme des tamanoirs. C'était Firmin le plus comique, il n'arrêtait pas de répéter madame Charles, madame Charles, c'est comme en 14.

Personne ne sait à quoi ça sert. Mais ce qui est sûr, c'est que les occupants sont des monstres qui veulent faire respirer des gaz mortels au monde entier, même aux bébés, aux chevaux et aux chiens qui ne peuvent pas porter le masque EFFICACEMENT. Maman dit qu'il faut qu'on participe à l'œuvre du soldat, ce qui veut dire tricoter le passe-montagne qu'on voit dans Marie-Claire. 200 gr de laine 4 fils couleur ardoise, cinq aiguilles 2,5 mm. Papi et Rosy sont venus passer la fin de semaine avec nous, mais pas Jan et tante Irène qui ont trop de travail à pourrir la vie de l'occupant. Rosy a mis un disque sur le gramophone et tout le monde a dansé. Sauf Firmin qui est tombé assis quand Ray Ventura et ses collégiens ont chanter tout va très bien madame la marquise. Bref, la soirée s'est terminée dans la bonne humeur avec une bouteille de quetsche que papa a sortie de derrière les fagauts. Le masque va très bien à Charlotte, ce sera parfait avec le paletot que Rosy lui a taillé dans un pardessus de papi. Il ne lui manque que des bottes de scaphandrier. Pour en revenir à Ray Ventura que j'adore, il chante aussi on ira pendre notre linge sur la ligne zigfrite qui, si j'ai bien compris, est un long fossé interminable qui veut dire que d'un côté tu es chez les boches et de l'autre chez les bons. Et que si tu rencontres un Boche en allant pendre ton linge, fais ta prière.

Dimanche

Papi Armand et Rosy ont apporté un journal avec écrit à la première page : LA POLITESSE DE L'ARMÉE OCCUPANTE. Oui, on dit qu'ils aident les vieux à traversé les rues et donnent leur place dans le tram aux femmes grosses ou vieilles. Et ils ramènent des prisonniers de France dans leur sitecar. Bon-papa en a vu trois entassés là-dedans comme des saucisses et qui mangeaient des pistolets au fromage. Maman voudrait que papi et sa Rosy restent ici, mais ils doivent aider tante Irène et Jan à lutter pour la liberté de notre peuple que Jules César préférait à tous. Moi je n'ai que dix ans et je ne peux pas lutter, alors qu'ils le fassent.

Lundi

J'ai volé la gazette de grand-père et je l'ai caché sous mon lit. Ils disent que l'exode a fait une foule de victimes et de disparus. L'exode, c'est l'évacuation de la France. Il y a des parents qui disent qu'ils ont perdu leur bébé. Peut-être que la maman l'a lâché quand la bombe a tombée, et le bébé a roulé et à cause de la fumée elle ne le voyait plus et elle a cherché du mauvais côté. D'habitude on perd son porte-monnaie ou son chapeau mais à cause de cette sale guerre on perd des bébés. Il y a aussi des gens qui se sont noyés en assayant de traverser la mer à la nage pour aller en Angleterre voir le général Churchille. Et pas de nouvelles du roi. Le roi des Belges de triste mémoire. C'est pas moi qui dit ça, c'est Firmin. Ailleurs, c'est pas des rois, c'est des présidents et en Allemagne c'est des fous.

Lundi soir

Le veau de Nora s'appelle Corentin. Pour Corentin c'est moi qui a demandé car c'est mon héros du journal de Spirou. On a aussi une autre vache, des lapins, des poules et seulement le chien de Firmin car la maman et les enfants sont venus rechercher leurs deux chiens qui s'appelaient Fido et Tarzan. Mais j'ai le petit chat de la mamie qui est un gros gobeur de souris. Mais un chat ne vaut pas un chien, je l'ai dit à maman mais elle comprend pas ces choses-là. Je ne demanderai rien à Saint-Nicolas, j'espère que ça la fera réfléchir. Tante Irène et Jan vont venir pour Noël avec papi Armand et Rosy. Je suis contente on va oublier l'occupant pendant trois jours. Ils vont pas amener grand-mère Coralie et tante Nénette parce qu'elles sont mortes. Elles étaient très vieilles mais tant qu'on pouvait les transporter on le fesait. On devait mangé leurs affreux nougats qui colle aux dents car c'est ça qu'elles apportait croyant nous faire plaisir. J'aime bien Jan, qui est malgré tout un Flamand. Grand-mère Émilie va apporter une bûche et des cougnous. Vite vite Noël, mais avant, l'anniversaire de Lolotte à qui je vais donner mes souliers vernis qui me font un peu mal mais elle a un plus petit pied que moi donc c'est tout de même un cadeau de première classe. Maman lui a acheté un Bambino (frère de Bleuette) avec une combinaison d'aviateur en ravissant tricot main de laine grattée car tout ce qu'elle sait faire sur son Tricotin de la Redoute c'est des écharpes. Et la veille de Noël c'est l'anniversaire de maman, je le répète pour ceux qui savent pas lire. Ma grand-mère Émilie a dit : que de réjouissences en perspective. Rosy va sûrement mettre une belle robe et tante Irène encore plus belle. Maman dit que tante Irène est la femme la plus élégante de Belgique.

Mardi

Je viens de lire quelque chose que j'avais pas vu dans la gazette de grand-père et maintenant ma vie est foutue. À l'évacuation, les gens sont allés porter leurs animaux à la Croix Bleue avant de s'en aller et ON LES A TUÉS. Maman m'a dit ma chérie maintenant ils sont au ciel. Ils sont au ciel mais moi j'ai un mal de ventre à vaumir. Pourquoi y zont fait ça ? Il y a toujours des gens gentils pour recueillir les animaux, comme nous. Oui, a dit encore ma mère, mais ils étaient trop nombreux, tu comprends. Je suis dans ma chambre avec Lolotte qui pleure. J'aurai pas dû lui dire à cet enfant mais je croyait que j'auraie moins mal au ventre. Elle a pris le chat Filou dans ses bras et le serre à l'étouffer. Pour pas qu'y ai une victime de plus je lui ai dit Lolotte lâche cette petite bête qui s'égrangle. Elle la fait et j'ai pris la petite dans mes bras et on a pleuré jusqu'à que maman vienne nous chercher pour manger mais on n'a pas pu.

26

IRÈNE

Janvier 1941. Hitler et Staline se sont découvert des aspirations communes, garantes d'une longue amitié. Ce sentiment émollient les humanise : le premier a promis, entre autres, que la Belgique mangerait désormais à sa faim. Des délégués belges partent à Moscou pour y acheter du blé. Début mars, les premiers cargos russes arrivent à Anvers. Il était temps, les citoyens ont la diarrhée à force de manger du chou.

Fin avril, hélas, les réserves sont épuisées. Les gros redeviennent maigres, les maigres ont la bronchite ou crachent leurs poumons. Il fait un froid de canard, le charbon est rationné, il faut courir dans les grands magasins pour trouver un semblant de chaleur. Les amateurs de café (tous les Belges) souffrent, fini le temps où la cafetière était toujours sur un coin du poêle. Rosy torréfie de l'orge et des graines de lupin, mais c'est presque imbuvable, surtout quand on sucre la concoction avec un sous-produit de la betterave, une cassonade blanchâtre au goût infect. À l'école, les enfants se passent allègrement la gale ou des poux, mais on les y envoie quand même car la Croix-Rouge leur donne du lait et de l'huile de foie de morue. Un seul négoce est florissant : le marché noir, Armand connaît presque tous les smokeleers, qui font grimper les prix en synchronie avec la chute du baromètre.

Quand on est entre amis, on ne parle plus que de nourriture. On rêve tout haut de moules et frites, de sole grillée et de jambon d'Ardennes. Puis, après avoir évoqué les repas « d'avant », on échange des recettes de rutabaga. Il faut attendre le printemps pour la récolte de patates dans les jardins et les parcs. Un serveur des Armes de Bruxelles a dit à Rosy qu'il n'y aurait pas de moules en automne car les Pays-Bas ont décidé de ne plus les exporter. La vie familiale se résume aux soirées, couvre-feu oblige. Rue de la Vallée, elles ont pris une grande importance, ces soirées, grâce à

Rosy, qui après avoir fait la queue devant les magasins, arrive à confectionner une soupe ou un pâté mangeable avec des haricots, un oignon et du pain. Elle accommode rutabagas et navets avec on ne sait trop quoi, mais on lui fait confiance. Depuis qu'une voisine a donné une recette de carbonnades à la purée de marrons aux ménagères de la rue, les châtaigniers de l'avenue de Tervueren sont pris d'assaut. Si la Minerva n'était pas cachée, Armand irait chercher lui-même les provisions à la métairie – œufs, farine, lait, beurre et pommes de terre – mais depuis l'emmurement des automobiles, c'est Charles qui fait la navette. Une fois par mois, il emprunte la voiture de l'usine et apporte ce que Delphine peut donner après que la Kommandantur s'est servie. (Chaque lundi, deux soldats allemands viennent chercher du lait et des œufs à la métairie.) Delphine a offert quatre lapins à Rosy, que le gardien des glaïeuls a installés dans un réduit derrière son sous-sol. Après examen approfondi, on discute toujours du sexe des anges à longues oreilles. Lorsque Charles fait part à Firmin de la perplexité de la rue de la Vallée, ce dernier rassure les inquiets: un mâle et trois femelles. Depuis, on espère que les mammifères ne feront pas mentir leur réputation. Rosy a pris une des jeunes filles chez elle, soi-disant pour soulager Évangélisto, mais elle s'y est attachée et on sait déjà que Jeannette n'ira pas à la casserole.

Les soirées se prolongent bien au-delà de la dégustation du dessert au pain. Les hommes discutent des nouvelles de Radio Londres, Rosy fait admirer ses dernières créations: Irène lui sert de mannequin et défile dans les tailleurs Coco que son amie a réussi à «tirer» des bouts de tissu glanés par Jan à l'atelier. La grande Coco Chanel est son idole; elle s'en inspire dans ses modèles de guerre. Irène, elle, reste fidèle à Schiaparelli, mais, comme le lui a expliqué Rosy, difficile de faire du Schiaparelli avec de la rayonne. «Ça ne t'ennuie pas que ta Coco vive au Ritz avec un officier SS? lui demande-t-elle un soir.

— Oui, mais dans quel but? (Rosy soupçonne Coco d'être une Mata Hari.) Et ce n'est qu'une rumeur.»

Irène et Jan aiment toujours dormir dans le même lit. Elle s'est faite aux calmes élans de son compagnon. En ces temps difficiles, ils auraient pu ponctuer leurs activités de transports passionnés, mais les transports passionnés ne sont pas au programme du Flamand. Jan en a plein les bras. Il dirige les bureaux où se regroupent toutes les activités comptables de la filature et du tissage, et la charge n'est pas mince. En outre, il doit s'ajuster à l'occupation allemande tout en prenant les mesures nécessaires pour contrer l'ingérence de l'administration militaire. Pendant ce temps, Irène perfectionne son allemand et apprend tout ce qu'il faut savoir sur une industrie dont elle ne connaît que la production finale : ce lin qu'elle aimait tant faire tailler par sa couturière.

Une fois par mois, les habitants de la rue de la Vallée s'échappent pour aller passer un jour et une nuit chez Delphine où, grâce au grand air, aux bons repas et à une balade à cheval, Irène et Rosy s'assoupissent à la veillée, écoutant leurs hommes parler de l'illuminé qui veut créer un empire de mille ans. La chaleur du feu, l'odeur du café et les voix chaudes les bercent. Les réalités de la guerre s'estompent, une guerre dont elles ne connaissent que les tracasseries. Le pire est sans doute à venir, mais on verra. En attendant, elles glissent de Thulé à Hyperborée, mondes légers, éthérés, où le mal n'existe pas, ni l'occupation, ni le rationnement, ni les chasses à l'homme, ni la mort. Les chevaliers teutoniques et l'Ordre noir ne sont plus que fantasmagorie, images d'Épinal défilant lentement dans leur demi-sommeil.

À Bruxelles, la campagne de séduction est terminée. « La politesse de l'armée occupante » s'est refroidie, puis a atteint le point de congélation. Le gouvernement allemand décrète qu'il n'y aura pas de messe de minuit. Et le mot « rationnement » prend tout son sens. Septante-cinq grammes de viande par jour et par personne au lieu de cent vingt. Il n'y a même plus de pommes de terre. La Belgique sans messe de minuit et sans frites, c'est du jamais vu. Mais on n'a pas le temps de se plaindre, il y a trop à faire.

Une fois Irène embauchée dans les bureaux de Bruxelles, l'apprentissage intensif a commencé : textiles et « relations » avec l'occupant, ces dernières ayant pour but de soustraire les employés du bureau et les ouvriers de la filature et du tissage à la voracité allemande. Le Reich, qui envoie tous ses hommes au front, a grand besoin de main-d'œuvre pour les remplacer à l'usine ou à la ferme.

Hommes *et* femmes.

Fin juillet 1941, première expédition vers les champs où pousse la précieuse fibre qui a fait la fortune des Durant. Les linières sont en pays flamand, près de Courtrai. Jules-Henry affirme qu'elles produisent le plus beau lin du monde. Irène et Jan empruntent la voiture du bureau, mais emportent leur bicyclette. Pédaler ne leur fera pas de mal, et les paysages de la Lys sont magnifiques. «Je les connais, tes paysages, soupire Irène. Je connais les jolies fleurs bleues, si mignonnes, si délicates, un vrai plaisir pour l'œil! Mais je connais aussi leur puanteur en été!»

Tous les vacanciers de la mer du Nord l'ont respirée, cette odeur qui les oblige, sur la route, à remonter les vitres de l'auto aux environs de Courtrai.

«Justement, tu vas la respirer à plein nez, cette bonne vieille odeur nauséabonde! Mais au moins tu sauras pourquoi il faut en passer par là. Je vais te donner un cours magistral, *belleke*, odeur en prime.»

Irène porte une jupe-culotte en lin pour la circonstance. Sa garde-robe a été «revue» par Rosy: tout doit être pratique et, mis à part les toilettes et les bibis destinés à séduire Herr Spitz, chacun de ses vêtements a été transformé. Quant aux robes et manteaux du soir, ils ont été vendus, ce qui a permis d'acheter des coupons de tissu robuste dans lesquels Rosy a taillé des vêtements mieux adaptés aux circonstances. De mondaine courant les soirées en fourreau de lamé et cape de velours, Irène s'est transformée en sportive marchant ou pédalant, l'hiver, en jupe-culotte de grosse laine et veste doublée de teddy, l'été en jupe-culotte de lin et blouse de rayonne. Selon la propriétaire de la boutique de fripes qui a fait l'acquisition des trésors, c'est un Allemand qui a tout raflé. Quelque part dans le Grand Reich, une femme se pavane dans les atours qui ont fait les beaux jours d'Irène à la Scala, à Vienne et à Bayreuth.

Le lin n'a pas été sacrifié, ni Irène ni Rosy n'en ont eu le courage. Le lin, c'est une des gloires de leur pays. Et pour le revendiquer, il faut le porter.

Sur la route de Courtrai, Jan devient lyrique. Le lin, explique-t-il, est le plus vieux textile du monde. C'était l'étoffe des pharaons. Leurs momies étaient enveloppées dans leur toile la plus fine. «Le nôtre est beau, mais jamais il n'égalera celui-là.» Il montre un groupe de linéculteurs qui discutent en tirant sur leur pipe. «Regarde-les! Ils te diront peut-être combien d'heures ils ont passées à travailler le sol, à choisir la graine, à la fertiliser, à la protéger des parasites, mais tu ne sauras rien d'autre. C'est un art très secret, qu'ils se transmettent de père en fils. Ils sont irremplaçables. Je venais ici, enfant, avec mon père. Je les ai vus arracher les tiges au corps à corps. J'ai voulu arracher avec eux et je me suis balafré le visage. J'étais fier comme Artaban.»

Chaque fois qu'il parle de la Flandre, Jan devient lyrique. Il n'est jamais en reste pour la chanter, sa Flandre. Sauf qu'il ne la chante pas, il la déclame, et en flamand. «*Jordane van mijn hert, en aderslag mijns levens, ô Leye, ô vlaamche vloed...*» Irène ne comprend pas cette langue, malgré l'allemand qui lui ressemble. Alors il éclate de rire et, dans son français guttural, scande les vers du poète: «*Quelle vie à nouveau tout au long de la Lys! Fourmillent à demi-nus, Jusqu'à mi-corps dans l'eau ceux qui sortent le lin par bottes ruisselantes...*»

À leur arrivée, les linéculteurs ont déjà arraché les tiges et se préparent au rouissage. Ils sont Flamands, bien sûr, mais ils ont appris le français pour discuter avec leurs acheteurs de Lille. Un des hommes sourit quand Irène lui demande si l'odeur sera moins «épouvantable» qu'avant. «Il y a encore des bacs de rouissage dans la Lys, mais nous les avons remplacés par des puits. Venez.» Il les emmène près d'une bâtisse aux murs gris sur lesquels béent des ouvertures rectangulaires. «Vous arrivez juste à temps pour le remplissage.»

Irène et Jan assistent à l'opération: bottes noyées dans l'eau, puits scellés pour plusieurs jours. Ensuite on procédera au premier séchage, avant de nouer les tiges en javelles. Irène se souvient de la salle des petits maîtres flamands, au Louvre. Elle les a souvent regardées, ces javelles, elle a même eu envie de les copier.

«Et quand elles sont sèches?

— Les égreneuses brisent les capsules pour en sortir les graines, puis on broie les tiges pour séparer l'écorce de la fibre.

— Mais pourquoi l'Allemagne veut-elle notre lin?

— Parce qu'ils n'en ont pas! Pas plus que du coton, de la laine et de la soie, et qu'ils ne veulent plus acheter ces produits en Inde ou ailleurs. Ils ont eux aussi des goûts de luxe, figure-toi, et ils préfèrent voir leurs femmes vêtues de lin que d'ersatz.

— Mais leurs soldats portent des uniformes synthétiques.

— Oui, ça coûte moins cher. Mais ils se passionnent néanmoins pour notre lin. Autrement dit, tu vas devoir répondre à toutes les questions de Herr Spitz.»

Le linéculteur discute avec un groupe d'hommes. Ils rient, se tapent dans le dos. Étonnant de voir ces taiseux aussi démonstratifs. «En général, ils se contentent de tirer sur leur pipe. Ils ne la lâchent que pour donner des ordres à leurs troupes, ou pour les engueuler.

— Ils ont l'air réjoui.

— Ils disent qu'ils tiennent un grand cru.

— Comme le vin?

— Ce n'est pas le seul point commun. L'arrachage se fait au soleil, toujours au soleil, puis ils dansent, chantent, boivent. La seule différence, c'est que ça se termine à deux dans un fourré. Bon, maintenant, ouvre bien tes oreilles, Irèneke, car ton Allemand va te questionner et tu vas devoir lui répondre: trois produits sortent de ce qu'on appelle le teillage: filasse, étoupe, anas. Filasse pour la confection des belles étoffes, étoupe pour les tissus ordinaires, anas pour la litière des chevaux. C'est simple comme bonjour. Mais il y a fibre et fibre. Ce sont les longues qui sont peignées et étirées en rubans. C'est elles qu'on enroule pour les envoyer à la filature.»

*

Quelques semaines plus tard, à Verviers – l'apprentissage suit son cours –, Irène et Jan ont la surprise de voir deux officiers allemands près des énormes bacs de pierre où l'on teint les rubans.

«Qu'est-ce que je t'avais dit?» chuchote Jan. «Envoyés par Herr Spitz, sans doute. Ils viennent de publier une ordonnance, ils veulent tout, le lin et l'étoupe.»

Ils suivent les deux uniformes dans le hall de tissage, où les interminables rangées de bobines déroulent le fil qui alimente les métiers Jacquard. «Viens, dit Jan, on n'a pas le choix, il faut les saluer.»

Irène les aborde, en allemand, expliquant que son compagnon ne parle pas leur langue. Pendant les présentations, un des deux hommes la dévisage. Non, il la regarde des pieds à la tête. On se croirait en Italie, se dit-elle, mécontente. Pas très allemand, tout ça. Soudain, l'officier claque des talons et, s'adressant à Jan, lui demande s'il peut «enlever» son amie pendant quelques secondes. «J'ai bien compris, chuchote le Flamand, il veut te voir seule?» Elle a tout juste le temps de dire oui, l'Allemand lui prend le coude et l'emmène à l'écart.

Elle revient cinq minutes plus tard, rouge de colère.

«Partons.»

Jan la suit, intrigué.

«Il t'a fait des propositions?

— Oui, mais pas celles que tu crois. Figure-toi qu'il m'a proposé de faire de la figuration dans un film qu'ils vont tourner là où nous nous trouvions la semaine dernière. L'équipe est déjà sur place, avec des acteurs allemands. Mais ce mufle dit qu'ils ont besoin de «jolies frimouses pour la figuration. *Frimouses*!» Tu sais ce qu'il a eu le culot de me déclarer?

— Non, mais tu vas me le dire.

— Que la mienne était tout à fait convenable pour une jolie fille de ferme.

— Quel film?

— *Wenn die Sonne wieder scheint*, répond-elle à toute vitesse.

— Tu traduis?

— Non. C'est tiré d'un roman de Streuvels, un truc sur des cultivateurs de lin.»

Jan ne peut cacher son amusement. «Je sens que tu vas faire des miracles, ma petite fermière.»

Le premier miracle, c'est le stoïcisme d'Irène devant Herr Spitz, bonhomme replet aux lunettes cerclées d'acier. L'administrateur militaire responsable des textiles occupe, rue de la Loi, un grand bureau au rez-de-chaussée de l'ancien ministère belge des Finances. Il porte les cheveux très courts, séparés au milieu. Comme ils sont raides et fournis, il a l'air d'avoir deux demi-noix de coco sur la tête.

Herr Spitz adore la Belgique, il adore Bruxelles, il adore son bureau, auprès duquel on lui a installé une cuisinette. Herr Spitz n'est pas replet pour rien: il est gourmand.

Et esthète. «Peut-être pourrions-nous aller les visiter, vos beaux champs de lin», dit-il à Irène lorsque, après s'être échinée à parler de la production sans trop s'emmêler dans les étapes, elle se tait, soulagée. «Bien sûr!» répond-elle, pensant à ce que lui soufflerait Jan s'il était présent: «Quand vous voudrez, Herr Spitz! Avec le plus grand plaisir!» Plus quelques vers destinés à créer une douce complicité avec cet homme qui se pique sûrement d'être poète. Elle réprime un sourire, se voyant déjà pédaler dans la campagne flamande aux côtés de Herr Spitz et de ses noix de coco en lui récitant un poème.

Au début du premier entretien, l'administrateur a souri avec une bienveillance matoise devant les bévues syntaxiques de la visiteuse. Il me faudrait un peu plus de pratique, s'est dit Irène, mais pour ça il faut être dans le pays ou avoir un amant allemand. Un amant allemand étant hors de question, il ne lui reste que Herr Spitz et son toupet.

Septembre 1941. Coup de tonnerre dans ce semi-calme illusoire : Helda Erhard a reçu une lettre de son fils. Jan et Irène étaient absents lorsqu'elle a téléphoné, mais Helda a lu la missive à Armand.

Kurt annonce à sa mère que les bureaux du docteur Goebbels ont besoin d'une secrétaire parlant couramment le français. Il a parlé d'elle au ministre et ce dernier a donné son accord. Après une brève description des avantages de sa future charge, il lui donne quinze jours pour «en finir avec la France» – souligné deux fois – et pour le rejoindre dans leur maison de Munich. Il ajoute qu'il doit partir en voyage mais qu'il veut la trouver chez eux à son retour. Pas la peine de s'inquiéter pour l'appartement du parc Monceau : il est déjà sur la liste des logements réquisitionnés pour les officiers. Il termine sa missive par les paroles de son mentor : «Aujourd'hui, Hitler est toute l'Allemagne» – souligné deux fois.

Irène appelle son amie. La sonnerie du téléphone retentit longtemps avant que Helda Erhard ne réponde ; elle est manifestement essoufflée. «Je rentre à l'instant. Je suis allée acheter mon billet.»

Ça recommence !

«Comprenez-moi, Irène, c'est le seul moyen que j'ai de revoir mon fils. Il faut que j'y aille. Je lui parlerai, je saurai le convaincre qu'il se trompe, qu'il est en danger.

— Ce n'est pas lui qui est en danger, Helda, c'est vous. Franchement, ne me dites pas que vous espérez le convaincre !»

Helda pleure. «Je dois au moins essayer.»

Irène prend sa décision en quelques secondes, mais se garde bien d'en parler à la vieille dame. «Quand, le départ ?

— Après-demain.»

Elle repose lentement le combiné.

«Pourquoi as-tu raccroché? s'étonne Rosy.

— Pour qu'elle pense que la communication a été coupée. C'est une fine mouche, si j'avais continué à lui parler, elle aurait deviné mes intentions.

— Tes intentions?

— Je vais la chercher.»

Rosy lève les bras au ciel. «Mais où veux-tu que nous l'installions? Toutes les pièces de la maison sont occupées!

— Nous demanderons à Delphine.

— Oui, mais c'est toi qu'elle connaît, cette dame, c'est toi qu'elle aime. Et Delphine est débordée, avec les enfants, les chevaux, les beaux-parents, l'école, le pain, l'hôpital, Charles… Et tu imagines Gabrielle avec une Allemande?

— Une bonne Allemande.

— Bien sûr. Mais encore une fois, c'est trop pour Delphine.

— Helda pourrait l'aider.

— Oui, mais il faudrait d'abord que ta nièce l'apprivoise, la tranquillise. C'est un paquet d'angoisse, cette femme. Et penses-y, Irène, si son fils veut vraiment la retrouver, il la retrouvera. Imagine qu'il envoie ses sbires à la métairie.»

Armand est de l'avis de Rosy. Mais il approuve Irène. Il propose de réaménager une soupente qui a déjà servi de studio à un étudiant.

Quant à Jan, dont toutes les pensées, les projets, les décisions sont tributaires de l'occupation, il se dit que Helda Erhard leur sera utile. «C'est un trésor qui nous tombe du ciel, cette femme. Elle va t'aider à perfectionner ton allemand.

— Quand tu dis "ton allemand", je ne peux pas m'empêcher de penser à Herr Spitz. C'est lui, mon Allemand.»

Le lendemain, Jan va chercher la voiture du bureau, heureusement pourvue d'un laissez-passer grâce aux précieux textiles. Irène demande audience à Herr Spitz, auprès de qui elle obtient trois Ausweise pour franchir la frontière, un pour elle, un pour une amie qui n'a jamais vu Paris (un mensonge), et un troisième «pour une Allemande de bonne souche, Herr colonel». Après lui avoir souhaité bon voyage au son d'une valse viennoise, Herr Spitz propose de lui adjoindre deux militaires pour sa protection, offre qu'elle décline, priant le bon Dieu pour qu'il n'insiste pas.

«Mais pourquoi n'est-elle pas dans la mère patrie, cette dame? demande-t-il.

— Peut-être veut-elle se rendre utile à l'armée d'occupation!»

Un autre mensonge.

«Tu as vraiment dit ça? s'inquiète Rosy. Et s'il veut se l'approprier, ton amie?

— Se l'approprier pour quoi? Pour manger sa choucroute et ses strudels? La choucroute et les strudels sont mes prérogatives, n'oublie pas. Je ne les cède à personne.

— C'est vrai, dit Rosy, amusée. Tu as pris un peu de poids, en ces temps de rationnement.

— Oui, mais ce n'est pas à cause de la choucroute, ce sont tes rutabagas.»

*

Six heures de route jusqu'à Paris. Quelques postes de contrôle. On piétine deux bonnes heures aux portes de la ville. Des gens sortent de Belgique avec des provisions. Certains se font prendre, d'autres sont si ingénieux qu'ils passent même avec des jambons. Une petite fille en a manifestement un dans son nounours. «Comment faites-vous pour les chiens?» chuchote Rosy au père de l'enfant. L'homme fronce les sourcils, puis se rassure devant la bonne mine de son interlocutrice. «Tout est dans l'emballage. Plusieurs sacs de plastique, puis on sature le teddy d'eau de Cologne. Vous n'apporteriez pas du tabac, par hasard?

— Non, mais je crois que l'infirme qui nous suit en a plein ses béquilles.»

Les abattoirs. Cinq heures du matin, les garçons bouchers aux cheveux gominés traversent la chaussée à pas pressés. Avant de salir leur tablier blanc attaché à l'épaule, ils se sont mêlés aux acheteurs en complet veston qui boivent du vin blanc dans les bistrots. Eux boivent de la goutte. Dur métier.

Puis c'est Montmartre et la traversée de Paris, jusqu'au VIIIe arrondissement. Le boulevard de Courcelles fourmille d'uniformes vert-de-gris, ou pire, noirs. Irène se gare au coin de la rue Murillo. Les deux femmes montent les trois étages, sonnent, Irène priant pour que l'effet de surprise l'aide à convaincre Helda.

Et surprise il y a. Et une telle joie que madame Erhard fond en larmes. «Irène, vous êtes venue! J'ai tellement peur!

— Je suis ici pour vous emmener avec nous.

— Je ne peux pas. Il faut que j'aille là-bas. Le mari de ma nièce, qui travaille à la gare du Nord, a vu Kurt monter dans le train de Hitler. Il n'était pas avec cet homme, comme dans le journal, mais il portait un uniforme et se trouvait avec un groupe. Ils avaient tous l'insigne.

— Quel insigne?

— La tête de mort des groupes spéciaux. Il partait probablement dans un de ces camps de Pologne. Mais il reviendra. Et quand il reviendra je serai là, dans notre maison, pour le supplier de s'éloigner de ces gens. Je le protégerai, je le cacherai, s'il le faut.»

Irène jette un coup d'œil à sa montre. Trop tard pour partir aujourd'hui.

«Helda, nous allons vous aider à préparer vos bagages. Puis nous irons, Rosy et moi, dormir quelques heures dans mon studio. Nous viendrons vous chercher demain matin à sept heures.

— Mais Kurt m'attend!

— Avec de mauvaises intentions.

— Mais...

— Trop de "mais", Helda.»

Minée par la solitude et l'angoisse, Helda Erhard ne réagit plus. Les trois femmes remplissent les valises, vident le garde-manger, arrosent les plantes. Il y en a trop pour les emporter. Et pas d'aimable voisine pour en prendre soin – les voisines ne supportent plus l'accent de Helda Erhard. Émile Desfossez y veillera, c'est promis. On lui laissera un mot au studio.

Le lendemain, il n'y a plus personne dans l'appartement du parc Monceau. La porte est ouverte. Un mot sur la table.

Pardonnez-moi, Irène, mais je ne peux pas vous accompagner. Mon fils est en danger, il faut que je parte, que je l'attende et que j'essaie de lui parler. Je ne peux pas me dire que tout est perdu, vous comprenez.

Je ne peux pas croire qu'il soit tombé dans une telle folie.

Votre amie,

Helda Erhard

*

De retour à Bruxelles, Irène reprend ses visites à Herr Spitz. L'homme l'écoute en hochant la tête. Parfois, elle se demande s'il la croit, tandis qu'elle débite son laïus sur monsieur ou mademoiselle Untel «dont nous avons vraiment besoin à la filature et à l'atelier de tissage». Il se montre patient, attentif, mais il est heureux quand elle en a terminé : il peut alors lui parler des projets grandioses du Grand Reich. Elle se prête à l'exercice, attentive à ne pas perdre de vue, dans son exaspération, la raison pour laquelle elle vient de boire un excellent café avec un Allemand qu'elle exècre.

Le mot est un peu fort mais il faut simplifier.

Herr Spitz se frotte les mains. « Nous allons y penser, Fräulein, à votre lin. Nous y pensons déjà. Nous y pensons beaucoup. Mais nous avons aussi de grands projets pour la Zellwolle. »

Zellwolle ???

Elle voue silencieusement Jan aux gémonies, tout en hochant la tête avec enthousiasme. Herr Spitz sourit, bonasse, ses gros poings sur les hanches. « Et maintenant que nous avons fini de discuter de choses sérieuses, je vous propose, Fräulein Irène, de passer à une occupation plus frivole. »

Frivole qui rime avec Zellwolle. Je te maudis, Jan, comment as-tu pu me jeter dans ce guêpier ? Elle regarde la porte, elle n'est pas fermée, la clé est en position verticale.

S'il fait un geste, je sors en courant.

« Venez, ma chère Fräulein Irène. Suivez-moi. » Il montre une autre porte, au fond de la pièce, prend un air mystérieux, chuchote : « Je dois retirer quelque chose du four et je veux que vous y goûtiez. »

Les intentions de Herr Spitz sont donc culinaires ! Soulagée, Irène règle son pas sur le trottinement de son hôte. J'espère que ses trucs au four seront mangeables. De toute façon, une bouchée, pas plus. Herr Spitz s'efface pour la laisser entrer dans son antre. L'endroit ressemble aux cuisines des familles allemandes où elle séjournait pour y apprendre la langue. Tout y est : le four, la table pour rouler la pâte, l'étagère avec les ingrédients, les planchettes avec devises sur la douceur du foyer. Il y a même un petit buffet avec trois pots en porcelaine : sucre, sel, café.

Herr Spitz lève un doigt modeste. « C'est ma première tentative. » Il fait asseoir Irène à la table, attrape un tablier, l'ajuste sur sa grosse panse. « Je crois que mes talents de cuisinier vont vous étonner, Fräulein. » Ce disant, il souffle sur un strudel qu'il vient de retirer du four, s'approche d'Irène, lui fait signe d'ouvrir la bouche. Ça sent bon.

Tout cela est ridicule, je vais dire à Jan que c'est impossible, qu'il doit trouver quelqu'un d'autre. Mais elle obéit, ferme les yeux, ouvre la bouche. Le petit homme replet y enfourne la coucouque chaude, elle en sectionne un morceau avec les dents…

Il attend devant elle, dans son tablier blanc, un bon sourire de boulanger aux lèvres. Irène pense à ce que lui disait sa mère quand, petite fille manquant d'appétit, elle n'arrivait pas à avaler: «Mâche, avale, mâche, avale, mâche, avale…» Elle mâche et avale, doit bien admettre que ce que Herr Spitz lui a glissé entre les lèvres est délicieux. Il le sait, il vient d'y goûter!

C'est décidé, ce soir je parle à Jan. Je ne passerai pas tout le temps de l'Occupation dans cette cuisine.

Elle ne parle pas à Jan: il est trop content de cette deuxième visite à Herr Spitz. «Ça va marcher, Irène, tu t'en es sortie comme un chef. Continue à manger tes strudels et nous obtiendrons tout ce que nous voudrons.»

Là, elle éclate. «Et après les strudels, ce sera quoi? La choucroute? J'ai l'impression d'être une complice.

— Seulement pour les strudels, *crotteke.*»

Elle s'empourpre, elle a horreur de ces diminutifs. «Et d'abord, qu'est-ce que c'est que cette Zellwolle? Tu m'envoies au feu sans munitions, et je suis obligée de distraire cet homme en m'empiffrant!

— Bien, bien, tu as agi d'instinct. La Zellwolle, c'est l'ersatz, ma chérie! Ils le fabriquent depuis la Grande Guerre. Il n'y a pas de meilleure munition. Il t'a parlé de la Zellwolle, c'est formidable! Nous brûlons les étapes!

— Oui, il m'en a parlé, et j'ai dû faire semblant de la connaître, ta fichue Zellwolle!

— Ils n'ont pas de fibres naturelles, je te l'ai expliqué! Ils devaient les acheter en Australie, en Inde, en Amérique, et, surtout, en Angleterre. Ils l'ont fait jusqu'au blocus de la Grande Guerre, puis ils ont dû trouver autre chose. Depuis, ils fabriquent leur Zellwolle avec de la pulpe de bois. Les uniformes de leurs soldats sont en Zellwolle, que nous appelons, nous, fibranne. Quant à la rayonne inventée par les Français, tu en portes, comme les femmes allemandes et françaises.

— Je sais. C'est à cause de ça que mes sous-vêtements sont sinistres.»

Pour le commun des mortels, la rayonne est l'ersatz qui fait une rude concurrence à la laine et au coton, devenus rares et hors de prix. Rosy a déjà transformé des coupons de cette même rayonne en vêtements pour toute la famille : jupes-culottes pour Irène, qui va au bureau en vélo, robes rallongeables pour elle, car il fait froid et c'est elle qui fait la queue aux provisions. Elle a même taillé deux salopettes au gardien des glaïeuls.

« Les Allemands produisent massivement leur zellwolle, mais leur production est devenue insuffisante. Alors leur plan consiste à construire des usines dans toute l'Europe occupée. Jules-Henry Durant n'a pas le choix : ou suivre les desiderata de l'occupant ou fermer boutique. Écoute, l'ersatz est une providence : il va nous permettre de sauver une foule de gens !

— Mais comment ?

— Parce qu'on va en fabriquer ! Et c'est une formidable nouvelle, pas seulement pour nos employés, mais aussi pour ceux qui vont construire les usines. »

27

ODILE

Dimanche 6 décembre 1941 on oublie un peu la guerre grâce à Saint-Nicolas et pour cause de mariage qui met notre Belgique à l'envers

Notre roi s'est remarié avec une mademoiselle Baels dans la chapelle de son château et on n'a pas fini d'en parler surtout ma grand-mère Émilie qui n'est pas d'accore. Je crois que c'est parce que Léopold a attendu seulement six ans pour se remarier après la mort de la bonne reine Astrid et pour un roi c'est pas assez. Papi ne dit rien et je sais pourquoi, c'est parce qu'il a fait la même chose mais en pire, c'est-à-dire pour ceux qui ont déjà oublié qu'il a pris sa Rosy comme femme avant la mort de ma grand-mère Alma et pas six ans après comme Léopold.

L'amour toujours l'amour.

Pour ceux qui veulent savoir qui est cette Baels c'est une Flamande de Gand qui est assez belle. Moi je suis pour l'amour alors je lui dis vas-y Léopold. Ma mère a répondu à grand-mère qui recommençait encore à parler sempernellement de «ce scandale inouï» que l'amour est un mystère. C'est ma mère qui a raison. Donc, encore une fois vas-y Léopold.

Dimanche soir

À la sortie de la messe, les gens ne parlaient que du roi et de la Baels et se disputaient. Firmin est pas d'accord comme ma grand-mère mais pas pour les mêmes raisons. D'ailleurs j'ai entendu Émilie lui dire mon bon Firmin ne mêlez pas la politique à tout ça. Je parle plus à Firmin de ces jours-ci parce qu'il fait une tête d'enterrement. Je lui ai dit que c'était pas un enterrement mais un mariage, celui du beau Léopold III roi des Belges et de Liliane Baels, une élégante Flamande.

Lolotte tout ce qu'elle dit c'est que notre roi s'est marié avec une belle princesse. Et devinez comment elle a appelé la poupée que Rosy lui a fait avec des bouts de tissus?

Laissons-lui ses illusions à cette enfant.

Mais la grande chérie des Belges, c'est notre bonne Élisabeth. Deux soldats de Wavre qui voulaient aller à Bruxelles mais étaient à pied faisaient signe à des autos et une femme s'est arrêtée pour dire montez mes amis. Elle les a grondés mais le lendemain ils ont reçu un colis de bonbons. Signé Reine Élisabeth en souvenir du voyage de Wavre à Bruxelles.

Samedi 25 décembre

On s'en fiche que les boches aient interdit la messe de Noël à Bruxelles. Nous on est allé dans notre église et on a vu l'enfant Jésus de l'an dernier qui a comme il se doit un an de plus. Les autres étaient pas disponibles et y paraît qui avait pas de choix cette année. Lolotte et moi on a eu le fou rire parce qu'il rigolait cet enfant. Il était content d'être bien confortable avec son gros biberon sucré à la cassonade. J'ai dit à Charlotte qu'on avait peut-être mis une petite goutte dedans pour qui soit de bonne humeur, mais maman l'a entendu et elle l'a dit à papa mais j'ai vu qu'il était pas fâché et riait soucape. Donc cette fois-ci l'enfant était rigolard, mais c'est les rois mages qui se sont distingué comme a dit après ma grand-mère Émilie. Figurez-vous que le ciré en noir comme il se doit car c'est un roi nègre d'Abissannie a mis sa botte à pointe sur la traîne de celui avec l'encens qui est tombé sur celui avec la myre. Ça fait que la myre, autrement dit le pharmacien, est tombé sur la Sainte Vierge qui lui a dit mais enfin Colignon tu peux pas regarder où tu mets les pieds. Comme tout le monde riait je me suis plus gênée et Charlotte non plus et même le curé. Et l'enfant Jésus qui a maintenant deux ans rigolait aussi et voulait sortir de sa boîte de rollmops emballée dans un tapis de table. Marie la pris pour le calmer mais patatras elle a renversé le bœuf sur un mouton qui passait par là. Quelle soirée, les amis, après ça on est rentrés manger nos poulets stérélisé apportés le matin par ma grand-mère dans leur bocal.

Lundi

Quand je suis revenue de l'école le jeune occupant qui vient chercher les œufs et le lait était dans l'écurie avec Firmin et pleurait. L'occupant pleure, on aura tout vu je me suis dit. Firmin m'a fait signe de me taire mais il faut plus que ça pour me taire. Ce jeune occupant ressemble à notre Gus parti en Allemagne pour gagner des marks. Les marks c'est comme les francs mais c'est le sale argent des boches. Pourquoi ce type de vingt ans pleurait, mystère et boule de gomme. Je lui ai demandé malgré Firmin qui me faisait des gros yeux mais je men foutais car je voulais savoir le fin mot. Brève, il était triste parce que sa mère allait mourir et qu'on lui donnait pas de permission. Donc y doivent demander la permission pour mourir. Vu la cruauté du Boche en général, ça ne m'étonnait pas. Quand j'ai dit ça à Firmin, il a dit tu ferais mieux de rentrer à la maison au lieu de dire des bêtises. J'étais tellement furieuse que j'ai tapé du pied, alors il m'a dit (Firmin) t'as rien compris, une permission c'est quand un soldat peut rentrer chez lui et c'est pas la peine de taper du pied.

Lundi soir tout est réglé encore une fois grâce à ma mère

Je continue cette histoire. Tous compte fait, c'était gentil que Firmin dise à l'Allemand que sa maman allait pas mourir même si c'était pas vrai, car quand quelqu'un doit mourir il meurt on a vu ça avec mon arrière grand-mère Coralie et la tante Nénette. Mais Firmin avait raison de dire ça quand même car l'espoir fait vivre. J'ai dit au garçon ça va aller mais ça la fait pleurer encore plus. Pour le distraire de son malheur j'ai demandé ce que Gott mit uns sur son ceinturon, voulait dire. Il a montré le ciel, puis a tapé sa poitrine comme un chimpanzé. Firmin a dit ça veut dire Dieu avec nous. Tu vois bien, j'ai alors crié au pauvre garçon, Dieu est avec toi, mais veux-tu venir voir ma mère? Il a regardé Firmin qui a dit oui. Alors je l'ai pris par la main et on est allés. Elle était pas contente car elle dit toujours gardons nos distances avec l'occupant. Alors je lui ai expliqué et elle a dit au soldat de s'asseoir et lui a versé une jatte de café au lait et beurré une tartine avec des consolations pour sa mère presque morte. Sur ces entre-faites, ma grand-mère Émilie est arrivée et a dit que fait cet homme ici ma bru? Quand elle dit ma bru, j'ai envie de la calotter mais malheureusement on ne calotte pas les grand-mères.

Maintenant je suis dans ma chambre avec une lampe de poche en train de raconter cette belle histoire de ma mère qui est allée voir le chef allemand pour lui dire de laisser l'homme aller voir sa mère et il y est allé paraît-il.

28

IRÈNE

Janvier 1942. Le miracle. D'immenses bancs de harengs passent en mer du Nord. Les bateaux de pêche qui restent (les autres ont fui en Angleterre) ramènent assez de poisson dans leurs filets pour nourrir la Belgique et le Nord de la France pendant deux mois. Les étals de poissonniers croulent. Il paraît qu'en France on déverse la manne sur les places publiques. Spectacle hallucinant : les gens pataugent dans la mer argentée, bottés jusqu'aux cuisses, et remplissent leurs cabas à ras bord. Certains prennent leur temps, choisissent les plus beaux spécimens. Sur les places, dans les rues, le sol est visqueux et il faut lutter pour garder son équilibre – surtout si on est lourdement chargé. Car le hareng n'est pas rationné, lui, et on ne le moissonne pas seulement pour le consommer tout de suite, mais pour le mettre en saumure. Mais avant la saumure, on le déguste à toutes les sauces : au vinaigre, saur et saur grillé, frit, fumé, frais grillé maître d'hôtel, à la mayonnaise quand on a un œuf en trop. On est imbibé de hareng, on sent le hareng, on empeste le hareng, et se débarrasser de l'odeur avec ce qui tient lieu de savon est voué à l'échec.

Le soir, devant le hareng du jour, Jan et Irène s'attardent chez Armand et Rosy, où Évangélisto vient parfois les rejoindre pour leur raconter ce qu'il a vu aux abords de la Feldgendarmerie, qu'il surveille avec des jumelles. C'est son passe-temps entre deux arrosages. Sa production s'est diversifiée : il cultive des champignons dans sa cave, ce qui donne au sous-sol une odeur de crypte. Le tabac manquant cruellement aux trois hommes, il a consenti à occire une vingtaine de glaïeuls pour faire pousser quelques feuilles. Les Belges qui possèdent un lopin font pousser du tabac et vendent leurs surplus aux Français, qui les achètent à gros prix.

Francs-maçons, communistes, Juifs sont dans la mire de l'occupant. Surtout les Juifs. Leurs restaurants doivent afficher «entreprise juive» en français, en flamand et en allemand. Ils ne peuvent être ni fonctionnaires, ni avocats, ni enseignants; ceux qui l'étaient ont été démis de leur fonction et végètent. Les Juifs qui partent ne peuvent pas revenir. Comme la plupart d'entre eux ne savent où aller – les purges ont commencé partout –, ils restent et se terrent. Les dénonciations vont bon train. Irène a vu une pile de lettres sur le bureau de Herr Spitz. Elle a mémorisé des noms, fait des recherches avec Rosy, alerté le Comité de défense des Juifs. Certaines familles se sont cachées avec la complicité de citoyens. Le CDJ a envoyé des enfants en France libre, en Suisse ou en Angleterre, mais il en reste : ceux dont les familles se soumettent à l'occupant; ceux qui sont malades et ne peuvent pas voyager; ceux que leurs parents n'ont pas le courage de voir partir. Jan a emmené une veuve et ses deux petits dans sa famille des Polders; Rosy et Armand se démènent pour convaincre quelques fermiers du Brabant de prendre au moins un enfant.

La Grande Guerre fait horreur aux Allemands : les anciens combattants ne peuvent plus porter leurs insignes. Mais les rexistes et les gens du Vlaamsch Nationaal Verbond arborent leur emblème. Après avoir pavoisé à Bruxelles et déclaré que le Belge doit reprendre conscience de sa qualité de Germain, Léon Degrelle, qu'on appelle le Führex, est parti sur le front de l'Est, où il se bat avec les soldats du Reich. Stalingrad résiste.

Mais Hitler tient ses promesses, il supprime le chômage : à la fin du printemps, cent cinquante mille travailleurs ont déjà franchi la frontière et travaillent pour le Reich. Les magnats de l'industrie allemande se frottent les mains.

Fin avril, plus de hareng. Et plus de lait. Les crémeries échangent des tickets de rationnement contre du yogourt aqueux. On peut acheter du lait en poudre, mais son goût est si étrange qu'on se demande avec quoi il est fait. Certains disent qu'on y met de la craie. On vend du vrai lait au marché noir, bien sûr, mais à prix d'or. Quand Armand fait une descente rue des Radis pour en ramener une pinte, c'est fête rue de la Vallée : Rosy y fait tremper du pain gris avec un œuf battu, fait cuire le tout. Quand elle a pu mettre la main sur un bâton de vanille, elle l'ajoute au brouet.

L'usine et les filatures de Jules-Henry Durant ont commencé à fabriquer de la rayonne, tout en conservant le département de ce lin dont les Allemands raffolent. Irène continue son va-et-vient entre la rue de la Vallée et la rue de la Loi. Quand elle n'en peut plus d'aller voir Herr Spitz, Jan lui montre la liste des gens qu'ils ont sauvés du STO. Quarante-neuf hommes et femmes. Puis il lui parle du cinquantième.

On la fait souvent attendre, dans le vaste hall où deux Fräulein dactylographes tirées à quatre épingles parlent du dernier concert. Elles l'ignorent poliment, mais son élégance suscite des coups d'œil d'envie : elles sont tenues au chemisier et au tailleur strict, et la toilette d'Irène, tout comme sa toque de velours (taillée dans un pouf du salon de Rosy), les fascine. Lorsque Herr Spitz passe la tête à la porte du bureau pour inviter l'élégante à y entrer, elles posent les mains sur leur clavier et, sidérées, la regardent trotter sur ses talons hauts.

Selon le temps dont il dispose, le commandant condescend à donner une leçon d'allemand à la visiteuse, « celui de Hanovre, Fräulein, le plus pur ». Elle obtient généralement ce qu'elle demande. Bien sûr, elle improvise, mais certains ingrédients doivent être présents dans la conversation : Wagner (« Vous partagez la dévotion de notre Führer pour ce génie, bravo ! ») ; la courtoisie de l'occupant (« Nos hommes sont des modèles ») ; et la choucroute, dont il lui fait souvent manger une portion. Bref, avant d'en arriver à la nécessité de garder à l'usine monsieur ou madame ou mademoiselle Untel, il faut sacrifier au rituel obligé, avec quelques variantes pour ne pas lasser l'officier. « J'en ai assez de jouer les Shéhérazade, dit-elle parfois à Rosy. Sais-tu qu'il m'oblige à le suivre dans sa cuisine pour me faire goûter ses "piti plats fins" ? Et que j'ouvre docilement la bouche quand ce goinfre me tend une cuillerée de son horrible chou ? J'ai dû lui promettre d'aller manger avec lui la meilleure choucroute en ville. Et le restaurant s'appelle comment, à ton avis ? Tyrol ! Ce qui veut dire qu'il va falloir, en plus, les écouter yodler. Herr Spitz yodlant avec ses noix de coco sur la tête et la bouche pleine de choucroute, non, c'est trop, je vais perdre connaissance. »

Début juillet, Jan et Irène ont sauvé soixante-trois personnes. Chiffre apparemment dérisoire : début janvier 1941, deux cent cinquante mille Belges moins un étaient déjà en Allemagne. Le 15, le deux cent cinquante millième recevait une montre en or dans les bureaux du gouverneur allemand.

« Soixante-trois personnes, rien que soixante-trois personnes, Jan !

— Oui, mais tu te rappelles le jour où nous leur avons annoncé qu'ils ne partaient pas ? Il y en aura d'autres, Irène, nous n'avons pas fini. »

*

Un matin, après les commissions, Rosy s'arrête chez Évangélisto pour lui donner des semences de haricots échangées contre du saindoux. Un gamin est assis à la table devant une assiette de soupe.

« Je l'ai trouvé ce matin, dit le gardien des glaïeuls.

— Trouvé ?

— Oui. Ce n'est pas la peine de le questionner, il ne parle que le flamand. Il faut attendre Jan. »

Évangélisto ressert une louche au gamin. Huit ou neuf ans, petit, mince, l'œil vif. Trop absorbé pour lever la tête. « *Te snel, te snel !* » lui dit le jardinier. Puis, à Rosy : « Il aime mon potage.

— Je vois. » Assis de chaque côté de l'enfant, ils le regardent dévorer. Il n'a pas l'air sous-alimenté, mais il est affamé. Il porte des culottes de golf, un pull de laine verte sur une chemise blanche. Ce ne sont pas des habits du dimanche, cela ressemble plutôt à ce que l'on porte pour une excursion à la mer ou à la campagne. Il a posé sa casquette sur la table, près de son assiette.

« Je suis sorti tôt ce matin car j'avais entendu dire que quelqu'un avait rapporté du charbon de Campine. Je l'ai trouvé dans la rue. Il a enlevé ses bottines en arrivant. » Il montre des billets sur la table. « Y avait ça dedans.

— Deux cents francs ! C'est beaucoup d'argent. » Le gamin jette un coup d'œil aux billets, hoche la tête en signe d'approbation, puis revient à son assiette.

Après le repas, il s'installe dans un fauteuil et s'endort. À quatre heures, Rosy le réveille pour l'emmener à la salle de bain. Quand il voit la baignoire, il se déshabille sans faire d'histoire. Puis il se laisse savonner et laver les cheveux. Il n'a pas de poux, constate Rosy.

Et il est Juif.

Le soir, Jan fait parler le nouveau venu. L'enfant dit qu'il vient d'Anvers, mais refuse de dire son nom.

«Mais comment es-tu venu d'Anvers?
— En auto.
— Avec qui?
— Je ne sais pas.
— Et ton papa, ta maman?
— Partis dans un camion.
— Pourquoi ne t'ont-ils pas emmené avec eux?
— C'était un camion de Boches. Ils m'ont dit de courir.»
Un homme l'a fait monter dans une voiture. «Quand on est arrivés ici, il m'a dit de me cacher si je voyais des Boches. Il m'a dit de trouver quelqu'un pour s'occuper de moi.» Il montre Évangélisto. «J'ai trouvé celui-là. Il m'a donné à manger.»
«Je vais contacter le CDJ», annonce Jan. Puis, à Évangélisto: «Vous avez vérifié?
— Non, mais c'est oui: madame Rosy l'a mis au bain. Mais pour le CDJ, y a pas de presse, monsieur Jan. On pourrait dire que c'est mon neveu.
— Vous savez que le plus gros VERBOTEN, c'est de donner asile à un Juif.»
Évangélisto veut garder le gamin, il dit que la guerre s'achève. «Ils se font dérouiller à Stalingrad, Jan, c'est peut-être la fin.
— Oui, mais la fin peut traîner longtemps.
— Regardez-le, vous trouvez qu'il a l'air juif?»
Cheveux châtains, yeux bleus. Chacun examine le garçon avec la même pensée, qu'Évangélisto résume: «Il ne lui manque qu'un acte de naissance catholique. Pourquoi on ne demanderait pas au père de l'amie de madame Charles?»
Le gamin finit par dire qu'il a neuf ans et s'appelle Karl. Quant à son nom, il est clair qu'il ne le dira pas. Il dit qu'il ne sait pas. Facile de deviner que ses parents lui ont fait jurer de ne le révéler à personne.
«D'accord, dit Jan. On va t'en donner un à nous. Ça te va?»
Le gamin dévisage chacune des personnes présentes, Irène, Jan, Rosy, Armand, et son sauveur. Il hoche la tête, il a confiance.

Deux semaines plus tard, le petit Karl possède un acte de naissance au nom de Karl Vermeulen. Il est devenu, officiellement, le neveu d'Évangélisto. À moins qu'un Allemand soupçonneux ne le déculotte, il ne risque rien.
Son «oncle» lui apprend à désherber, à tenir le jardinet propre, à soigner les glaïeuls et les feuilles de tabac. Il récolte

de l'herbe dans les squares pour les lapins. Il s'attache à Rosy, qu'il rejoint parfois au rez-de-chaussée pour la regarder coudre. Elle lui apprend le français, l'emmène aux provisions. Il joue avec Jeannette, que Rosy laisse parfois courir dans la cuisine. Il parle le flamand avec Jan, raconte comment était sa vie, mais son patronyme reste secret. Il a promis. On compte bien l'inscrire à l'école à la rentrée.

*

Une lettre à en-tête SS sur le bureau de Herr Spitz. Irène l'a vue en entrant, à côté de la pile de dénonciations habituelles. Le commandant est dans la cuisine et touille dans une casserole. Assise près du bureau, elle essaie désespérément de lire la lettre à l'envers. Impossible.

Herr Spitz est très occupé, on entend le raclement de la cuillère dans le récipient. Il fredonne. Irène se lève, fait un pas vers le bureau. Le contourner est risqué, il faut trouver autre chose. «Encore quelques minutes, Fräulein, crie le cuisinier, et vous goûterez la choucroute de Hanovre, avec un succulent jarret de porc.» C'est ça, tout est meilleur à Hanovre, la langue, les gens, la choucroute. Mais où a-t-il trouvé son jarret de porc? Si Rosy l'entendait!

Un rayon de soleil entre dans la pièce.

La fenêtre!

Sans plus réfléchir, Irène y court.

«Quel belle vue vous avez!» crie-t-elle.

La vue n'est pas fameuse, mais les bâtiments à l'arrière ne sont pas hauts et on voit les jardins.

«Oui, Fräulein, oui, ne vous gênez pas, contemplez-la, je vous prie.»

S'il entre, elle n'aura qu'un pas à faire pour rejoindre la fenêtre. Le document est facile à traduire. *Au service de Bruxelles, Objet: Insigne distinctif des Juifs. Comme convenu à Berlin...* Trop tard, le cuisinier arrive, une main sous une cuillère débordant de choucroute. Irène a repris sa place à la fenêtre. Elle regarde le petit homme qui trottine vers elle; on lui donnerait le bon Dieu sans confession. Il a l'air si inoffensif qu'elle en oublie momentanément la lettre. Il n'est sûrement pas méchant, cet homme. Il a une épouse, des enfants, il joue avec eux, il embrasse sa femme, lui fait l'amour, ils vont au zoo en famille, les enfants distribuent des cacahouètes aux singes, des carottes aux zèbres, ils se blottissent contre papa devant la cage du lion, ils rentrent à la maison et mangent des bretzels avec du cacao, puis maman les met au lit et papa les borde. Oui, il a une femme, Herr Spitz, et des enfants, mais il a aussi un Führer. Pourquoi n'essaient-ils pas de le tuer, ce monstre ? Irène ne sait pas qu'on a déjà essayé, mais le monstre a plusieurs vies. Herr Spitz est tout près ; il lève la cuillère. « Goûtez-moi ça, *meine Liebe.* » Irène a appris à ouvrir docilement la bouche. Il attend, l'œil brillant. Il n'y a plus rien qui compte en ce moment que sa choucroute. Irène mâche, avale. « Encore ? » susurre-t-il.

Elle va dire non mais pense à la lettre.

« Herr Spitz, c'est si bon que j'en voudrais une assiette. »

Il la regarde, émerveillé. « *Schätzchen* ! Vous aimez ma choucroute ! » Irène rougit jusqu'aux oreilles : *Schätzchen* est un mot très tendre. Mais Herr Spitz est si content : elle aime sa choucroute !

« Vous en voulez une assiette, vraiment ? Quelle douce musique ! Répétez-moi ça, Fräulein Irène.

— C'est vrai, je... » affirme-t-elle. Mais il n'attend pas la suite. Ravi, il fait demi-tour, gracieux, aérien, galope vers la cuisine.

Vite, le document sous la lettre. *Huitième ordonnance du 29 mai 1942 concernant les mesures contre les Juifs... Interdit aux Juifs... de six ans révolus de paraître en public sans porter l'étoile juive.* Un troisième document, avec des croquis d'étoiles à six branches. Celle de Belgique avec un simple J au milieu. Un point noir sous la lettre. Entrée en vigueur le 7 juin 1942. La lettre J doit servir aussi bien aux Flamands qu'aux Wallons : *Jood* et *Juif*.

*

Fin juin, Irène trouve deux fillettes chez Rosy. Leur papa les y a envoyées car leur mère ne voulait pas coudre l'étoile sur leur robe. Les petites n'y comprennent rien : pour elles, c'est une étoile, et c'est beau une étoile. Elles veulent leur étoile sur leur jolie robe blanche. La Gestapo envoie des convocations aux Juifs étrangers, soi-disant pour leur donner des contrats de travail. Les malheureux qui se rendent docilement à la Feld-gendarmerie sont déportés ; on sort les resquilleurs de chez eux à coups de bottes après avoir défoncé leur porte à coups de crosse. Des jeunes filles offrent de l'argent à des vieux dans les hospices pour qu'ils les épousent ; il n'y a ni fiançailles ni lune de miel, un bourgmestre les unit sans poser de questions. Les SS n'arrêtent pas encore les Italiens, ni les Turcs, ni ceux qui ont la citoyenneté belge, mais Irène sait que les purges visent *tous* les Juifs. Des brutes de la Gestapo arrivent la nuit dans les rues, qu'ils bloquent avec leurs camions. Hommes, femmes, enfants, vieillards sortent en pyjama, éblouis par les projecteurs braqués sur les façades. On les entasse dans les camions. Certains essaient de se sauver par les toits, on les tire comme des lapins. Les autres sont amenés tout droit à la caserne Dossin, à Malines. Puis on les envoie ailleurs. Où ? On ne sait pas. À Gurs, peut-être, avant la Pologne. Les petits sont séparés de leurs parents, certains s'échappent, comme Karl. Ceux-là au moins ont une chance de rester en vie. La maman des fillettes en robe blanche vient voir Rosy. Son mari et elle ont été convoqués, mais, curieusement, les petites ne sont pas mentionnées. Jan contacte le CDJ. Le lendemain, Armand et Rosy emmènent les gamines dans un sanatorium de la côte. Elles pleurent quand Rosy découd leur étoile. Elles pleurent pour papa et maman. Armand leur dit qu'ils ont dû partir en voyage.

Le 5 août, il n'y a plus une étoile jaune à Bruxelles. Dix mille Juifs ont été raflés.

Herr Spitz annonce fièrement à Irène que Bruxelles est *judenfrei*. Ils viennent de manger un strudel. Il est assis en face d'elle, bonhomme, tirant sur son cigare, comme Armand, comme Charles, comme Jan…

« Herr Spitz, dit doucement Irène. Que vous ont-ils fait, les Juifs ? »

L'homme ne s'attendait pas à cette question. Il se lève, arpente la pièce, se plante devant elle, qui arrive à donner à son visage une expression destinée à rassurer l'Allemand loyal et convaincu. Il scrute le visage levé vers lui, n'y voit que simple curiosité, ou compassion, mais c'est la compassion d'une âme candide qui ne sait rien. Herr Spitz adore voir en Irène une femme fragile, un peu ignorante, qui lui fait confiance, lui demande des conseils, écoute ses discours sur le Grand Reich.

Il lui tapote l'épaule, va donner un tour de clé à la porte. Oh non ! Les Fräulein vont penser que je fais des choses avec lui, se dit Irène. Tant pis. Herr Spitz se rassied et, déposant sa cendre dans sa paume, se rapproche d'elle et chuchote : « Madame Irène, je sais que vous êtes une bonne citoyenne, que vous aimez votre pays, ce pays que nous occupons, mais ce sont les lois de la guerre, et ça aussi vous le comprenez. Alors, je vais vous dire ceci, sous le sceau du secret, parce que je vous respecte, même si je me demande parfois si vous ne me racontez pas des carabistouilles pour garder vos gens. » Irène lève une main, il pose un doigt sur ses lèvres. « Chut ! Ne protestez pas, je ne vous reproche rien. Vous êtes une patriote et nous, les Allemands, nous savons ce que c'est que le patriotisme. Alors, écoutez bien ceci. Le général von F... – il se mord les lèvres, mais c'est trop tard, Irène sait qu'il parle de von Falkenhausen, le commandant militaire de Bruxelles – et moi ne sommes pas partisans de ces arrestations, mais on nous a inculqué l'obéissance, Fräulein, et nous n'y pouvons rien. Nous sommes comme ça. Nous obéissons. » Il claque les talons, machinalement.

« J'avais un ami juif, Fräulein Irène, un grand ami. Nous avions l'habitude d'aller skier ensemble dans les Alpes autrichiennes, ma femme aimait beaucoup son épouse, nos enfants ont grandi ensemble. Chaque hiver, nous faisions un petit voyage, nous sommes même venus ici, à Bruxelles, voir votre Manneken Pis et la Grand-Place. » Il soupire. « Un jour, ils nous ont dit qu'ils allaient avoir un autre enfant et nous ont demandé d'être les parrain et marraine. Nous étions très contents. Mais la pauvre femme a perdu le bébé. Nous sommes restés avec eux pendant plusieurs jours. Nous avons beaucoup pleuré. C'était en 1938, nous devions nous cacher pour aller les voir, vous savez. Notre Führer disait que les Juifs étaient responsables de tous nos malheurs. Puis je suis parti en campagne. Ma chère épouse a continué à leur rendre visite, mais c'était trop dur pour elle. Elle sentait bien qu'elle était surveillée. » Herr Spitz regarde le rectangle lumineux de la fenêtre. Il a pâli.

« Je ne sais pas ce qu'il est devenu, lui et sa famille. Et c'est un chagrin, un grand chagrin.

— Herr Spitz, pourquoi ne l'avez-vous pas prévenu ? »

Il baisse la tête, accablé. « Les ordres... » Pour un peu, Irène le consolerait. Le bonhomme n'est plus aussi bonhomme, ses traits se sont creusés, il est triste.

« Mais, l'amitié... murmure-t-elle. L'amitié, Herr Spitz ! »

Il la regarde d'un air égaré. C'est un visage qu'elle ne lui connaît pas. Il tamponne son front couvert de sueur, respire vite. Et s'il se sentait acculé ? S'il regrettait de m'avoir dit tout cela ? Irène a peur, tout à coup, très peur que les confidences de Herr Spitz ne fassent tout basculer. Il faut qu'elle le rassure. Vite. Elle pose une main sur son bras.

« Herr Spitz, je vous jure que ce que vous venez de me dire ne sortira pas d'ici. Je vous jure d'emporter tout cela dans la tombe. »

Elle voit bien qu'il la croit.

« Merci, mademoiselle Desmarais. »

C'est la première fois qu'il prononce son nom. Le ton a changé. Les yeux de l'Allemand restent posés sur elle, mais on voit bien que ses pensées sont ailleurs. Il la dévisage, pourtant, nez, bouche, joues, front… peut-être voit-il un autre visage, celui de la femme juive qu'il a abandonnée… ou celui du mari, ou celui des enfants qui jouaient avec les siens. Il se lève, retourne d'un pas lourd à son bureau, pose les mains sur la lettre SS. Le moment de grâce est passé, Herr Spitz redevient le soldat qui obéit aveuglément, qui exécute les ordres sans poser de questions. Il examine Irène et, presque sèchement : « Maintenant que j'ai été franc avec vous, Fräulein, soyez franche avec moi.

— Bien sûr, commandant.

— Jurez-moi que vous n'êtes pas Juive.

— Je vous le jure. »

C'est la première fois qu'elle ne lui ment pas.

29

DELPHINE

Toussaint 1942, au retour du cimetière, la famille trouve le pasteur Jones à la métairie. Il est dans la cour avec Firmin, appuyé sur son vélo noir. Qu'est-ce que ces deux-là peuvent bien se dire? se demande Delphine. Le premier est un homme de foi, grave, peu disert, le second un mangeur de curé qui ne mâche pas ses mots. Mais il semble que Firmin n'associe pas le costume calviniste à la soutane; il se tient respectueusement devant le visiteur, accompagnant son discours de gestes mesurés. Le géant à col raide le dépasse d'une tête. «Je parie qu'il lui parle de la guerre 14», dit Odile. Le pasteur appuie son vélo contre le banc, s'avance vers la jument, caresse l'encolure humide. Mal à l'aise, Charles saute de la carriole, prétexte une tâche à terminer et disparaît, il a eu affaire une seule fois à la colère de cet homme et n'est pas près de l'oublier. Paul s'avance vers son grand-père, main tendue. On ne s'embrasse pas dans cette famille? Adrian Jones saisit la tête de son petit-fils, y pose les lèvres. L'adolescent rayonne, le geste doit être rare. Le père de Gabrielle sort une enveloppe de sa poche.

«Quel bon vent vous amène, pasteur?» demande Delphine.

— Un mauvais vent.»

L'enveloppe porte le cachet de la Kommandantur; le mot «convocation» y est inscrit en toutes lettres. Tout le monde sait ce que cela signifie: travail obligatoire, donc déportation. Autrement dit: faire ses adieux à sa famille, monter dans un train en partance vers un des centres industriels du troisième Reich, y rejoindre un troupeau d'ouvriers anonymes et chagrins.

«Rentrons, dit Delphine. Restez donc avec nous à dîner, pasteur.»

Lorsqu'elle revient du garde-manger, elle entend sa fille aînée poser une question à l'invité. Intriguée, elle s'arrête dans le corridor pour écouter la réponse.

Le pasteur dit que les hommes font la guerre parce qu'ils oublient que Dieu existe.

« Oui, dit Odile, mais il m'a tout l'air de les oublier aussi. »

Bon, voici qu'elle s'en prend au pasteur, maintenant. Delphine entre dans la cuisine, fait les gros yeux à sa fille.

« Mais maman… on cause, c'est tout!

— Odile, le pasteur est ici pour tante Gabrielle. Il y a une lettre, tu as vu? Réglons d'abord l'histoire de la lettre, ensuite tu poseras tes questions. »

Gabrielle se présente devant l'officier en charge. Il lui annonce aimablement que si l'examen médical est « favorable », elle aura une semaine pour se préparer au départ. Du tac au tac, elle répond qu'il y a erreur, qu'elle vient de se marier.

À la métairie, on est partagé entre le rire et la trouille. Mais la conclusion est unanime: il faut trouver un époux. Firmin est sollicité. Visage empourpré, il révèle que chaque dimanche depuis son veuvage, il « voit » une Liégeoise et qu'il ne peut pas lui faire ça, même pour une bonne cause.

Mais il a une autre idée.

Il demande un congé d'une journée pour une sortie. Une sortie sur laquelle personne ne pose de questions: on sait qu'il va partir à la chasse au mari. Le lendemain, après deux cafés arrosés, il se met en route en promettant solennellement que, si tout se passe comme il le souhaite, madame Gabrielle échappera aux travaux forcés chez les Chleuhs.

Le soir, il revient épuisé mais triomphant. Près de lui, à l'avant de la carriole, un personnage endimanché et hilare. « On a un peu traîné car il voulait se faire beau », souffle-t-il à Delphine. L'éventuel époux saute de la carriole, s'avance dans la cour comme Casanova au bordel: comme il ne sait pas qui est la promise, il regarde Gabrielle *et* Delphine, avec une nette prédilection pour cette dernière, semble-t-il. Firmin fait les présentations. Dès lors, Matias Mathurin, veuf et retraité, ne se prive pas de lancer à la prétendante des clins d'œil gaillards. Firmin le rappelle à l'ordre. Il ne fait que cela depuis qu'il l'a trouvé. Une entreprise ardue: l'homme joue de sa surdité pour faire celui qui ne comprend pas. Consternée, Delphine chuchote à Charles: « Il faut trouver autre chose. » À quoi il répond: « Mon cœur, Firmin a écumé trois villages.

— Allons à Liège.

— Ça prendrait trop de temps. Et il faudrait faire une véritable enquête… Ici, dans les villages, on connaît tout le monde. »

Après une négociation serrée, l'homme accepte le marché qu'on lui propose. Moyennant un paletot neuf, une paire de bottines et deux chemises de flanelle, il épousera mademoiselle Gabrielle Jones et s'efforcera de se conduire en époux attentionné *mais sans exigences*. On n'est pas sûr qu'il ait bien compris, mais le temps presse. Le bonhomme veut également une casquette de moto. Il n'a pas de moto mais il veut la casquette. Le couple recevra une allocation mensuelle pour le ménage. Tout semble réglé, mais lorsque Gabrielle réalise qu'elle va devoir préparer un repas, chaque soir, et le manger en tête-à-tête avec un vieux en rut, elle entraîne Delphine dans sa chambre et lui dit qu'elle préfère l'Allemagne. Son amie arrive à la convaincre de faire au moins un essai, tandis que Charles rappelle à Mathurin que l'accord ne sera valable que jusqu'à la fin de la guerre, et sera rompu à la première incartade.

«Ça me va», dit le vieux avec une œillade complice à la future.

L'accord est daté, signé, dispositions sont prises pour les noces. Avec une dégaine d'homme du monde, Matias Mathurin se plante devant la promise et lui déclare qu'il la trouve «bien à son goût». Très ferme, très grave, Armand lui spécifie qu'il s'agit d'un mariage blanc. Le vieux faisant semblant d'ignorer ce que cela signifie, Firmin l'entraîne à l'écart pour le lui expliquer, ou plutôt pour le lui réexpliquer, car il l'a déjà fait, et en détail. Mais Matias Mathurin fait confiance à ses charmes. Il échappe du reste à l'attention générale pour aller tâter les fesses de la fiancée dans la cuisine.

Le lendemain, Armand emmène les promis à Bruxelles. Matias porte le costume de son premier mariage, auquel Rosy a dû faire un point en vitesse, le pantalon étant devenu trop large. Paul est au courant de tout, mais Charles a conduit les filles chez sa mère. Un bourgmestre indifférent unit les fiancés, Armand et Rosy sont les témoins. Le marié a un œillet à la boutonnière, il resplendit.

«Il s'y croit vraiment, ce rustaud», dit Rosy à Armand.

Le soir même, le certificat de mariage est antidaté par les mains expertes du pasteur Jones. Les Allemands n'y croient pas, mais ils ne peuvent rien prouver: le document est en bonne et due forme. Alors ils surveillent. Gabrielle s'installe chez le vieux Matias, où ses soupçons se vérifient: l'époux est un chaud lapin. S'ensuivent des nuits picaresques au cours desquelles, invariablement, elle finit par s'enfermer au cabinet. On rit beaucoup, le jour, à la métairie, mais le soir c'est une autre histoire. Paul habite avec le couple. Le soir, en grand garçon raisonnable, il fait rapidement ses devoirs pour jouer aux cartes avec Matias, espérant l'épuiser. Mais c'est de lui que la fatigue a raison. Alors sa mère l'envoie se coucher et la samba commence. Gabrielle a beau rappeler au bonhomme que leur mariage est un marché pour lequel il reçoit compensation, il fait la sourde oreille, ce qui lui est d'autant plus facile qu'il est sourd comme un pot.

Une nuit où il se glisse dans la chambre de sa fausse moitié pour lui faire une déclaration en règle, elle lui échappe, l'enferme, va réveiller Paul. Ils enfourchent leur vélo et arrivent à la métairie – 20 km – pour le petit-déjeuner, au cours duquel on tient conseil.

Dans la matinée, une moto allemande entre dans la cour. Matias est dans le side-car. Il s'en extirpe avec l'aide du conducteur, qui a l'air de bien s'amuser.

«Où est la femme? demande le troupier allemand à la cantonade.

— C'est moi», dit Gabrielle.

Agitant un index réprobateur, le soldat déclare: «Toujours obéir à petit mari! Jamais être jalouse!»

Jalouse?!

Plus tard, Matias leur raconte qu'il a dit au Boche que sa femme lui a fait une scène de jalousie et qu'elle est partie en pleine nuit. Il rigole, le vieux Matias, devant son verre de goutte. Gabrielle n'en peut plus. Elle ne veut plus retourner chez lui, elle dit qu'elle préfère l'Allemagne.

Il faut renégocier l'affaire.

Trois heures de tractations.

En fin d'après-midi, après discussions et deux repas complets, le vieux accepte de contenir ses ardeurs moyennant trois poules pondeuses, un autre costume et un canotier. On rirait si on avait le cœur à rire. Un nouvel accord est rédigé. *Matias Mathurin s'engage à respecter l'engagement pris auprès de la famille Durant et de mademoiselle Gabrielle Jones, sous peine de révélations à l'occupant.* Autrement dit, explique Charles, si Gabrielle se fait prendre, vous serez vous aussi dans leur collimateur.

Le vieux signe, vexé.

Gabrielle passera désormais la journée à la métairie mais dormira chez l'époux (les Allemands n'hésitent pas à faire des descentes de nuit), dans une chambre verrouillée. Ses vêtements et certains objets personnels y resteront, de même que ceux de Paul.

Il ne reste plus qu'une chose à faire : espérer, attendre.

Attendre quoi ? Tout le monde le sait mais personne n'ose le dire.

À la mi-décembre, les espoirs secrets sont exaucés : le cœur du vieux Matias, qui a trop battu dans l'espoir de conquérir sa dulcinée, déclare forfait.

Gabrielle Mathurin-Jones est veuve. Et disponible pour l'Allemagne.

Quelques jours après l'enterrement, une autre convocation arrive de la Kommandantur.

La solution du mariage n'est plus envisageable.

Gabrielle entre dans une semi-clandestinité.

30

ODILE

Jeudi

C'est la routine, les amis, même si c'est les vacances. L'école j'aime mieux pas en parler, parce que ça ne sert à rien. Mais comme je ne veux pas faire de peine à ma mère, j'ai un bulletin convenable. Elle est contente avec ça.

D'habitude j'ai des choses intéressantes à dire, mais il y a des moments où le Belge, et surtout les filles Belges de onze à quinze ans (je dis ça parce que je réfléchis comme une fille de ce dernier âge) sont découragées par la folie des hommes. D'ailleurs c'est écrit en grand dans la gazette de papi. LA FOLIE DES HOMMES.

J'aide ma mère pour son moral. Mais je joue aussi. Nous les jeunes on joue même si c'est la guerre. Les mères jamais.

Les boches disent qu'on peut pas écouter la radio de de Gaule sous peine de travaux forcés. Ils confisquent les postes. Mon grand-père a rapporté de Roubaix en cachette des feuilles de dix commandements distribués dans ces contrées par de bons patriotes. Je recopie.

LES DIX COMMANDEMENTS
Un seul poste tu écouteras
La B.B.C. évidemment,
Radio Paris tu n'écouteras
Car tu sais que Radio Paris ment,
La salle de spectacle tu quitteras
Lors des documents allemands,
Ton seul mot d'ordre sera
Celui de de GAULLE naturellement,
Camarade tu ne seras pas
Avec des soldats allemands,
Le bien d'autrui tu ne prendras,
Si c'est à eux, vas-y franchement,
Homicide point ne feras

Pour un Boche, c'est différent,
Des tracts anglais propageras
Et reproduiras secrètement,
Quand le corps anglais débarquera
De bon cœur tu partiras
Et tu verras que dans un temps,
en FRANCE, il n'y aura plus d'Allemands.

Voici ce que j'ai compris de ce poème atrocement laid :
1. de Gaulle s'écrit avec 2 l
2. les tracts, c'est les insultes contre les boches

Ce que je n'ai pas compris (du tout) :
1. pourquoi Radio Paris ment
2. c'est quoi homicide
3. le corps anglais débarquera. Quel corps ? Un corps mort ou vivant ? Un corps mort qui débarque de bon cœur ! C'est quoi ces histoires ? Moi je crois que la guerre rend fou et qu'il faut que ça finisse avant que nous les Belges on devient aussi fou que le corps anglais qui débarquera mort ou vivant.
4. de bon cœur tu partiras où ?

J'en peux plus.

Dans le journal, il y a un dessin d'un village de France avec écrit en dessous L'HEURE DE LA B.B.C. Tous les volets des maisons sont fermés. Y a pas un chat dehors. Seulement un chien ahuri qui a rien compris.

Notre poste est au grenier dans une malle. On écoute deux programmes et le premier commence par : Pa pa pa pam, Ici Londres honneur et patrie voici le porte-parole de la France libre, qui est parfois de Gaulle, parfois un de ses amis. Et on écoute aussi les Français parlent au français qui commence toujours par veuillez écouter quelques messages personnelles. Puis ils disent des drôles de truc que même papi ne comprend pas et encore moins Firmin, comme les patates sont cuites archicuites, il y a le feu à l'agence de voyages inutile de s'y rendre, la poule bleue a quitté la ferme sans bagage, le ténor a rendu visite à la diva, les macaronis sont trop mous, grand-mère a mangé le loup en civet, la cousine du colonel est obèse et tutti quanti.

Jeudi soir

Aujourd'hui ils ont dit le chef prépare un banquet le chef prépare un banquet le chef prépare un banquet trois fois et le ténor chante faux deux fois. Quand on redescend on s'amuse à en trouver d'autres, comme la moustache n'est pas ingnifugée (papi???), les doryphores ont la colique (Jan), la diva fait des fausses notes (maman), le grand Charles mène la fanfare (papa), le moustachu est constipé (moi). Comme Lolotte trouvait rien je lui ai soufflé le boche est moche mais elle a crié le caca est mou.

On rit d'un peu, ça fait passer le temps.

J'ai pas compris ingnifugée et j'ai regardé dans le dictionnaire ça veut dire ne s'enflamme pas et ça s'écrit ignifugée. Pour ceux qui n'ont pas compris c'est donc le contraire: la moustache s'enflamme, ce qui veut autrement dire que le fou va crever la gueule ouverte en feu en commençant par cette touffe qui en fait la risaie du monde.

Dimanche

Un garçon flamand de huit ans est venu avec papi et Rosy. Il s'appelle Karl. C'est le nouveau neveu de l'homme en salopette jaune de la rue de la Vallée. Il a couru partout comme un fou car il n'avait jamais vu de chevaux et de vaches de tout près. Maman avait demandé à Paul de le surveiller mais je suivais pour aider Paul au cas où le garçon ferait une bêtise, comme tirer la queue de Bertha ou mettre ses doigts dans les narines de Dilon.

Tout va très bien madame la marquise Matias est mort

Il est mort que Dieu ait son âme mais tante Gabrielle doit en trouver un autre. Elle a dit à maman Delphine je préfère l'Allemagne et maman a dit arrête de dire des bêtises. Moi je crois qu'un mari ou un autre c'est pareil (sauf mon papa, papi Armand et grand-père). Je ne comprends pas pourquoi Firmin ne marie pas tante Gabrielle car il est tout de même moins vieux que le vieux Matias qui était une antiquité et avais souvent unĕ chandelle au nez. Les fois que je l'ai vu en tous cas. Firmin est propre, pas trop vieux, et il appelle Gabrielle madame Gabrielle. J'en ai parlé à Paul, il est d'accord. Il m'a raconté que le vieux Matias courait après ma tante Gabrielle pour lui donner des baises. Ça c'est pas trop grâve mais ça l'est quand le baiseur a la goutte au nez. J'ai ri mais Paul a dit arrête ça ne me fait pas rire. J'ai demandé à papa, il a dit ma chérie on va trouver une solution, mais pour l'instant c'est le statuquo. C'est qui cette bête-là ai je dit pour amuser mon père, mais il a pas compris et a pris son vélo pour aller en chercher un autre (mari).

Ça n'en finira jamais avec l'Allemagne

Encore un sale coup de l'occupant. Le père de tante Gabrielle a encore apporté une lettre pour dire qu'elle doit se présenter pour l'Allemagne. Tout le monde était blanc de peur, alors moi aussi car je ne veux pas que ma tante aille chez les forçats. Quand papa est rentré tard je suis sorti de ma chambre pour écouter. Charlotte a dit reste ici c'est des histoires de grands. J'ai répondu tais-toi ou je te tape et je me suis assise en haut de l'escalier ou on entend tout quand ils sont dans la cuisine et heureusement ils y était. Charlotte est venue s'asseoir près de moi et je lui ai dit ah, tu vois bien, toi aussi. Gabrielle disait jamais jamais jamais et c'est tout ce que j'ai entendu parce que les autres parlaient trop vite et tous en même temps et que Charlotte arrêtait pas de dire qu'est-ce qui dise. Puis y a eu un silence, et papa a dit sois raisonnable, Gabrielle, ce ne sont pas tous des vieux loups briques. On est allées se recoucher et on a redit nos prières mais j'ai quand même fait un cauchemar que je raconterai se soir si je l'ai pas oublié.

Soir

Le cauchemar c'est un loup qui serrait ma tante Gabrielle dans ses bras de poiles. Maintenant je ris car mon père m'a expliqué que c'était pas des loups briques, mais des lubrics. Les lubrics, c'est des vieux qui courent après des jeunes pour se mettre dessus. Je le sais parce que j'ai entendu tante Gabrielle le dire à ma mère. Y en a qui ont vraiment des idées de fous. Le vieux Matias était très fou et il s'est mis plusieurs fois sur tante Gabrielle qui a dit à ma mère sil recommence je vais le tuer.

C'est plus la peine car il est mort.

Le lubric est mort, mes amis, réjouissons-nous.

Lundi

Ma tante Gabrielle ne vient plus souvent, je crois que c'est parce qu'elle cherche un autre vieux pour se marier car sinon c'est le pays des forçats où elle devra casser des pierres ou autres. C'est bien qu'elle cherche elle-même parce qu'elle verra tout de suite sil a la goutte au nez et s'il veut se mettre sur elle. Je trouve que les grands sont compliqués avec leurs acrobaties. En tous cas, moi je veux pas de ça, d'ailleurs je me marierai pas car je veux aller voir le monde comme ma tante Irène.

Mardi

J'ai demandé à maman quand les garçons allemands devenaient des boches. Elle a dit on parlera de ça avec papi. Ça fais que je dois attendre demain. Alors j'ai demandé à Comme en 14 mais je l'ai vite planté là avec ses bonnes et ses mauvaises graines même si c'est dans le catéchisme. J'en ai parlé à Paul qui a tout de même deux ans de plus. Il dit que le catéchisme c'est pour tous les catholiques et qu'il y en a aussi en Allemagne. Quoi, y a le catéchisme avec les 10 commandements en Allemagne?

Oui, Odile, oui.

Et tu ne tueras point, alors?

Là, sifflet coupé, les amis.

On est allé dans la cabane. Personne nous dérange, sauf parfois Charlotte qui arrive et qui dit maman veut que vous rentrez tout de suite sinon c'est la tripotée. J'ai envie de lui boxer le nez quand elle dit ça parce que maman ne donne jamais de tripotée. Avant que Charlotte arrive peut-être, on a encore beaucoup parlé. De l'occupant, du fou à lier allemand, des chars à canons, des avions au bruit infernal qui ne sont pas des avions de l'occupant mais des avions de nos alliés qui lancent des bombes sur les usines de boulet de canons et ça fait très peur aux gens qui habitent à côté.

Paul sait beaucoup de choses avec ses deux ans de plus. Il a parlé des mères allemandes et ça je m'y attendais pas. Il m'a dit tu as pensé aux mères allemandes? Tu crois qu'elles aiment la guerre les mères allemandes? Tout de même, j'ai dit, elles les laissent faire, elles les laissent partir. Que veux-tu qu'elles fassent? C'est des hommes, ils sont plus forts, a répondu Paul avec ses deux ans de plus. Oui, mais les femmes ça fait toujours ce que ça veut, comme ma mère, ma grand-mère, tante Rosy et tante Irène et surtout ta mère. Il a rien trouvé à répliquer pour cause de réflexion. On a regardé fixement le tas de paille au fond de la cabane, moi en faisant travailler mes méninges à du cent à l'heure, lui en pensant à je ne sais pas quoi. Puis il m'a envoyé promener parce que j'ai dit tu me crois pas que les femmes ça fait ce que ça veut, hein ? Ça fait ce que ça veut quand les hommes sont pas là, qu'il a dit. J'étais en colère. Tu me prends pour un bébé parce que j'ai deux ans de moins, c'est ça ? Non, je ne te prends pas pour un bébé mais on en reparlera avec ton papi Armand, d'accord ? Laisse mon papi Armand tranquille, j'ai répondu. On est allé dans le champ pour ramasser les rubans. Paul a dit c'est les radars qui font ça. J'ai dit je sais. Comment ça tu sais ? a-t-il dit très étonné. Parce que Comme en 14 m'a tout expliqué. Et toc.

Bien sûr que j'y pense aux mères. Et aux Odiles et aux Charlottes qui voient partir leur père. Moi je pense qu'on devrait enfermer Hicler le fou dans un asile et lui boxer le nez chaque fois qu'il rouspète. On devrait lui donner le bouillon d'onze heures pour s'en débarrasser et l'envoyer rôtir en enfer. Si tu bois le bouillon d'onze heures, c'est final.

Si le fou ne veut pas boire, on lui pincera le nez et gloup.

Samedi de Noël avec toute la famille mais sans grand-mère et grand-père retournés chez eux parce qu'ils se couchent tôt depuis sont vieux

Après le banquet Papi nous a parlés. Il dit qu'on doit sestimer heureux d'être seulement occupé. On était tous devant la cheminée ou Firmin avait fait un feu. On était tellement bien que j'oubliais la guerre même si on en parlait. Ce qui veut dire pour ceux qui ne comprennent pas qu'on parlait de la guerre comme si on n'était pas dedans, comme si on était dans un fort terrestre. Paul, Charlotte et moi on était couché sur le tapis devant la cheminée, mais tante Gabrielle faisait une drôle de tête et a dit à papi en se levant toute rêde de sa chaise tout ça c'est des parlotes et il faut résister. Alors papi s'est levé et a pris son bras pour aller dans la cuisine et on ne saura jamais ce qu'ils ont dit parce que c'était un concilabule. J'ai demandé à Rosy il est comment l'occupant de Bruxelles. Elle a répondu quand on se fait tous petits on n'a pas de problème. J'ai demandé ensuite à Jan le grand Flamand et à ma tante Irène la femme la plus élégante de Belgique comment ils faisaient pour se faire tous petit. Elle a souri et a dit on s'arrengent. Papi est revenu de la cuisine avec Gabrielle qui nous a donné une baise à tous et surtout à Paul et est partie à Liège à vélo.

On a l'habitude.

Dimanche

J'ai demandé à Paul ce que sa maman faisait tout le temps à Liège. Il a continué à marcher dans le champ comme sil avait pas entendu. J'ai pas insisté car de toutes façons il était déjà dans la cabane. Quand je suis arrivée il rangeait des bottes de paille qu'était déjà rangée et m'a dit nettoie l'évier que j'ai déjà nettoyé hier. Je lui ai montré mon poème sur la guerre que j'ai lu à grand-mère qui a dit ma petite Odile c'est criant de vérité.

La guerre c'est la misère
Le boche c'est la débôche
Si tu te fais pas tout petit
T'es cuit.

Mettons-nous à l'abri
De tous ces ennemis
De leur chef m'atuvu
De ce fou moustachu
Qui pue.

Ce voyou cynic
Veut prendre notre Belgique
Nos polders, nos forêts,
Nos bois, nos marais
Nos mères.

Mettons-le au cachot
Au pain sec et à l'eau
Tordons-lui les orteils
Coupons-lui les oreilles
Qu'il paie

Donnons-lui le bouillon d'onze heures
Ça mettra fin à nos malheurs.

Pour cynic, je suis pas sûre, mais j'ai pas trouvé mieux. Je voulais ajouter un couplet pour la maman de Paul résistante, mais j'ai pas osé. Paul s'énerfe quand on parle de sa mère. Il a lu mon poème et il a dit c'est bien mais corrige tes fautes, puis il s'est assis dans un coin avec sa géographie.

Dimanche soir

Maman est venu nous border mais j'ai rallumé parce que je suis triste et que dans le noir c'est encore plus triste. Charlotte a rien dit parce qu'elle dormait. Charlotte lit Blondin et Cirage et dort, c'est pour ça qu'elle est sur terre. Elle n'est jamais triste, c'est tout pour moi. Quelle vie pour les aînées.

31

IRÈNE

Vingt janvier 1943, neuf heures trente du matin. Irène pédale à toute vitesse avenue Louise, Herr Spitz lui a donné rendez-vous à la Gestapo. Elle a un peu de retard, et même si le commandant la fait généralement attendre, elle sait qu'il s'informe toujours auprès des secrétaires de l'heure exacte de son arrivée, question de la réprimander un peu : «*Ach, Fräulein Irène, schon wieder zu spät?*» Ce n'est pas la première fois qu'il la convoque au siège de la Sipo, mais elle a peur de cet immeuble infesté de SS, pas question de se faire remarquer, c'est dans ce bâtiment qu'on organise la chasse aux Juifs et aux résistants. Irène sait à quoi sert la cave : on y boucle les gens arrêtés pour leur faire subir un interrogatoire avant de les envoyer à Malines ou à Breendonk. Malines, c'est l'étape avant les camps, Breendonk est spécialisé dans la torture. Comme son visage n'est pas familier dans les couloirs, Irène panique à l'idée qu'on puisse l'arrêter parce que Herr Spitz a oublié de signaler sa visite. Les Allemands sont de mauvaise humeur : Stalingrad a résisté. En guise de deuil, les occupants sont privés de sortie pendant dix jours. Plus de cinéma, plus de concerts, plus de théâtres, plus de repas fins. Le Führer s'est adressé aux nations occupées. «Vos souffrances, a-t-il dit, ne sont rien à côté de celles des combattants allemands, qui sont morts gelés dans les plaines russes.» Après avoir comparé leur sort à celui des soldats de la Grande Armée, il a annoncé qu'il avait mis fin *plus tôt que prévu* (il voulait sans doute dire avant la victoire!) à toute opération militaire sur le front de l'Est. En réponse à son laïus, une bombe a explosé dans un entrepôt de vestes en peau de lapin destinées à ses soldats. Le *Brüsseler Zeitung* a publié les représailles de la Kommandantur : le couvre-feu débute désormais à vingt heures trente, tous les cafés et cinémas sont fermés.

Irène s'efforce de penser à la fille qu'elle va tenter de sauver du Service de travail obligatoire. La demoiselle a reçu une convocation de la Gestapo il y a plus d'un mois. Le problème, c'est que ses parents sont cachés, eux, depuis deux ans, et qu'elle est seule pour les nourrir. Les malheureux sont terrés dans un sous-sol, le père est Juif. Si la fille part en Allemagne, ils mourront de faim.

Par chance, le père de Gabrielle avait une carte d'identité prête à être falsifiée, une carte normale, où le mot *Juif* ne figure pas en travers. Quelques mois plus tôt, il avait demandé à une femme du coron, une résistante, de « perdre » sa carte afin que celle-ci soit remplacée par la voie officielle. C'est cette deuxième carte que le pasteur a falsifiée avec un nom sonnant agréablement aux oreilles allemandes. La jeune fille, née Rachel Bloomberg, s'appelle maintenant Andrée Dubois.

Jan compte placer leur nouvelle recrue au secrétariat du bureau de Bruxelles. Encore faut-il que Herr Spitz accepte d'intervenir auprès de la Gestapo.

Irène se concentre sur le discours qu'elle a préparé à l'intention de son mangeur de choucroute : la secrétaire du bureau est sur le point d'accoucher et a annoncé qu'elle ne reprendrait pas ses fonctions. (Dieu merci, elle reste, on en aura bien besoin pour mettre au courant la nouvelle, qui n'a jamais vu une machine à écrire de sa vie). Irène enjolive mentalement son laïus, sans se préoccuper d'un grondement, derrière elle, qui s'amplifie. C'est pourtant le moteur d'un avion et, qui plus est, d'un avion qui vole dans le mauvais sens. Elle a envie de se retourner, mais n'en a pas le temps. De toute façon, si cet avion représente un danger, elle a tout intérêt à pédaler encore plus vite pour aller se mettre à l'abri à la Gestapo. C'est le meilleur refuge de l'avenue Louise en cas de bombardement. Le vrombissement se rapproche, les tilleuls de l'avenue s'agitent, une fenêtre éclate : Irène évite de justesse la pluie de morceaux de verre qui se déverse devant elle. Le bruit devient assourdissant. Elle lève la tête… s'étale sur le trottoir.

Un avion passe *au-dessus d'elle.*

Il frôle la cime des arbres, des branches cassent, leur craquement se mêlant au rugissement du moteur. Arrivé à hauteur des derniers étages du 453, l'appareil semble ralentir. Puis c'est le staccato des mitrailleuses.

Irène s'est tordu le pied en tombant, mais la douleur n'est rien comparée à la surprise qui la cloue à terre. Autour d'elle, des gens pétrifiés par la stupeur, sauf trois gamins qui manifestent leur joie en battant des mains. Le spectacle est hallucinant, sidérant, renversant. L'attaque est fulgurante. L'avion déverse sa mitraille, puis relève le nez, rase le toit de l'immeuble et disparaît après avoir lâché un drapeau belge et un Union Jack. Aucun projectile n'a touché les maisons voisines. Assise au bord du trottoir, un groupe de badauds devant elle, Irène battrait bien des mains comme les gamins, mais la simple idée qu'elle aurait pu, si elle avait été ponctuelle, être dans les bureaux de la Sipo la paralyse. Elle se lève, prend appui sur sa bicyclette, boite en direction du square herbu qui se trouve en face de l'immeuble. La rue est jonchée de morceaux de verre, des chambranles entiers ont été arrachés. La porte d'entrée du 453 a été soufflée sur le trottoir. Une fumée noire sort par le trou béant.

Les Allemands sortent du bâtiment comme si ce dernier les crachait. Ils sont couverts de plâtre et de poussière ; ils crient, ils hurlent. Leur premier réflexe est de se précipiter vers les gamins et de les jeter à terre. Les coups de pieds pleuvent. Un prêtre sort d'une maison, essaie de ramener le calme, deux Allemands le frappent, puis le traînent à l'intérieur de la bâtisse. La cave n'est sûrement pas touchée, se dit Irène, elle est blindée et insonorisée parce que c'est là qu'ils interrogent. Elle se demande si Herr Spitz s'en est tiré, s'en inquiète, curieusement, puis elle décide de s'en aller. Sautillant sur son pied valide, elle s'éloigne en s'appuyant sur le vélo, dans le hurlement des sirènes. Les ambulances arrivent. Un pneu éclate sur les débris de verre. Un peu plus loin, elle s'assied sur un escalier pour reprendre son souffle. La douleur est moins forte, elle se masse machinalement le pied en regardant la scène. De sa nouvelle position, elle voit des hommes de la Gestapo entrer dans les maisons qui avoisinent leur immeuble. Ils en ressortent avec des gens. Un homme est en pyjama ; un autre a les joues couvertes de mousse à raser ; une femme, en déshabillé vaporeux, a jeté un manteau sur ses épaules. Des SS enragés les poussent à l'intérieur de la Sipo.

Rue de la Vallée, Rosy et Évangélisto ne savent rien. Ils sont au sous-sol et parlent lapins. L'un d'eux doit être tué et Rosy a le cœur à l'envers. « Ne restez pas, dit Évangélisto, ce n'est pas un spectacle pour vous. » Elle reste pourtant avec l'exécuteur, se bouchant les oreilles, yeux fermés, puis elle dépiaute la victime tout en se jurant qu'après la guerre elle ne mangera plus jamais un gramme de viande.

L'affaire terminée, elle remonte chez elle pour préparer sa marinade.

C'est la première chose qu'Irène voit en entrant dans la cuisine : Rosy pelant un oignon et pleurant sur un lapin dépiauté. « Mais où étais-tu ? crie son amie, Jan a appelé plusieurs fois, il est mort d'inquiétude. Il n'a rien voulu me dire. Que se passe-t-il, Irène ? Tu n'es vraiment pas disciplinée. Je me fais un sang noir depuis une heure.

— Je vois ça, dit Irène, penchée sur le bassin où marine le Jeannot.

— Appelle tout de suite au bureau.

— Où est Armand ?

— Avec Jan. Ils sont partis ensemble ce matin. »

Après une heure de tentatives, Armand répond enfin au téléphone. « Irène ! C'est toi, merci mon Dieu. On était malades d'inquiétude.

— Vous avez entendu ?

— Non, mais on ne parle que de ça. Jan est parti là-bas. J'arrive. Ne bougez pas, surtout. »

« Mais vas-tu me dire ce qu'il y a, à la fin ? » crie Rosy.

Évangélisto entre, oubliant de frapper tant il est content. « Que se passe-t-il ? dit Rosy, pourquoi faites-vous cette tête de dégénéré ? (Elle lui en veut encore d'avoir tué le lapin.) La guerre est finie, c'est ça ?

— Non, mais ça ne tardera pas, dit le jardinier. Après un coup pareil, ils sentent sûrement venir la débâcle. »

« Très bien, vous deux. Ou vous m'expliquez, ou je mets mon chapeau et je m'en vais », déclare Rosy.

Non, elle n'a pas entendu d'avion. Elle n'a rien entendu, elle a vu des gens passer en courant, mais elle s'est dit qu'on avait sans doute annoncé un arrivage de patates ou de viande. Mais de la viande, ils en ont, en tout cas pour ce soir. Elle lance un regard sombre au gardien des glaïeuls. On lui raconte en détail. Elle n'y croit pas. Elle n'arrive pas à imaginer qu'un avion ait survolé l'avenue Louise *à hauteur des arbres*. C'est tout bonnement impossible. Irène abandonne, se dit qu'elle croira peut-être Armand et Jan. Mais comme ils n'ont rien vu...

Elles attendent, la première en préparant le repas, la seconde en marchant de long en large et en se demandant si elle ne devrait pas aller voir Herr Spitz. S'il n'est pas mort, il va lui en vouloir de ne s'être même pas enquise de son sort. Elle pense à Andrée Dubois, qui doit se demander pourquoi on ne lui donne pas de nouvelles, même si on ne parle que de *ça* en ville. Rosy réussit à la convaincre de rester à la maison, d'attendre Jan. «N'oublie pas qu'il y a un tas de curieux là-bas. Des *Belges*, Irène. Et ces Belges vont te voir entrer là-dedans.

— De toute façon, ils m'auraient vue.

— Oui, mais là ils sont nombreux, et ils ont peur. Et ceux qui n'ont pas été arrêtés sont aux fenêtres.»

Jan rentre dans un état d'exaltation qu'Irène ne lui a jamais connu. «C'est inouï, crie-t-il. Un chef-d'œuvre! Un pur chef-d'œuvre!» Armand le suit, tout aussi excité. Dans l'après-midi, ils ne peuvent résister à l'envie d'aller fureter aux abords du 453. Ils se suivent à distance; les groupes sont considérés comme suspects. Ils ne sont pas seuls, tous ceux qui passent à proximité de l'immeuble rayonnent. Par contre, la police allemande est hors d'elle. Trente joyeux drilles en état d'ébriété (comment ont-ils fait?) sont arrêtés. Certains sont envoyés à Breendonk pour y être questionnés. On les relâchera après leur avoir fait jurer de ne rien raconter.

Les Allemands sont morts de honte.

Quelques jours plus tard, Jan revient du maquis de Namur avec les détails de l'affaire. L'attaque a fait sept morts et vingt-deux blessés. Tous allemands. Le pilote s'appelle Jean-Michel de Sélys-Longchamps, il est baron et capitaine dans la RAF. Il a mitraillé le siège de la Sipo de son propre chef. Son appareil, un Hawker Typhoon, a traversé la Manche en rase-mottes. Avant d'arriver avenue Louise, et après avoir survolé le Bois de la Cambre, il a laissé tomber un drapeau belge sur la maison de sa cousine, à Saint-Josse, puis en a lâché un autre sur le Palais Royal. Pas de riposte allemande, l'attaque était trop invraisemblable pour l'esprit logique teuton. Et tout s'est passé trop vite. Avant de mitrailler les fenêtres des étages supérieurs, le baron a arrosé le dispositif antiaérien. Aucune des personnes se trouvant dans les caves de la Gestapo n'a été touchée.

La RAF enchaîne et bombarde Bruxelles, mais surtout Anvers et la côte. Les jolies stations balnéaires n'osent plus promettre calme, air pur et tranquillité. Armand et Jan ont entassé des sacs devant toutes les fenêtres. Le black-out doit être respecté à la lettre ; les heures du coucher et du lever de soleil sont annoncées dans les journaux. Les patrouilles allemandes tirent dans les fenêtres qui sont éclairées. Plus quatre cents marks d'amende. Jan et Irène, qui travaillent tard, rentrent à la maison en s'éclairant à la lampe de poche. Une lampe de poche qui ronronne : elle fonctionne sur dynamo. Les bombes tombent sur des quartiers sans vocation militaire. Des gens disent que ce sont les Allemands qui arrosent pour discréditer les Alliés.

32

ODILE

Lundi matin

Lolotte a tout plus beau. Le corps plus minse, les cheveux plus crollés. Ça fait qu'elle va sûrement se marier avec un aviateur. Et moi y faudra que j'aille sœur dans un couvent parce que la on est au moins sures de se marier à Jésus. Comment y fait pour êtes marié à toutes, celui-là, j'aimerais bien le savoir.

Mardi

J'ai demandé à maman si je pouvais résister comme tante Gabrielle. Oh là là mes enfants, les yeux fulibards! Puis elle a dit Odile quand on ne sait pas de quoi on parle on se tait. Et quand j'ai voulu dire ma façon de pensée, elle m'a dit ne réplique pas, va rejoindre ta sœur et sois gentille avec elle ça nous changera. Je suis bien décidée à demander à tante Gabrielle comment on fait pour résister, mais motus. Ce ne sera pas un mensonge à ma mère parce que j'ai rien promis.

Soir

J'ai oublié de dire que quand le pasteur est venu porter la lettre des boches, il m'a dit qu'il allait m'expliquer la volonté de Dieu. Il l'a pas fait. Moi aussi j'ai des choses à expliquer. Faudrait pas qui croit que j'ai rien à dire. J'ai à dire. D'abord que Dieu doit arrêter cette guerre et que c'est pas vrai que cette terre est une vallée de larme comme dit grand-mère Émilie. On nest pas ici pour souffrire. Et si c'est Dieu qui dit ça à cause de son catéchisme, non et non. Pour qui y se prend ce Dieu qui se promène dans son ciel avec ses bons à rien d'anges qui s'en foute de nos soldats tués dans les tranchées de la mort.

Dimanche la nuit je pense que Dieu n'existe peut-être pas et ça m'empêche de dormir quand même

J'ai dû consoler ma sœur car elle m'a dit Didile j'ai peur. Mon cœur n'a fait qu'un tour. Tout d'un cou j'ai compris que Charlotte se foutait pas de tout avec son Blondin et Cirage. De quoi t'as peur j'ai demandé (très gentiment) à ma sœur. J'ai peur des boches qui vont prendre notre maman. Pourquoi il la prendrait? (j'ai dit). Parce qu'elle est gentille et que les boches sont méchants et leurs femmes aussi et qu'ils veulent des gentilles. Là, mes amis, j'ai du respirer très fort pour pas pleurer avec elle. Je suis l'aînée, n'oublions pas. J'ai consolé ma sœur avec des mots de papi et la pauvre enfant s'est endormie.

33
DELPHINE

Charles et Delphine reviennent des Ardennes, où ils ont passé deux jours en amoureux. Aucun problème pour le laissez-passer, Jules-Henry s'en est occupé. Ils ont fait le voyage en train, en troisième classe, les autres sont réservées à l'occupant. Paul et les petites sont restés avec Armand et Rosy venus passer la semaine à la métairie. Le train a du retard. Le couvre-feu est tombé depuis une heure. Après leur avoir rendu leurs bicyclettes cachées dans un réduit, le chef de gare leur conseille d'aller faire une visite de politesse à la Kommandantur. «Non, rentrons, dit Delphine. Je suis fatiguée. Si nous longeons les murs, nous passerons inaperçus.» Charles ne partage pas l'optimisme de sa femme, il l'entraîne vers les locaux réquisitionnés par l'armée allemande. Il fait très froid, il n'y a pas un chat dans les rues; les chats sont aux fenêtres et se demandent ce que le jeune patron des textiles et sa dame peuvent bien faire dehors à vélo avec des valises sur leurs porte-bagages.

Le planton qui fait les cent pas devant la porte s'efface pour leur céder le passage. Dans la petite pièce servant à trier les visiteurs, un soldat est assis à un pupitre; il leur montre un banc dans la salle d'attente. Delphine est nerveuse. «Nous aurions dû rentrer. Tout ce que nous risquions, c'était de croiser une patrouille qui nous aurait emmenés ici.» Elle se lève, fait quelques pas, regarde la porte qu'elle a presque forcée le jour de la jument. Le nom de l'Oberst Schröder s'y trouve toujours. «Allons nous-en, Charles. Je n'aime pas cet endroit.» Charles n'a pas le temps de répondre, la porte du bureau s'ouvre. Un militaire s'encadre dans l'embrasure et leur dit que le colonel les attend.

L'officier se lève en apercevant Delphine, la femme dont il a tenté de réquisitionner la jument pour la gloire du Troisième Reich. Il la lui a rendue à cause de son courage, de son obstination, et parce que cette acquisition n'était, au fond, pas indispensable. Ses soldats font du zèle, à l'occasion. Plus tard, cette femme est revenue le voir pour lui demander de permettre à un de ses soldats d'aller voir sa mère mourante à Cologne. Permission accordée. Et maintenant, elle est là, devant lui, avec son mari le fils du directeur des textiles. Deux hommes dont il a besoin et qui ont besoin de lui. «Quel bon vent vous amène? dit-il, affable. Je vous en prie, asseyez-vous.» Il désigne deux chaises, devant son bureau.

«Le vent du couvre-feu, bredouille Charles. Le train avait du retard.

— Bien, bien, et d'où venait ce train, si je puis me permettre?

— De Bastogne. Nous sommes allés passer deux jours dans notre propriété des Ardennes.

— Oui, on m'a dit que vous aviez une maison près de notre frontière. J'espère que votre séjour a été agréable. Et reposant. Car nous avons, comme on dit chez vous, du pain sur la planche. Je rencontre souvent votre père. Un excellent homme d'affaires.»

Delphine se lève. «Il faut que nous rentrions. Nos enfants nous attendent.

— Je comprends, dit l'officier. Mais cette fois, chère madame, vous allez accepter une tasse de café.» Il sourit. «C'est tout à fait convenable, puisque votre mari vous accompagne. N'est-ce pas?»

Ce n'est pas une requête, c'est un ordre. Delphine se rassied, prête à endurer l'intermède en silence, se jurant qu'on ne l'y reprendra plus. Le colonel parle affaires avec Charles, évoque les temps difficiles, tandis que son aide de camp apporte un plateau sur lequel sont disposés tasses, sucrier et cafetière. Leur hôte ouvre un des tiroirs du bureau et en sort des serviettes. Il tend l'une d'elles à Charles, dépose l'autre sur les mains croisées de Delphine, les effleurant au passage. Elle se lève d'un bond. «Nous ne pouvons pas nous attarder, nous avons confié nos petites filles à ma belle-mère. Elles nous attendent.

— À cette heure tardive les petites filles sont au lit!

— Non! dit-elle, étouffant mal sa colère. Elles nous attendent.

— Dans ce cas, buvez votre café et je vous ferai ramener chez vous.

— Ce n'est pas nécessaire!»

Delphine a prononcé ces paroles avec une telle insistance, en détachant si lourdement ses mots que Charles la considère avec inquiétude. Il se demande quelle mouche la pique.

Devant son regard surpris, elle se reprend, mais elle se promet de lui expliquer pourquoi elle déteste cet homme, cet officier de la Wehrmacht et sa fichue courtoisie. L'attitude de son époux, devant ce militaire en uniforme qui occupe les bureaux de la mairie, lui paraît insupportablement conciliante. Le colonel appelle l'aide de camp, lui donne un ordre qu'ils ne comprennent pas. Ils boivent leur café dans un silence de plomb. Delphine est décidée à ne plus ouvrir la bouche, espérant que Charles en fera autant. L'officier se lève, saisit la cafetière, s'avance vers elle pour remplir à nouveau sa tasse. «Non!» crie-t-elle comme s'il voulait l'ébouillanter. Puis, dans un murmure: «Je vous remercie, mais ça suffit comme ça.»

Ils sont les seuls à comprendre ce que ces paroles veulent dire.

«C'est vrai, dit Charles avec un sourire gêné, il est un peu tard pour boire du café.»

Le colonel s'incline, les invite à le suivre.

Une voiture les attend devant l'entrée. «Je veillerai personnellement à ce que vos bicyclettes soient demain matin à votre domicile.»

«Il ne va tout de même pas les ramener lui-même! chuchote Delphine à son mari.

— Tais-toi, dit Charles. Tu ne vois pas qu'il veut se montrer aimable?»

Elle hausse les épaules. Évidemment, il ne comprend rien. Non, tout compte fait, elle ne lui expliquera pas ce qu'elle ressent. Charles lui prend le bras, elle se dégage avec impatience. Souriant, le colonel lui ouvre la portière et, lorsqu'elle est assise, sans même baisser le ton, se penche vers elle et lui dit qu'elle pourra toujours compter sur lui. «Nous nous reverrons bientôt», ajoute-t-il.

Je vais en parler à Gabrielle, pense Delphine. J'ai besoin d'en parler. Mais elle est sûrement en ville.

Gabrielle n'est pas en ville, elle les attend. Sifflement narquois devant la voiture de la Wehrmacht. «Pratique, pour braver le couvre-feu!

— Que fais-tu ici? Tu ne devais pas être à Liège?

— J'ai changé d'avis.» Elle se rapproche de Delphine: «Il faut que je te parle.

— Tout de suite?

— Oui.

— Tu t'occupes des filles, Charles? J'arrive.»

Firmin est assis à sa table, visage crispé. C'est mauvais signe. «Asseyons-nous, dit Gabrielle, Firmin nous a fait du café.»

«On vient d'en boire. Vous êtes bien mystérieux, vous deux!

— Oui. Assieds-toi.» Firmin remplit les tasses, il a la tremblote, renverse sur la nappe. Ils boivent quelques gorgées en silence. Delphine savoure la tiédeur de l'écurie, l'odeur des chevaux, du foin, le frottement des sabots sur la terre battue.

«Il faut qu'on te parle, dit Gabrielle.

— Tu l'as déjà dit.»

Firmin se lève. «Moi, madame Charles, j'y suis pour rien. C'est elle qui a tout manigancé.

— Ça va, Firmin, dit Gabrielle, pas de grands mots.» Puis, à Delphine: «C'est vrai, il n'y est pour rien.» Elle se lève, va à la porte, met le verrou. «Il s'est passé quelque chose pendant ton absence. Des gens ont été convoqués à la Gestapo.

— Pourquoi?

— Je ne sais pas. Mais ce n'était pas pour une soirée dansante. Tout ce que je sais, c'est que certains d'entre eux ne sont pas revenus.

— Qu'est-ce que tu veux dire, pas revenus?

— Je veux dire qu'on les a gardés, ou emmenés ailleurs. Ne me demande pas où, je ne sais pas. Écoute, on ne peut pas faire grand-chose, mais on peut faire quelque chose.»

La formule est si simpliste que Delphine rit. Mais l'expression angoissée de Firmin la frappe, tout à coup. «C'est si grave que ça, Firmin?

— Très grave, madame Charles.

— Assez de parlottes», dit Gabrielle. Elle se lève, ouvre la porte de la sellerie. «Viens, je vais te montrer.

— Les voitures?

— Non, pas les voitures. Ce qu'il y a dedans.» Elle balaie la paille recouvrant la trappe qui mène au garage improvisé, la soulève. Firmin les a suivies avec une échelle, qu'il laisse glisser dans l'ouverture. «Mais pourquoi veux-tu descendre là-dedans? demande Delphine. Il est arrivé quelque chose aux voitures? Pas à celle de papa, j'espère!» Elle commence à paniquer, pense à la précieuse Minerva d'Armand. Mais que peut-il arriver à une voiture bien à l'abri dans une écurie? Gabrielle ne répond pas, enjambe le premier échelon. Delphine la regarde descendre, puis, à Firmin: «Qu'est-ce qu'il y a? Cette fois, je commence à avoir peur.

— Vous avez raison, madame Charles. Et je peux vous dire que c'est pire.» Ce disant, il lui montre l'échelle. Il n'en dira pas plus. Delphine descend, atterrit près de Gabrielle sur le ciment du garage. Elle s'attendait à un dégât quelconque, mais la Packard et la Minerva semblent intactes. L'endroit est froid, humide. La pauvre voiture de papa va rouiller, se dit-elle vaguement, mais non, c'est de l'acier, l'acier ne rouille pas. Gabrielle pose une main sur la poignée, ouvre la portière.

«Tu peux sortir, Aline, c'est moi.»

Deux jambes apparaissent, socquettes blanches et gros souliers. «N'aie pas peur, c'est une amie. Ne réveille pas le petit.» Puis, à Delphine:

«Je te présente Aline. Elle est à moitié Allemande et tout à fait Juive. Je l'ai cachée ici avec son bébé.»

*

16 mai 1943, sept heures du matin. La pâte a levé, les miches sont prêtes à aller au four. Charles vient de passer la tête dans le fournil pour dire au revoir à sa femme, il part pour la journée. Delphine et Gabrielle avalent une dernière gorgée de café avant d'empoigner les pelles d'enfournage, il faut se dépêcher, les femmes arriveront dans deux heures et elles ne sont jamais en retard. D'ici là, il faut enfourner, cuire, puis disposer les pains sur les claies pour qu'ils refroidissent. Delphine a donné la forme d'un cœur au dernier pain, au lait, auquel elle a ajouté des morceaux de sucre. Ce soir, c'est l'anniversaire d'Odile, il faut la gâter un peu. Surtout qu'elle a déclaré à sa mère qu'elle voulait, pour ses treize ans, une grosse surprise. Il y aura enfin – énorme surprise malgré sa petite taille – un chiot, que Charles a trouvé chez un fermier des environs et que Firmin cache dans la sellerie. Delphine garnit le dessus de la miche de raisins secs, parcimonieusement. Une fois leur provision épuisée, elles ne verront sans doute plus un raisin sec d'ici la fin de la guerre. «J'ai une idée! dit Gabrielle. Je vais faire bouillir des morceaux de betterave avec du sucre! Ça nous fera des betteraves confites. Le tout, c'est d'avoir assez de sucre.

— On n'en a presque plus.

— Il va falloir que tu demandes à ta belle-mère d'ouvrir sa sacro-sainte armoire à provisions!»

Les deux femmes vont et viennent dans le fournil, absorbées par leur tâche. Si absorbées qu'elles ne perçoivent pas tout de suite un va-et-vient inhabituel dans la cour. Elles n'en prennent conscience que lorsque le sol se met à trembler. «Ils bombardent!» crie Gabrielle en courant à la fenêtre. Puis: «Non, viens voir.»

Un blindé est entré et se dirige vers la porte murée de la sellerie, là où sont cachées les voitures. Affolées, les deux femmes sortent du fournil, bras couverts de farine. Delphine court droit au mastodonte, crie quelques mots au conducteur. Il descend, montre la fameuse porte, explique qu'il a ordre de la défoncer. Firmin, hagard, sort de l'écurie. «Ils viennent sûrement pour les automobiles», dit Gabrielle.

Elles imaginent Aline tremblant dans sa cachette, et le bébé qui crie et qu'on va sûrement entendre. «Je vais les faire sortir, dit Delphine, il faut les cacher ailleurs, avec les chevaux.

— Et s'ils veulent prendre les chevaux? Non, cachons-les plutôt dans le foin.

— Tu sais ce qu'ils font quand ils cherchent dans le foin avec leurs baïonnettes? Essaie de les distraire. Je vais trouver autre chose.»

Un des hommes règle déjà la position du bélier; d'autres sortent du blindé avec des pics et des masses. Delphine se précipite vers l'écurie. Au moment où elle tend la main pour en ouvrir la porte, un bruit de moteur la fige sur place. Un moteur de voiture, cette fois. Ce n'est pas le bruit feutré des limousines de son beau-père et de son père, c'est celui d'une Mercedes allemande. Une portière claque.

Une voix, un accent qu'elle connaît.

«Belle journée, n'est-ce pas?» Delphine se retourne, prête à faire face. Le colonel s'avance vers elle, souriant, comme s'il était en visite. Elle se hâte vers lui, il faut faire vite, le saouler de paroles. Les visages inquiets d'Armand et de Rosy apparaissent à la fenêtre du premier étage. Devant eux, le minois des trois enfants. Paul lève la tête vers Armand, lui parle. Ce n'est pas possible, je ne peux pas laisser faire ça. Delphine s'avance vers l'officier. «Monsieur, je vous en prie, empêchez-les! N'effrayez pas mes parents et mes petites filles. Nous vous donnerons les automobiles, puisque c'est cela que vous voulez, mais laissez-nous abattre ce mur nous-mêmes, sans fracas. Je vais faire venir des ouvriers de l'usine. Il faut y aller doucement, sinon elles risquent d'être abîmées. Demain, je vous le promets, nous vous remettrons les voitures.

— Nous ne voulons pas les voitures.

— Et ça, alors?» Elle montre le blindé prêt à foncer dans le mur.

«Oh, ça!» Il hoche la tête, amusé. «Je vois ce que vous voulez dire.»

Il voit, il voit, qu'est-ce qu'il voit? Delphine n'y comprend rien. S'il veut prendre les voitures, pourquoi ne les en a-t-il pas informés? C'est une brute, mais une brute civilisée! Soudain, la colère l'emporte: «Comment osez-vous entrer chez moi avec un canon?» Il éclate de rire. «Ce n'est pas un canon! C'est un bélier, destiné à enfoncer cet ouvrage ingénieux!» Il montre le mur, fait la moue. «Pas fameuse, cette maçonnerie. Mes hommes auraient fait mieux.

— Nous ne sommes pas doués pour la dissimulation», rétorque Delphine.

Il s'incline, avec toute l'ironie d'un homme qui apprécie d'autant plus la provocation qu'il se sait le plus fort. «Si vous acceptez que nous entrions dans votre jolie demeure afin d'en discuter... raisonnablement...» – légère pause avant de prononcer le dernier mot –, «je dirai à mes hommes d'attendre.» Comme s'il était sûr de la réponse, il se dirige vers la porte. Les quatre visages, à l'étage, s'effacent. L'officier s'incline. «Après vous, s'il vous plaît!» Delphine le précède, elle essaie de crâner, mais la peur doit être visible dans sa façon de marcher. Fausse assurance. Cet homme est très habile à déceler ce genre de choses. Avant d'entrer, elle se retourne, cherche Gabrielle du regard, la voit qui se dirige vers le fournil.

Les pains!

«Où va-t-elle? demande l'officier.

— Sortir les pains du four.

— Vous avez des activités tout à fait intéressantes. C'est bien, c'est très bien, je reconnais bien là l'ingéniosité féminine.»

Crotte, ça va nous coûter deux pains par semaine, pense-t-elle, furieuse. Mais l'idée d'Aline et du bébé cachés dans la Minerva submerge toute autre pensée. Gabrielle ouvre la porte du fournil. Avant d'entrer, elle se retourne vers son amie, qui la supplie du regard. S'il te plaît, fais quelque chose.

Il n'y a rien à faire et elles le savent.

Delphine emmène l'homme à la cuisine, dit à la bonne d'aller faire les chambres. L'officier regarde autour de lui, étonné, vexé, surtout. Il ne montre pas son mécontentement, mais elle l'entend au bruit de sa respiration, plus courte, plus sonore. «Vous avez donc décidé de me recevoir dans votre cuisine. Ce n'est pas l'idée que je me faisais de l'hospitalité belge.» Surtout, ne pas répondre. Il dit ça pour me provoquer. Il veut me mettre à bout, me forcer à prononcer des paroles qu'il s'estimera autorisé à sanctionner. «Très bien, si vous n'aimez pas la cuisine…» – elle lui montre la porte du salon, de l'autre côté du corridor, il ne bouge pas, son œil se pose sur sa poitrine, ses bras. Il sourit, semble chercher quelque chose, puis saisit un linge à vaisselle et le lui tend. «Cette poudre blanche ne me dérange pas, mais je suis sûr que vous préférerez l'épousseter.» Il dit épouzeter, c'est grotesque. Elle ne comprend pas tout de suite. La moue sensuelle, sur les lèvres de l'homme, déclenche en elle une colère froide, elle en oublie presque son inquiétude. Puis elle voit la farine sur ses poignets, sur sa robe. Elle lui arrache le morceau de tissu, se frotte les bras comme si elle voulait les effacer. «À la bonne heure!» dit-il. Delphine jette rageusement le linge sur une chaise, pousse la porte du salon, lui montre le canapé. Il prend son temps, examine les lieux, on sent que rien ne lui échappe: les carabines de chasse dans leur armoire vitrée, la corbeille, près du bureau, sur laquelle il se penche pour y prendre un papier chiffonné: un des tracts de Gabrielle! Mon Dieu! Il le parcourt négligemment, puis – «vous permettez?» – le fourre dans sa poche. Il ne s'assied pas sur le canapé, mais sur un fauteuil, d'où il la considère un moment en silence. Le sourire a disparu. Comme elle est toujours debout, il lui enjoint de s'asseoir, poliment, la fixant de ses yeux gris apparemment pensifs, certainement menaçants. Aucun bruit ne leur parvient par la fenêtre ouverte. Gabrielle doit être paralysée par la certitude que tout ce qui pourrait être tenté risque de mettre en danger la vie d'Aline et de l'enfant. Quant à Firmin, il s'est sûrement réfugié dans une des stalles, muet d'horreur à l'idée qu'on va peut-être lui prendre ses chevaux pour les emmener au front. Un si bel après-midi de printemps. Le jour des treize ans d'Odile. Le jour où elle va enfin recevoir le chien qu'elle attend depuis si longtemps! Et elles se sont promis, une fois Paul et les gamines au lit, de faire sortir Aline et le petit, ce soir. Delphine s'efforce de respirer calmement. «Puis-je vous offrir quelque chose? demande-t-elle d'une voix rauque.

— Vous m'avez dit, un jour, que votre café était meilleur que le mien. Prouvez-le.»

Elle sonne la bonne, lui demande de préparer du café et de déposer le plateau devant la porte. Puis, affrontant les yeux railleurs qui la détaillent: «Vous voulez les voitures, c'est ça?

— En quelque sorte.

— Les chevaux?

— Vos chevaux ne m'intéressent pas pour le moment. Et surtout pas votre jument. Je vous ai promis de vous la laisser. Je tiens toujours mes promesses.

— Mais qu'allez-vous faire des voitures? Ce sont des voitures de luxe. En temps de guerre, on n'a que faire de voitures de luxe...

— Vous croyez?» Rire bref. «Nous avons de jeunes officiers, à Bruxelles, qui seraient ravis d'emmener de jolies demoiselles en promenade...» Elle détourne la tête pour ne pas le foudroyer du regard. «Mais je plaisante, muse-t-il. Une seule voiture me suffira, il faut que je justifie cette visite.» Justifier cette visite? Là, Delphine ne comprend plus. Mais il poursuit, avec désinvolture: «Ce ne sont pas les voitures qui m'intéressent.»

Les yeux gris acier la fixent un instant en silence. Il sourit, froidement.

«Je ne m'intéresse qu'à ce qu'il y a dedans.»

Je vais perdre connaissance, se dit Delphine. Une douleur aiguë lui traverse le dos. Elle se redresse, lentement, s'appuie au fauteuil. Je ne dois pas, je ne dois surtout pas baisser la tête comme une coupable. Il faut que je reste impassible. Il faut soutenir ce regard, ne pas me laisser démonter. Un cliquetis de vaisselle. La bonne vient de déposer le plateau derrière la porte. Delphine fait quelques pas, mal assurés; elle a l'impression qu'elle va s'évanouir avant d'arriver à la porte. «Laissez-moi faire», dit-il.

Luttant contre l'envie saugrenue de sauter par la fenêtre, elle regarde le corps massif se diriger vers la porte, l'ouvrir, prendre le plateau et le déposer sur la table. «Asseyez-vous, ne vous fatiguez pas, je vais vous servir.» Il le fait, avec l'adresse d'un homme habitué à s'occuper lui-même des petits luxes qu'il s'accorde.

Cette ordure a des mains de pianiste, se dit-elle.

Il s'approche, lui tend une tasse. Elle fait non de la tête. Il serre les lèvres. «Ne me contrariez pas.» C'est un avertissement. Elle obéit. Il reste debout devant elle, massif. Son calme est écrasant. Sans la quitter des yeux, il porte la tasse à ses lèvres, boit, lentement, savoure. «Vous aviez raison, dit-il, votre café est meilleur que le mien. Il faudra m'inviter plus souvent.

— Ne dépassez pas les bornes», murmure-t-elle.

Bref silence. «Nous dépassons tous les bornes, en ces temps difficiles. Je dépasse les bornes, *vous* dépassez les bornes. C'est une des caractéristiques de la guerre, on ne peut l'éviter. Et il y a surenchère. Plus l'ennemi nous résiste, plus nous nous efforçons de l'écraser.» Il soupire. «L'ennemi ne comprend pas qu'il aurait intérêt à se montrer raisonnable.

— Et sans dignité.

— Je comprends, je comprends. Croyez-moi, nous avons de l'estime pour les gens qui tentent de nous résister, mais les impératifs de la guerre nous obligent à sévir. Toute résistance doit être écrasée. C'est une des grandes lois de la guerre.

— Je ne crois pas que cette discussion…» Elle cherche le mot qui convient, ne le trouve pas.

— Philosophique?

— Ne mettez pas la philosophie à toutes les sauces.

— Vous avez raison.» Il se lève, pose sa tasse sur le plateau, se dirige vers elle pour prendre la sienne. «Vous savez sans doute que notre nation possède les plus grands philosophes du monde.

— Ils ne vous ont certainement pas accompagnés.»

Tais-toi, *tais-toi*. Cesse de lui tenir tête, c'est stupide. Ne lui fais pas ce plaisir. Regarde-le, il aime ça.

«Non, et c'est tant mieux, dit-il. Ils nous auraient encombrés.» L'éclat du regard s'accentue un instant. Les paupières se plissent, donnant au visage un air plus patelin. Delphine a déjà vu ce regard, c'est celui qu'il a posé sur elle quand elle est allée chercher la jument à la Kommandantur. Une voix lui souffle: Ne t'y fie pas, il joue avec toi comme le chat avec la souris. Abrège. Ne lui donne pas ce plaisir. Une autre répond: mais j'essaie de gagner du temps! Ça ne sert à rien, il n'y a rien à faire, il t'a. Le chat s'amuse avant de te briser la nuque.

Interrompant ce dialogue intérieur, l'homme fait entendre une voix bien réelle: «J'allais ajouter que certains s'en tirent, mais qu'il y a un prix à payer.»

Il est toujours au même endroit, masse compacte plantée devant elle, jambes écartées. Il baisse les yeux vers la tasse de Delphine, voit qu'elle est toujours pleine. «Buvez ce café», dit-il. Puis, doucement: «Vous allez en avoir besoin.» Il attend, la regarde boire, attentif, puis il va vers le plateau et, se resservant une tasse: «Revenons au contenu des voitures.»

Delphine empoigne le bord de sa chaise, les bras tendus pour ne pas s'affaisser. Le semblant d'espoir – il veut une des voitures pour aller parader à Bruxelles; il veut détruire le mur pour nous montrer qu'il est le plus fort – vient de disparaître.

Et si Gabrielle avait trouvé un moyen de faire sortir Aline et l'enfant? Impossible, il n'y a qu'une entrée. Les cacher ailleurs? Les soldats en sentinelle dans la cour les trouveraient, ils savent comment chercher. «Vous ne dites rien», dit l'officier. Ce n'est pas une question, c'est une constatation. Elle fait non de la tête. Que pourrait-elle dire? Soudain, il tend une main vers elle. Le geste est spontané, comme mû par la compassion. Elle recule, presse son corps contre le dossier de la chaise, résistant à une terrible envie de se lever et de fuir. Le geste de l'officier avorte, il met les mains derrière le dos, va à la fenêtre. «C'est curieux, je ne vois plus vos gens.

— Ce ne sont pas mes gens, ce sont mes amis.

— Bien entendu.» Un silence, puis: «Vous n'ignorez pas que certains «amis» peuvent être dangereux.

— Je n'ai pas d'amis dangereux.»

Sans tenir compte de la réponse, il poursuit: «Certaines personnes peuvent constituer un péril, un grand péril.»

Elle ferme les yeux, prend une profonde inspiration – le souvenir de son professeur de musique lui disant de respirer à fond avant d'attaquer un morceau lui est revenu à l'esprit –, se lève. «Que voulez-vous dire?» Il sourit, s'approche, s'empare de ses mains, l'oblige à se lever. La première impulsion de Delphine lui dit de les lui arracher, mais son cerveau lui ordonne de n'en rien faire. Il est beaucoup plus grand qu'elle, elle doit lever la tête pour le regarder dans les yeux. Elle sent qu'il faut le faire, qu'il ne faut surtout pas lui montrer qu'elle a peur, même si elle est terrorisée. Elle fixe l'œil gris si sûr de son pouvoir, s'efforçant de ne pas ciller. «Vous n'avez pas été prudente», dit-il, comme on gronde un enfant. Doucement, il porte une des mains de Delphine à ses lèvres. Le contact de la bouche de l'homme la fait frissonner, mais elle pense à Aline, au petit Maxou, à Gabrielle.

« Il serait néanmoins possible d'éviter les conséquences de cette imprudence. »

Il sait.

Elle le regarde, essayant désespérément de cacher sa détresse. L'homme se rapproche encore, lentement ; elle voit les pores de sa peau, sa bouche. Un tremblement incontrôlable s'empare d'elle. Il se penche. « Il existe une possibilité », dit-il à voix basse.

« Laquelle ? »

Elle a presque crié.

« Une nuit. »

Elle chancelle. Il la retient, enserrant ses coudes. Ses mains sont chaudes, c'est horrible. Le piège s'est refermé. Elle le savait, elle savait qu'il y avait un piège, sinon il ne lui aurait pas demandé d'entrer dans sa maison, il se serait contenté de dire à ses hommes d'enfoncer le mur. Il aurait surveillé l'opération. Puis, planté au milieu de la cour, il aurait assisté sans broncher à la capture de la femme et de l'enfant juifs. À l'heure qu'il est, il serait déjà parti avec ses victimes, sans même lui adresser la parole. Mais là, le mur n'est pas démoli, Firmin est mort de peur, Gabrielle s'est précipitée auprès d'Aline qui sanglote, son petit dans les bras. Elle a peut-être voulu s'enfuir, mais Gabrielle l'en a dissuadée, lui montrant, par la porte entrouverte, les soldats en faction dans la cour. Elles ont peut-être essayé, désespérément, de trouver une autre cachette, courant partout dans l'écurie. Mais il n'y a pas d'autre cachette. La meilleure cachette, c'était la Minerva derrière le mur.

L'homme sait qu'il la tient. Son regard n'est même plus interrogateur. « Nous n'avons pas beaucoup de temps. Mes hommes attendent les ordres. Votre décision ? »

Elle baisse la tête.

« À la bonne heure. »

Delphine reste figée sur place, incapable d'émettre un mot, de protester, de supplier. L'expression de son interlocuteur a changé. Après avoir laissé percer, pendant quelques secondes, l'ombre d'une satisfaction, l'homme d'action refait surface. Il desserre son étreinte. « Je dois, malgré tout, faire démolir ce mur. Croyez bien que je le regrette, mais c'est ainsi. Mes hommes se poseraient des questions. Vous allez dire à… ces personnes de s'éloigner, de se cacher ailleurs. Faites reculer les voitures, si c'est possible. Mettez vos chevaux à l'abri, les chevaux sont très sensibles, le bruit pourrait les effrayer. Vous avez un champ, à côté, dites à votre homme d'écurie de les y emmener. Où est votre mari?

— À la filature.

— Bien. Je prendrai une des voitures, vous me direz laquelle. Elle vous sera rendue à la fin de la guerre. Nous n'avons rien contre votre mari ni contre son père. Au contraire.»

Au contraire. Un courant glacé traverse le corps de Delphine. Comment peuvent-ils? Comme s'il entendait ses pensées, il dit: «Nous ne leur avons pas laissé le choix. Ils font ça pour leur famille. Maintenant, nous avons d'autres dispositions à prendre.

— Faites vite. Mon père va finir par descendre avec les enfants.

— Nous allons donc emmener une des voitures. Vous prendrez l'autre, demain matin, et vous conduirez vos pensionnaires en lieu sûr.

— Il y a un lieu sûr dans ce pays?

— Il y a sûrement un lieu plus sûr que votre écurie.»

La villa des Ardennes. Jules-Henry et Émilie n'y vont jamais. J'irai voir Cyrille, le fermier, c'est un brave homme, il leur portera à manger. La villa est isolée. Si Aline est prudente, on ne la trouvera pas.

Sauf si cet homme ment.

«Vous viendrez à mon bureau. Je laisserai trois Ausweise à votre intention. Vous trouverez, dans la même enveloppe, une adresse à Bruxelles.» Il fait peser sur elle un regard presque inexpressif, puis:

«Demain soir.»

Arrange-toi avec ça, ma fille. Que vas-tu dire à Charles, à Armand, à Gabrielle? Je ne leur dirai rien. Je vais faire ce qu'il me dit. Il faut sauver Aline et le bébé.

Et s'il mentait?

«Qui me prouve que vous ne me trompez pas? Qui me prouve que vous n'allez pas les livrer quand même?

— Rien.»

Tranquille, il la regarde. «Mais vous n'avez pas le choix. Il faut me faire confiance.» Soudainement, elle a la conviction qu'il tiendra parole. Et cette certitude est plus terrible que tout. Mais elle ne peut pas être plus terrible que la capture d'Aline. Le colonel retourne à la fenêtre, inspecte la cour, puis : «Cette femme que j'ai vue tout à l'heure, à mon arrivée, ressemble-elle un peu à votre protégée ?

— Elles ont les yeux bruns.

— Excellent. Dites à cette femme... Quel est son nom ?

— Jones.» Elle a prononcé le nom très vite. Peut-être a-t-il entendu parler de l'affaire des noces.

«Dites-lui de prêter sa carte d'identité à... au sujet en question. Comme on vous demandera vos papiers aux postes de contrôle, cela simplifiera les choses. Nos soldats sont consciencieux, mais avec cette carte et un Ausweis, ils ne poseront pas de questions.» Il jette un coup d'œil à sa montre. «Allons. Faites ce que je vous ai dit, mettez vos chevaux et ces gens à l'abri.»

Il sort du salon, se trouve face à face avec Armand. «Que se passe-t-il ?» demande ce dernier à sa fille. «Tout est arrangé, répond l'officier. Mes hommages.» Il claque les talons, salue, sort de la maison. Rosy descend l'escalier avec les trois enfants. Tout le monde parle en même temps. Delphine entraîne son père à l'écart. «Papa, j'ai besoin de toi. Laisse les enfants avec Rosy et viens m'aider. Ils vont emmener une des voitures. Que Rosy essaie de distraire les petites, ça va faire du bruit. Armand pâlit. «Quelle voiture ?

— La tienne, papa, je suis désolée, je ne peux pas donner celle de mon beau-père.»

Pauvre Armand, pauvre papa. «Il a promis de nous la rendre...

— Bien sûr.» Il montre le porte-manteau. «Les clés sont dans la poche de mon pardessus.»

L'officier est près de ses hommes. Il attend. Gabrielle accourt vers Delphine. «Et Aline ?» Elle ne semble pas se douter que leur protégée est la raison pour laquelle l'officier allemand est venu leur rendre visite. Surtout, ne pas le lui dire.

«Ils vont démolir le mur. Où est Firmin ?

— À l'écurie.

— Va le rejoindre avec Armand et emmenez les chevaux dans le champ. Je m'occupe d'Aline et du gosse.

— Mais ils vont les trouver !

— Non, ils ne veulent qu'une des voitures.

— Et le chien d'Odile ?

— Mets-le dans le cagibi de Firmin.»

Delphine passe devant l'officier. «Je vous donne bien des soucis», dit-il. Envie de lui arracher son arme et de l'abattre, là, dans la cour. Elle lui jette les clés, se précipite dans la sellerie, ouvre la trappe. Aline est au bas de l'échelle, l'enfant dans ses bras. «Viens, il n'y a plus rien à craindre. Ils n'en veulent qu'à l'automobile de mon père. Dépêche-toi!» Elle descend quelques échelons, prend le bébé. Quelques minutes plus tard, ils sont dans une des stalles vides. L'enfant pleure.

«Pourquoi sortez-vous les chevaux? Ils les veulent?

— Non, ils ne veulent qu'une des voitures.

— C'est bizarre, ça!

— Je t'expliquerai ce soir. Bouche les oreilles du petit. Ils vont défoncer le mur.»

Trois chevaux traversent déjà la cour, défilant devant la Mercedes de l'officier allemand. Il les examine en connaisseur. «Attachez-les bien, le bruit va les effrayer», crie-t-il à Firmin.

Gabrielle revient vers l'écurie. «Tu as distribué les pains? demande Delphine.

— Non, je leur ai dit de revenir demain. Elles sont parties tout de suite quand elles ont vu les Boches.»

Elles sortent les deux dernières bêtes. Puis c'est le fracas. Deux coups de bélier suffisent, le mur n'était pas bien solide. Dehors, Firmin, Armand et Gabrielle s'efforcent de calmer les chevaux. Rosy est remontée à l'étage avec les enfants. Les soldats font tomber les dernières briques avec un pic; l'un d'eux a pris une brouette et la remplit de gravats, qu'il amoncelle dans un coin de la cour. Un travail bien propre. Vingt minutes plus tard, un des hommes sort la belle voiture d'Armand de sa cachette. De sa grosse limousine, le colonel Schröder a suivi toute l'opération. Delphine aussi, au milieu de la cour. Sa robe, ses chaussures, ses cheveux sont couverts de poussière. Elle pense à demain. Tout ce qui se passe ici, maintenant, est peu de choses comparé à demain. Surtout, ne pas oublier de convaincre Charles et Jules-Henry de ne pas intervenir auprès des Allemands. Dieu merci, ses beaux-parents ont une propension à s'incliner devant les ukases de la Kommandantur. Les deux voitures passent devant Delphine. Au volant de la Mercedes, l'officier ralentit. Un signe de tête. Elle l'ignore. Les chevaux, dans le champ, tirent sur leur longe. Ils veulent rentrer à l'écurie. Elle se dirige lentement vers la maison. Arrivée en haut des marches, elle se retourne, contemple la lente procession des chevaux que l'on ramène chez eux. Ceci, au moins, est terminé. Mais la journée n'est pas finie, et elle se déroulera comme prévu. Elle frappe dans les mains, crie :

« Dépêchez-vous. Il faut fêter l'anniversaire d'Odile. »

*

Le soir, quand toute la maisonnée est au lit – Odile avec son chiot qu'elle a eu la permission de garder pour une nuit –, Delphine annonce à son père qu'elle va emmener une femme juive et son enfant dans les Ardennes. C'est ainsi qu'Armand, assis devant sa fille à la table de la cuisine, apprend l'existence d'Aline et les risques que Gabrielle leur a fait courir en la recueillant avec son bébé. La scène à laquelle il a assisté la veille, de la fenêtre de la chambre, ne lui a rien révélé d'autre que la destruction, par des soldats allemands, du mur derrière lequel étaient cachées les limousines. Et l'entretien de sa fille, au salon, avec un colonel de la Wehrmacht ne lui a rien appris de plus : l'impassibilité de l'officier et le visage fermé de Delphine, quand ils sont sortis de la pièce, n'a pas manqué de l'inquiéter – il lui semblait impossible qu'ils n'aient échangé, pendant cette longue demi-heure, que des propos sur l'« emprunt » d'une voiture de luxe –, mais tout s'est précipité, il a fallu ramener les chevaux dans leurs box, puis penser à l'anniversaire d'Odile. Tout s'est dilué dans la préparation de la fête. Émilie est arrivée en début d'après-midi, a vu le mur abattu, puis a cru ce qu'on lui racontait. « Bah, a-t-elle dit, il faut accepter ces menues contrariétés pour échapper au pire ! » Comme elle se réjouissait du fait que c'était sa voiture à lui qui avait été réquisitionnée, Armand a failli lui dire : « Détrompez-vous, ce n'est pas la mienne, c'est la vôtre. Et je vous félicite d'accepter ce vol avec une telle sérénité. » Mais la plaisanterie serait tombée à plat ; Émilie était aux anges : elle avait réussi à obtenir – « grâce au marché noir mais tout le monde le fait » – un demi-cochon de lait et un morceau de lard !

Delphine explique à son père – et essaie de s'en persuader elle-même – que la villa des Durant, protégée par une forêt dense, occupe une position idéale.

« Une position idéale ? Près de la frontière allemande ? Voyons, Delphine ! »

Ce qu'elle ne lui dit pas, c'est qu'un colonel allemand les protégera.

Rosy, qu'ils ont sortie du lit à cinq heures, prépare un casse-croûte et les biberons du bébé. Charles dort encore. Hier, après la fête d'anniversaire, il est sorti «pour affaires». Rentré aux petites heures, il a réveillé sa femme pour lui faire l'amour. Delphine a voulu protester, mais le transport amoureux de Charles était teinté d'une telle tristesse qu'elle s'est abandonnée, inquiète d'une soudaine pâleur, sur le visage de son mari, et d'une nervosité qu'il dissimulait mal. Elle n'a pas essayé d'en savoir plus: l'après-midi l'avait épuisée, et le souci de l'équipée toute proche et de l'affreux engagement à tenir monopolisait ses pensées.

Elle raconte tout à son père – presque tout. Il ne saura jamais – personne ne saura jamais – quel marché sa fille a passé avec un Oberst de la Wehrmacht. Pour l'heure, tout ce que sait Armand, en ce matin tiède de mai, c'est que sa fille, avec l'autorisation d'un colonel allemand, va conduire une femme et un bébé juifs dans la villa des Durant, qu'elle y passera la nuit, que Charles ne doit pas savoir. «Mais il va poser des questions, que veux-tu que je lui dise?

— Dis-lui que j'ai décidé d'aller passer une nuit à Bruxelles, dans votre appartement. Il est rentré à l'aube, il croira que c'est par représailles.

— Des représailles? Mais ça ne te ressemble pas!»

Il a raison, ça ne me ressemble pas, mais il faut que Charles le croie quand même. «Papa, on change, dans la vie. On finit par réagir! Dis ce qu'il faut pour qu'il le croie.

— Et s'il veut aller te chercher!

— Arrange-toi pour l'en dissuader.»

Delphine entre au fenil. Les pains non distribués la veille sont toujours sur les claies; elle en soustrait quatre, s'excusant mentalement auprès des femmes du village. Aline et le bébé sont déjà installés à l'arrière de la Packard, avec un couffin et le panier de provisions préparé par Rosy. Armand met deux bidons d'essence dans le coffre. Il se penche à la vitre, prend la menotte que lui tend l'enfant. Puis, à Delphine: «Pourquoi ne les gardons-nous pas? On les cacherait!

— On l'a déjà fait, papa. Ça n'a pas marché.

— Mais comment vont-ils faire? Où va-t-elle trouver de quoi vivre?

— J'irai voir le fermier.»

Elle sourit tristement à son père, à Rosy. «Allons, rentrez, les petites vont bientôt s'éveiller.» Armand lève les bras en signe d'impuissance, ouvre la portière. Delphine se glisse à l'intérieur. «Gabrielle sait où tu vas?

— Bien sûr.» Avant de quitter la cour, elle jette un regard dans le rétroviseur. Rosy a passé un bras autour de la taille d'Armand et lui parle.

Le laissez-passer pour deux femmes et un enfant l'attend à la Kommandantur. Une enveloppe y est jointe. Delphine la met dans sa poche sans l'ouvrir, puis traverse la ville endormie. Près du coron, quelques travailleurs des hauts-fourneaux attendent l'autocar qui va les conduire à la centrale. Ils suivent la voiture du regard, se demandant d'où sort cette limousine de luxe, et qui est la femme au volant. Delphine leur fait signe, à tout hasard, puis jette un coup d'œil à l'arrière. Aline est blême. Allons, il va falloir la convaincre qu'elle ne doit pas avoir peur, que rien ne peut leur arriver. Mentalement, Delphine calcule le temps qui les sépare de leur destination. Une demi-heure jusqu'à Verviers, une heure jusqu'au village des Ardennes où habite le fermier, puis la route en lacets jusqu'à la villa. C'est fou de penser qu'on va se rapprocher de l'Allemagne! Coup d'œil à Aline dans le rétroviseur. Surtout, ne pas le lui dire. La villa est un peu isolée, mais c'est tant mieux. Je vais l'y déposer d'abord, puis je descendrai chez Cyrille.

Une patrouille. Un des hommes se met en travers de la route, leur fait signe d'arrêter. «*Papiere.*» Delphine tend le laissez-passer, les cartes d'identité. Le soldat se penche, examine la femme à l'arrière. Maxou se met à hurler. L'homme est méfiant, mais l'Ausweis est un sésame. Une tape sur la carrosserie. *Weiterfahren*. Delphine ferme les yeux un instant, appuie sur l'accélérateur. Aline met une sucette dans la bouche du bébé, éclate en sanglots.

Lui expliquer que ses yeux rouges vont éveiller la suspicion, se dit Delphine.

Elle s'y essaie, un peu plus tard, lorsqu'il n'y a plus que la route et les champs. Aline promet de faire un effort. «À la bonne heure. Regarde autour de toi, Aline. Toute cette beauté, ils ne pourront pas nous l'enlever.» Elle a à peine prononcé ces mots qu'elle réalise à quel point ils sont stupides. «Tu veux du café? bredouille-t-elle.

— Tu as peut-être raison, répond Aline, ils ne peuvent pas nous l'enlever. Oui, je veux bien du café.» Elle demande à s'asseoir sur le siège avant. Le bébé s'est finalement endormi dans le couffin. Ses yeux sont bordés de rouge, il tient les poings serrés sur sa poitrine. Il ne voulait pas du couffin, il ne voulait pas de ce panier dont l'osier couine, il voulait rester dans les bras de sa mère, visage enfoui dans sa blouse, protégé de la lumière, du battement des essuie-glaces, du martèlement de la pluie sur la carrosserie. Aline a bien essayé de lui chanter une comptine, mais il a perçu le tremblement dans la voix. Il veut retrouver les coussins de la Minerva, la pénombre de la grange, le silence. Certains soirs, lorsque Charles s'absentait et que les filles étaient endormies, on faisait sortir les prisonniers de leur cachette. Aline s'asseyait à la table de Firmin, avec Delphine et Gabrielle, c'était comme une vie normale ; le bébé était assis dans le foin, au milieu de jouets empruntés aux filles ; le chat de Firmin se frottait contre lui, il basculait et tombait dans la paille en riant. Aline oubliait son désespoir pendant un moment. Elle demandait à Gabrielle si les Alliés gagnaient beaucoup de batailles, Gabrielle répondait oui, la guerre sera bientôt finie. Elle ne lui disait pas que des familles avaient été arrêtées et emmenées dans des camions jusqu'à la gare. Elle ne lui disait pas qu'elle était allée à Saint-Josse, où vivaient ses parents, et qu'elle avait trouvé l'appartement vide.

« Ton garçon est trop jeune pour comprendre, dit Delphine. Lui, au moins, il ne sait pas.

— Il saura. Nous finissons tous par savoir.

— Ce sera bientôt fini.

— Ce n'est jamais fini pour nous.

— Écoute, tu seras à l'abri dans la villa de mes beaux-parents. Bien sûr, tu y seras seule, mais tu verras, le fermier est très gentil.

— Ils sont tous gentils. Puis ils vous dénoncent. »

À la sortie de Verviers, le planton à qui Delphine donne les laissez-passer est suspicieux. Il lui fait signe de se ranger au bord de la route. Les jambes d'Aline se mettent à trembler, Delphine les recouvre de son manteau. « Maîtrise-toi. S'il voit que tu trembles, il sera encore plus méfiant. Il veut tout simplement vérifier si nos Ausweise sont en règle. » On voit effectivement l'homme, derrière la fenêtre de sa cahute, tourner la manivelle d'un téléphone. Quelques minutes plus tard, il revient, tend les documents à Delphine. Tout est calme. À croire qu'on est dans un monde oublié. Tant mieux.

«Nous arriverons bientôt, dit Delphine. Tout se passera bien. Tu me crois quand je te dis que tout se passera bien?

— Comment peux-tu en être sûre?

— J'en suis sûre, c'est tout.»

34

ODILE

Jeudi

Paul et moi on est allé dans notre cabane. Charlotte est restée à la maison pour lire son Bravo. Je pense que Blondin et Cirage ne servent à rien en ces temps de guerre où il faut courir partout et déployer des trésors d'imagination pour trouver des choses mangeables (c'est grand-mère Émilie qui dit ça). Nous, on a de la chance parce qu'on a des vaches et des poules, mais comme maman en donne la moitié (pas de la vache mais de son lait et pas des poules mais des œufs), il faut faire ceinture. Enfin elle est comme ça et j'en suis fière. J'adore le chien qu'elle m'a donné pour mon anniversaire car il me console de tout. Il n'a pas encore de nom. J'hésite entre Bobby et Stéphanopoulos. Papa a demandé pourquoi Stéphanopoulos, alors voici: mon chien petit, maigre, jaune aux yeux bruns ressemble au garçon de madame Stéphanopoulos, un élève de ma classe qui s'appelle comme ça parce qu'elle est mariée à Stéphanopoulos, Aristide, cordonnier.

Je suis furieuse parce que Firmin m'a dit attention Odile ton chien on va l'appeler Poupou.

Jeudi soir

Je suis contente que Dilon le cheval de mon père aime mon chien, que je pense maintenant appeler Fumanchu, du nom d'un triste sire luxembourgeois. Ce qui ne veut pas dire que je considère mon chien comme un triste sire, mais que j'aime ce nom qui fait chinois. Un jour où je suis allée à la ville avec maman, plus exactement chez le cordonnier Stéphanopoulos, Aristide, pour faire ressemêler nos souliers, on a vu son fils qui est aussi un camarade de quand j'allait à l'école (maintenant on n'y va plus souvent pour la bonne raison que c'est la guerre et que maman et papi Armand quand il est là nous font la classe à la maison). J'étais contente de voir ce garçon vu qu'il ressemble à mon chien que j'ai failli l'appeler Stéphanopoulos en son honneur. D'ailleurs je lui ai dit. Il n'était pas content et son père non plus. Et la mère a rien dit, c'est la muette de Portici cette femme. Mais peut-être qu'elle parle pas parce qu'elle parle pas belge. Bref, ces gens faisaient vraiment une drôle de tête et ma mère aussi. Étonnée, j'ai demandé ce qui se passait. Maman a dit Odile tu dis n'importe quoi, pourrais-tu réfléchir un peu avant de parler. Mais maman, j'ai répondu, regarde bien ce garçon et tu verras qu'il ressemble à mon chien. Vas-tu enfin te taire a-t-elle dit, toute rouge, et aux autres ne faite pas attention ma fille est une tête de linotte. Le jeune Stéphanopoulos est venu vers moi et pour se venger de quoi je me le demande, m'a dit de faire attention car les Boches emmènent les chiens en Allemagne pour les donner à manger aux forçats.

Jeudi soir

Je suis avec le dictionnaire dans ma chambre. Je recopie :

LINOTTE : n.f. (de lin) 1. Petit passereau fringillidé, granivore, d'Europe et d'Asie occidentale, au plumage gris-brun, ornementé de rouge carmin sur la tête et la gorge et chez le male en période nuptiale. – 2. Fam. Tête de linotte, personne très étourdie ou manquant de jugement.

Il faut que je réfléchisse.

Jeudi soir après avoir réfléchi

1. instructif, mais je le savais (sauf pour fringillidé).
2. étourdie : si je suis étourdie, c'est à cause des soucis de la guerre.
3. manquant de jugement : ce n'est pas vrai, car je juge beaucoup et ça m'étonne que ma mère dise ça car elle le sait.

En résumé :

Pour mon grand-père et ma grand-mère j'ai un moyen jugement.

Pour ma sœur Charlotte j'ai un jugement impatient.

Pour Firmin j'ai un jugement lunatic (mais c'est de sa faute).

Pour mon chien Fu j'ai un jugement de cœur.

Pour les occupants j'ai un jugement excéqrable.

Pour le fou de Munich, j'ai un jugement de mort.

Pour ma mère, mon papi et Rosy (et Jan et tante Irène) j'ai un jugement d'amour.

35

DELPHINE

Aline vivait avec Gustav, son mari très blond aux yeux très bleus, dans une petite ville de la Ruhr. C'est là qu'ils s'étaient connus, dans la famille où elle séjournait parfois avec deux jeunes Belges désireux comme elle d'apprendre l'allemand. Elle avait quatorze ans. Gustav faisait partie du cercle d'amis. Il était timide; elle aussi; ce handicap les attirait l'un vers l'autre, ils se comprenaient. Il avait pourtant fallu trois ans à l'amoureux pour amasser suffisamment d'audace pour se déclarer. C'était un soir d'automne, ils se promenaient dans les rues de la ville. Gustav avait pris la main d'Aline, mais le geste avait épuisé sa réserve de courage, il hésitait, attendant un signe d'encouragement. Émue, Aline s'était contentée de ralentir le pas. Il n'en avait pas compris la raison, se disant que peut-être elle était embarrassée. Soudain, alors qu'ils longeaient un trottoir, un drapeau rouge à croix gammée s'était déroulé d'un balcon. Effrayée, Aline s'était instinctivement rapprochée de son compagnon. Gustav, attendri, l'avait serrée dans ses bras. Ils étaient restés immobiles un moment, la peur de la jeune fille s'atténuant dans la douce étreinte. Il était si doux, si compréhensif, mais la peur qu'elle avait d'un simple drapeau l'amusait. Il était impressionnant, ce drapeau, bien sûr, mais il n'avait rien d'effrayant, c'était le drapeau de sa belle Allemagne. Aline avait fermé les yeux, rassurée: sous ses paupières closes, elle ne distinguait plus qu'une lueur rouge, qui s'est adoucie lorsque Gustav lui a dit qu'il ne voulait qu'une chose dans cette vie, la protéger. Ils allaient se marier, elle ne le quitterait plus jamais, ils seraient très heureux. Désormais, elle n'avait rien à craindre, elle devait se réjouir car leur Führer allait leur offrir un empire de mille ans.

Le mariage avait eu lieu en Allemagne, chez les parents du jeune homme, trop âgés, trop casaniers pour se rendre dans un autre pays, fût-il tout proche. Après avoir accepté l'invitation aux noces, les parents de la fiancée n'étaient pas venus : le nouveau chancelier allemand leur faisait peur, et ils avaient de bonnes raisons d'avoir peur. Mais on ne parlait pas de ces choses-là à la maison. Lisette et Edgard n'avaient jamais dit à leur fille qu'elle était Juive, ils ne pratiquaient pas, la petite avait fréquenté l'école catholique, ils s'estimaient donc convertis. Mais aller en Allemagne était une autre affaire. Ils avaient tout fait pour dissuader leur fille d'épouser le jeune homme, mais sans lui révéler la raison de leurs craintes : la mère était convaincue qu'Aline aurait tout révélé à Gustav parce qu'elle l'aimait avec candeur, parce qu'ils en étaient encore au stade de la confiance totale. Pour Lisette, un séjour dans cette effrayante Allemagne n'était même pas envisageable. Quelques jours avant le départ, elle s'était mise au lit où, la bonne volonté aidant, elle était tombée vraiment malade.

C'est ainsi que les parents d'Aline avaient échappé aux noces allemandes et, momentanément, à Hitler.

Le mariage d'amour d'Aline et de Gustav avait résisté autant qu'il avait pu. Les deux premières années avaient été sans histoire. C'était l'époque où le jeune homme ignorait que sa femme était Juive. Aline en savait beaucoup plus que ce que ses parents avaient bien voulu lui dire. Les débuts de la révélation s'étaient déroulés en Provence, où vivaient ses grands-parents. Mais c'était loin maintenant, et leur mort avait interrompu la narration que le grand-père reprenait à chaque visite de la petite-fille. Pour Aline, c'était une épopée des temps anciens, grande et tragique, mais si abracadabrante qu'elle n'avait jamais pris le temps de se demander s'il fallait vraiment y croire. Elle l'avait rangée dans un coin de sa mémoire, comme on abandonne un livre sur le dernier rayon d'une bibliothèque, le livrant ainsi à la poussière et à l'oubli. Mais le souffle haineux des discours écoutés chaque jour, religieusement, par ses amis allemands avait fini par soulever cette poussière, et des bribes de l'histoire psalmodiée par le grand-père – celle d'un peuple maudit parce que choisi par Dieu – avaient refait surface. Aline s'était toujours gardée de questionner ses parents et, suivant leur exemple, avait continué de prier le Dieu qu'ils lui avaient fait connaître, et Jésus, son fils, à qui elle demandait, chaque soir avant de s'endormir, de l'aider à cacher son secret.

Gustav travaillait à l'état civil, Aline s'occupait de la maison, des courses et du jardin. La vie n'était pas toujours agréable, avec ces gens qui commençaient à croire tout ce que disait leur Führer – et qui le croyaient de plus en plus à force de l'entendre. Le mot *juden* revenait dans tous ses discours; il avait ravivé l'histoire du grand-père, Aline se demandait quand elle parlerait à Gustav, qui ne cessait de répéter que leur Führer aimait son peuple et ferait de l'Allemagne un empire de mille ans. Encore ces mille ans! Pourquoi mille ans? Et après ces mille ans? Qui demandait mille ans? Personne. Cent ans suffiraient largement. Mais elle évitait d'aborder le sujet, elle ne demandait pas à Gustav les raisons de cette extravagance car elle connaissait déjà la réponse: tu ne peux pas comprendre. Mais comprenait-il lui-même? Ne se contentait-il pas d'accepter avec crédulité le serment hurlé chaque jour par Hitler? Sans se poser de questions? Le grand-père d'Aline non plus ne se posait pas de questions, il croyait à Yahvé, comme Gustav croyait au Führer.

Quand, la nuit du 9 novembre 1938, les SS ont saccagé les synagogues et les boutiques juives en hurlant *Juden raus!* Aline a demandé à Gustav de s'asseoir près d'elle sur le divan parce qu'elle avait quelque chose à lui dire. Comme ils avaient toujours voulu un enfant, son visage s'est illuminé, il a saisi les mains de sa femme. «Non, Gustav, je n'attends pas un bébé, ce n'est pas ça.» Il était déçu, elle le voyait bien, mais il était temps de lui avouer qu'elle lui avait caché quelque chose de terrible. «Gustav, je crois bien que je suis Juive.» Il l'a d'abord regardée sans comprendre, puis avec méfiance, il l'a regardée comme on regarde quelqu'un qui se moque, ou quelqu'un qui ment, qui ment depuis longtemps. «*Tu crois bien?*» avait-il dit, froid comme le marbre. «*Tu crois bien?*»

Aline lui a expliqué que c'était une chose à laquelle elle ne pensait jamais, qu'elle ne lui avait pas menti, non, mais qu'elle avait oublié, parce que ce n'était pas important... À ces mots, l'image de la vitrine fracassée de l'épicerie juive, des éclats de verre répandus dans la rue, des pieds couverts de sang des petits chassés de l'hôpital juif des enfants malades s'est imposée à elle. Elle s'est tue, terrorisée. Gustav a serré les lèvres, il s'est levé et, lui tournant le dos, a fixé la fenêtre donnant sur leur jardin. Puis il est monté se coucher. Emplie d'une frayeur qui lui donnait la nausée, Aline est allée dans la cuisine, où la sauce du rôti figeait dans les assiettes. Elle a fait la vaisselle et rangé la cuisine. Comme Gustav ne redescendait pas, elle s'est enveloppée dans le tapis de table et s'est endormie dans un fauteuil.

La nuit, Gustav est descendu et lui a dit d'aller se mettre au lit. Il est resté dans le salon. Le lendemain, quand elle s'est réveillée, il était déjà parti, mais il avait laissé un mot. Il lui disait de ne pas s'inquiéter, que tout irait bien. Le ton contrastait tant avec son humeur de la veille qu'Aline a repris espoir. Elle ne se trompait pas, au retour du travail, elle a vu tout de suite qu'il avait pardonné. Posément, il lui a expliqué que son nom de famille, Dubois, lui permettrait de passer inaperçue. Comme il travaillait à l'état civil, il lui aurait été facile de falsifier le nom sur les listes, mais ce n'était pas nécessaire car il ne suggérait en rien une ascendance juive. Il a répété ce qu'il avait écrit sur le mot laissé le matin sur la table. Il aimait encore Aline, à cette époque. Et il a continué de l'aimer. Il lui épargnait même les discours du Führer qui, sur les ondes, hurlait que les Juifs étaient la cause de tout. Gustav croyait lui aussi que les Juifs étaient responsables, mais il avait la conviction que sa femme, elle, était innocente.

Deux années se sont écoulées, dans une prudence toute relative : comme les voisins étaient à mille lieues de se douter qu'ils vivaient auprès d'une représentante de la sous-race honnie, Aline n'attirait l'attention de personne.

En décembre 1940, quand la défense antiaérienne britannique est venue à bout de la Luftwaffe, l'humeur de Gustav s'est assombrie. Après plusieurs semaines de mutisme, il a annoncé à Aline qu'il avait pris la décision d'informer les voisins et ses collègues que sa femme l'avait quitté pour retourner en Belgique. Ce qu'il ne lui a pas dit, c'est qu'un employé de l'état civil, la semaine précédente, lui avait fait remarquer que sa femme ressemblait aux Juives qu'on voyait sur les avis de recherche. Il avait protesté, mais l'homme lui avait froidement répondu qu'on n'était jamais sûr avec ces gens-là, il ferait bien de vérifier.

« Il faut que je parte, Gustav ? a demandé Aline. – Non, tu restes, mais tu ne pourras plus sortir. » Il n'a pas dit combien de temps. Aline a failli lui dire que mille ans c'était long mais elle n'a pas osé, Gustav ne plaisantait pas avec ces choses-là, d'ailleurs Gustav ne plaisantait plus depuis longtemps. Elle s'est pliée à toutes ses recommandations, pas de bruit, pas de musique, pas de jardin, pas de lumière, elle s'est habituée à tout par amour pour Gustav, mais Gustav était toujours aussi sombre.

La vérité, c'était que les rafles se multipliaient.

Un jour où la voisine était absente, il a commencé à creuser dans le sous-sol avec un pic, tapant comme un forcené. Il enrageait à l'idée qu'il allait devoir enfermer sa femme dans une fosse qui serait froide et humide quels que soient les rembourrages dont il revêtirait les parois, mais il a poursuivi cette tâche chaque soir pendant dix-neuf jours, jusqu'à ce que le parallélépipède rectangle ait les dimensions qu'il avait établies par avance : un mètre quatre-vingts de long, un mètre de large, un mètre soixante de haut. Le trou était creusé près du mur extérieur donnant sur le jardin, où un massif de buis cachait l'extrémité de la buse de poêle qui sortait de la cache. Cette buse allait permettre à Aline de respirer. C'était un travail de forçat, auquel elle participait, le cœur à l'envers : elle avait l'impression de creuser sa tombe. Chaque nuit, pendant deux heures, elle aidait Gustav à transporter et à étaler la terre au fond du jardin. La cache ne serait pas assez haute pour qu'elle puisse s'y tenir debout, mais de toute façon elle y serait mieux assise ou couchée. Parfois, elle trouvait ce chambardement inutile ; à d'autres moments, l'ampleur des travaux – et le sérieux de Gustav – lui rappelait qu'une menace existait. Une fois l'abri creusé, il a isolé le sol de terre battue avec du balatum, puis recouvert les murs de plaques de carton. Ensuite ils ont fabriqué une paillasse avec une couverture qu'ils ont cousue et bourrée de paille ramenée d'une ferme où Gustav achetait du lait et des œufs.

Quand il a dit à Aline qu'elle serait bien au chaud dans son sac de couchage et qu'elle pourrait lire à la lumière d'une lampe de poche, elle a compris que la claustration était inévitable.

Ils habitaient à deux pas du bureau de l'état civil, dans la même rue. Lorsqu'ils avaient trouvé la maison, ils étaient loin de se douter que cette proximité allait permettre à Gustav d'y revenir en quelques minutes afin d'aider sa femme à se glisser dans son trou – bien que le problème ne fût pas d'y entrer, mais de remettre en place la planche et le tapis recouvrant la cache.

Les employés de l'état civil étaient informés des rafles qui se préparaient. Les jours où planait la menace, le pauvre Gustav n'osait même plus aller aux vécés. Pendant ce temps,

Aline jouait les souris, se déplaçant sans bruit toute la journée, n'allant au jardin que lorsqu'elle voyait s'éloigner, son cabas à provisions à la main, la voisine occupant la maison mitoyenne. Mais le silence n'était pas toujours nécessaire : la femme avait une passion pour les chants teutoniques et les aimait tonitruants. Une routine s'est installée. Chaque matin, Gustav faisait promettre à Aline d'être très prudente, puis il rejoignait, dans les bureaux de l'état civil, des gens qui poussaient des hourras chaque fois qu'on épinglait un Juif. Cette routine n'avait pas changé grand-chose à la vie de sa femme ; comme le dehors lui faisait peur, l'obligation de rester à la maison la rassurait. Pour Gustav c'était l'enfer. En prévision d'une rafle, ils avaient brûlé tous les vêtements d'Aline, ne gardant que le nécessaire dans la cache. Il n'y avait qu'une brosse à dents sur le lavabo, un seul oreiller sur le lit ; la vaisselle devait être lavée et rangée aussitôt utilisée. « Il faut que la maison sente le vieux garçon, avait dit Gustav. Si tu laisses traîner quelque chose, ils le verront, ils le sentiront. » Ce qu'il ne précisait pas, c'est que les fins limiers SS se vantaient de flairer un Juif à cinquante mètres.

La première fois qu'Aline a séjourné dans la cachette, l'alerte n'a pas été longue et Gustav l'a vite délivrée, mais elle a quand même eu le temps de comprendre que ce trou finirait par la suffoquer, qu'elle ne pourrait pas s'empêcher de hurler. Pourtant, lorsqu'*ils* sont venus quelques jours plus tard et que, l'oreille collée à la paroi, elle a entendu les bottes marteler le sol de l'allée, elle s'est juré de ne plus jamais se plaindre.

Quand elle a annoncé à son mari qu'elle était enceinte, ils ont tout oublié pendant quelques heures. Gustav s'est agenouillé devant elle, a caressé son ventre ; ils ont pleuré de joie. Mais la nuit, dans l'obscurité de la chambre, les yeux grands ouverts, ils ne se sont pas confié leurs visions. Aline se voyait, dans sa cache, étouffer les pleurs du bébé dans le sac de couchage ; Gustav voyait sa femme, la fausse Allemande, jetée dans un camion avec son enfant juif.

Se dire que le poupon serait peut-être blond comme son père ne leur était d'aucun secours.

Les jours, les semaines, les mois ont passé, la guerre gagnait du terrain, se répandant partout comme une lave sanglante charriant des corps et des morceaux de corps, des lambeaux de chair, des moignons exsangues, des monceaux de ferraille, des torrents de larmes, de la terre imbibée de sang; on racontait des horreurs, dans le bureau de l'état civil. Gustav était de plus en plus inquiet. Les villes allemandes étaient bombardées chaque nuit, des gens restaient ensevelis sous les décombres. Elle était loin, cette soirée d'euphorie où Aline avait annoncé à Gustav qu'elle était enceinte. Il ne lui parlait presque plus, et plus le ventre de sa femme s'arrondissait, puis il s'efforçait d'en détourner les yeux.

Un matin, il lui a dit de rassembler les vêtements qui lui restaient et de se tenir prête. Aline a passé la journée à attendre près de son baluchon. Le soir, quand Gustav est rentré, il lui a dit d'essayer de dormir quelques heures car elle allait partir en voyage. Bien sûr, elle n'a pas dormi. À trois heures moins le quart, il lui a crié de descendre. Il était posté devant la fenêtre. Elle lui a demandé la destination du voyage, il n'a pas répondu. À trois heures, une fourgonnette s'est arrêtée devant la maison. Le coffre, le siège arrière étaient remplis de boîtes. Gustav a pris le baluchon et ils sont sortis. Un homme lui a tendu les clés, puis a disparu dans la maison. Ils ont roulé longtemps. Au moment où Aline commençait à reprendre espoir, se disant que peut-être Gustav le ferait avec elle, ce voyage, il s'est arrêté au bord de la route et lui a dit de sortir. «Couche-toi là-dedans», a-t-il dit en ouvrant le coffre. Elle s'est mise à pleurer, les bras serrant son ventre. «Je t'en supplie, Gustav, ne me fais pas entrer là-dedans. Je n'en peux plus de me cacher dans le noir. – Fais ce que je te dis, et écoute-moi bien. Nous serons bientôt à la frontière. Je vais livrer les boîtes aux soldats. Quand je serai dans la cahute avec les gardes, tu compteras jusqu'à vingt et tu sortiras.»

La voiture a ralenti après quelques minutes. Crissement des pneus sur l'asphalte mouillé, des voix d'hommes, puis celle de Gustav. Elle a attendu. Quand il est venu entrouvrir le coffre, il a serré sa main, très fort, puis il a disparu. Elle a compté jusqu'à vingt, est sortie et a couru vers le fossé. La tête lui tournait à cause de tout cet air frais. Il n'y avait pas d'eau dans le fossé, c'était de la boue, dans laquelle elle a rampé. Devant elle, une petite lampe s'allumait par intermittences. Un homme est arrivé, a pris son baluchon, l'a aidée à monter à l'arrière d'une voiture. «Je suis pleine de boue», a-t-elle murmuré. Il y avait une femme à l'avant, elle s'est retournée et a dit: «Bonjour, je m'appelle Gabrielle. Lui, c'est mon père.»

C'est ainsi qu'au huitième mois de sa grossesse, Aline est passée en Belgique. C'était en août 1942, lorsque l'Allemagne, le Japon et l'Italie croyaient encore qu'ils allaient se partager le monde. De l'autre côté de la frontière, la femme qui s'appelait Gabrielle et l'homme qui était son père lui ont dit que son mari n'avait fait cela que pour la sauver. S'il s'était montré brutal, c'est parce qu'il avait peur pour elle.

*

Le chemin qui mène à la villa n'a plus été emprunté depuis longtemps, la végétation l'a envahi, il est plein d'ornières. La belle auto de Jules-Henry Durant n'est pas faite pour affronter de tels obstacles. Delphine se gare dans le sentier, coupe le moteur. « Il faut continuer à pied. Je vais te conduire à la villa, puis je descendrai à la ferme. N'emportons que le strict nécessaire, le fermier m'aidera à porter le reste. » Les deux femmes sortent le couffin de la voiture, remontent la capote, doucement, pour ne pas réveiller le bébé. La pluie donne aux aiguilles de sapin un éclat presque noir. La forêt de conifères qui entoure la villa est traîtresse, pleine de tourbières. Les arbres ressemblent à de hautes silhouettes, hostiles, maléfiques. Aline regarde autour d'elle et frissonne. Delphine voudrait lui dire : « Ce ne sont que des arbres, ils ne peuvent pas te faire de mal, au contraire, ils te protégeront », mais elle n'arrive même pas à y croire elle-même. Elle tourne la tête dans l'espoir de découvrir une image plus rassurante, il n'y a rien, même pas un oiseau. Il n'y a qu'une armée de tueurs aux aguets. Ça suffit, cesse d'imaginer des horreurs. Je ne les imagine pas. Je me souviens de ce qu'Aline m'a raconté. Les enfants juifs chassés de l'hôpital, les pieds en sang sur les morceaux de verre des boutiques saccagées, appelant papa et maman.

Tu n'es pas ici pour penser à tout ça, tu es ici pour qu'Aline soit rassurée, pour qu'elle oublie.

Le bébé se redresse dans le couffin. Heureusement, elles sont presque arrivées, la villa vient d'apparaître, derrière l'écran de pluie. Mais l'enfant pleure, il a peur des arbres, ils sont trop hauts, trop serrés, ils cachent le ciel. La villa n'a été ouverte que deux fois depuis le début de l'Occupation, la végétation en a profité pour l'encercler, l'étouffer, les escaliers sont couverts de mousse. Je vais demander à Cyrille d'arracher tout ça, pense Delphine. Mais non, idiote, il ne faut toucher à rien, au contraire. Je n'aurais pas dû venir ici. Ils vont les trouver. Arrête, tu es folle. Il n'arrivera rien, cette forêt les protégera. Grouille-toi, fais quelque chose. Regarde-la, c'est à cause de toi qu'elle est terrorisée.

«Nous allons faire un bon feu, ça nous réchauffera», dit-elle en se frottant les mains. Tout comme Charles l'a fait lorsqu'ils sont venus passer une nuit en fraude à la villa quand ils étaient fiancés. Il faisait très froid, et malgré son envie de passer toute une nuit dans un lit avec Charles, elle restait figée sur le seuil. Mais il lui avait frictionné les mains, avait fait du feu, et la confiance était revenue. Secoue-toi, tout va bien. Cyrille sera là pour elle, pour eux.

«Et la fumée? demande Aline.

— Nous sommes dans une vallée, les arbres sont très hauts. Et aujourd'hui, la pluie la rabattra.»

*

Trois décennies plus tôt, Jules-Henry Durant avait acheté ce qui n'était, à l'origine, qu'un pavillon de chasse. Il y passait les fins de semaine d'automne avec des amis, auxquels s'était ajouté Charles dès ses quatorze ans. En épousant Émilie, fille unique, Jules-Henry avait hérité d'une usine fabriquant les plus belles armes de chasse d'Europe. C'est dans cette forêt qu'il les testait. Sa femme, qui s'offusquait de ce qu'elle appelait les hécatombes de son époux, ne séjournait jamais au pavillon. Un jour de septembre, cependant, elle avait annoncé à son mari qu'elle les y accompagnerait, le week-end suivant, pour faire plaisir à Charles.

Dans la semaine qui avait précédé, Jules-Henry avait fait dégager le sentier menant au pavillon; deux femmes du village avaient nettoyé la maison de fond en comble, puis avaient orné la grande table et la cheminée de fleurs sauvages – joncs et bruyère (Jules-Henry avait raflé tous les vases d'une boutique de Bastogne). L'âtre était prêt pour une flambée. Émilie avait apprécié. Dans l'après-midi, ils étaient descendus chez le fermier pour y faire des provisions. La mère de Charles avait eu le coup de foudre: la ferme de Cyrille et de ses parents était une corne d'abondance, on y trouvait de la volaille, des œufs frais, du lait, des légumes, des fruits, du miel... Le soir, devant l'âtre où mijotait un pot-au-feu, elle avait déclaré à ses deux hommes qu'elle consentait à adopter ce lieu dont elle s'était tant méfiée... à certaines conditions.

C'était heure de grande prospérité pour la fabrique, l'argent coulait à flots et, lorsque Émilie avait émis le désir de venir plus souvent au pavillon – « sans tes chasseurs, bien entendu, et si tu y fais les modifications qui s'imposent » –, Jules-Henry s'était lancé dans de vastes travaux. C'était en 1919, la guerre était terminée. Charles avait quinze ans. Le chemin menant au logis avait été élargi pour permettre aux camionnettes de bois d'œuvre et à la voiture du propriétaire de passer. Les tourbières entourant la maison avaient été apprivoisées pour fournir de l'eau potable. Une véranda s'était ajoutée au sud, où elle bénéficiait du flot de lumière s'engouffrant entre deux grands arbres. Des hommes avaient creusé, sous la bâtisse, une chambre carrée à laquelle on accédait par quelques marches, on y avait mis la chaudière à bois. Mais c'était le feu ouvert, assez large pour y faire tourner un chevreuil à la broche, qui réchauffait les soirées d'automne. Un système d'éclairage au gaz avait été installé, l'eau était fournie par une pompe.

Le pavillon de chasse s'était transformé en villa.

Après six années de séjours d'été (le froid, l'hiver, était mordant, et les pentes ne pouvaient rivaliser avec celles de Chamonix, où Charles skiait chaque année), leurs fins de semaine à la villa s'étaient espacées. L'automne était toujours aussi superbe, mais Charles avait d'autres passe-temps que les courses à travers bois, et Émilie ne voulait pas le laisser seul à la maison.

Les tourbières s'étaient reformées ; une végétation folle avait envahi l'allée, prenant d'assaut la maison et la recouvrant de lierre, dans lequel, l'été, se faufilaient couleuvres et lézards.

*

Le fermier vit seul depuis que ses parents sont morts. Il écoute Delphine sans l'interrompre, puis hoche la tête, mains autour de sa jatte. Delphine sait qu'il ne faut pas brusquer cet Ardennais têtu, qu'il faut lui laisser le temps de prendre sa décision – elle est de taille – et qu'elle sera définitive. Il boit, se lève, rince son bol à l'évier, lui dit de boire tant que c'est chaud. Elle soulève l'énorme jatte, sirote quelques gorgées.

Les grains de chicorée ont infusé dans du lait, le liquide est ambré, légèrement sucré au miel. «C'est délicieux, il faudra que vous appreniez à Aline!» Il fronce les sourcils, elle va trop vite. Delphine termine son bol, le rince: le cérémonial des négociations silencieuses suit son cours. Le chat se frotte contre son mollet, Cyrille réfléchit.

Quelques minutes plus tard, l'Ardennais interrompt sa rêverie. «C'est vrai, la villa est trop isolée pour les intéresser, c'est un atout, mais avec eux on ne sait jamais. Il y aura un tas de précautions à prendre. Il faut le dire à la dame.

— Je compte sur vous pour lui expliquer, Cyrille.

— Ils viennent s'approvisionner ici. Vous savez, madame Charles, ils ne m'ont pas laissé le choix.

— C'est comme pour nous, Cyrille.

— Je dois leur fournir du lait chaque semaine. C'est pour les officiers. J'ai caché la vache dans la cave, mais ils ont l'œil à tout. Je descends les provisions au poste, mais il y en a parfois qui viennent fouiner... Hier, ils ont eu de la visite et m'ont demandé de tuer deux poules. Parfois, j'ai l'impression de nourrir le régiment à moi tout seul.»

Une demi-heure plus tard, ils sont à la villa avec des provisions. Cyrille se contente d'un bonjour minimal à Aline, mais on voit bien que le bébé l'attendrit. C'est bien, c'est très bien, se dit Delphine en vidant les paniers. Elle pousse un cri. «Du sirop de Liège! Ça fait une éternité que j'en ai mangé!»

Le fermier repart tout de suite. «Il est pressé», constate Aline, un peu amère.

— Non, non, ne crois pas ça! Il doit fournir des officiers allemands, il a beaucoup à faire.

— Je vais lui compliquer la vie.

— Oui, mais il a accepté, et Cyrille ne fait jamais rien à la légère. Tu as entendu, il a dit qu'il ne viendrait jamais à l'idée des patrouilles allemandes de monter jusqu'ici. Tout est pour le mieux. Il viendra t'apporter des provisions de temps en temps; il ne parle pas beaucoup, mais c'est un brave homme.»

Le bébé s'est endormi pendant la visite du fermier, comme si sa présence le rassurait. Les deux femmes s'installent devant le feu de bois; il fume un peu, mais il fait moins froid. Après tout, on est en mai. «Sauf qu'ici, dit Delphine, il fait toujours froid la nuit.» Aline s'enveloppe dans une couverture.

«Ne repars pas aujourd'hui.

— Je ne peux pas rester. Mais je reviendrai, je te le promets.

— Repose-toi un peu ! Tu n'as qu'une heure et demie de route. »

Non, j'ai trois heures de route.

Allons, encore un moment, Aline est triste, il faut la distraire.

« Raconte-moi la naissance de ton bébé.

— Il est né au temple. Mais je n'étais pas seule, Gabrielle était là avec son père. C'est eux qui m'ont accouchée, tu sais déjà tout cela. Puis monsieur Jones a baptisé Max. » Elle se soulève sur un coude, scrute le visage de Delphine. « À toi de raconter, maintenant.

— Raconter quoi ?

— Comment tu as fait pour m'amener ici.

— J'ai demandé un Ausweis à la Kommandantur, c'est tout.

— Oui, mais ce que je ne sais pas, c'est pourquoi on te l'a donné.

— Mais... parce que mon beau-père... a certains privilèges.

— Voyons, Delphine, ton beau-père n'est même pas au courant ! Je sens bien qu'il y a autre chose.

— Rien de particulier, je t'assure.

— Dis-le-moi quand même.

— J'ai beaucoup insisté, voilà tout. Aline, tu ne trouves pas que notre vie est bien assez compliquée ? Tu es ici, en sécurité, que pouvons-nous désirer de plus ? »

36

IRÈNE

Une planque de résistants a dû être abandonnée en catastrophe. Les hommes ont tout juste eu le temps de rassembler leurs papiers avant de s'enfuir par les toits, la Gestapo se préparait à enfoncer la porte. Mais pendant le voyage vers le maquis de Namur, un des gars s'est aperçu qu'une liste était manquante, celle du groupe chargé de miner la ligne de chemin de fer reliant Malines à Gurs, un camp de transit. Le sabotage est à l'eau et, tant que la liste ne sera pas retrouvée, les hommes devront rester coincés au maquis. Et, ce qui est plus grave encore, la fameuse liste contient des noms de résistants vivant dans la métropole.

Jan a envoyé Irène en reconnaissance. Elle a vu des types de la Gestapo transporter une radio dans une voiture, puis verrouiller la porte avant de s'en aller. Ils n'ont pas laissé de garde. Elle a contourné le pâté de maisons, repéré l'arrière de la bâtisse. Il y a un jardin. La porte de service est sûrement fermée, mais il y a des soupiraux.

Il reste trois heures avant le couvre-feu. Irène est prête pour l'expédition, mais un problème reste à résoudre : entrer dans la maison. Elle veut essayer le soupirail ; Jan pense que c'est impossible, « même en maillot de bain tu ne passerais pas ». Il a une autre idée. En fait, Irène a la même. Elle se précipite chez Évangélisto, le ramène au rez-de-chaussée. Karl les suit. Il a entendu prononcer son nom, et il a appris suffisamment de français depuis son arrivée pour comprendre qu'on a besoin de lui. Le petit Anversois taiseux s'est transformé en *ketje* de Bruxelles. Il sait tout sur leur quartier et les environs, observe avec Évangélisto les allées et venues des feld-gendarmes du haut de la rue, accompagne Rosy – quand elle revient à Bruxelles après ses séjours à la métairie – dans ses virées ravitaillement, s'aventure dans les squares afin d'y moissonner les glands qu'elle torréfie pour faire du café et, sans sa bénédiction mais avec son absolution, rapporte pour les lapins des pissenlits volés dans les jardins. Un soir, après un bon dessert aux œufs, il leur a parlé de ses parents. Gros soulagement dans la maisonnée, où l'on se demandait parfois si le jeune Karl n'avait pas le cœur sec. Non. Il leur a appris que son père et sa mère étaient musiciens à l'orchestre philharmonique, qu'il ne les voyait pas souvent, mais qu'il «se débrouillait pour faire marcher la baraque». Le père est violoniste, la mère violoncelliste. Entre les répétitions et les concerts, il ne les voyait pas souvent. Il croit que les Boches les ont pris pour faire de la musique. Personne n'a démenti.

Évangélisto refuse qu'on se serve de son protégé pour jouer les cambrioleurs, qui plus est dans une maison qui ne tardera pas à être réquisitionnée par la police allemande.

«Mais il est *aussi* notre protégé! rétorque Jan.

— Oui, mais c'est moi qui l'ai trouvé.»

On se croirait au jardin d'enfants.

Karl tranche. «Je suis le seul qui soit maigre, ici. Ça veut dire que je peux passer par un soupirail.»

«Il n'y a aucun, aucun danger pour cette nuit, dit Jan. Ils n'emménagent jamais le soir. S'ils prennent la place, c'est demain matin.»

«Le jardin est à l'abandon et les arbres cachent l'entrée, explique Irène. Aussitôt qu'il aura ouvert la porte arrière, il pourra revenir ici.»

Irène et Karl se mettent en route. Pour la police allemande, c'est un couple inoffensif: une femme et un enfant qui se hâtent de rentrer chez eux avant le couvre-feu.

Le jardin n'est pas très grand, tant mieux. Il est bordé de noisetiers et rempli d'arbustes en fleurs dans lesquels on peut se cacher à la moindre alerte. Irène enveloppe une pierre dans son manteau, casse la vitre d'un soupirail, enlève les bouts de verre qui restent incrustés dans le mastic du cadre. Karl se glisse comme une anguille dans l'ouverture. Il sait ce qu'il doit faire: monter au rez-de-chaussée et ouvrir la porte arrière.

Cinq minutes plus tard, il est en route pour la rue de la Vallée et Irène est dans la place.

Deux étages et un grenier. Le résistant qui est sûr d'avoir perdu la liste *dans* la maison n'a pu donner aucun indice, il n'a pas la moindre idée de l'endroit où elle est tombée. Jan est allé à Namur et lui a fait subir un interrogatoire, tout ce qu'il a pu en tirer est une seule et unique rengaine: je l'avais dans la maison, je ne l'avais plus dans la camionnette. «Et si les types de la Sipo l'avaient trouvée?» a demandé Armand. «Impossible, si c'était le cas, il y aurait déjà eu des arrestations.» Irène est sceptique. Elle croit que la liste s'est perdue dans l'affolement du départ. Elle traîne peut-être dans le jardin, cette foutue liste. Elle s'est peut-être même envolée! À l'heure qu'il est, elle est probablement tombée dans un caniveau, ou entre les grilles d'un égout, devenue illisible à cause de la pluie. Bon, impossible d'aller voir au jardin maintenant, il fait noir. Et puisque je suis là pour fouiller la maison, je vais fouiller la maison.

Rez-de-chaussée d'abord. Irène soulève les coussins des divans, les tapis, fouille les armoires, les tiroirs, le buffet de la cuisine, le placard à balais. Elle monte au premier, défait les lits, regarde sous les carpettes, dans les tiroirs des tables de nuit. Rien. Le grenier est vide. Elle redescend au rez-de-chaussée, recommence l'opération, ouvre le réfrigérateur.

Bouche bée, elle regarde les bouteilles de champagne alignées sur les claies. Dans les tiroirs du bas, des petits bocaux. Caviar. Depuis quand les résistants boivent-ils du champagne? À moins que… – Irène sent la sueur lui couler dans le dos –, … et si c'était… Au lieu de supposer, cherche. Elle rouvre le réfrigérateur, jette un dernier coup d'œil – émerveillé cette fois – aux bouteilles. J'en emporterai une. Non, deux.

Sous l'escalier menant au premier étage, un réduit. Vide, à part quelques boîtes et un panier à couture. C'est curieux, il y a, contre le mur, un panneau tapissé, comme le réduit, de grandes fleurs mauves. Elle se glisse à l'intérieur, distingue, au fond, une lampe de poche et deux oreillers.

C'est une cache, assez spacieuse pour deux personnes. Et le panneau, c'est pour la fermer. Irène admire l'ingéniosité du dispositif: il est muni, à l'intérieur, de deux poignées, ce qui permet de l'ajuster.

Elle ne trouve dans la cave que des bocaux vides. Quelques boulets dans un coin. Un vélo sans roues. Elle reprend sa recherche, méthodiquement, du rez-de-chaussée au premier. Rien, rien, rien. Elle a fait la visite sur les chapeaux de roue, mais méthodiquement, rien ne lui a échappé. Découragée, elle se donne deux minutes pour souffler, s'assied dans un fauteuil. Machinalement, elle introduit la main dans une fente, à droite. Elle en ramène un paquet de cigarettes! Elle fouille à gauche dans l'espoir d'y pêcher une boîte d'allumettes, elle n'en ramène qu'un mouchoir et un anneau. Terrible envie de tabac. Il faut trouver des allumettes. Elle court à la cuisine. Un petit paquet jaune sur la cuisinière. Elle allume une cigarette, tire une longue bouffée, retourne au fauteuil. Deux minutes, le temps de décompresser. Elle ferme les yeux, regarde l'anneau posé sur sa paume.

Une alliance de femme, avec une inscription et une date. Yvette-Jean – 9/5/40.

9/5/40 : la veille de l'attaque allemande. Où sont-ils, Jean et Yvette ? Pourquoi Yvette a-t-elle glissé son alliance dans les entrailles du fauteuil ? Peut-être l'a-t-elle perdue parce qu'elle était trop large, et de toute façon le 10 mai il y avait trop d'affolement dans la ville pour aller chez le bijoutier. D'ailleurs, le bijoutier avait fermé boutique, il était parti en exode, comme tout le monde. Jean et Yvette sont-ils partis eux aussi ? Et quand ils sont revenus, leur maison était-elle occupée ? Oui, et ils n'ont pas osé entrer parce qu'ils se sont dit que c'étaient des Allemands. Ils sont peut-être dans la rue d'à côté, chez les parents de Jean, ou à la campagne, chez ceux d'Yvette. S'ils sont à Bruxelles, ils passent de temps en temps devant leur maison, voient des lueurs filtrer entre les volets. Comme ils n'ont jamais vu de Mercedes noires devant l'entrée, ils se disent que des gens se sont tout bonnement emparés du nid vide. Ou des résistants. Jean a-t-il sonné à la porte ? Peut-être, mais personne ne s'est montré, puisque c'était la Résistance. Alors ils ont abandonné. Ils attendent la fin de la guerre. En tout cas, ils n'ont jamais osé se plaindre auprès de l'occupant : Yvette est Juive.

Ça, tu n'en sais rien, se dit Irène. Elle fouille tous les fauteuils. Maigre récolte : un mouchoir, un livre, un missel. Un court instant, elle croit ramener la fameuse liste, mais c'est une liste d'épicerie. Un kilo de pommes de terre, de la cassonade, deux biftecks et du savon noir.

La cache ! Irène tire une dernière bouffée, écrase le mégot, se précipite dans le réduit. Rien.

Jan a calculé qu'il lui faudrait deux heures pour fouiller la maison de fond en comble, à moins d'avoir de la chance… Irène maudit les résistants, se dit qu'ils improvisent, la plupart du temps. Tu n'as pas le droit de penser ça. D'accord, je ne le pense pas, mais où est cette fichue liste ? Sept heures sonnent à l'horloge flamande de l'entrée. L'horloge ! Elle se précipite, ouvre la porte étroite, grimpe sur une chaise, passe la main sur le dessus orné d'un bord sculpté. Une feuille de papier, une simple feuille, ça ne prend pas de place! Oui, mais pourquoi une feuille de papier s'envolerait-elle sur le toit d'une horloge?

Elle se souvient d'un conte d'Edgard Poe, décide de dévisser les pieds de chaise. Impossible. Derrière les radiateurs de fonte? Rien.

Sept heures et quart, sept heures trente, huit heures. Couvre-feu. Jan commence à s'inquiéter.

Cesse de rêvasser et sors d'ici. Si cette maudite liste est introuvable, c'est parce qu'elle n'est pas là. Irène retourne à la cuisine, ouvre le frigidaire, tend les mains vers les bouteilles de champagne...

Crissement de pneus dans la rue. Une voiture s'arrête, non, deux, des portières claquent. Voix d'hommes. Des Allemands. Il y a aussi des femmes. Une clé tourne dans la serrure. Irène a tout juste le temps de se précipiter dans le réduit, de saisir le panneau et de l'ajuster. Des pas. Un rire de fille, une voix d'homme qui lui dit de se taire. Combien sont-ils? Nombreux.

Irène comprend pourquoi il y a du caviar et du champagne. Ils ont dû les amener plus tôt dans la journée. Elle frissonne: j'aurais pu être là. Les sons lui parviennent, assourdis: le panneau est épais. Ils sont tous dans le hall, le sol tremble. Ils déposent sans doute leur casquette, leur ceinturon, leurs armes, qu'ils vont faire garder, bien sûr: ils savent qu'il y a des prostituées dans la Résistance. À entendre les piétinements dans le corridor, le claquement des talons hauts, Irène se dit qu'ils sont au moins une dizaine. Le son des verres, plus loin. Les verres en cristal Saint-Lambert de la salle à manger, bande de sagouins. Rires gras, bouchons qui sautent, Irène ne peut s'empêcher de saliver. La seule idée que ces porcs puissent tout boire et tout manger la révolte, et pendant un instant c'est la révolte qui prime, elle en oublie sa réclusion dans ce trou noir qui va peut-être devenir étouffant. Elle compte les *pop* des bouchons qui sautent, recompte mentalement le nombre de bouteilles. Comment peux-tu penser à ça alors que tu es coincée dans un trou où ils vont finir par te trouver? Me trouver comment, en jouant à cache-cache? C'est une beuverie, ils sont là pour ça et pour s'envoyer en l'air avec des putes. D'ailleurs, c'est commencé.

On ne rit plus. C'est la séance de pelotage, puis de déshabillage. Les filles gloussent, elles doivent être nues, non, en porte-jarretelles. Les types commencent à haleter, souffler, grogner en cadence. Irène n'a plus peur. Couchée sur les deux oreillers, elle attend que ça passe. Pour l'instant, il n'y a rien à faire, et l'espace dans lequel elle se trouve est assez spacieux pour qu'elle puisse y respirer sans trop de difficulté pendant une ou deux heures. Puis ils s'endormiront, si Dieu le veut. Elle pourrait même ôter le panneau, se glisser près de la porte, foutre le camp. Mais la seule idée du spectacle qui s'offrirait à elle...

Elle n'a plus peur, mais elle a peur pour la rue de la Vallée. Jan tourne sûrement en rond dans le salon, il doit avoir mal à l'estomac à force de boire du café de malt. Pourvu qu'il se tienne tranquille. S'il est venu rôder chaussée de Vleurgat, il a vu les Mercedes. Il doit s'en vouloir à mort de l'avoir envoyée dans ce coupe-gorge.

Pourvu que le petit Karl assoiffé d'héroïsme ne se glisse pas à son insu hors de la maison.

Une heure plus tard, un autre genre de silence s'installe. Pas complet, il y a des ronflements. C'est peut-être le moment de tenter une sortie, mais il faut tenir compte des filles, qui ont sûrement l'oreille plus fine que les gros porcs. Mais elles ont bu, elles aussi. En ces temps de privations, quand on peut boire autre chose que de l'eau et manger autre chose que du rutabaga, on se remplit la panse. Puis on a mal au cœur. Donc, certaines ne dorment pas à cause de la nausée. Irène attrape les poignées du panneau, le repousse doucement, l'appuie contre le mur. Elle rampe jusqu'à la porte, l'entrouvre. Ils dorment, couchés sur le tapis, sur le canapé, les fauteuils. Sept hommes, quatre femmes. Les femmes n'ont pas l'air d'être malades, elles dorment aussi. Il y a des bouteilles par terre, le tapis est trempé. Les boîtes de caviar sont sans doute sur la table. Les filles sont en porte-jarretelles, l'une d'elles a passé une jambe sur le corps d'un gros porc déculotté. Il y a des taches sur le tapis, elle devine ce que cela peut être. Quelques hommes ronflent, une femme rêve en dormant, elle pousse des petits cris, comme si elle faisait l'amour. Incroyable. Un des types se lève, Irène referme la porte, se rencogne dans son trou. Il va sans doute à la salle de bain. C'est ça, on entend l'urine couler à gros bouillons. Une urine au champagne et au caviar. Irène a un haut-le-cœur, se bouche les oreilles.

Bruit de la chasse d'eau.

Il faut attendre qu'il se rendorme. Mais peut-être va-t-il sonner le départ. Non, c'est l'horloge qui sonne. Une heure! Alors, j'ai dormi, moi aussi! Admirable. J'ai dormi dans mon trou noir pendant que des Boches et des putes forniquaient dans la pièce à côté.

Attendre, encore.

Irène pense à Edmond. Pourquoi? Mystère. Elle se demande où il est. Dans un camp avec Edgard? Ils sont Juifs, non? Elle pense à l'amour d'Edmond pour Wagner. Est-il, grâce à Wagner, le bon Juif d'un Allemand? On dit que ça existe. Et Émile? Que ferait Émile s'il savait dans quelle étrange posture elle se trouve? Inquiet mais rationnel. Il dirait à Jan: «Je vais faire le tour de mes relations.» Il a des relations avec l'occupant, ce cher Émile? Toi aussi, tu as une relation avec l'occupant, tu manges la choucroute de Herr Spitz et tu aimes beaucoup ses strudels. Et Herr Spitz t'aime beaucoup, et tu ne le détestes pas, avoue. Je ne le déteste pas parce qu'il dit ce qu'il pense. Je ne le déteste parce qu'il m'aime bien. Oui, mais s'il savait que tu lui mens, amitié ou pas, il t'enverrait tout droit à Breendonk. Sans hésitation, sans remords, et sans strudels. Tiens, j'en mangerais bien un, je mangerais même une assiette de choucroute. Et mon Youri, que ferait-il? Il avalerait une lampée de vodka, irait à la salle de jeux pour «se refaire» puis reviendrait tuer les porcs allemands et chasser les truies qui couchent avec. Il me ferait sortir de mon trou, s'extasierait sur mes cheveux emmêlés, sortirait son Pouchkine pour glorifier l'affaire. «*La liberté viendra-t-elle? Il est temps, je l'invoque. Je cours près de la mer, je poursuis le vent. Que vienne le navire, qu'il m'emporte.*» Et entre deux gorgées de champagne, parmi les Teutons morts, il me ferait répéter les vers après lui, en russe.

Irène regarde le paquet de cigarettes qu'elle a posé près de son sac. Et si je tirais une bouffée? Ça ne se verrait pas. Eux aussi, ils fument, ils ne sentiront rien. Non, mais toi tu vas manquer d'air.

Un frottement. Une fille se lève. Trottinement. Chasse d'eau. Quand ils auront tous éliminé leur champagne, ce sera le matin. Et au matin ils partiront. Oui, mais je n'attendrai pas qu'ils partent. Je ne peux pas attendre sinon la rue de la Vallée va faire des bêtises.

Il suffit que je passe devant la porte de la salle à manger sans me faire remarquer... La fille revient, se laisse tomber dans un fauteuil, plouf. Irène compte jusqu'à cent, ouvre la porte du placard, passe la tête, la referme, glacée d'horreur : un homme est couché sur le tapis du couloir, près de l'horloge flamande. J'avais raison, ils font garder leurs armes. Il dort, cet homme, il s'est autorisé à dormir quand les ivrognes ont déclaré forfait. Près de lui, un verre vide.

Et près du verre, un bout de papier.

Elle n'en croit pas ses yeux : il y a un papier plié sous l'horloge !

Elle se déshabille : s'il ouvre l'œil, il me confondra avec une fille. Et si c'est une pute qui te voit ? Alors tu prieras le bon Dieu pour qu'elle te laisse passer. Et si le gardien te trouve à son goût ? S'il veut prendre sa part des réjouissances ?

On verra.

Irène ôte sa robe, ses chaussures, met le tout dans son sac.

Elle est en combinaison.

Elle rouvre la porte, passe la tête à l'extérieur. Aucun mouvement, que des ronflements. Elle se glisse dehors avec son baluchon, rampe jusqu'au tapis, avance une main vers l'horloge. Elle est presque nez à nez avec le préposé aux armes. Elle saisit le bout de papier, le fourre dans son soutien-gorge. L'homme se réveille, la regarde. Il est ravi, reconnaissant, il la prend pour une des filles venue s'offrir à lui. Elle lui sourit, avance la main, lui caresse la tête. Il l'empoigne, l'attire contre lui. Ça va, ça va bien, se dit-elle. Son cœur bat à tout rompre, il doit sûrement l'entendre. L'homme n'est pas déshabillé, elle sent l'odeur de son uniforme, elle est à deux doigts de la tête de mort. Il lève un bras, abat une main sur un de ses seins, glisse l'autre entre ses jambes. Ne bouge pas, il fait ça machinalement, il est mal réveillé, il va sûrement se rendormir. Oui, mais en attendant, moi je vais mourir. Une pensée brève lui traverse l'esprit : *Tu sais bien qu'on n'en meurt pas, rappelle-toi Livio.* Elle se soulève, souffle à l'homme, en allemand : « Laisse-moi dormir cinq minutes, trésor. » Puis elle roule lentement sur elle-même. Les mains se détachent... Merci, mon Dieu.

Assez lambiné. Il faut sortir, et vite.

Mais pour sortir, il faut passer devant la salle à manger.

Un des cochons teutons, à moitié couché sur une femme, ouvre un œil, la voit, sourit béatement et lui fait signe d'approcher. Irène entre dans la pièce, il se rendort. Mais la fille se réveille et la regarde, l'œil écarquillé. Heureusement, elle est trop surprise pour bouger. Irène met un doigt sur les lèvres, joint les mains, bondit vers la porte de service.

Dieu merci, je ne l'ai pas verrouillée.

Une fois dans le jardin, elle sort du sac sa robe et ses chaussures. Elle frissonne, il fait froid. Elle court derrière un bosquet, s'assied par terre, réalise qu'elle est sans forces. Pourtant j'ai dormi! Elle met ses chaussures, fouille son sac. J'ai besoin d'une cigarette. Tout de suite. Ne fais pas ça, l'herbe est trop sèche, tu vas mettre le feu. Elle se lève, sort des broussailles pour enfiler sa robe. On ne peut pas la voir de la maison, elle est cachée par un arbre.

Mais on peut la voir de la ruelle. Un homme passe avec un chien. Le cabot se met à aboyer; l'homme regarde, sidéré, la tête ébouriffée émerger du col de la robe. Elle joint à nouveau les mains dans un geste de supplication. L'homme prend le chien dans ses bras, emprisonne son museau dans sa main.

Irène traverse le jardin en trois bonds, ouvre doucement la porte de fer forgé qui grince, puis rejoint la chaussée.

37

ODILE

Mardi

C'est Rosy qui nous a réveillées parce que maman est partie pour quelque part et ne reviendra que demain. Avec Charlotte qui pleure tout le temps, j'ai pensé que la vie était vraiment trop dur. Alors j'ai dit à papi, papi je m'en vais mais ne t'en fais pas, je prends mon chien et tante Rosy va me faire un briquet pour que je puisse manger et mon chien aussi. Mais ce qui est arrivé, c'est que papi a cru que je m'en allait pour toujours alors il a fait un discours. Le voici : ma petite fille, quand il y a des épreuves dans une famille on ne s'en va pas, on se serre les coudes, on se réconforte, on se soutient le moral. S'en aller n'est pas très courageux, ma petite fille, s'en aller c'est capituler.

Fin du discours.

Alors j'ai dit mais papi je ne capitule pas, je veux juste aller dans la cabane. La tête de mon papi, les amis ! Il a levé les bras découragé et a dit à Rosy je ne comprendrai jamais rien à cette petite. Mais Armand, a dit Rosy, elle te dit qu'elle veut juste aller dans la cabane.

Où est ma mère je me le demande. Jamais elle est partie si longtemps sans mon père. D'ailleurs mon père est parti ce matin avec l'air triste et les pères tristes c'est dur à supporter parce que c'est pas fort les pères.

Mardi soir

Mon père était pas là quand je suis revenue. Que papi et Rosy. Papi était contrarié et Rosy avait les yeux rouges. L'air de rien, j'ai demandé comment allait tante Irène et son ami Jan. Rosy a dit ils vont bien ma petite Odile ne t'en fais pas. Et où est ma mère ai-je alors dit pour voire s'il y avait du nouveau. Ta mère rentrera demain matin comme elle l'a promis. Et mon père ? Rosy a regardé papi et il a dit ton papa est parti en voyage d'affaire. Un voyage d'affaire comme d'habitude? j'ai demandé. Oui, mais plus long. On parlera de tout ça demain avec ta maman.

Allons à table a dit Rosy avec une voix de tombeau. On s'est assis et on a mangé pour lui faire plaisir mais on n'avais pas faim à cause du chagrin éternel de cette guerre. Rosy a laissé entrer les chiens dans la cuisine pour nous consoler, mais eux aussi ne disait rien. Les chiens ça sent le malheur, surtout Fu à qui je raconte tout. Il a mis sa tête sur ma cuisse et je l'ai caressé en me forçant à avaler ma soupe. Puis papi a dit j'y vais à Rosy et il est parti chez grand-père et grand-mère Durant avec une tête d'enterrement. Alors j'ai su que le malheur était à nos portes. Mais Rosy m'a encore dit Odile je te jure que ta maman va très bien et ton papa aussi. Alors c'est quoi ces cachotteries, j'ai demandé à cette femme très bonne. Ce ne sont pas des cachotteries, mais c'est la guerre (comme si je ne le savais pas) et on doit parfois faire des choses pour qu'elle s'arrête plus vite. On a joué aux cartes en attendant que papi revienne.

38

DELPHINE

La Packard attire l'attention des patrouilles; des hommes en armes font signe à la conductrice de se ranger au bord du trottoir. Elle ouvre la vitre, tend le laissez-passer, sans état d'âme: elle sait l'effet qu'il va produire. Un soldat lui demande, dans un mauvais français, si elle désire une escorte, elle lui dit que ce n'est pas nécessaire, qu'elle connaît le chemin; la maison dont l'adresse figure sur le carton du colonel Schröder n'est pas très loin de celle de Rosy. Des ombres courent le long des façades avec des valises, c'est l'heure où l'on commence à livrer les denrées du marché noir. Les vendeurs entrent et sortent furtivement des maisons, puis se fondent dans l'obscurité des rues.

Delphine sonne à la porte d'une maison de maître, un soldat lui ouvre. «*Kommen Sie, bitte*», dit-il, désignant un fauteuil dans le hall. Il disparaît dans une pièce – l'ancienne loge du concierge – où elle le voit parler dans un interphone. Il sort, lui fait signe de le suivre. Au fond du hall, un ascenseur en fer forgé dont les volutes se découpent sur une baie vitrée. Derrière, un jardin entouré de hauts murs. On entend de la musique, quelque part. Celui ou celle qui écoute a délaissé l'inévitable Strauss pour Debussy. L'homme lève la tête vers l'ascenseur qui descend, dans le grincement feutré des poulies bien huilées. Aucun son, dans cette demeure, ne rappelle ceux de la guerre; tout est policé, étouffé, muselé, même la musique. Je pourrais laisser un mot, pense Delphine en fixant l'insigne sur le col du militaire. Je pourrais dire que je suis malade, lui demander de remettre à plus tard. J'irais à l'appartement de papa. J'oublierais tout, je ne penserais plus qu'à Aline et au bébé, et à Cyrille qui les protège. L'homme ouvre la porte de l'ascenseur.

Je vais lui dire que je ne me sens pas bien et filer.

Il ne l'acceptera pas. Mais c'est la guerre, tout peut arriver, il pourrait disparaître, un tas de gens disparaissent. Tu rêves!

D'abord ce n'est pas un soldat, c'est un homme qui envoie des soldats se faire tuer à sa place. Le planton s'efface pour la laisser entrer dans la cage d'acier. Tu ne peux pas t'en aller, tu mettrais Aline et le bébé en péril. Ils sont bien, dans la villa, à l'abri, Aline a ranimé le feu et s'est endormie, son bébé dans les bras. Demain, Cyrille leur apportera du lait et des œufs, ils feront connaissance, c'est un brave homme, elle comprendra qu'elle peut lui faire confiance.

Delphine sursaute. L'homme vient de lui toucher l'épaule. Elle entre, se colle à la main courante, les yeux fixés sur la nuque rasée qui lui rappelle celle de l'homme qui l'attend là-haut.

Il l'attend, en effet, dans l'embrasure d'une porte ouvrant sur un vaste salon; derrière lui, une table dressée qui rappelle à Delphine celle de leur première rencontre. «Bonsoir, madame Durant. Je suis heureux de vous revoir.» Comme s'ils étaient de vieilles connaissances. «Entrez, j'ai fait préparer de quoi vous restaurer.» Elle répond qu'elle n'est pas là pour ça. Elle serre les mâchoires, elle vient d'être grossière et déteste ça. Il accueille ses paroles avec un léger sourire et, enchaînant sur le ton courtois qui a présidé à tous leurs échanges, demande si elle a fait bon voyage. «Je n'ai subi que quatre contrôles. Mais ce n'est plus qu'un mauvais souvenir...» Elle s'interrompt, rougissant violemment à l'idée qu'il lui faudra, d'ici quelques heures, évacuer un autre mauvais souvenir.

«Je vous en prie, dit-il, prenez place, détendez-vous. Pour l'instant, il n'est question que de vous restaurer.»

Pour l'instant.

Le pire, c'est qu'elle meurt de faim et que l'odeur des mets disposés sur la table lui donne le vertige. Détournant courageusement les yeux de la cloche de verre protégeant deux gâteaux, elle lui demande «d'en venir tout de suite au fait».

Encore une grossièreté.

«Pas avant que vous n'ayez repris des forces. Allons, asseyez-vous.» Le ton est légèrement impatienté, comme s'il avait failli dire «ne faites pas l'enfant!»

Il attend, mains posées sur le dossier de la chaise, il la déplace pour qu'elle puisse s'y asseoir. Puis il prend place en face d'elle et, le visage impassible, dépose une aile de poulet sur son assiette. «Votre protégée est bien installée?

— Ça va.»

Il se sert à son tour et, empoignant posément ses couverts : « Paradoxalement, les forêts qui entourent Clervaux, dans vos Ardennes et très près de mon pays, sont un asile tout à fait sûr. »

Delphine reste muette pendant quelques secondes, figée, glacée devant l'énoncé fait du bout des lèvres – comme s'il lisait un dépliant touristique. Il l'a fait suivre, il sait d'où elle vient. Cela ne faisait pas partie du marché. Elle essaie de garder son calme, mais la colère l'emporte. « Ce que vous faites est méprisable. » Il ne bronche pas, laissant peser sur elle un regard presque indifférent. Ce qu'elle vient de dire, en tout cas, ne le touche pas.

« Ce que j'ai fait, dit-il, c'est vous aider à cacher une femme juive et son enfant.

— Vous m'avez fait suivre.

— C'était peut-être pour vous protéger.

— Je ne vous crois pas.

— Vous avez un peu raison. Je vous ai fait suivre parce que c'est mon travail. Allons, mangez.

— Je ne mangerai pas tant que vous ne m'aurez pas dit pourquoi vous m'avez fait suivre.

— Je viens de vous répondre. Parce c'est mon travail... » Il la considère un moment en silence. « Et que ce travail consiste à tout savoir.

— Et ceux qui m'ont suivie, ils doivent aussi *tout* savoir ?

— Ceux qui vous ont suivie sont des soldats allemands. Les soldats allemands obéissent aux ordres.

— Et si vous disparaissez ?

— Je n'en ai pas l'intention.

— Vous ne pouvez pas décider de tout.

— C'est vrai. » Il sourit. « Vous pensez que vos amis terroristes pourraient décider à ma place ? »

Tout à coup, Delphine se rend compte que tout ne fait que commencer, qu'il va falloir soutenir ce dialogue encore et encore, jusqu'à... Je viens d'arriver et je suis déjà à bout. Elle empoigne ses couverts, se met à manger à toute vitesse.

« Allons, allons, calmez-vous, votre amie est en sécurité. Et ne mangez pas aussi vite, vous allez vous étrangler !

— Je mange vite parce que je veux en finir. Je veux rentrer chez moi. Je veux retrouver ma famille. »

Il hausse les épaules. « C'est ce que nous voulons tous. »

Un ange passe. Il ne sourit plus. Puis, désignant son verre : « Vous ne goûtez pas ce vin ?

— Non. Et à propos de vin, les Allemands qui ont réquisitionné les bureaux de la mairie ont bu le vin que l'adjoint au maire y gardait pour les célébrations municipales.»

Pour quelqu'un qui avait décidé de se taire, c'est réussi. Furieuse contre elle-même, elle replonge le nez dans son assiette.

Il sourit, franchement amusé. «Ce n'est pas bien de rapporter!»

Comment ai-je pu dire ça, je ne peux pas croire que j'ai vraiment dit ça. Il a raison, c'est du rapportage, comme à l'école.

«Quoi qu'il en soit, je le réprouve», ajoute-t-il.

Un instant, elle se demande s'il réprouve le vol des bouteilles ou sa conduite à elle.

«Puis-je manger mon dessert, s'il vous plaît? Et je voudrais du café. J'ai encore de la route à faire.

— Vous serez escortée.

— Vous voulez savoir où j'habite, c'est ça?»

Il rit, elle rit, et elle a honte. Honte de la complicité qui vient de s'installer entre eux, comme un soupir d'aise, un moment d'insouciance. Crotte, Delphine, crotte, crotte, crotte, lève-toi et fiche le camp d'ici. Cet homme est un salaud, tu as oublié? Il te tient et ça l'amuse. Il te tient et, rappelle-toi, il va *vraiment* te tenir, après le café, le gâteau et les liqueurs.

Schröder se lève, prend le plateau sur la desserte. En silence, il dispose les tasses, sert le café, dépose un gâteau dans l'assiette de son invitée. Delphine le fixe avec un mélange d'horreur et de gourmandise. Chassez le naturel, il revient au galop. Envie de pleurer, de se laisser aller, de fondre. Dans cette ambiance feutrée lui rappelant l'atmosphère des salons de thé de son enfance, elle sent qu'elle perd contact avec la réalité. Sa fatigue est telle qu'elle est devenue incapable de donner un sens à la suite précipitée des événements qui l'ont conduite de la métairie jusqu'en Ardennes, puis à cet appartement luxueux de l'avenue Louise. Les tapis d'Orient, la vaisselle de porcelaine, les tableaux de maîtres, les meubles de bois précieux l'enferment dans un univers qui a perdu toute consistance. Même l'horloge qui se met à sonner n'a aucune réalité. Elle la regarde fixement, incapable de distinguer l'heure qu'il est, écoutant, dans une semi-conscience, le balancier égrener le temps. Sa seule perception est que la nuit est commencée et qu'elle sera interminable. Elle se lève, chancelante, porte les mains à son front, ferme les yeux. Le colonel Schröder s'approche, la soutient par les coudes. Elle rouvre les yeux, se dit qu'il a l'air terriblement fatigué, lui aussi. Ses yeux sont cernés. «Je vous en prie, reposez-vous avant de repartir», murmure-t-il. Encore une phrase irréelle.

«Venez.»

Il lui prend la main, la tire vers un coin de la pièce. «Allongez-vous sur ce sofa et essayez de dormir un peu. Ne vous inquiétez pas, je vous réveillerai.

— Mais, bredouille-t-elle, nous...

— Oui?

— Nous avons...

— Un accord, je sais. Mais vous n'avez pas signé.»

Jusqu'à cet instant, elle a évité le regard de Schröder, sauf dans les moments de colère. Maintenant, reprenant pied dans la réalité, elle le dévisage. Il pourrait fuir ce regard, mais il n'en fait rien, il attend. Qui est cet homme de guerre qui occupe son pays? Oberst Günther Schröder, un Allemand qui s'est installé dans les bureaux de la mairie, reléguant le bourgmestre au deuxième étage. Un Allemand qui dispose d'un appartement somptueux avenue Louise, où il fait sûrement venir des femmes. L'occupant avec lequel elle a conclu un marché. Pour un peu, elle se sentirait flouée. Il est encore plus fort maintenant qu'il va sans doute l'obliger à dire merci. L'œil est vif, scrutateur, la mâchoire forte. Aucun des hommes qu'elle connaît n'a le menton aussi volontaire. Aucun homme ne l'a jamais regardée ainsi. Mais il cligne des yeux, tout à coup, et elle a la stupide sensation de l'avoir emporté, d'avoir gagné, comme dans ces jeux d'enfants où celui qui cligne le premier perd. C'est toi qui perds la boule, ma fille. Allons, dors un peu. Dors pour être plus... apte à respecter ta parole.

Elle vacille. Il saisit ses poignets, l'aide à retrouver son équilibre.

«Reposez-vous avant de reprendre la route.»

Reprendre la route? Elle vacille à nouveau. Il la prend aux épaules, la tire un peu vers lui.

«Je vous en prie, Delphine, faites ce que je vous dis.»

C'est la première fois qu'il l'appelle par son nom. Elle frissonne.

«Vous tombez de fatigue. Allons, obéissez, pour une fois.

— Je ne sais pas», murmure-t-elle. Elle continue à le fixer. Un soldat, un homme de guerre. Un conquérant. Un homme qui prend tout ce qu'il veut. Non, il t'a rendu la jument. Mais il a pris la Minerva. Oui, pour que ses soldats ne se doutent de rien. Et il t'a aidée à sauver Aline et le bébé. Et maintenant il te dit de te reposer avant de reprendre la route.

«Venez.»

Il la pousse doucement vers le sofa, l'aide à s'y étendre, prend un plaid sur un fauteuil, la couvre. Elle se met à trembler.

«Allons, calmez-vous, tout va bien. Dormez. Je vous réveillerai dans deux heures.»

Il y a une pointe de lassitude dans sa voix, comme s'il connaissait les pensées qui défilent dans la tête angoissée de la femme qui lui fait face. Delphine se redresse. Envie de questionner, de faire parler cet homme qui la trouble; elle ne veut pas dormir, pas comme ça, pas tout de suite. Mais que dire? Elle ne sait pas; n'importe quoi. N'importe quoi pour briser le silence. «Colonel?

— Oui, madame.

— Vous aimez vraiment la guerre?»

La question ne le surprend pas, il répond tout de suite. Il dit qu'il préférerait ne pas lui faire une réponse banale mais que, vu les circonstances et le peu de temps dont ils disposent – et leur fatigue respective –, cette réponse ne peut qu'être banale. «Alors, dispensez-moi de la faire.»

Je suis comme Paul et Odile avec leurs pourquoi. Il doit me trouver puérile.

Il ajuste le plaid, la borde: «Dormez.»

*

Les premières lueurs de l'aurore la réveillent. Elle a dormi si profondément qu'elle ne sait plus où elle est. Elle se soulève sur un coude, reconnaît l'endroit où elle a atterri la veille. Le colonel s'approche, une tasse de café à la main. Il ressemble au maître d'hôtel du Café Métropole, qui s'appelait monsieur Jean et était tellement beau qu'elle en était amoureuse.

«Il est temps de rentrer chez vous. Votre famille va s'inquiéter.

— J'ai dit que je passais la nuit dans l'appartement de mon père, répond-elle machinalement, comme on répond à un vieux camarade.

— Cela veut-il dire que vous avez encore un peu de temps pour moi ? »

Il est détendu, il plaisante, mais voyant se rembrunir le visage de Delphine : « Je le souhaiterais, croyez-moi, mais j'ai moi aussi des obligations. Allons, buvez votre café. Je vais vous accompagner jusqu'à la porte. »

Elle pâlit, se voit déjà sortir comme une voleuse. Ou comme une prostituée. Il secoue la tête, comme s'il devinait ses pensées. « Tout ira bien. Donnez-moi vos clés, je vais faire avancer la voiture. » Il attend, debout devant elle, visage impassible, qu'elle ait bu la tasse de café. Poliment, il lui en propose une autre. Elle fait non de la tête.

Quelques minutes plus tard, le soldat de la veille ouvre la portière de la Packard. Alors qu'elle se dirige vers la voiture, elle entend Shröder prononcer son nom. Elle s'arrête au milieu du trottoir, se retourne.

Le colonel la remercie de sa visite, à haute voix pour que le soldat entende, et elle a la nette impression qu'il fait cela pour elle, car il n'a, bien entendu, pas de comptes à rendre à un simple planton ; il lui dit que les documents sur lesquels ils ont travaillé lui seront très utiles, que son aide a été capitale, qu'il ne manquera pas d'en aviser ses supérieurs. Delphine saisit le but du discours, elle sait qu'il a choisi, au risque de la faire passer pour une collaboratrice, de sauver son honneur d'épouse belge en Belgique occupée. Il fait signe au planton, qui disparaît dans la maison, puis ouvre la portière.

« Ce n'était pas nécessaire », murmure-t-elle. Puis, entre ses dents et avec un sourire : « Vous en faites trop ! »

Bref hochement de tête, amusé. « Vous trouvez ? »

Tandis qu'elle glisse la clé dans le contact et met le moteur en marche, il ajoute à voix basse : « Je vous en prie, ne prenez aucun risque. »

Il est sept heures quand elle entre dans la cour de la métairie. Tout est étrangement calme, elle se demande, pendant un court instant, s'ils savent. Non, c'est impossible. Tout ce qu'ils savent, c'est qu'elle a conduit Aline et Maxou dans les Ardennes pour les mettre à l'abri – avec l'assentiment d'un haut gradé de la Wehrmacht, et sans condition. Le temps s'est mis au beau, après trois jours de pluie ; les pavés de la cour luisent comme s'ils avaient été cirés. Delphine coupe le moteur, retire les clés. Elle s'appuie un instant contre le dossier, les images des dernières vingt-quatre heures défilent.

Il fait soleil, oublie le reste; pour l'instant tout est pour le mieux: Aline et le bébé sont sauvés, ils sont sous la protection de Cyrille. Ils sont sauvés, et que tu le veuilles ou non, c'est grâce au colonel Schröder. Les raisons pour lesquelles il s'est fait ton allié sont sans importance, et en plus elles t'échappent, n'y pense plus. N'essaie pas de comprendre, tu as une foule de choses à faire. Pense aux enfants, aux filles qui feront bientôt leur communion solennelle, à Charles, à ton père et à Rosy qui commencent à être fatigués de faire le va-et-vient entre la rue de la Vallée et la métairie, aux chevaux, au chien d'Odile qui a grand besoin d'être éduqué.

Rosy et Armand sont sur le perron, ils ont entendu le bruit de la voiture. Delphine aurait aimé voir Charles, mais Charles n'est pas là. Il est furieux, sans doute – non de la décision qu'elle a prise, mais parce qu'elle la lui a cachée. Je vais lui expliquer. Elle ouvre la vitre.

«C'est comme ça que vous m'accueillez?

— Viens, ma chérie.» Armand est-il fâché, lui aussi? Impossible. Elle sort de la voiture, se disant qu'elle va lui laisser le soin de la ranger dans un coin de la cour. Elle entre dans la cuisine, regarde autour d'elle: tout est comme toujours le matin à sept heures. La table du déjeuner est mise: Rosy a disposé les bols de café au lait sur la nappe de vichy, avec le pain et la confiture. Firmin est dans l'écurie et donne le picotin aux chevaux. Paul et les petites vont bientôt descendre. Mais pourquoi Rosy et Armand ont-ils cet air bizarre?

Est-ce qu'ils savent?

«Papa, pourquoi fais-tu cette tête? Tout va bien. Aline et le bébé sont en lieu sûr, et le fermier va s'occuper d'eux.»

Il hoche la tête, sort une enveloppe de sa poche.

Le premier réflexe de Delphine est de se demander si c'est un message de Schröder.

«Qu'est-ce que c'est?» Armand ne répond pas, il est très pâle. Rosy s'assied à côté de Delphine, pose une main légère sur son bras. «Qu'est-ce que c'est?» répète-t-elle, fixant le rectangle de papier. Son nom est écrit sur l'enveloppe.

L'écriture de Charles.

Le picotement annonciateur de catastrophe l'oblige à fermer les yeux. Comme une automate, elle saisit l'enveloppe, la met dans sa poche, colle son foulard sur son nez. Rosy l'attrape par le bras, elle se dégage, dit qu'elle va dans sa chambre, seule. Elle sort de la cuisine, court à la salle de bain. Le tissu est plein de sang. Elle s'assied sur le siège du WC, renverse la tête en arrière.

Quand le saignement s'arrête, elle lave les traînées rouges sur son visage, rince le foulard. Le miroir lui renvoie ses traits tirés, sa pâleur, une mèche de cheveux sur laquelle un peu de sang caille. Elle pousse la porte de sa chambre, s'étend sur le lit, dépose l'enveloppe sur sa poitrine.

Le soleil la réveille en entrant dans la chambre, illuminant le rectangle blanc posé sur son chemisier. Un trou lumineux sur son cœur, avec son nom dessus. Elle se soulève, rassemble ses forces.

Delphine, je sais où tu es allée, et pourquoi. Cela ne m'a pas étonné, mon amour, tu es bien plus forte que moi, ton mari ivrogne et volage. J'aurais voulu attendre ton retour, mais il faut que je sois à Paris demain, en Espagne quand ce sera possible. Puis je passerai en Angleterre pour répondre, avec un an de retard, à l'appel de de Gaulle. Après tout, je suis un peu Français par ma mère. Pourquoi ai-je attendu si longtemps? Ma chérie, je ne sais pas. À cause de mes parents, sans doute. Et parce que je n'avais pas le courage de te quitter.

Dès que tu auras lu cette lettre, détruis-la. Ne la montre à personne, surtout pas à Émilie. Dis la vérité à mon père. Je vais faire comme toi, essayer de me rendre utile. Je ne veux plus profiter des privilèges que l'usine nous permet d'obtenir. Tout cela m'est devenu, petit à petit, insupportable. Mon père subviendra à vos besoins, je ne me fais aucun souci là-dessus. J'ai laissé une somme d'argent dans la cachette que je t'ai montrée. C'est pour ta protégée. J'y ai aussi laissé le Browning. Mais promets-moi, même si je ne suis pas là pour recevoir cette promesse, de ne pas entrer dans la Résistance.

Pour nos filles, pour Paul, pour moi.

Je reviendrai.

Charles

17 mai 1943

Un grattement à la porte. «Entre.»

Armand s'assied au bord du lit, regarde la lettre.

«Il faut la détruire.

— Demain.

— Tu viens voir les filles ?
— Non. Dis-leur que maman est fatiguée. Paul est là ?
— Oui. Gabrielle nous l'a laissé. Elle avait des choses à faire. » Armand se lève, lentement. Il est plus accablé que moi, se dit Delphine.
« Papa !
— Oui.
— Il nous reste une voiture…
— Je sais.
— S'il te plaît, emmène-nous au Métropole.
— C'est une bonne idée, ma chérie. »
Armand ne lui dit pas que le Métropole est occupé par l'état-major allemand. Pas tout de suite.
« J'en ai besoin. Je veux sentir la tiédeur de notre café. Il fait froid ici.
— Oui. Repose-toi, nous en reparlerons demain. »
Elle se tourne vers le mur, le nez dans l'oreiller de Charles qui sent l'eau de Cologne. Il est parti. Charles est parti. Je n'ai rien compris à mon mari, je suis une idiote, une idiote sourde et muette. Lui n'était pas sourd et muet. Il a attendu l'appel. Elle pense à la lettre, ne peut s'empêcher de sourire. Un peu tard, mais il l'a entendu.
Comme je l'aime.
Armand s'assied près d'elle, lui caresse le dos.
« Papa !
— Oui ?
— Tu te souviens de ce qu'il a dit ?
— Charles ?
— L'autre Charles. Charles de Gaulle.
— Je ne me souviens pas de tout.
— Dis quand même.
— *Moi, général de Gaulle, actuellement à Londres, j'invite les ingénieurs et les ouvriers spécialistes des industries d'armement qui se trouvent en territoire britannique ou qui viendraient à s'y trouver, à se mettre en rapport avec moi…* J'ai oublié le reste.
— Oui. »
Il se penche vers sa fille. « Tu as dormi tout habillée. Avec tes chaussures ! » Il les lui enlève, remonte l'édredon.
« Repose-toi encore.
— Je déteste de Gaulle », répond-elle.
Deux jours plus tard, ils sont à Bruges.

Armand lui a dit, pour le Métropole.

Il y a peu d'Allemands dans les rues et, à cette heure de la journée, le salon de thé est presque vide. Armand a tenu, dans l'entrée, un conciliabule avec la patronne ; elle lui a dit qu'avec la pénurie elle avait bien peu à offrir, il a répondu que c'était surtout pour l'ambiance. Elle est contente de revoir monsieur Armand et sa fille. Toujours aussi jolie. Une des petites lui ressemble, la plus grande ; et l'autre est sûrement le portrait de son papa. La dame qui les accompagne n'est pas celle qu'elle a vue un jour dans son salon. Armand lui dit qu'il l'a perdue, et que Rosy est sa compagne. Charlotte et Odile portent leur robe à col marin et le manteau de ratine que Rosy leur a coupé dans un paletot d'Armand. Elle coud beaucoup, Rosy, par les temps qui courent : les toques que portent les filles ont été taillées dans le manteau d'astrakan reçu par Delphine pour ses douze ans ; la chemise blanche à boutons de nacre de Paul, dans sa robe de mariage. Quant à Armand, il porte beau, comme toujours ; la guerre et ses ersatz n'ont pas eu raison de son élégance. Sa compagne entretient dévotement ses costumes, ses guêtres blanches et ses cols à coins cassés. Delphine aperçoit, sur le revers du veston, l'insigne du groupement catholique de son adolescence, marque de fidélité à un père « qui s'est tué à la tâche » pour lui permettre d'étudier. Se démarquant de Jules-Henry toujours fidèle à son oignon de poche, il porte une montre au poignet. Entre la blonde Rosy, les trois enfants et son père, Delphine est triste, mais apaisée. Elle n'est plus la princesse qui, entre Irène et son amie, respirait avec délices l'odeur du chocolat du salon de thé de Wenduine, elle est la reine Delphine, momentanément privée du roi Charles, parti pour servir l'effort de guerre et la liberté.

La patronne dépose un tout petit gâteau dans l'assiette de chaque convive. Delphine regarde son père. Cette connivence, dans le souvenir d'un accord partagé à l'insu d'une mère et épouse inapte au plaisir, Delphine l'appelait, dans le temps, « la complicité du moka crème ».

L'autre complice, c'est Gunther Schröder, qui leur a donné un Ausweis pour Bruges. Sait-il que Charles est parti ?

Oui, il sait tout.

La Packard est garée devant la devanture. Les angelots sont toujours là, désignant l'entrée de leurs petits doigts roses.

39

ODILE

Mardi

Une terrible et honteuse histoire, mes amis. Le matin avant que ma mère s'en aille et mon père aussi, un chef Boche est venu avec ses soldats dans un énorme canon pour démolir le mur de l'écurie et voler l'auto de papi pour laquelle il a sacrifié ses économies. Quand j'ai vu Firmin sortir un cheval, j'ai cru que le Boche le voulait aussi, mais non, maman a dit qu'on devait mettre les bêtes dans le champ parce que les soldats allaient démolir la cachette dans un bruit infernale. Les chevaux, c'est très nerveux, papa dit toujours qu'ils ont même peur d'une mouche. Là, c'était pire qu'une mouche, c'était la fin du monde. Papi a regardé partir son auto la mort dans l'âme avec un jeune Boche plein de poussière sur ses beaux coussins de cuire. Maman qui était furieuse a parlementé avec le chef dans la salle à manger mais ces gens ont un cœur de pierre. Nous, on était sur le palier pour écouter mais on n'entendait rien, et on courait aussi à la fenêtre pour voir la calamité dans la cour. Papi est descendu pour écouter. Rosy disait « c'est une honte ». Maman est sortie avec le chef qui a claqué ses talons devant grand-père qui s'est fait prendre à écouter aux portes.

Ça c'est rien qu'une auto qui est partie mais après c'était ma mère et mon père. Puis maman est revenue dans la voiture de mon grand-père Jules-Henry que les occupants ont laissée mais quand elle a pas vu mon père elle est allée dans sa chambre et papi nous a dit votre papa est parti, mes chéries. J'ai cru que c'était chez Hortense comme parfois mais papi a dit non c'est pour défendre notre pays.

Depuis on traîne la patte, c'est ambiance zéro.

J'arrête pour réfléchir.

Soir

Pour nous consoler après le départ de papa, papi nous a emmenés à Bruges dans la voiture de mon grand-père et on est allés manger des gâteaux dans une pâtisserie. Quand elle était petite, maman mangeait chaque fois un gâteau moka parce que c'était les plus gros. On a eu de la tarte au riz, du chocolat au lait pas très bon, et les grands ont bu du café de malt. Moi j'aurais préféré aller à la mer, mais il paraît qu'« ils » l'occupent aussi avec des cuirassiers, des sous-marins, des navires à canons et des bathyscaphes. C'est la guerre, la guerre et encore la guerre et les occupants veulent aussi Ostende Ses bains Ses coquillages Ses palaces Son casino Ses plages de sable fin. Avant la guerre, on y est allés avec papa qui était évidemment encore là. Maman nous a appris à cueillir des anémones. Il faut prendre un grand seau parce qu'elles ont besoin d'espace (vital), mettre beaucoup de sable dedans pour faire un bon fond marin, ensuite, prendre l'anémone à deux mains avec encore beaucoup de sable et faire une prière pour qu'elle s'ouvre. En général elle ne s'ouvre pas et on la reporte. C'est toujours la même chose, on se donne du mal, on mouille ses souliers, on se griffe les jambes, tout ça pour une idiote d'anémone qui ne veut pas s'ouvrir. Enfin, moi j'ai la grande prairie derrière la maison et franchement je crois que c'est mieux que la mer. Ça bouge pas, c'est pas gris, pas froid, pas salé, et on peut se coucher dessus pour faire la planche sans boire la tasse.

Mercredi

Ma mère est donc revenue et pas mon père. Maman dit qu'il est en voyage d'affaire mais moi je soupçonne qu'il est chez de Gaulle car j'ai entendu papi prononcer ce nom grandiose. De Gaulle envoie ses armées pour chasser l'occupant qui nous pourrit la vie et surtout celle de papi, Rosy, Jan et Irène à Bruxelles.

La guerre, c'est toujours avec les Allemands parce que les Allemands savent faire que ça. Nos soldats défendent le pays contre l'envahisseur, mais les Allemands, eux, veulent tout pour eux, les pays des autres et tutti quanti. Je suis allée parler à Dilon. Je crois que Dilon qui n'est qu'un animal et ne sait donc pas que mon père est chez le célèbre de Gaulle se demande pourquoi il traîne si longtemps chez Hortense. Il croit que papa l'a abandonné, ce qui est terrible parce que pas moyen de lui dire qu'il se trompe. Il croque son foin en me regardant droit dans les yeux comme quelqu'un qui se foute royalement de tout parce que son maître est parti et qu'il s'ennuie comme un rat mort. Heureusement que j'ai mon chien qui comprend tout, d'ailleurs ça se voit dans ses yeux, alors que les yeux de Dilon sont comme le fon d'un puit. Les chevaux sont nés comme ça, avec eux c'est tout dans les oreilles. Mais ça je l'ai déjà expliqué. Ne vous approchez pas trop car parfois ils mordent. C'est quand ils ne peuvent pas expliquer pourquoi ils sont en colère.

Assez parlé de chien et de cheval. Je veux maintenant parler de ma grand-mère Alma, la première femme de bon-papa Armand, qui est morte quand j'étais toute petite, ce qui explique pourquoi je ne me souviens pas d'elle, mais on dit qu'elle chantait comme un rossignol. Maman a gardé une robe qu'elle mettait pour ses récitals. Avec des dentelles et des plumes. Les plumes c'est pas mon genre mais je la mets parfois pour chanter devant la glace. Quel spectacle, mes amis, mais pour le chant c'est la catastrophe. Une de plus. C'est peut-être Charlotte qui a hérité de la voix de rossignol, car c'est pas maman non plus. C'est rare les rossignols dans les familles. Maman dit qu'elle accompagnait le rossignol au piano mais qu'elle avait tellement peur de faire des fausses notes qu'elle en faisait.

À propos de cheval encore, je m'entends un peu mieux avec Comme en 14, je bouchonne son brabançon avec lui. Firmin est très fier de Prince, il dit qu'il a labouré des milliers de kilomètres carrés. Autrement dit cinq fois et demi la Belgique, je crois. Maintenant il se repose et l'a bien mérité. Firmin dit que quand j'étais pas encore née un de nos Ardennais qui s'appelait Aristide est parti en Amérique pour un concours des plus beaux reproducteurs. Reproducteurs, je crois que c'est pour des photos, mais j'expliquerai une autre fois car c'est assez compliqué. J'espère qu'il est heureux dans ce pays de nos alliés. Notre plus vieille vache s'appelle Butterfly en souvenir de mamie Alma qui chantait ça tout le temps. Butterfly est une Japonaise très belle qui était amoureuse d'un Américain (l'Amérique est partout) qui n'arrêtait pas de s'en aller sur un navire, alors elle l'attendait avec son bébé dans les bras en poussant des cris persans devant la mer. Plus elle attendait et plus elle criait car elle était découragée. Entre les cris elle pleurait beaucoup et elle avait raison parce qu'un jour l'Américain a pris la poudre d'estampette et n'est pas revenu.

Mardi

Les deux soldats allemands assez polis continuent à venir chercher du lait et des œufs. Il y en a un qui m'a dit qu'il avait deux petites filles comme nous. Je me demande bien ce qu'il veut dire avec comme nous, est-ce qu'elles nous ressemblent, est-ce qu'elles ont aussi des tresses, est-ce que la plus jeune, donc la Charlotte, doit mettre les vieilles robes de sa sœur? Mon papi Armand vient parfois chercher des provisions parce que mon père est plus là pour aller les porter à Bruxelles à sa femme Rosy qui doit nourrir tout ce monde affamé par la défense de notre Belgique, surtout Jan qui est difficile à remplir parce que très grand.

Quelle histoire, cette guerre, on fait l'école à la maison, avec maman qui nous apprend le français, l'histoire et géo pendant que grand-mère Émilie cuisine avec ce qu'elle a, c'est-à-dire avec ce que l'occupant nous laisse. Le père de tante Gabrielle nous donne des leçons de morale une fois par mois mais sobstine à pas répondre à mes questions et il fait aussi le calcul quand papi n'est pas là. Et Rosy nous a appris le 4 quarts.

Mercredi

Oui, mes amis, la guerre bat son plein et Dieu continue à regarder le spectacle avec ses bons à rien d'anges. Je sais que la guerre continue parce que j'écoute toujours les conversations de Comme en 14 avec mon grand-père qui n'a plus son fils unic pour parler de ça. Ils disent que les Boches arrêtent des gens en veux-tu en voilà pour les emmener dans leur pays pour en faire des forçats comme Jean Valjean. En plus du départ de papa, Maman a peur pour la maman de Paul qui distribue des livres contre les Allemands qu'elle déteste. Je les ai entendu se disputer, maman disait pense à Paul, pense à ton fils, et Gabrielle répondait si je fais ça c'est parce que j'y pense.

J'ai mal au poignet à force d'écrire. Je suis à bout les amis et si ça continue je vais faire une crise de nerfs.

Les occupants de Bruxelles font la vie dure à Rosy et papi qui doit acheter à manger à des voleurs qui se cachent dans une rue sombre pour vendre à vil prix du beurre mélangé à de l'huile de vélo.

40

DELPHINE

On a transporté le lit de Paul dans la chambre des filles. Les trois enfants ont les oreillons. Ils sont couchés dans leurs draps de molleton, joues gonflées comme des cochons d'Inde. À l'annonce du diagnostic, Émilie est arrivée avec deux poulets stérilisés et trois bocaux de pois – elle est convaincue qu'on guérit tout avec du poulet aux petits pois –, mais ils refusent de manger autre chose que des tartines rôties. Ils préfèrent les petits plats de Rosy, mais Rosy et Armand sont à Bruxelles, hélas. En désespoir de cause et avec des cajoleries, elle leur fait avaler du lait de poule, qu'ils ingurgitent avec des haut-le-cœur.

Émilie parle peu depuis ce qu'elle appelle «la disparition de Charles», et un message réconfortant – Delphine a entendu, un soir au téléphone, une voix inconnue lui dire que leur ami était arrivé à bon port – ne l'a consolée que pendant quelques jours. La décision courageuse de son fils n'atténue en rien son chagrin. Delphine essaie de la raisonner, mais c'est peine perdue, elle veut que Charles revienne, le retour de Charles est la seule chose dont elle accepte parfois de parler, et Delphine sent bien qu'elle lui en veut de l'avoir laissé partir. Tout comme son beau-père. Quand elle est allée les voir, le lendemain du départ de Charles, elle s'est heurtée à son incompréhension. Mais elle ne s'attendait pas à ce que Jules-Henry manifestât de la méfiance envers elle : après l'avoir écoutée, il lui a demandé, brutalement, si elle était «de mèche». Elle lui a répondu que non, elle n'était pas de mèche, mais qu'elle approuvait son mari. Émilie s'est mise à hurler. Jules-Henry a exigé qu'elle lui montre la lettre de Charles. Elle a répondu qu'elle l'avait détruite. C'est faux, le feuillet chiffonné à force d'être lu est caché sous les lattes du plancher de sa chambre, avec le Browning. Son beau-père ne l'a pas crue, bien sûr, mais il a compris qu'elle ne céderait pas. Alors, blême de chagrin et de colère, il lui a dit de rentrer chez elle et d'essayer de mieux veiller sur ses enfants qu'elle n'avait veillé sur son mari. Delphine n'a pu s'empêcher de penser, ce jour-là, que le patron de la filature, outre la souffrance réelle qu'il ressentait, appréhendait les questions qu'on ne manquerait pas de lui poser à la Gestapo. Elle ne se trompait pas. Le lendemain, on l'y avait convoqué. Puis elle avait eu son tour. L'*Oberst* Schröder assistait à l'interrogatoire, visage impassible. Tandis qu'elle répondait aux questions, elle se demandait s'il la croyait complice de Charles. Du reste, il le lui avait demandé lorsqu'ils étaient restés seuls un moment. «J'ignorais le projet de mon époux, avait-elle dit, mais je l'approuve.»

Le front d'Odile est très chaud. Odile ne lésine jamais sur rien, elle est plus revendicatrice, plus passionnée, plus imaginative, plus difficile que Paul et Charlotte, et aujourd'hui, elle est plus malade. Delphine se dit que si elle avait, comme tant de gens, cette manie de vouloir trouver des ressemblances, elle dirait qu'Odile ressemble à Alma.

Cette pensée lui fait plaisir.

«Cette petite a quarante de fièvre et vous souriez? s'étonne Émilie.

— Trente-neuf et demi», rectifie Delphine. Puis: «Je souris parce que je pense à ma mère.» Elle perçoit nettement le mécontentement de sa belle-mère. Mais un vilain démon la pousse à ajouter: «Elle lui ressemble, vous ne trouvez pas?» L'idée déplaît bien sûr à Émilie. «Non, je ne trouve pas. Elle a vos yeux, le front de son grand-père, le menton de son père, un petit quelque chose de votre père, et mes cheveux.»

Comme ça tout le monde y est.

Delphine jette un coup d'œil dans la cour. Gabrielle vient d'arriver, c'est bien, elle a réussi à se libérer un peu plus tôt que d'habitude. Les mercredis sont sacrés: elle lui a fait promettre, à défaut d'être là l'après-midi – où il n'y a pas école –, de toujours être présente au repas du soir. Mais la mère de Paul résiste maintenant vingt-quatre heures sur vingt-quatre, elle fait partie d'un réseau organisé dans lequel on lui confie d'autres tâches que de distribuer des tracts et des journaux. Delphine en est certaine depuis Aline. On ne se rend pas près de la frontière allemande la nuit pour aller chercher des gens sans faire partie d'une organisation où rien n'est laissé au hasard.

De la fenêtre, elle observe son amie. Gabrielle laisse tomber sa précieuse bicyclette par terre, puis s'assied, non, s'effondre sur le banc. Firmin sort de l'écurie, elle lui parle, puis lui montre le vélo. Il le ramasse, le rentre à l'intérieur.

«Ma mère est arrivée? demande Paul.

— Oui.»

Émilie se lève. «Je pars. Je reviendrai demain.

— Bien sûr, maman.»

Émilie ne veut pas se trouver dans la même pièce que Gabrielle, ni même dans la cour. Elle va sortir, appeler Firmin pour la carriole, attendre près de la porte d'entrée.

«Grand-mère, je veux mon chien, gémit Odile.

— Mon pouillon, si ton chien vient près de toi, il va attraper les oreillons!

— Les chiens n'ont pas les oreillons, grand-mère. S'il te plaît, dis à maman de laisser venir mon chien.»

Émilie interroge sa bru du regard.

«Ton chien dort, dit Delphine.

— Les chiens ne dorment pas, ils surveillent. Fu sait que je suis malade, il veut venir près de moi pour me soigner.

— Et comment va-t-il te soigner?

— En me léchant les oreilles.»

Delphine se couche près du petit corps brûlant. «Maman…, gémit Odile, je te veux bien près de moi, mais je veux aussi mon chien!»

La seule qui soit calme, docile, accommodante, c'est Charlotte. On lui a dit qu'il fallait dormir pour guérir vite, alors elle dort, consciencieusement. Delphine va à la fenêtre, appelle Firmin, lui demande de laisser entrer le chien guérisseur. Deux minutes plus tard, cavalcade dans l'escalier. Fumanchu entre en trombe, bondit sur le lit d'Odile, lui lèche les joues.

Delphine escorte sa belle-mère jusqu'à la porte. Elle est voûtée, Émilie, depuis quelque temps. Des plis de plus en plus profonds creusent ses joues. Elle ne fait plus appel aux services de la coiffeuse, il semble qu'elle ait décidé de permettre aux mèches grises d'envahir sa chevelure. Sa belle-fille a bien essayé de faire venir la dame à domicile, mais elle a décliné l'offre, le cœur n'y est pas. Delphine regarde la nuque frêle où repose le mince chignon. Son cœur se serre.

«Maman!»

La vieille dame tourne vers elle un visage marqué par la souffrance.

«N'attendons pas qu'il revienne pour faire la paix.»

Émilie fait oui de la tête, pose le front sur l'épaule de la femme de Charles.

*

Gabrielle s'est endormie, malgré le grondement des avions qui traversent le ciel pour aller larguer leurs bombes sur l'Allemagne. Delphine s'assied près d'elle, pose une main sur ses genoux. La mère de Paul ouvre un œil, soupire.

« Qu'est-ce que tu veux ?

— Tu ne m'as jamais parlé de ton réseau. »

Son amie la fixe, sourcil froncé, comme on regarde un enfant qui pose des questions assommantes. Un bref sourire, sans joie. C'est comme ça depuis des mois : un semblant de sourire éclaire parfois le visage fermé sur ses secrets. Elle repousse la main posée sur ses genoux, montre le bas de sa jupe souillé de boue. « Tu vas te salir.

— Tant pis. Réponds-moi.

— Si tu n'étais pas toi, je prendrais mes cliques et mes claques et mon fils et je foutrais le camp.

— Oui, mais je suis moi et tu vas rester. »

Gabrielle est trop épuisée pour discuter. Elle hausse les épaules, se lève. « D'accord. Viens dans l'écurie, il faut que je te parle. J'ai besoin de ton aide.

— Très bien, mais avant tu vas me dire ce que tu fais.

— Je fais de mon mieux.

— C'est tout ? » Delphine se fâche. « Tu me prends pour une idiote, Gabrielle ? Tu me prends pour une idiote qui croit que tu passes tes nuits à Liège avec un amant ? »

Gabrielle ne s'attendait pas à une telle remarque. Mais la question détend l'atmosphère, elle sourit. « Tu me prends pour la Sainte Vierge ? Ça m'arrive, qu'est-ce que tu crois ?

— Je suis contente pour toi. Et les autres nuits ?

— Les autres nuits, je compote », assène Gabrielle.

Le mot estropié sonne si comiquement dans la cour qu'elles éclatent de rire. Toute la tension des derniers mois s'évapore, pendant ces quelques secondes. Firmin sort de l'écurie, les examine avec une curiosité offensée, comme si cette explosion de gaieté le blessait personnellement. Puis il rentre chez lui, mécontent.

« Raconte, dit Delphine. Raconte-moi, Gabrielle.

— Mon père est dans le réseau depuis le début. Et moi depuis qu'ils ont créé le front de l'indépendance à Liège. C'est le pasteur qui m'a appris à falsifier les cartes d'identité, puis il m'a envoyée chez un imprimeur pour rédiger les tracts. J'écris aussi des trucs pour un journal. Et tu veux savoir la meilleure ?

— Oui.

— Nous sommes inscrits au parti communiste.

— Quoi ! »

Devant le regard consterné de Delphine, qui ne sait rien du communisme sauf qu'il faut s'en méfier comme de la peste (c'est que dit le père de Charles), elle ajoute : « Tu imagines, si ton calotin de beau-père savait ?

— Mais…

— Mais quoi ? » Elle secoue la tête, excédée. « Tu ne sais même pas ce que c'est !

— Mon beau-père…

— Ah oui, ton beau-père ! Tu sais ce que le pasteur dit de lui ? Que sa foi repose sur deux valeurs sûres : Jésus-Christ et l'étoffe. »

Le soleil brille sur les pavés de la cour. Gabrielle laisse courir son regard sur les champs, un peu plus loin ; les hirondelles volent haut, une belle soirée en perspective.

« Tu veux que je te raconte, pour Aline ?

— Je sais déjà tout ça.

— Un Allemand dissident a pris contact avec mon père. C'était un marchand qui livrait des vivres aux postes frontières. Il lui a dit qu'il allait prêter sa voiture au mari d'une Juive, qui se ferait passer pour son remplaçant, avec papiers et tout. Il préférait risquer de perdre sa camionnette que de se faire prendre avec une Juive. La femme a traversé la route pendant que le mari buvait un coup avec les gardes. Nous l'attendions de l'autre côté. Elle nous est arrivée pleine de boue, avec son gros ventre et un petit sac. Elle n'a pas dit un mot jusqu'au coron, elle pleurait.

— N'use pas ta salive pour rien, Aline m'a tout raconté. Ce n'est pas ça que je veux savoir.

— C'est mon père qui l'a accouchée. Il a sorti l'enfant, coupé le cordon, balancé le moutard par les pieds jusqu'à ce qu'il crie. Mon père le pasteur. Puis il l'a baptisé ! Je n'en revenais pas. Il transgressait les règles ! Chez nous, on ne baptise pas tout de suite, on attend que l'enfant soit assez grand pour choisir. C'est drôle parce qu'Aline nous a dit, une fois que tout a été fini, baptême et tout, qu'elle commençait à se sentir Juive!

— Tu essaies de me distraire avec une histoire que je connais déjà. Je veux que tu me dises ce que tu fais d'autre. »

Gabrielle hausse les épaules. « On coupe des fils, on envoie des messages radio, on prépare des actions… La routine. Bon, maintenant que je t'ai tout dit, entrons dans l'écurie, j'ai quelque chose à te demander. Firmin est au courant.

— Et ton fils?

— Après. »

Gabrielle l'entraîne vers le coin où se trouve la table de Firmin. Il est là, devant son café qui refroidit.

« Deux hommes ont été parachutés. Ils en ont pris un. Je voudrais que tu caches l'autre.

— Où est-il?

— Au temple. On ne peut pas le garder plus longtemps. Tu as vu où vivait mon père, et il y a toujours des paroissiens au temple. Tout ce que nous demandons, c'est que tu le caches ici le temps qu'ils arrêtent les recherches. Après, nous l'aiderons à rejoindre le Corps 02 à Bruxelles. Il faudra y aller un jour où les Alliés ne bombardent pas Bruxelles. Nos groupes savent. Je te préviendrai la veille.

— Moi?

— Toi. »

Firmin écoute, figé dans une sainte trouille.

La promesse faite à Charles comprend-elle le fait de refuser d'aider la Résistance? Non. « Amène-le cette nuit.

— Très bien. Maintenant, allons voir les enfants. »

Au milieu de la cour, Gabrielle s'arrête, prend Delphine dans ses bras. « Tu es mon amie, ma sœur. » Delphine, qui ne s'attendait pas à cette effusion, ne bouge pas, attentive, émue, embarrassée. Devant la porte, Gabrielle lui serre la main. « Il y a une chose que je ne t'ai pas dite.

— Quoi?

— Je suis fière de Charles. »

Trois jours plus tard, après une perquisition ratée dans les écuries (le parachuté a été « introduit » dans une cache aménagée sous le sol du fournil où, de toute façon, la bonne odeur du pain frais enlève aux soldats tout sens des responsabilités), Delphine amène leur invité, portant perruque blonde et habillé en femme, dans une maison de Bruxelles qui sert de poste de transit aux envoyés des renseignements.

Elle ira ensuite dormir chez Armand et Rosy. Son père a le cœur fatigué, elle veut passer une soirée avec lui, et avec le petit monde de la rue de la Vallée.

Sur la route, elle montre aux patrouilles le vieux laissez-passer remis à jour par le père de Gabrielle expert en faux papiers, augmenté d'une lettre dactylographiée indiquant que la détentrice de l'Ausweis est accompagnée de sa servante, Suzon Beulemans. Les plantons inspectent le document et, penchés à la vitre, regardent la grosse femme blonde qui dort, le nez écrasé contre le cuir de la banquette. Une tape sur la voiture, on peut continuer. Les soldats sont détendus, ils chantonnent, flânent, se reposent : les derniers Juifs belges ont été déportés en septembre, et on leur a dit qu'aujourd'hui il n'y aurait pas d'alerte.

La traversée de Bruxelles, dans les rues désertes, se fait comme dans un rêve, un rêve gris et sec, sans autre bruit que le ronronnement de la Packard. La ville est à pleurer. Les bombardements alliés ont détruit des maisons. Deux cents personnes tuées en septembre, et ça continue. Les gens qui ont peur de se cacher dans leur cave se réfugient dans les tranchées creusées dans les parcs, où il n'y a plus un seul banc, où toutes les branches basses ont été coupées : l'hiver est terrible et il n'y a plus de charbon.

Delphine jette un coup d'œil au passager. Incroyable, il dort pour de bon ! Elle lui touche l'épaule, lui dit qu'il est temps de se réveiller, qu'on est arrivé. Il ouvre les yeux, étire bras et jambes, pousse un profond soupir.

Elle rassemble ses quelques mots d'anglais pour lui dire que son mari ingénieur a quitté la Belgique pour aller soutenir l'effort de guerre à Londres. L'homme l'observe, sourcils froncés, tandis qu'elle articule péniblement sa phrase. Il ne peut pas lui répondre, bien sûr, mais il aimerait la rassurer. Il met une main sur la poignée de la portière, baisse la tête, réfléchit un moment, puis : « *We indeed need them.* »

Delphine voudrait le retenir, c'est la première fois qu'elle peut parler de Charles, et cet homme sait, elle en est sûre, ce qu'il est allé faire là-bas. Alors, rassemblant tout son courage : « *Why do you need them?* »

Il regarde le visage inquiet, sourit encore, cherchant une réponse réconfortante.

« *Well, because they're useful!* »

Bien sûr, c'est tout ce qu'il peut dire, Delphine le sait. Tout est secret. Il est sans doute là pour transmettre, en langage codé, des messages à des gens qui lui répondront dans la même langue. Il la remercie, sort de la voiture. Elle fait de même, sans réfléchir, avec l'envie de lui dire que, tout de même, il pourrait se montrer moins réticent avec une femme qui prend des risques pour lui depuis quatre jours. Puis elle réalise qu'elle se conduit comme l'aurait fait sa mère qui, toujours, obéissait à ses pulsions, avec emportement et, parfois, avec un sens du drame (ou de la comédie ou de la farce) qui les mettait dans l'embarras, Armand et elle. Mais elle n'est pas Alma, et sa colère retombe lorsqu'elle regarde l'homme à perruque blonde – qui ferait bien d'entrer tout de suite dans la maison, car son déguisement, dans la lumière du matin, n'est plus du tout crédible. Les lèvres généreusement peintes s'étirent ; il fait un geste de regret, émet un son incompréhensible, une onomatopée d'espion. Souriant, il se penche vers elle, l'embrasse sur les deux joues, comme une grosse dame plantureuse embrasse sa belle-sœur qui la ramène au bercail. Mais le visage désolé l'émeut. Il attrape Delphine aux épaules, lui tapote affectueusement le dos. « *I can't say more, dear.* »

Puis, souriant : « *But where there is a will, there is a way.* »

Elle ne répond pas, elle n'a pas compris.

Il pousse la porte, mais avant de la refermer, ajoute, dans un français très approximatif :

« Ne prenez aucun risque. »

Les mêmes mots que ceux prononcés, quelques mois plus tôt, par le colonel Schröder.

41

IRÈNE

Irène arrive au 453 à onze heures. Que Herr Spitz lui ait dit de venir le voir à la Gestapo ne l'inquiète pas, ce n'est pas la première fois. Une Fräulein la fait asseoir sur une des chaises alignées contre le mur. La partie sera difficile, cette fois, il s'agit de sauver deux femmes et un homme, pour lesquels on vient tout juste d'inventer un poste à la filature. Irène vient de passer deux heures avec un des responsables des textiles, qui l'a aidée à préparer le laïus technique destiné à convaincre Herr Spitz de la nécessité de garder les trois employés.

L'attente est plus longue qu'à l'habitude. Aussi sourit-elle, soulagée, lorsque, une demi-heure plus tard, Herr Spitz sort du bureau. Son sourire se fige lorsqu'elle constate qu'il est en grand uniforme et qu'un soldat le suit avec une mallette. Inquiète, elle se lève, fait un pas vers lui. D'un geste de la main, il l'arrête, la fixant dans les yeux sans desserrer les dents. Qu'est-ce que j'ai fait? se demande-t-elle. Simple réflexe, elle sait très bien ce qu'elle a fait, ce qu'elle fait depuis deux ans. Mais qui me dit que c'est contre moi qu'il est en colère? Il est peut-être contrarié de devoir partir et d'abandonner ses pitits plats fins.

Ou alors il regrette de m'avoir parlé de son ami juif…

Irène s'efforce de répondre au regard glacé avec une expression étonnée, peinée. «Herr Spitz, bonjour…, articule-t-elle. Vous partez? J'était venue vous remercier de…»

Il lève à nouveau la main et, sur un ton coupant, lui enjoint de se taire. Il lui dit qu'un autre officier va la recevoir. Lorsqu'elle veut s'enquérir de son nom, il l'interrompt d'un geste impatient et, sans la saluer, répond que le commandant est tout à fait capable de se présenter lui-même. Il disparaît. Irène jette un coup d'œil à la Fräulein, la femme pique du nez sur sa machine à écrire.

Une autre heure d'attente, puis la secrétaire la fait entrer dans une pièce où un militaire inconnu ne l'invite pas à s'asseoir, ne la salue pas. Il ne lève même pas la tête. Debout près de la porte, la peur au ventre, Irène le regarde signer les documents que la femme a déposé devant lui. Un SS de l'ordre noir, tiré à quatre épingles, comme ils le sont tous. L'opposé de Herr Spitz. Grand, mince, traits accusés, beau. Les deux éclairs sur le col, la croix de fer sous la glotte. La casquette à tête de mort est posée sur le bureau, le manteau de cuir noir sur une chaise. Ce qui veut dire qu'il ne fait que passer. Elle ne voit que ses paupières mais sait déjà que l'œil ne peut-être que d'acier, quelle que soit sa couleur. On est loin de l'œil bleu et candide de l'apprenti cuisinier.

La séance de signature est terminée. L'officier s'appuie au dossier du fauteuil, relève lentement la tête. Il examine Irène des pieds à la tête, comme pour se faire une idée personnelle de la femme que son collègue lui a décrite. Puis, sans préambule, il lui dit qu'il a fait enquête et qu'il s'avère que plusieurs personnes dont elle a plaidé la cause auprès de Herr Spitz ne faisaient pas partie de l'usine de textiles *avant*.

Pas de préambule, mais une conclusion, qui tombe comme un couperet : elle a trompé la bonne foi allemande, la bienveillance allemande, l'honnêteté allemande. Irène vacille sur ses talons hauts, ses joues s'empourprent, elle lutte contre un absurde sentiment de culpabilité. L'homme semble apprécier le spectacle.

« Alors, madame Desmarais, quelle fable allez-vous nous conter aujourd'hui ? Parlez. Je suis tout oreille. »

Irène improvise une explication qu'elle sait minable, se trouble, bafouille. Il l'interrompt.

« Parlez plus distinctement. Et dépêchez-vous, je n'ai pas de temps à perdre. »

Il lui a parlé en français, elle répond en allemand : « Je voudrais m'expliquer pour ces personnes. »

L'homme se lève, frappe du poing sur le bureau. « Ne me parlez pas dans ma langue. Ne me mentez pas dans ma langue. »

La réaction est si violente qu'elle se tait, paralysée, bien qu'elle ait envie de s'enfuir à toutes jambes. Mais elle sent bien que l'« entretien » n'est pas terminé. Une autre secrétaire entre, tend un document à l'officier. Il le parcourt lentement, s'interrompant de temps à autre pour la regarder. Il y a plusieurs feuillets, la lecture est interminable. Irène a tellement mal aux pieds qu'une seule pensée finit par dominer : si je ne m'assieds pas, je vais tomber dans les pommes.

L'homme se lève, contourne le bureau, lui met les documents sous le nez.

«Les résultats de l'enquête.»

Avec horreur, Irène voit les noms d'une vingtaine de personnes que l'usine a engagées pour les sauver du STO.

«Ne croyez pas que cela va s'arrêter là, dit doucement l'homme, nous allons remonter plus haut. Nous allons faire la lumière sur vos agissements et ceux de votre compagnie.»

Irène pense à Jules-Henry Durant, à Charles, à Delphine.

«La manufacture n'a rien à voir là-dedans, dit-elle précipitamment. La famille Durant ignore tout. Je suis seule responsable. Ils ne savent rien. Tout se passe à Bruxelles.

— Bien sûr, bien sûr, et vous allez me dire que l'homme dont vous êtes la maîtresse ne sait rien non plus.»

Il reprend nonchalamment sa place.

«C'est exact, il ne sait rien, j'ai toujours agi seule.»

Le commandant bondit, se précipite vers elle; elle lève un bras pour se protéger. «Baissez ce bras, ce n'est pas moi qui suis chargé de vous faire parler.» Il la domine de toute sa hauteur. Comme elle a peur de lever la tête, elle a le nez presque collé sur sa poitrine.

«Maintenant, répétez ce que vous venez de me dire.»

Elle rassemble les forces qui lui restent pour lever la tête et le regarder. «J'ai toujours agi de mon plein gré. Je suis seule responsable!

— Intéressant.

— Je le jure.

— Vous êtes bien généreuse, madame, mais c'est trop tard. Et vous n'écoutez pas. Je viens de vous dire que nous avions fait enquête. Ne soyez pas stupide, ne vous obstinez pas dans ces serments misérables. Nous avons fait enquête, nous avons les noms. Presque tous les noms. Et à l'heure qu'il est, ces personnes sont peut-être déjà dans un train pour l'Allemagne, où nous leur réservons bien sûr un régime particulier.» Il contourne le bureau, reprend sa place et, ignorant totalement la présence d'Irène, prend une plume et commence à écrire.

Je suis faite. Pourvu que Jan ait eu le temps de les prévenir! Mon Dieu, et si… Elle imagine les hommes de la Gestapo sonnant rue de la Vallée, Jan qui n'a pas le temps de fuir… Ils arrêtent Armand. Il faut que je sorte d'ici, il faut que je coure là-bas. Rosy m'aidera, et Karl, et Évangélisto. L'officier écrit toujours.

«Puis-je m'en aller? murmure-t-elle.
— Non.»

Cela veut peut-être dire qu'ils n'ont pas pris Jan. Qu'il veut me cuisiner pour que je lui dise où il est. Pourvu qu'il soit au maquis. Elle regarde l'officier penché sur ses papiers. Qu'est-ce qu'il attend? Qu'on vienne me chercher pour m'emmener à la cave? Si je reste debout trois minutes de plus, je vais tomber.

«Puis-je m'asseoir?
— Non.
— Mes pieds me font mal. Je vais m'évanouir.
— Vous allez vous évanouir parce que vous avez peur, dit-il nonchalamment.
— Non, c'est parce que mes chaussures me font mal.»

Il lève un œil amusé. «Montrez-moi ça.
— Pardon?
— Montrez-moi ça!»

Il tapote le bureau. «La jambe sur la table! Allons, plus vite, Schnell!»

La surprise passée, Irène s'approche, pose les mains sur le bureau. La colère vient de venir à sa rescousse, elle se penche et, regardant l'homme droit dans les yeux: «Vous aimez ça, n'est-ce pas?
— Énormément.
— Vous pouvez tout vous permettre et vous aimez ça.
— Exact.»

Le visage du commandant s'éclaire, se fait jovial. «C'est un de nos grands plaisirs, dans cette Occupation: nous pouvons tout nous permettre. Et nous prenons notre temps. Rien ne presse, voyez-vous, la machine est en marche et écrase inexorablement ceux qui nous défient.» Le français de ce salaud est parfait. Une sueur froide coule dans le dos d'Irène. Mais elle soutient le regard fixé sur elle.

«J'attends!» dit-il.

Elle ne bronche pas. De toute façon, elle a trop mal pour lever la jambe. Si je reste sur un pied, je vais m'étaler par terre. Le sourire du SS disparaît, fait place à une froideur brutale: «Allons, cette jambe! Plus vite!»

Elle se rend compte qu'elle n'a pas le choix. Dans un effort surhumain, appuyant sa cuisse droite au bureau, elle lève la jambe gauche et tape sa chaussure de toutes ses forces sur une pile de documents. La poussière de la rue se répand sur le papier blanc, l'officier ne sourcille même pas. Il regarde le soulier, les ongles vernis de rose. «À la bonne heure. Maintenant, tournez légèrement votre jambe. Non, pas de ce côté-là. De ce côté-ci. Montrez-moi ce joli mollet.»

Elle s'exécute, raclant la feuille avec son talon. Il se penche. «C'est astucieux, ce trait pour simuler la couture du bas. Je peux toucher?

— Non.

— Vous avez raison. D'ailleurs, je n'ai nulle envie de toucher une putain belge.»

Irène accuse le coup en silence.

«Vous avez terminé?

— Oui. Vous pouvez disposer.»

Irène vacille, prend à nouveau appui sur le bureau pour ramener son pied à terre. Je m'en vais, je sors de cette pièce, je saute sur mon vélo et je pédale comme une folle jusqu'à la rue de la Vallée. Elle fait un pas vers la sortie.

«Où allez-vous?

— Vous m'avez dit que je pouvais...

— Disposer? Oui, mais cela voulait dire disposer de votre pied.» Il tapote la pointe d'un coupe-papier sur la table. «Je n'ai pas terminé.

— Que voulez-vous?

— Tout d'abord, que vous reculiez.»

Irène est dans un tel état d'épuisement, de peur, de désespoir, qu'elle obéit sans répliquer.

«Bien, bien. Je peux maintenant contempler l'ensemble de la personne.»

Envie de se rouler sur le sol en hurlant. Non, je vais me coucher par terre et ne plus bouger. Qu'il fasse ce qu'il veut, je m'en fiche. Il peut me donner des coups de bottes, je ne réagirai pas. Qu'il me fasse traîner dehors par ses larbins, qu'il me jette à la rue, ça m'est égal. Je jure que si j'avais une arme, je le tuerais. Même avec un couteau. Je lui planterais le couteau dans le ventre, non, entre les deux yeux, puis dans le ventre, puis je lui crèverais les yeux.

«Allons, reculez», répète-t-il d'un ton suave. «C'est la dernière faveur que je vous demande, je vous en fais le serment.»

Elle recule, jette un regard à la porte, prête à bondir.

«*Halt!*»

Elle se fige.

«Très bien, ne bougez plus.»

Les yeux de l'officier s'arrêtent sur la toque de fourrure, la jupe un peu courte, la veste ajustée... Il appuie les coudes sur le bureau, pose le menton entre ses longues mains fines, poursuit l'examen, puis: «Chaussures de cocotte, chapeau de cocotte, allure de cocote.» Il repose les mains sur l'écritoire, le tapote du bout des doigts. Irène abandonne ses idées de meurtre pour faire une dernière tentative. S'efforçant de ne pas boitiller, elle s'approche du bureau, y prend appui. La douleur est devenue insupportable. «Commandant, je vous jure que mon ami n'y est pour rien. Je vous affirme que j'ai agi seule.

— Trop tard.

— Quoi?

— Il a été arrêté il y a une heure.»

Dans son épouvante, elle fait glisser des papiers par terre. «Ramassez!

— Vous ne pouviez pas faire ça!

— Bien entendu.» Ses lèvres s'étirent. «Nous arrêtons qui nous voulons, vous devriez le savoir. Ramassez!

— Je vous en prie, écoutez-moi!

— Ramassez ces papiers, ensuite restez à distance.» Souriant benoîtement, il ajoute: «Soyez une cocotte respectueuse.»

C'en est trop. Irène n'a plus qu'une envie, trouver les mots qui blessent. Elle ramasse les papiers éparpillés, les jette sur le bureau. Il suit tous ses gestes. Elle respire profondément pour amplifier sa colère, et: «Vous faites erreur, commandant, les cocottes, ce sont les femmes qui vous rendent visite dans les appartements réquisitionnés de l'avenue Louise.»

Il ne sourcille pas. Elle le fixe droit dans les yeux, elle n'a plus peur. «Je m'entendais très bien avec Herr Spitz, et vous savez pourquoi? Parce que Herr Spitz est un homme bien élevé.»

L'homme sourit comme si le compliment s'adressait à lui. «Nous sommes tous bien élevés, mais pas avec ceux qui nous trahissent.» Il se penche et, rangeant les papiers éparpillés sur le bureau: «Au fait, vous avez oublié de me faire part de votre requête. Quelle était-elle, aujourd'hui?

— La requête ne vous était pas destinée. Elle était pour le commandant. Et ce n'était pas une requête. Je voulais le remercier, car il a toujours été bon pour moi. Mais puisqu'il n'est pas là, je m'en vais.»

Il la regarde, ravi, enjoué, tandis qu'elle fait un pas vers la sortie. Irène sait qu'il ne la laissera pas sortir, que ses sbires sont postés derrière la porte et n'attendent qu'un ordre. Alors elle se ravise et, boitillant, revient sur ses pas. Toute réflexion, tout calcul, toute peur s'est volatilisée, elle n'a plus qu'une envie, un besoin incoercible : humilier cette crapule. Elle a le souffle court, mais elle sourit. « Et vous savez, commandant – je vous le rappelle au cas où vous l'auriez oublié – nos Alliés ont débarqué en Normandie. Vous vous souvenez du mystérieux message du 5 juin ? Non ? Pas possible ! Le message de nos Alliés ? Allons, un petit effort ! » Il s'approche, la main sur son holster. Je m'en fiche, je m'en contrefiche. Elle continue, provocante. « Le message de la BBC ? On a dû vous en parler, vous êtes si bien informé ! *Les sanglots longs des violons*... chantonne-t-elle, ça ne vous dit rien ? Vraiment rien ? » Il serre les dents, les muscles de ses joues se crispent, il est blême. Elle aussi, mais elle arrive quand même à produire un large sourire. « Et la suite, mon commandant ? Vous vous souvenez de la suite ? » Sa voix se casse, mais elle continue, plus fort : « ... *bercent mon cœur d'une langueur monotone.* »

Il sort son revolver, s'avance. Pourquoi ne tire-t-il pas ? C'est curieux, elle a soudain la sensation que Herr Spitz est entré dans la pièce et a mis la main sur son épaule. Comme un ange gardien.

« Conclusion : vous êtes foutus », parvient-elle encore à dire. Puis la trouille lui tombe dessus comme un coup de massue. Le SS contourne son bureau, se poste devant la fenêtre. Il lui tourne le dos.

« Puis-je m'en aller ? »

Il lui fait face, lentement. Son visage a retrouvé son expression sardonique. Elle voit bien qu'il a trouvé un moyen de la réduire, de l'écraser. Le contrecoup de son audace la fait chanceler, elle tremble.

« Bien sûr, madame Desmarais. Vous pouvez vous en aller. » Il remet posément son arme dans son holster, puis, très homme du monde :

« Une voiture vous attend dehors.

— Mais... j'ai mon vélo. » Elle crâne, mais elle sait que tout est fichu.

« Malines est un peu loin pour faire la route à vélo. » Il observe sa réaction avec un sourire cruel. « Nous allons vous y conduire. »

Irène réalise que tout ce qui vient de se passer n'était qu'un prélude au bouquet final : la double incarcération à Malines. Mais elle est trop affolée pour réagir. Il faut prévenir

Jules-Henry Durant. Mais comment? Il est le seul qui puisse faire quelque chose. À l'heure qu'il est, quel que soit l'endroit où Jan a été arrêté, Armand doit savoir. Et il saura que le pire est arrivé lorsqu'il ne la verra pas rentrer.

« Bon séjour à Malines, madame Desmarais, susurre l'officier. Qui sait, vous y retrouverez peut-être votre amant! Nous sommes très compréhensifs, nous ne séparons pas les gens qui s'aiment. *Les sanglots longs*..., chantonne-t-il. Ah, l'amour, toujours l'amour! Non, nous n'aimons pas séparer ceux qui s'aiment. Un grand voyage vous attend, un périple en amoureux! Vous verrez que nous comprenons la vie. Si cela ne dépendait que de nous, nous ne vous séparerions jamais! » Il frappe dans les mains. « *Bitte*! » Une Fräulein apparaît. Il lui dit, en allemand, d'appeler les gardes. Deux soldats entrent. Il désigne Irène d'un coup de menton.

« Caserne Dossin. »

*

Jan n'a pas été arrêté. Il a eu le temps de s'échapper grâce à Karl, qui a bondi au premier pour le prévenir. Il est sorti par la tabatière du grenier, a rampé jusqu'au toit voisin et a sauté sur un balcon. Puis il s'est laissé glisser le long de la gouttière et s'est caché dans un sous-sol. Karl a rôdé dans la rue jusqu'au couvre-feu, mais n'a pas vu Jan ressortir par le soupirail où il était entré. Il s'en est approché à plusieurs reprises pour l'appeler, mais n'a pas eu de réponse.

Le lendemain, Armand part pour Liège afin d'informer Jules-Henry Durant – revenu de Roubaix où il a passé deux jours avec des confrères des textiles – de l'arrestation d'Irène et de la disparition de Jan. Le patron de la filature arpente son bureau, furieux. Il ignorait tout des « agissements » de Jan de Meester. Il se sent trahi. En outre, comme il n'a de contact qu'avec la Wehrmacht, il se demande ce qu'il pourrait faire pour Irène. « Très franchement, mon cher, je trouve que votre sœur et ce de Meester ont fait preuve d'une inconséquence! Ne restez pas ici, allez m'attendre à la métairie. Nous sommes dans de beaux draps. » Il court à la Kommandantur. Un officier de la Wehrmacht l'envoie à la Gestapo, où on lui dit qu'Irène Desmarais est à Dossin – ce qu'il annonce sans ménagement à son frère. « Dossin, c'est pour les Juifs, ce qui ne présage rien de bon. » Mort d'angoisse, Armand le supplie de retourner à la Gestapo pour spécifier que sa sœur n'est pas Juive. «Je vais faire une dernière tentative, dit Jules-Henry, mais j'ai bien peur que notre famille n'ait à souffrir de tout ceci. Je vais voir ce que je peux faire, mais je vous préviens, je ne mettrai pas ma belle-fille et mes petits-enfants en péril.» Delphine court chez l'Oberst Schröder, qu'elle croit tout-puissant. Depuis l'épisode de l'avenue Louise, elle a perdu toute méfiance envers cet homme, cet Allemand. Il sauvera Irène.

Il accepte de l'aider, lui donne un permis de visite. Pour la mi-août et pour elle seule.

Entre-temps, Jan a réapparu devant une épicerie, plus exactement dans la queue où Rosy attendait son tour, pour lui dire qu'il prend le maquis. Il a ajouté que tout serait bientôt fini.

À Dossin, on fait attendre Delphine dans une salle avec quelques visiteurs serrant sur leurs genoux le colis préparé pour leur prisonnier. Impossible de leur parler pour glaner des informations, des SS allemands et flamands se promènent devant les bancs, gueulant *Ruhe!* au moindre chuchotement. Delphine attend trois heures, puis on l'amène dans une autre salle où elle a à peine le temps de remettre à Irène le colis de nourriture et de cigarettes et de lui dire que Jan n'a pas été arrêté. Irène n'a pas été maltraitée, ni interrogée. On lui a pris ses papiers, son argent et sa montre, mais on l'a laissée tranquille, ce qu'elle ne comprend pas. Un gardien lui a demandé ce qu'elle faisait là, «il n'y a que des youpins ici». Elle croit que quelqu'un la protège, peut-être Herr Spitz. Avant que Delphine ne s'en aille, elle lui répète la même phrase que celle de Jan à Rosy. «Tout sera bientôt fini.» Lorsque Delphine lui demande ce qu'elle veut dire, elle met un doigt sur les lèvres et se contente de répondre: «Il y a du va-et-vient, je crois qu'ils font leurs bagages.»

Armand et Rosy l'attendent dans la voiture. Delphine n'arrive pas à rassurer son père. Il veut aller voir le fameux Herr Spitz, dont sa sœur leur a si souvent parlé. «C'est ça! crie Rosy, tu veux te faire arrêter toi aussi! C'est un Allemand, cet homme, et ce n'est pas parce qu'il offrait de la choucroute à ta sœur qu'il va prendre des risques pour elle!» À bout de nerfs, elle se tourne vers Delphine: «Parle-lui, toi! Tu vois bien qu'il perd la raison!»

Armand finit par admettre qu'une visite à Herr Spitz n'est pas une bonne idée.

42

ODILE

Samedi soir après la chasse

Un des meilleurs moments dans cette calamité de guerre, c'est la chasse aux poux. Les poux qu'on attrape à l'école, où maman veut qu'on aille de temps en temps à cause de notre monsieur Georges Dupont pour qu'il garde le moral. Alors on y va, et malgré qu'on ne s'assied pas près d'un qui se gratte, on en attrape car ces animaux font des bonds. On est tous dans la même classe, donc mon amie Bernadette est là, avec ses anneaux et quelques douzaines d'habitants sur la tête. Et elle m'en passe une douzaine car on a toujours tout partagés. Laissez-moi rire. La consolation des pleins de poux, c'est le samedi, quand Rosy arrive avec papi et, après trois jattes de café, place un carton blanc sur une chaise et nous assiet (moi d'abord, ensuite Lolotte, ensuite Paul) sur une autre chaise devant la chaise où les poux vont tomber la gueule ouverte avec un râââââ d'épouvante. On penche la tête au-dessus du carton, et Rosy commence à peigner avec le peigne à poux. Déjà c'est un gros plaisir parce que Rosy peigne doucement. On attend, le cœur battant, la dégringaulade du premier, on regarde la feuille avec passions car le premier est toujours un gros. Et voici le grand moment. Le mollusque gris et poilu tombe, plouf, avec un cri d'agonie car il sait que c'est sa fin dernière. Un deuxième pou tombe, un troisième, une douzaine si on a de la chance. Et chaque pastille grise est écrasée sans pitié par l'ongle rose bonbon de Rosy la tueuse. Nous, on a des frissons partout, des bons frissons de plaisir et le crâne chaud comme une bouillotte et on voudrait que ça ne s'arrête jamais.

Mais ce n'est pas tout, les amis, car il y a les larves.

J'explique pour les pas forts en sciences naturelles et pour les chauves de naissance. Car il y a aussi des chauves pour cause de poux, donc ceux qu'on doit raser jusqu'à l'os parce qu'ils n'ont pas de peigne à poux ou parce qu'ils n'ont pas de tante avec ongles assez longs car pour la larve il faut gratter.

La larve du pou ressemble au pou mais sans pattes et sans poils. La larve est un œuf qu'on ne mange pas à la coque. Ah ah, je ris. La larve attend bien cachée sans se faire remarquer. La larve n'est pas seule car elle est entourée de ses frères et sœurs comme un chapelet de petits œufs. Ils se serrent les uns contre les autres en tremblant car ils n'ont plus de maman pour les protéger car elle a péri sous l'ongle de l'exterminatrisse. Pour l'opération larvicitte, on s'assied par terre sur un coussin et on met sa tête entre les cuisses de Rosy qui inspecte notre crâne comme une glaneuse dans les champs. Elle écarte les mèches une par une, pianote sur notre crâne, puis tout à coup s'arrête et gratte avec l'ongle de son petit doigt. Je les tiens, crie-t-elle. Et la tueuse de poux crique craque croque en chantant la Brabançonne.

Dimanche après-midi

On continue à aller à la messe. Grand-père Jules-Henry et grand-mère Émilie viennent nous chercher et en route pour Liège. Maman vient aussi pour pas qu'on la critique. J'aime l'église pour voir des gens et pour écouter l'orgue, mais ce que j'aime encore plus c'est après quand on va manger une couque (une seule en ces temps de guerre) au café.

Maintenant, j'ai quelque chose à dire et comme dit Jan je persiste et signe.

Le bon Dieu me tape sur les nerfs.

Pourquoi?

Parce qu'il est dans une église au lieu d'être sur le champ de bataille avec nos soldats. Et parce qu'il ne réexpédie pas les ennemis boches à leurs maisons avec des coups de pied au cul. Oui, j'ai bien dit au cul, avec les assassins on peut. Le curé dit qu'il peut tout faire, ce Dieu de mes deux (ça aussi on peut): parader à l'église et les ave, les hôpitaux et les blessés, les cimetières et les morts.

Ce serait donc un homme à tout faire? Laissez-moi rire. Moi j'ai le regret de dire que pour moi ce n'est pas un bon Dieu, c'est un n'impotre quoi qui se foute du monde et n'a pas de jugote. Ce qui me ferait lui pardonner, c'est qu'il envoie un éclair foudroyant sur le fou allemand. C'est simple, personne serait accusé et on dirait c'est la colère du ciel et ça serait une bonne leçon pour ceux qui veulent prendre les pays des autres pour que nos pères deviennent des forçats et nous les jeunes filles des femmes teutonics. Jan a dit ça à papi et papi a dit oui donc c'est vrai.

Soir

Rosy nous a amené un chien de ses voisins condamné à mort (le chien) par l'occupant. D'abord c'étaient les pigeons parce que les pigeons sont des porteurs de lettres. On a donc trois chiens mais il faut les cacher quand les soldats viennent chercher leurs œufs. Même si ce sont en générale des gros bêtas, ils pourraient se dire qu'il y a anguille sous roche. Rosy nous a montré l'ordonnance allemande. Je recopie : TOUS LES CHIENS DEVRONT ÊTRE DÉCLARÉS PAR LEUR PROPRIÉTAIRE AU BOURGMESTRE COMPÉTENT. LE NOM ET L'ADRESSE DES PROPRIÉTAIRES, LA RACE, LE SEXE ET LA COULEUR DU CHIEN AINSI QUE LE PEDIGREE ÉVENTUEL ET LA HAUTEUR PRISE À L'ÉPAULE DEVRONT ÊTRE INDIQUÉS SUR UNE FORMULE SPÉCIALE.

Je suffoque de rage.

D'accord, mais comment sais-tu qu'ils veulent les tuer ? a dit Rosy. J'ai répondu je le sais, c'est tout, que veux-tu qu'ils fassent avec eux, une exposition de chiens ? Puis j'ai couru dans ma chambre pour me coucher sur le ventre parce que j'avais la colique, et Charlotte est venue et m'a dit de ne pas m'en faire parce que les propriétaires de chiens vont les porter à la campagne. Oui, mais il y en a des millions, j'ai dit. Non, pas des millions, tu exagères, Odile. Des milliers, ça oui, mais pas des millions. Tu as mal au ventre ? Tourne-toi, je vais le frotter. Alors je me suis mise à pleurer à cause de la gentillesse de ma sœur et du malheur des chiens.

Jeudi

Maman est encore à Bruxelles. En plus de consoler Lolotte qui n'arrête pas de pleurer, je dois aider grand-mère qui vient préparer à manger. Aujourd'hui elle m'a dit prend le balai ma petite fille et balaie la cuisine. J'ai répondu grand-mère je ne suis pas une serfe taillable et corvéable à merci. Mais je l'ai quand même fait parce qu'elle a mal au dos. Grand-père est venu et a l'air contrarié. Il a pris Lolotte sur ses genoux et serré la main de Paul en lui disant tu es un homme maintenant. Puis il est reparti pour son usine où il doit tout faire tout seul maintenant que mon père est avec ce profiteur de de Gaulle.

Tante Gabrielle n'est pas là pour faire son devoir de mère parce qu'elle lutte pour chasser la botte allemande.

Lundi soir

Grand-mère arrêtait pas de dire pauvres petits, pauvres petits en lisant le journal de grand-père. Comme ça m'énervait j'ai demandé de quels petits il s'agisait. Elle a répondu de tous les petits enfants de la guerre en général.

Mon œil.

Les enfants de la guerre tu les connais même pas, j'ai dit.

Grand-mère : Mais que veux-tu dire Odile ?

Odile : Tu ne connais même pas ceux du village.

Grand-mère : Et les cadeaux de Saint-Nicolas aux enfants de l'usine ? Et les dringuelles de bonne année ?

Odile : C'est pas toi, c'est grand-père.

Du coup elle m'a envoyée réfléchir dans ma chambre.

Avant de sortir, j'ai encore dit : et j'aime pas quand t'appelles Firmin mon brave.

Dans ma chambre le soir

Je regrette d'avoir fait de la peine à ma grand-mère mais c'est parce qu'elle m'énerve avec ses histoires.

Sans ma mère et mon père, c'est pas une vie.

Encore dans ma chambre

J'essaie d'écrire un poème sur ma mère mais y a rien qui vient. Vite qu'elle revienne car j'en peux plus. Paul est à l'écurie et quand je suis allée le voir il bouchonnait Dilon et ne voulait pas parler. On était tous les deux inquiets pour nos deux mères et je voulais qu'on parle mais pas lui.

Je suis assise sur l'appui de fenêtre. J'ai juré à Lolotte que je ne bougerais pas jusqu'à ce que je voie l'auto de grand-père entrer dans la cour avec ma mère et je l'espère mon papi, Rosy, et même Jan et tante Irène. Lolotte m'a dit tu ne vas pas dormir là quand même. Si, j'ai dit en prenant mon oreiller. Grand-mère a évidemment demandé que fais-tu là, alors j'ai fait semblant de me coucher dans mon lit puis je suis revenue. Lolotte a dit je vais faire une prière au bon Dieu pour qu'elle revienne vite. Moi je ne demande plus rien au bon Dieu. Je veux plus rien avoir à faire avec ce Jean Foutiste. Mais je n'ai rien dit à cette gamine car elle est trop jeune.

Qu'il fasse son devoir et on verra.

Maman toujours pas rentrée

Je me suis réveillée tôt et dans mon lit car ma grand-mère est venue pour nous border et m'a vue prête à tomber de l'appui de fenêtre. J'ai demandé si maman était revenue et elle a dit ma petite Odile tu sais très bien que maman ne rentre que demain matin. Du coup je lui ai demandé pardon d'avoir été méchante et elle m'a dit ce n'est rien mon enfant je sais que tu te tracasses pour ta maman.

Cette grand-mère est parfois intelligente, faut pas désespérer.

On est demain matin et j'attends pendant que Lolotte dort encore. C'est comme ça les petites sœurs, elles dorment pendant que les grandes sont éveillées pour attendre leur mère.

43

DELPHINE

Paul, Charlotte et Odile continuent à grandir à l'abri de la guerre, dans la grande salle de jeu qu'est la métairie. Ils ont manqué les trois derniers mois d'école. Trop d'électricité dans l'air. Depuis le débarquement de Normandie, les Allemands sont agités, désorganisés, revanchards et aux aguets. Les patriotes mettent les bouchées doubles. Gabrielle distribue des tracts de plus en plus provocants. Le jour, elle aide son père, le protestant austère qui n'aurait jamais pensé, quand il parlait de vérité à ses ouailles, qu'il fabriquerait un jour de faux papiers. La nuit, elle retrouve ceux et celles dont elle partage l'obsession : chasser, harceler, tromper l'envahisseur. Elle s'efforce d'être présente le mercredi à la métairie, comme elle l'a promis à Delphine, mais la femme qui prend place à la table du souper a l'esprit ailleurs. La militante a le visage émacié, l'œil trop brillant, mais elle ne parle plus à son amie de ce qu'elle fait ou a l'intention de faire.

Aidée par sa belle-mère, avec laquelle elle s'est réconciliée, Delphine a installé une salle de classe au premier étage. Les enfants ne fréquentent l'école que deux jours par semaine. Il faut rattraper le temps perdu. Tout cela n'est pas très sérieux et ressemble aux grandes vacances, mais on apprend un tas de choses quand même. À quatre heures, une fois livres et cahiers refermés, un éboulis d'enfants et de chiens dévale l'escalier, traverse le couloir et se répand dans la cour. Les journées sont paisibles, à croire qu'il n'y a pas la guerre. Trois fois par semaine, deux soldats allemands – toujours les mêmes – viennent chercher le lait et les œufs. Ils n'ont pas l'air féroces. Ils regardent ailleurs, embarrassés, quand Delphine remplit leur cruche. Un jour, l'un d'eux lui chuchote : « Bientôt fini, madame. »

Un matin, rompant son silence, Gabrielle annonce à Delphine qu'elle part en mission et ne reviendra que dans quatre jours. Son amie n'essaie pas de savoir en quoi consiste cette mission, elle aurait l'impression d'y participer, manquant ainsi à la parole muette donnée à Charles. Elle laisse aller Gabrielle, se contentant de lui demander si elle n'a besoin de rien, de lui dire d'essayer de manger un peu, de dormir un peu, car elle n'a plus figure humaine.

«Il n'y a plus rien d'humain, répond Gabrielle en enfourchant son vélo. Il n'y a plus que des assassins, des traîtres et des planqués.»

*

Un frôlement, un souffle, la sensation d'une présence réveillent Delphine. Elle se redresse, fouille des yeux la pénombre de la chambre.

Paul est debout près du lit, habillé, béret sur la tête, bottines à la main. Elle jette un coup d'œil au réveil. Une heure du matin. «Paul! – Ça va, ma tante, ne vous inquiétez pas. Mais il faut vous lever.» Elle tend la main vers la lampe de chevet.

«N'allumez pas.

— Paul, qu'est-ce qu'il y a, tu es malade? Pourquoi es-tu habillé?

— Parce qu'on doit aller quelque part. Levez-vous, ma tante, il faut y aller tout de suite et c'est loin.

— Qu'est-ce qui est loin?

— La grange.

— La cabane où vous allez jouer?

— Oui.»

La grange est à cinq cents mètres de la métairie. Personne n'y va à part Odile et Paul. Ils l'appellent leur repaire. Charles l'y a emmenée quand ils étaient fiancés, c'est la vieille cabane de son enfance. Delphine s'assied au bord du lit, enfile machinalement ses socquettes.

L'idée de dire non à Paul ne lui vient même pas à l'esprit: avec Armand, Paul est l'être le plus raisonnable qu'elle connaisse.

«Pourquoi veux-tu aller là-bas?

— Je vous le dirai en marchant.» Il lui tend sa robe.

En s'habillant, elle aperçoit le grand cabas de Rosy près de la porte, et une boîte entourée d'une ficelle. «Qu'est-ce que c'est?

— À manger, de l'aspirine, des bougies et une couverture.»

Mon Dieu, par pitié, ne me dites pas qu'il fait comme sa mère!

«Ce n'est pas ce que vous croyez, ma tante.» Puis: «Ne mettez pas vos souliers tout de suite. Il ne faut pas réveiller les filles.»

Elle le suit dans l'escalier. Ils sortent, se chaussent, traversent la cour. Sentant leur présence, l'étalon de Charles donne un coup de sabot sur le mur de son box. «Vite! dit Paul. Firmin pourrait sortir.»

Un petit chemin bordé d'églantiers traverse le champ, menant à la fameuse grange. «Heureusement qu'il y a pleine lune. C'est pour ça que j'ai attendu cette nuit. Comme ça on n'a pas besoin de lampe. Avec une lampe, on se ferait repérer.»

Le petit concentré de Charles et de Gabrielle, quinze ans, ouvre la route, béret enfoncé sur la tête. Il écarte les branches épineuses pour en préserver sa tante, les maintient avec le cabas pour qu'elle puisse passer, puis reprend la tête. La grange n'est plus très loin, son contour biscornu – le toit est ensellé – se profile dans la lumière laiteuse. Delphine s'arrête. «Pourquoi va-t-on là-bas, Paul?

— Parce qu'il y a deux Allemands dedans.»

De surprise, elle se fige. Puis elle s'assied sur le talus.

«Il ne faut pas avoir peur, ma tante. Ils sont comme nous, ils n'aiment pas les Boches. Relevez-vous, on n'a pas le temps de traîner, ils attendent.

— Qu'est-ce que tu veux dire, ils sont comme nous? Tu veux dire qu'ils se sont enfuis? Paul, ta mère est au courant?»

Le gamin ne répond pas.

«Tu peux me le dire, de toute façon, je finirai par le savoir.»

Paul fait non de la tête.

Je suis fatiguée, se dit Delphine. Et je n'ai pas envie de rencontrer des Allemands. Et je me fiche que deux soldats «comme nous» aient décidé de déserter. D'abord ils nous envahissent, ensuite il faut les cacher! Non, c'est non, je suis fatiguée, très fatiguée. Elle se lève, attrape le bras de l'adolescent. «On rentre. Il n'est pas question que tu me fasses rencontrer des Allemands, nous avons déjà assez de problèmes avec eux.» Paul se dégage, s'éloigne de quelques pas.

«Oui, ce sont des Allemands, mais ils sont malheureux et ils meurent de faim.» Puis, comme si cela pouvait la convaincre: «Il y en a un qui parle français.

— Pourquoi ont-ils quitté leur régiment?

— Parce qu'ils ont peur.

— De quoi ?

— Je ne sais pas, ils ne l'ont pas dit. Mais je les crois.

— Tu crois quoi, puisqu'ils ne t'ont rien dit ?

— Je crois que ce sont de bons Allemands, voilà.

— Et tu crois que les mauvais Allemands ne vont pas les retrouver, Paul ? Réfléchis, tu crois qu'ils ne vont pas nous retrouver, nous aussi, par la même occasion ? »

Il soupire. « Ma tante, il y a trop longtemps qu'on parle, il faut y aller, maintenant.

— Tu as raison, il faut y aller. Aller à la maison, nous remettre au lit, et ne parler de ça à personne. As-tu pensé à ce qui nous arriverait si la Gestapo savait ? Réponds, Paul, tu y as pensé ? » Il ne répond pas. Bien sûr qu'il y a pensé. Raisonnablement. S'ils n'y vont pas, les soldats mourront de faim, puis l'un d'eux sortira et viendra demander à manger à la métairie. C'est là que tout se gâtera, et pour tout le monde. Conclusion : il faut leur apporter la nourriture à la cabane. Paul ramasse le paquet, le cabas, fait quelques pas en direction de la grange, puis se retourne.

« J'ai simplement pensé que je devais les aider. Et maintenant j'y vais. »

Inutile d'essayer de l'attraper, il court plus vite que moi. Delphine regarde la silhouette qui se découpe sur le ciel grisâtre. Paul avance lentement, le poids de ses fardeaux l'oblige à se courber. Elle se lève, court derrière lui, saisit le cabas.

« Ma tante, qu'est-ce que vous faites ?

— Je t'aide, tu vois bien. »

L'intérieur de la grange est plongé dans l'obscurité. La fenêtre, au-dessus de l'évier, ne laisse passer qu'un rai de lumière. Paul entraîne Delphine vers une flamme qui vacille dans un coin. Un homme se lève précipitamment. Mon Dieu, c'est vrai, c'est un Allemand, se dit-elle en reconnaissant l'uniforme. Un autre personnage est couché, le visage éclairé par la chandelle posée sur un seau retourné. Il est très pâle. Il grelotte, malgré les deux manteaux militaires qui le couvrent. L'autre se frictionne les bras sans rien dire, un œil inquiet posé sur Delphine. Il va tomber malade lui aussi, il faut qu'on leur apporte une grosse veste à chacun. Paul sort deux pulls du cabas.

« Heureusement qu'on a apporté une couverture, dit-il, il va pouvoir récupérer son manteau.

— Si j'avais su, j'aurais préparé une bouteille thermos avec du lait chaud, tu aurais dû me le dire, Paul. Il a peut-être besoin de pénicilline. Il m'en reste de la dernière otite de Charlotte, on pourrait la lui donner, de toute façon ça ne peut pas lui faire de mal. Et ces bougies, c'est très dangereux avec tout ce foin ! Si le feu prenait, on verrait la fumée jusqu'à Liège. Il faut qu'on trouve autre chose que des chandelles. Il y a une lampe-tempête à l'écurie, on va la prendre. » Delphine se tait, étourdie par le flot de paroles qui vient de lui échapper. Paul sourit, soulagé.

« Firmin s'en apercevrait. »

Le malade se soulève sur un coude, regarde Delphine avec stupéfaction.

« C'est lui qui parle français ?

— Non, madame, c'est moi », dit l'autre.

Delphine rougit, elle vient de se rendre compte qu'elle ne s'adressait qu'à Paul, comme si ces soldats n'étaient que des objets. « Bonjour, comment allez-vous ? » dit-elle stupidement à l'homme qui vient de parler. Paul étouffe un rire.

« C'est parce que je ne sais plus où j'en suis », bredouille-t-elle.

« Il y a de quoi, madame », dit cérémonieusement le soldat.

Le malade a laissé retomber la tête sur la botte de foin qui lui sert d'oreiller. L'autre lui dit quelques mots en allemand, rassurants, sans doute, car il ferme les yeux. Paul défait le paquet, en retire une couverture et la tend au soldat. Tous les gestes s'accomplissent calmement, sans précipitation, comme dans une vraie maison. Il y a une tasse en fer sur le seau retourné. Delphine sort deux aspirines du tube que Paul a apporté, va remplir la tasse à la pompe au-dessus de l'évier de pierre. Un bras autour de la nuque du malade, elle l'aide à boire. Il est brûlant. « Ça va vous soulager », chuchote-t-elle. Dieu merci, ils ont de l'eau. Charles lui a dit que l'endroit était utilisé autrefois par le fermier pour y engranger du foin ; c'est là que les moissonneurs mangeaient quand le soleil était trop fort. Quand je suis venue ici avec Charles, l'oncle Maurice nous suivait de près, tout ce qu'on a eu le temps de faire, c'est boire à la pompe et nous embrasser. Est-ce qu'il y a emmené Gabrielle ?

Tandis que ces pensées se bousculent dans sa tête, elle sort la nourriture du cabas : du pain, de la margarine, un pot de confiture, deux pommes et, dans un poêlon, une sorte de brouet : le restant des deux lièvres chassés par Firmin et cuisinés en gibelotte par Rosy. En pompant de l'eau, elle a reconnu deux assiettes de la maison sur l'évier, et des couverts.

« Demain, nous leur apporterons des vêtements et nous emporterons les leurs pour les brûler. »

À la vue de la nourriture, le soldat se penche sur son compagnon, l'aide à se redresser.

« Quand les as-tu trouvés ?

— Il y a quatre jours. Mais ce n'est pas moi qui les ai trouvés.

— Qui ?

— Odile.

— Quoi ?

— Elle a juré de ne rien dire.

— Oui, Paul, mais elle va vouloir venir, tu la connais ! »

Il hausse les épaules. « De toute façon, c'est trop tard. »

Assise sur un tabouret de traite, Delphine regarde l'homme valide couper la viande en petits morceaux pour son compagnon, avant de lui donner la becquée. Ses gestes sont doux. Lorsque l'autre repousse sa main, rassasié, il savoure le lièvre froid en silence, recueilli, trempant le pain dans la sauce visqueuse. Demain ils mangeront chaud, se jure-t-elle. Paul sourit, il est content, il sait que sa tante a pris les choses en main. Étonné, ému, il regarde l'homme avaler l'affreux brouet.

« Il avait faim, commente-t-il.

— Comment les a-t-elle trouvés ?

— On jouait dans le champ. »

Rappel brutal de la situation. Delphine pense à Odile, sa petite fille téméraire et bavarde.

« Elle ne dira rien, dit Paul.

— Ce n'est qu'une enfant.

— Treize ans, ma tante, c'est presque deux fois l'âge de raison. Et je lui ai dit que c'était un secret. Elle ne dira rien, je vous assure, même pas à papi Armand. »

Il raconte, pendant que le déserteur mange. La grange est leur quartier général, à Odile et lui, c'est ici qu'ils amassent les papiers argentés des radars. Il y a quatre jours, Odile est venue parce qu'elle avait soif. Il l'a entendue crier. Quand il a vu les uniformes, il a supplié les soldats de ne pas leur faire de mal, leur promettant de ne rien dire à personne, même pas à leurs parents, et de leur donner tout ce qu'ils voudraient. Le soldat qui parle français lui a répondu qu'ils avaient seulement besoin d'un peu de nourriture, et de bougies pour s'éclairer le soir, et que s'il revenait, lui, le garçon, ils lui expliqueraient tout, mais qu'il ne fallait surtout pas qu'il les dénonce. En digne fils de Gabrielle, Paul a répondu qu'il n'avait jamais dénoncé personne.

La nuit suivante, il leur a apporté à manger, et des bougies. Puis il a attendu les explications promises. Paul et le soldat se sont assis de chaque côté de la paillasse du malade. Il se sentait bien avec ces hommes, celui qui parlait le français disait qu'ils avaient été forcés de faire la guerre mais qu'ils la haïssaient. On leur faisait chanter des chants terribles qui ne parlaient que de tuer. Ils s'étaient rencontrés ici, en Belgique, ils étaient dans le même régiment. Otto avait très vite compris que Manfred détestait cette guerre autant que lui. Un jour, en quittant le mess des soldats, sur le chemin qui les ramenait à la maison réquisitionnée où ils habitaient, ils avaient décidé de s'enfuir. Otto faisait partie du groupe qui avait démoli le faux mur de la sellerie. En transportant les gravats, il avait aperçu une petite porte au fond de la cour. Il l'avait ouverte et avait vu la grange. Ils avaient décidé d'attendre une absence du major pour fuir. Mais quelque chose était arrivé.

« Quoi ? » a demandé Paul.

C'était la première fois qu'il voyait un Allemand rougir.

« Manfred était triste et j'ai voulu le consoler.

— On ne peut pas consoler, chez vous ?

— Pas comme ça.

— C'est quoi comme ça ?

— Je l'ai embrassé. »

Otto a baissé la tête. Le malade les regardait avec de grands yeux tristes. Paul était perplexe.

« C'est grave de s'embrasser ?

— On ne s'embrasse pas dans l'armée allemande. »

Paul n'avait pas compris tout de suite. Ce n'est qu'une fois rentré à la métairie qu'il s'est souvenu d'une conversation qu'il avait surprise entre Jan et Charles. Jan disait que la police allemande arrêtait les homosexuels. Il avait demandé ce que ça voulait dire. Charles était embarrassé. C'est Jan qui lui avait expliqué : ce sont des hommes qui aiment les hommes et pas les femmes. Bien sûr il n'avait pas compris tout de suite, il avait fallu d'autres explications, que Jan commençait chaque fois par tu es un homme, maintenant – ce qui compliquait tout d'une façon incroyable. Le choc avait été dur, surtout lorsque Paul avait pensé à son grand-père. «S'il savait de quoi on parle en ce moment, il aurait une attaque.»

Maintenant, les soldats et lui parlaient d'homme à homme. Il avait posé des questions. Pourquoi l'armée allemande a-t-elle envahi un pays neutre? Pourquoi les Allemands ne voient-ils pas que cet homme qui hurle est fou à lier? Pourquoi acceptent-ils que ce fou les envoie se faire tuer ou geler raide en Russie? Est-ce que les Allemands sont bêtes? Pourquoi cet homme, cet Hitler, a-t-il ordonné à ces soldats de massacrer tous ces gens en Pologne, en Russie et ailleurs? Puis il a demandé aux déserteurs s'ils avaient tué, eux aussi. Le malade s'est mis à pleurer. L'autre a placé une main sur son épaule, puis a expliqué à Paul que son ami venait d'être affecté à un peloton d'exécution. C'est pour ça qu'ils étaient partis – et à cause du baiser, bien sûr –, bien décidés à se cacher jusqu'à la fin de la guerre.

«Mais c'est quand, la fin de la guerre?

— Je ne sais pas, a dit Otto, mais ça ne durera plus longtemps.»

Il est trois heures, il faut rentrer à la métairie. Le malade s'est endormi. Son compagnon dit à Delphine qu'il a peut-être une idée pour résoudre leur problème à tous, mais qu'il doit y réfléchir avant de lui en parler. Ce disant, il effleure la nuque du jeune homme endormi. C'est un geste troublant. Elle regarde la main qui caresse et, pendant un moment, ne sait que dire, mais tout semble si évident, si irrésistible qu'elle sourit à l'homme qui, confiant, lui dit qu'il est touché, infiniment touché par son courage, et par le courage de Paul.

«Paul est un homme», murmure-t-elle.

Puis, en son for intérieur: c'est incroyable, le fils de Charles est déjà un homme.

44

ODILE

Samedi

Paul ira là-bas cette nuit avec maman qui a tout prévu. Comme c'est un secret je n'en dis pas plus.

Je voudrais tout de même dire que c'est moi qui a tout découvert et c'est pas pour me vanter.

Paul et moi on parle beaucoup maintenant qu'on a un secret de guerre, mais il faut attendre que la petite dorme car elle pousserait des cris et irait tout dire à grand-mère. D'une certain façon nous somme des héros car nous sauvons des ennemis de l'Allemagne même s'ils n'en ont pas l'air.

Mais motus.

Je me suis disputée avec Comme en 14 qui prend des airs alors qu'il sait rien du tout. J'ai dû me pincer pour pas lui dire, mais noblesse oblige.

Soir

J'ai invité mon amie Bernadette à venir dormir à la maison mais elle est malade. Ma mère est plus triste qu'avant et c'est à cause de mon père qui n'a envoyé qu'une seule lettre depuis son départ chez de Gaulle. Et qui n'était pas dans le débarquement sinon il serait déjà ici. Il est temps que cette occupation finisse parce qu'on est à bout. J'ai même envie d'aller à l'école: incroyable mais vrai.

Pendant ce temps-là, Lolotte s'occupe de sa Bécassine, qui est une idiote finie.

Ma grand-mère est déprimée parce qu'elle a fini tous ses stérélisés, même les navets.

J'ai demandé à ma mère pourquoi on n'allait pas dans les Ardennes, elle a dit on n'a pas la tête à ça en ce moment, Odile, essaie de t'occuper.

Dimanche après la messe

Le curé est un imbécile heureux.

Dimanche soir

On a écouté Ici Londres avec Comme en 14. Il a dit ça touche à sa fin madame Charles.

Nuit tout le monde dort et pas moi

J'ai été chercher Fu dans la cuisine. Il dort maintenant dans mon lit ce qui est interdit à cause des poils. Mais ça m'est égal j'ai besoin de mon chien pour tenir le coup dans cette noire nuit de misère. Lolotte a ouvert les yeux en dormant et a dit avec une voix d'autre tombe le père Fouettard va me découper en tranches pour faire du petit salé.

J'irai pas remettre Fu dans la cuisine au matin car je ne serai pas réveillée et que ça m'est égal que maman me gronde car c'est mieux que rien.

Lundi

Bernadette est très malade.

45

DELPHINE

Les événements se chevauchent, se mêlent comme dans un cauchemar dont on ressort furieux de n'avoir rien compris. On sait que les Alliés repoussent les occupants vers leur frontière, qu'un déluge de feu tombe sur l'Allemagne, mais la Belgique est toujours occupée. Les Allemands passent chaque province au peigne fin pour y trouver les Juifs qui ont échappé aux rafles ; ils traquent les « terroristes » qui, ils le savent, frapperont jusqu'à ce qu'ils aient quitté le pays.

Le seul Juif encore présent à l'hôpital se remet lentement d'une grave brûlure. On l'a isolé dans une chambre, ses plaintes sapaient le moral des autres malades. Il s'est brûlé au ventre en tombant contre une paroi de fonte, à l'aciérie. Quand il ouvre la bouche, c'est pour demander si sa femme va venir. Mais sa femme a été embarquée. Seule. Comme elle savait qu'*ils* viendraient, elle avait envoyé les enfants chez le curé. Ils sont vivants, en bonne santé, ceux qui les cachent sont de braves gens. On annonce la bonne nouvelle au père, mais il ne veut pas ses enfants, il veut sa femme. Il supplie. On lui répond qu'il ne peut pas encore avoir de visites, mais qu'elle viendra aussitôt qu'il retournera dans la grande salle.

Delphine enlève le pansement imbibé de pus, nettoie la plaie au savon liquide, un affreux mélange de savon vert et d'alcool, mais c'est efficace. Le sexe du pauvre homme pend entre ses cuisses. Elle frissonne chaque fois qu'elle le voit : il a rétréci, et la circoncision n'en est que plus visible. Il détourne la tête quand elle le lave, il a honte.

Elle essaie de le distraire, parle de la débâcle allemande qui arrive à grands pas, du bel automne qui s'en vient, lui dit qu'elle compte bien le voir à la métairie, quand il sera guéri, avec sa famille. Ce disant, elle couvre le ventre du blessé de gaze imbibée de pommade, emballe délicatement le pénis. « Ça me soulage, chuchote-t-il. Ma femme pourra bientôt venir ? »

La sœur en chef passe la tête à la porte, fait signe à Delphine. Visage crayeux, elle montre le rideau qui pend à l'entrée de la grande salle. « Ils sont là. »

Quatre SS vont d'un lit à l'autre. Deux du côté des hommes, deux du côté des femmes et des enfants. Ceux qui s'occupent des hommes soulèvent le drap qui les recouvre, claquent des doigts. Les patients comprennent très vite : ils remontent leur chemise. Il n'y a pas de Juifs dans la salle, Delphine et sa compagne le savent, et elles ne pensent qu'à l'homme brûlé. De l'autre côté, les SS se penchent sur les femmes, les enfants, approchent le nez des visages épouvantés, comme s'ils les flairaient. L'un d'eux demande les papiers. La sœur va les chercher dans le tiroir du bureau qui se trouve au bout de la salle. Il les étale sur un lit, sort une loupe de sa poche, explique qu'il est expert en faux papiers... Elle lui répond que ce n'est pas la peine de se donner tant de mal, qu'il n'y a pas de clandestins ici. « Bien entendu. Et pas de Juifs non plus ! » Il ne trouve rien, repousse les cartes, dit à ses hommes de fouiller partout, de la cave au grenier, en prenant bien leur temps. En attendant, il s'assied sur le lit d'une petite fille blonde, lui caresse le visage, sort un caramel de sa poche. La fillette sourit, il a l'air si bon, si gentil. Elle tend timidement une menotte vers la main qui agite le bonbon. Il le déballe, le lui met dans la bouche, lui tapote le crâne.

Un de ses sbires revient et lui parle à l'oreille. L'officier se lève, agite un doigt grondeur vers la religieuse, tend une main vers le rideau.

« Après vous, ma sœur. »

Delphine a appelé un infirmier pour l'aider à emporter le blessé dans une autre pièce, un débarras où l'on met le linge sale. Ils le soulèvent, se dirigent vers la porte. Trop tard, le SS est campé devant, tapant joyeusement sa cravache sur sa botte. Delphine et son aide restent figés sur place, incapables de faire un mouvement. D'un geste du menton, l'officier leur fait signe de déposer leur fardeau. Le blessé gémit, essaie d'attraper le drap pour se cacher. L'autre hoche la tête, réjoui, salue Delphine comme s'il appréciait la bonne surprise qu'elle lui a faite. Il s'avance vers le malheureux, pince la gaze entre deux doigts, découvre le ventre couvert de mercurochrome. Les yeux horrifiés du malheureux suivent tous ses gestes. La sœur chef entre, essaie de s'interposer. « Il vaut mieux ne pas toucher la plaie, monsieur l'officier, le ventre est gravement atteint.

— Comme c'est dommage! susurre-t-il. Je compatis.»

Il regarde le pansement enveloppant le pénis de l'homme. «Déballez-moi ça, ma sœur.» Elle blêmit. «Pour l'amour de Dieu, monsieur l'officier, ne faites pas ça!» supplie-t-elle. Le médecin entre. «Que se passe-t-il?» Le SS lève une main pour le faire taire. La religieuse se penche, déroule le pansement de gaze. Le sexe apparaît, elle se détourne. Le SS éclate de rire. «Regardez!» crie-t-il, triomphant. Puis il se tourne vers la religieuse et, lentement, posément, pose une main sur sa nuque, la force à se baisser, écrase son visage sur les parties génitales de l'homme. «Lèche, tu vas voir comme c'est bon du Juif.» Elle se débat, il la maintient des deux bras. Le médecin tente d'intervenir, il le menace. Une des sœurs tombe à genoux, se met à prier à voix haute. Le SS l'imite, tout en maintenant la religieuse. Après une dernière poussée, il la lâche. Elle se redresse, visage meurtri, gonflé. Sa cornette est tombée, découvrant son crâne rasé. L'officier claque des doigts à l'intention du sbire qui vient d'entrer et attend devant la porte. L'homme s'approche, charge le malade sur son dos comme un sac de patates.

Delphine se précipite vers la religieuse, essaie de lui remettre sa cornette. La sœur la repousse, s'avance vers l'officier. L'homme la regarde des pieds à la tête, content de ce qu'il voit: une femme chauve, ravagée, une amie des Juifs qu'il vient de punir. Elle soutient son regard.

«Dieu, dit-elle, ne vous pardonnera pas.»

*

La scène de l'hôpital hante Delphine. Mais il faut continuer. Préserver les petites et Paul, nourrir les déserteurs, ne pas pleurer à cause de Charles, accepter de ne voir son père que toutes les lunes, ne pas se languir de Rosy, se dire qu'Irène sera bientôt libérée, grâce à Schröder, que Jan va réapparaître, que Gabrielle arrivera demain, ou après-demain, en annonçant qu'ils sont partis et qu'elle n'a plus aucune raison de les quitter. Chaque soir à dix-neuf heures quarante-cinq, collée au poste du grenier avec Firmin et les enfants, elle écoute la voix belge de Radio Londres avec l'espoir secret, le fol espoir, l'espoir insensé d'entendre la voix de Charles.

Les nouvelles sont bonnes, mais les occupants sont toujours là.

« Mais pourquoi ne partent-ils pas ? demande-t-elle à Firmin.
— Parce que chez eux c'est l'enfer. »

Les jeunes soldats qui viennent aux provisions sont nerveux ; Delphine, qui en a pitié, leur offre parfois une tasse de lait, qu'ils boivent en jetant des coups d'œil furtifs autour d'eux, comme s'ils craignaient un guet-apens. Ils ont raison, les résistants mettent les bouchées doubles, des pylônes s'effondrent, des mines sautent sur les lignes ferroviaires réservées à l'ennemi. Les soldats allemands n'osent plus monter dans les trams de peur de se faire poignarder. Delphine se dit que Gabrielle et ses « terroristes » ont beaucoup à faire : les places fortes de la Gestapo grouillent d'officiers SS et de collaborateurs déterminés à imposer leur pouvoir tant qu'il est encore temps, les premiers avec une arrogance redoublée, les autres avec la hargne, la précipitation de ceux qui savent qu'ils auront bientôt des comptes à rendre. La Wehrmacht est toujours à la mairie, mais ses effectifs se sont réduits. Delphine a demandé un laissez-passer à Schröder pour une autre visite à Irène. Il lui a répondu que c'était inutile, que tout serait bientôt fini.

Fin août 1944, un mardi, un officier allemand et son chauffeur sont pris en embuscade à la sortie d'une agglomération et poignardés. Deux heures après la découverte des corps, une Mercedes et deux fourgonnettes de la Gestapo s'arrêtent dans la rue principale du village. Les gens sont terrés chez eux. Des SS sortent de la voiture, l'un d'eux avec un haut-parleur. Les conducteurs des fourgonnettes attendent, armés d'un fusil-mitrailleur. Lorsque tout est en place, l'officier au haut-parleur ordonne à tous les hommes de plus de seize ans de sortir. Il en choisit vingt au hasard. Dix par homme assassiné.

Lors de la dernière visite de Delphine à la grange, Otto lui a parlé de son plan. Il a étalé la carte d'état-major que Manfred a volée avant leur fuite et a pointé un nom du doigt : Wiltz, dans le grand-duché de Luxembourg. « C'est près de la frontière. Nous passerons à pied par la forêt des Ardennes. J'étudie cette carte depuis qu'on est ici, c'est le meilleur plan. » Une fois passé Wiltz, ils se sépareront et essaieront de rejoindre Ettelbruck, dans le grand-duché, où Manfred a des amis.

Delphine est persuadée qu'ils vont se faire prendre.

« Peut-être. Mais ici aussi. Et ici ce serait pire, car vous pourriez avoir des ennuis, de gros ennuis, et ça nous ne le voulons pas. Nous sommes décidés à essayer. D'autres l'ont déjà fait.»

Reste à obtenir deux Ausweise du colonel Schröder, le premier pour elle, le second pour Otto, au nom de Firmin. Manfred voyagera dans le coffre. Avec un Ausweis, Delphine en a fait plusieurs fois l'expérience, il n'y a pas de fouille.

L'assassinat de l'officier allemand et de son chauffeur retarde l'opération. Les risques, étant donné la nervosité des Allemands, sont plus élevés que jamais. Dieu merci, la grange échappe encore à leur attention. C'est la métairie qui leur paraît suspecte. Les Allemands n'ont pas digéré la disparition soudaine de Charles. Pour sauver les apparences, Jules-Henry a dû se désolidariser de son fils: il a juré aux occupants qu'il ignorait tout de ses projets (ce qui est vrai), que son départ l'a pris au dépourvu, que, la veille encore, Charles s'occupait de l'usine comme à l'habitude, que rien, absolument rien, ni dans ses paroles, ni dans son attitude, ne laissait présager une décision aussi contraire à... – le regard glacé de l'officier SS lui a dicté les dernières paroles – ... notre intérêt à tous. Il a néanmoins été harcelé – tout comme sa femme et Delphine, que les SS jugeaient sans doute plus faciles à impressionner.

Un matin, Schröder arrive à la métairie avec une douzaine de soldats. «Je suis désolé, mais je dois procéder à une vérification. J'ai réussi à me faire confier cette... tâche par la Gestapo. Eux ne vous ménageraient pas. Nous allons visiter l'écurie et les locaux attenants. Et votre logis.

— Ma maison?

— Oui.

— Vous allez effrayer mes enfants!

— Faites-les sortir.

— Dans le champ, comme les chevaux?

— Ne perdons pas de temps. Notre but n'est pas d'effrayer vos enfants, mais de voir si votre maison ne recèle rien qui soit offensif pour notre armée. Mes soldats vont visiter votre demeure et, croyez-moi, il vaut mieux que ce soient eux.» Puis: «Comment va votre protégée?»

Question providentielle!

«Justement, je me propose d'aller la voir, mais je voudrais emmener Firmin, l'homme qui travaille à l'écurie, j'ai besoin de lui pour des réparations dans la villa.»

Voilà pour le voyage des déserteurs amoureux.

Gabrielle ne donne pas signe de vie. Delphine est inquiète, bien que ce ne soit pas la première fois que la mère de Paul décide de rester chez ses «camarades». Elle sait qu'ils se retrouvent la nuit chez un imprimeur de Liège, où ils fabriquent ces pamphlets dont elle a vu un exemplaire un matin, au fournil. Elles venaient de vider un sac de farine dans le pétrin lorsque le bout de papier est tombé de la poche de Gabrielle. Celle-ci s'est précipitée pour le ramasser, mais Delphine a été plus rapide. Elle s'est approchée de la fenêtre pour lire.

Les doryphores...

C'était la première fois qu'elle voyait ce mot-là.

Gabrielle a saisi l'autre bord du feuillet et a lu à voix haute, joue collée à celle de son amie: «*Les doryphores ne nous auront pas... Ils ne nous suceront pas la moelle... On les écrasera, un à un. Belges, levez-vous, ralliez-vous, ensemble on sera plus forts.*»

Delphine s'est assise sur la portion de banc non occupée par le pétrin, le bout de papier étalé sur les genoux, essayant de se dire que ce n'était pas sérieux, que ces gens – Gabrielle et ses amis – avaient tout juste besoin de s'étourdir avec des mots. Firmin est entré et, après avoir jeté un coup d'œil au tract, a allumé le four et est sorti sans piper mot. Delphine en a conclu qu'il savait. Lorsque le four a commencé à chauffer, Gabrielle a déboutonné sa blouse, comme d'habitude, pour la laisser glisser sur ses hanches. Elle chantonnait. Delphine lui a demandé comment elle pouvait se montrer aussi insouciante.

«Tu sais très bien que je ne suis pas insouciante.

— Oui, mais tu mets la vie de ton fils en danger, tu mets nos vies en danger, tu mets celle de ton père en danger.

— Mon père n'a pas besoin de moi pour ça.»

Gabrielle a versé de l'eau sur la farine et commencé à pétrir. Un rayon de soleil entrait par la lucarne et caressait sa peau mate. Dans l'ombre, assise à l'extrémité du banc, Delphine regardait les taches de lumière danser sur les cheveux blonds de son amie, ses bras musclés, son menton volontaire, ses jambes cuites par le soleil. Elle avait chaud elle aussi, mais l'envie de laisser tomber sa blouse pour aller et venir en soutien-gorge ne lui venait même pas à l'esprit. Comme si toute cette lumière n'était pas pour elle, comme si ce soleil n'appartenait qu'à Charles, à Gabrielle, à Jan et à

Irène. Et à tous ceux qui marchaient, couraient, pédalaient, imprimaient, résistaient, distribuaient.

«Si tu m'aidais un peu, tu réfléchirais moins», a dit Gabrielle, tournant vers elle un visage moqueur. Puis: «Tu fais ta part, Delphine, si c'est ça qui t'inquiète. Tu as pris des risques, toi aussi.»

C'était vrai. Et Gabrielle ne savait même pas pour les déserteurs de la grange.

«Et Charles t'a confié nos enfants.

— Comment le sais-tu?

— Il me l'a dit.

— Depuis quand vous parliez-vous, Charles et toi?

— On se parlait pour l'essentiel.

— Donc, il savait...?

— Que je résiste? Bien sûr.»

Delphine a empoigné le bras de son amie.

«Tu savais qu'il allait partir?»

Comme Gabrielle ne répondait pas, elle a serré plus fort. «Tu le savais?

— ... Non.

— Tu as hésité avant de répondre.»

Gabrielle s'est laissé tomber sur le banc, a tapoté sa cuisse pour inviter son amie à s'y asseoir.

Ce que Delphine a fait, à contrecœur, méfiante.

«Non, je ne savais pas. Mais je n'ai pas été surprise.»

Un silence.

«Cela faisait des semaines que j'attendais qu'il le fasse.»

Delphine l'a repoussée, brutalement. «Pourquoi ne m'as-tu rien dit?»

Elles sont restées un moment à se regarder, Delphine, blessée, Gabrielle très calme, soulagée, sans doute. Après quelques minutes, elle s'est levée et a repris tranquillement le pétrissage, s'attaquant seule à la fournée. Delphine est sortie, a traversé la cour pour aller s'asseoir près de Dilon, dans la tiédeur de l'écurie. L'étalon de Charles la regardait en coin, soufflant doucement. Elle ne savait plus, ne comprenait plus. Depuis l'horrible scène de l'hôpital, où elle avait découvert une forme de cruauté dont elle ne soupçonnait même pas l'existence, elle ne comprenait plus rien. Tout avait été si facile, jusque-là: les occupants les laissaient vivre. Même le départ de Charles n'avait causé aucun remous, du moins à la métairie, et si son beau-père avait été questionné brutalement, il ne leur en avait rien dit. Bien sûr, la filature et le tissage tournaient pour les Allemands... mais le départ de Charles compensait pour cette collaboration. Et Gabrielle...

Comment ai-je pu lui dire qu'elle était insouciante?

Dans l'odeur bonne et forte de l'écurie, sa confusion a fini par se dissiper, elle s'est dit que son rôle à elle était de traverser cette guerre au jour le jour, de faire, au fur et à mesure, ce qui devait être fait. Dilon a émis un hennissement approbateur. Elle s'est levée, a posé la joue sur son encolure.

*

Le mercredi, la place de Gabrielle reste vide. Une fois les enfants au lit, Delphine prend son vélo et va au coron.

Il n'y a que quelques femmes au temple. Le pasteur officie. Il la voit, fait un signe de tête et reprend son prêche. Agacée, Delphine l'écoute parler de la prédestination et de la grâce. Le sempiternel refrain: Dieu décrète et décide. Est-ce Dieu qui a décrété que Charles rejoindrait de Gaulle, que Gabrielle se jetterait à corps perdu dans la résistance, que lui, le pasteur, encouragerait sa fille à mener cette vie? L'office se termine, il pose son livre sur le lutrin, descend les marches de l'autel. À voir son visage tendu lorsqu'il descend l'allée, Delphine se dit que son Dieu lui a prouvé, une fois de plus, qu'il décidait.

«Bonjour, pasteur.

— Gabrielle a été arrêtée.»

Elle chancelle, s'assied sur le banc contre lequel elle était appuyée. «Quand?

— Hier.

— Pourquoi n'êtes-vous pas venu à la métairie?

— Je viens de l'apprendre.

— Où était-elle?

— Elle se cachait dans les souterrains du château avec les deux autres.

— Quels autres?

— Ceux qui étaient avec elle.

— Avec elle pour quoi? Pour les tracts?»

Le vieil homme la regarde d'abord avec surprise, puis il secoue la tête.

«Pas pour les tracts?

— Non.

— Pour quoi, alors?

— L'officier et le chauffeur.»

Delphine se précipite à la mairie, demande à voir le colonel. Il est absent. «Où est-il?» ne peut-elle s'empêcher de crier. Goguenard, le planton lui répond que ce que fait leur Oberst ne regarde pas une femme belge. Elle demande où sont les prisonniers. Il lui dit de s'adresser à la Gestapo. Après deux heures d'attente dans le couloir de l'hôtel réquisitionné, on la fait entrer chez l'officier SS. C'est celui qu'elle a vu à l'hôpital. Il lui demande ce qu'elle veut. «Mon amie a été arrêtée, mais elle n'a rien fait.» La déclaration est si puérile qu'elle suscite un rictus chez son interlocuteur. «Comment le savez-vous?

— Je le sais.

— Et comment le savez-vous, *meine Dame*?

— Parce qu'elle était avec moi.

— Quand?»

Delphine réalise à quel point elle est stupide. Quand? Comment peut-elle le savoir? «Elle est souvent avec moi à la métairie, bredouille-t-elle. Nous nous occupons de nos enfants. Je suis la belle-fille de Jules-Henry Durant, de la filature.»

Il se lève. «Votre amie» – un temps – «“qui est toujours avec vous” est maintenant ici, dans nos locaux. Elle est accusée d'avoir assassiné un officier de notre armée et son chauffeur. Nous l'avons arrêtée avec ses complices. Et en ce moment, nous les questionnons.»

Delphine pâlit. Elle pense aux histoires qu'elle a entendues à l'hôpital – viols, fils électriques, ongles arrachés. «S'il vous plaît, elle n'a rien fait, relâchez-la, dit-elle d'une voix étranglée.

— Je vous en prie!» répond l'officier, la toisant comme si elle avait émis une inconvenance. Puis: «Il vaudrait mieux que vous cessiez d'insister. Vous risquez de devenir suspecte vous aussi.»

La menace est claire. L'homme se lève, l'entretien est terminé.

Quand Delphine arrive à la maison, Émilie, qui donne à manger aux enfants, lui montre la porte du salon. Jules-Henry est là, le teint cireux. C'est la troisième fois qu'elle le revoit depuis le départ de Charles.

«Non seulement vous poussez mon fils à risquer sa vie dans une folle entreprise, mais vous protégez des terroristes. Cette femme, qui ne nous a jamais causé que des ennuis, est impliquée dans l'assassinat d'un officier. Toute l'usine risque des sanctions – et vous savez ce que le mot sanction signifie. Comment avez-vous pu accueillir cette révoltée ? Regardez où nous en sommes, à présent. »

Et vous ne savez pas tout, pense Delphine : une mère juive et son bébé juif occupent votre belle villa des Ardennes. Cette pensée ne lui apporte qu'un soulagement passager. Mais son beau-père a raison sur un point, les ouvriers de l'usine risquent gros. « Comment pouvez-vous être si sûr qu'elle a participé ?

— Je n'en suis pas sûr, mais c'est ce qu'ils disent. Et pour eux, une simple présomption suffit, vous le savez bien. Et vous savez aussi qu'il n'y a pas de fumée sans feu. Vous leur fournissez toujours du pain et des œufs ?

— À qui ? » Un instant, elle a cru qu'il parlait des terroristes.

« Aux militaires.

— Oui.

— Doublez vos colis. Il faut tout faire pour les amadouer.

— Je vais manquer de farine.

— Je m'en occuperai. Ils sont venus fouiller ?

— Oui.

— Très bien, s'il y a le moindre risque, nous prendrons les enfants.

— Pardon ?

— Vous m'avez très bien compris : nous prendrons les enfants.

— Vous ne prendrez pas mes enfants.

— Ma chère, j'ai beaucoup plus de pouvoir que vous ne le pensez.

— Mes filles et Paul resteront ici.

— C'est ce que nous verrons. »

Delphine retourne à la Gestapo. L'officier SS lui dit de rentrer chez elle, il la menace, si elle revient encore, de l'enfermer dans un cachot comme la terroriste. Delphine s'effondre, supplie. Il lui dit que ses lamentations ne servent à rien. Puis il ajoute qu'il commence à se demander pourquoi elle risque ainsi sa vie.

« Mais parce que c'est mon amie et qu'elle n'a rien fait ! crie-t-elle.

— Vous perdez votre temps, dit l'homme. Nous avons des preuves. »

Elle court à la mairie, y trouve les hommes du colonel en train d'emballer du matériel. Lorsqu'elle demande à le voir, il ouvre la porte de son bureau, lui fait signe d'entrer. Elle le supplie de sauver Gabrielle. «Impossible, dit-il. Je vous ai permis de sauver votre protégée, je fais en sorte que votre tante ne soit pas envoyée dans un camp, mais je ne peux pas sauver une femme qui a tué un Allemand.

— Mais rien ne le prouve!

— Si.

— Elle l'a dit?

— Les spécialistes de la Gestapo savent faire parler les gens.

— Les gens avouent n'importe quoi avec leurs méthodes! Gabrielle n'a rien fait.»

Soupir d'agacement. «Écoutez, je comprends que vous vouliez sauver votre amie. Mais elle est coupable et vous le savez. N'en parlons plus.» Il ouvre un tiroir, y prend une enveloppe. «Voici les laissez-passer que vous m'avez demandés.»

Delphine lui arrache le papier des mains, puis elle prend une chaise et s'assied. Il se plante devant elle, bras croisés.

«Que faites-vous, madame Durant? Cet entretien est terminé. Levez-vous, je vous prie. Vous m'avez demandé deux laissez-passer, je viens de vous les remettre, nous n'avons plus rien à nous dire.»

Il est si froid qu'elle a presque envie de se sauver. «Je vous en prie, aidez-moi! crie-t-elle. S'il vous plaît.»

Il se trouble, elle voit bien qu'il est touché, que l'armure dont il s'est enveloppé est mince, qu'elle est prête à craquer.

«Écoutez-moi, madame Durant. Vous n'obtiendrez rien de la Gestapo. Écoutez-moi une dernière fois, et vous allez comprendre pourquoi vous ne pouvez rien obtenir. Voyez-vous, un certain Marshall Harris de la RAF est en train de détruire nos villes. Et pas seulement nos villes, mais tous ceux que nous avons laissés là-bas. Femmes, enfants, parents, grands-parents. Les raids sur Berlin n'ont pas cessé depuis le 18 novembre de l'année dernière. Il n'y a pourtant plus grand-chose à détruire, sauf peut-être quelques enfants qui jouent dans les ruines. Nous n'avons plus de musées, plus d'opéras. Cologne, Hambourg, Leipzig ont été détruites, et Dresde est rayée de la carte. Même les villages sont bombardés. Ces hommes qui ne veulent pas vous écouter, madame, ont sans doute perdu leur famille. Et s'ils ne l'ont pas perdue, ils savent que ça ne tardera pas. Le 27 novembre, plus de mille avions ont largué deux mille tonnes de bombes et de mines explosives sur Berlin. Berlin brûle. Et vous savez pourquoi?

— Les bombes, murmure-t-elle.

— Oui, et parce que les gens venaient d'acheter un peu de charbon pour l'hiver. Voilà, vous savez maintenant pourquoi il est inutile de retourner à la Gestapo, où personne ne vous écoutera.

— Mais vous m'écoutez, vous!

— Je n'ai pas encore perdu ma femme et mes filles.

— Mais c'est vous, les Allemands, qui avez voulu cette guerre.

— Oui, mais cela ne justifie pas le massacre d'innocents.

— Vous pouvez me jurer que vos SS et vos soldats n'ont jamais tué d'innocents?

— Je vous rappelle que je ne fais pas partie de la SS. Et en ce qui concerne l'armée, je ne peux évidemment rien vous jurer. La guerre est un fléau qui transforme les hommes en bêtes féroces.

— Mais pourquoi la faites-vous, cette guerre?

— C'est une tradition familiale.

— Vous ne croyez pas qu'il serait temps d'y mettre fin, à cette tradition?

— Cela, madame, ne regarde que moi et ma famille. Et, si je puis me permettre, nous nous égarons.»

Il se lève, claque des talons. «S'il vous plaît, mettez les laissez-passer dans votre sacoche. Je vous les donne volontiers, bien que je ne sois pas du tout convaincu qu'ils vous seront utiles pour les raisons que vous m'avez dites.

— J'ai besoin d'emmener un homme pour réparer des choses.

— Et votre fermier? Il ne sait pas réparer?

— Mais, mais… bredouille-t-elle, le fermier a autre chose à faire!

— Vous me jurez que vous n'avez pas d'autres plans? Dois-je me méfier de vous?»

Elle ne répond qu'à la seconde question. «Non, vous ne devez pas vous méfier de moi.

— Très bien, je vais essayer de vous croire.

— Et mon amie?»

Il fait non de la tête. «Je pourrai sans doute quelque chose pour votre tante, mais c'est trop tard pour votre amie.»

Delphine porte une main à son cœur, elle sent la vie se retirer de ses membres, son corps est si lourd qu'elle ne peut plus le porter. Elle se laisse aller contre le dossier de la chaise, renverse la tête en arrière. Schröder la considère avec un mélange de compassion et de colère, puis, patiemment: «Vous protégez une terroriste. Elle a tué un soldat allemand et son chauffeur. On l'a arrêtée et on la questionne. Elle avouera. Elle a probablement déjà avoué. Et si elle ne le fait pas, ses complices le feront. N'insistez plus. Ne jouez plus avec ma confiance. Vous êtes déjà allée trop loin.

— Non, crie-t-elle en se redressant, non!»

Il sourit, amer, ajoute: «Peut-être plus loin encore que je ne le soupçonne.» Il hausse les épaules, se dirige vers son bureau et, sans la regarder: «Allez-vous-en, maintenant. Et prenez soin des laissez-passer que je viens de vous remettre, car il n'y en aura pas d'autres. Je ne peux plus rien pour vous, madame Durant.

— Si!» crie-t-elle. Elle s'effondre, en pleurs, devant lui. «Je vous en supplie, ne la tuez pas.

— Encore une fois, je vous dis que cette femme est entre les mains de la Gestapo et que je ne peux rien pour elle.» Il lui saisit le bras, l'aide à se lever, puis, posément, contourne son bureau et reprend sa place. «Si vous voulez que les laissez-passer fassent effet, ne retardez pas votre départ. Dans quelques jours, je ne pourrai plus rien garantir. Partez demain.» Il saisit un dossier, l'ouvre et, sans la regarder:

«Je vous fais mes adieux, nous ne nous reverrons plus.»

Soudain, Delphine comprend pourquoi les soldats emballaient leurs équipements. Les Allemands sont défaits sur tous les fronts, son père le lui a dit. Elle regarde autour d'elle. Le lit de camp du colonel est replié, la table de travail vide. «Les gens disent...

— Ce que les gens disent ne m'intéresse pas.»

Elle s'appuie sur le bureau, se penche vers lui. «Günther, je vous en prie!»

C'est la première fois qu'elle prononce son nom.

Il n'est pas dupe, elle a honte de son procédé.

«Partez.

— Laissez-moi au moins la voir.»

Il se lève, se dirige vers la porte, l'ouvre. «Je vais voir ce que je peux faire. Adieu, madame Durant.»

*

Elle suit l'homme dans l'escalier menant au sous-sol de l'hôtel réquisitionné par la Gestapo. C'est un type blafard, qui a l'air d'être furieux, comme si on l'avait obligé à accompagner cette femme bien habillée, une sale bourgeoise qu'il a déjà vue, avant la guerre, dans le restaurant de ce même hôtel avec le fils à papa de la fabrique. C'est la femme du fils Durant, il se dit qu'elle a dû l'avoir facilement, son passe-droit pour aller consoler une traînée. Il y a un interrupteur à l'entrée de la cave, mais il n'a allumé que la lampe de poche qu'il tient à la main. Delphine trébuche sur une pile de récipients de métal, tombe, le bruit est affreux. L'homme la regarde se dépêtrer, sans intervenir, se contentant de diriger sur elle le faisceau de la lampe. Il y a plusieurs portes le long du couloir, derrière lesquelles on entend des bruits, des grattements, un gémissement et, tout à coup, un «s'il vous plaît» très audible. «Qu'est-ce que c'est?» demande-t-elle. L'homme ne répond pas, lui fait signe d'avancer. Comme elle ne bouge pas, il donne son ordre à voix haute. Elle découvre alors que c'est un Belge et lui demande ce qu'il fait là, avec des Allemands. «Ça ne vous regarde pas», répond-il. Il ouvre une des portes, braque la lampe sur une forme allongée par terre. Gabrielle. Des rais de lumière filtrent par les fentes des planches bouchant le soupirail. Delphine veut courir vers son amie, l'homme lui serre le bras avec une telle force qu'elle gémit.

«Laisse-la tranquille, salaud», dit Gabrielle.

L'homme va vers elle, lui donne un coup de pied. «Non, crie Delphine, arrêtez, ne faites pas ça. Vous êtes Belge comme nous, vous ne pouvez pas faire ça.

— Je vais me gêner.»

Elle fonce vers lui avec l'intention de le frapper, mais s'arrête au milieu de la pièce, il faut que je me maîtrise, sinon la situation va dégénérer et il me flanquera dehors avec la bénédiction des autres. Elle revoit le visage glacé de l'officier SS lui déclarant que la permission accordée est exceptionnelle et qu'elle ne la doit qu'à leur esprit de charité. Elle a failli lui rire au nez. Elle s'avance vers le gardien et, à voix basse, détachant bien ses mots: «Si vous la touchez encore, vous le regretterez. Pourquoi croyez-vous que j'aie été autorisée à venir ici? Pour mes beaux yeux?» Une pensée fugace lui traverse l'esprit: *c'est* pour tes beaux yeux. «Je peux vous faire des ennuis, de très gros ennuis. Alors je vous conseille de faire ce que je vous dis. Maintenant, je vais parler à mon amie et vous allez retourner dans le couloir. » Puis, prise d'un inspiration soudaine : « Je vous donnerai de l'argent. » Il grommelle, hésite, fait grincer ses galoches sur la terre battue.

« Vous avez entendu ? Je vais vous donner de l'argent.

— Combien ?

— Beaucoup. »

L'homme sort de la cellule.

Tâtonnant, Delphine s'approche de Gabrielle, tend une main vers le visage qui luit dans l'obscurité. Elle touche la peau brûlante ; une des joues est gonflée, rêche. Sa vue s'habitue à la noirceur, elle voit les yeux fiévreux ; l'un d'eux est tuméfié, presque fermé. « Ils t'ont frappée ! » Elle prend son amie dans ses bras, pleure, la serre trop fort. « Doucement, doucement ! murmure Gabrielle. Tu as trop d'énergie ! C'était toi, ce tintamarre ?

— Je suis tombée. On n'y voit rien.

— Tant mieux. »

Delphine caresse la tête de Gabrielle ; ses boucles sont plaquées sur sa tête, mouillées.

« Qu'est-ce qu'ils t'ont fait ?

— Un shampoing.

— S'il te plaît, ne plaisante pas. Je sais très bien ce qu'ils t'ont fait.

— Alors ne demande pas. Ne demande rien. C'est moi qui ai des choses à demander. » Gabrielle essaie de se soulever sur un coude, n'y arrive pas. « On a combien de temps ?

— Une heure.

— L'heure du condamné. Comment va mon grand garçon ?

— Il te réclame. Écoute, j'ai deux mille francs dans ma sacoche, ce que Charles m'a laissé avant de partir. Je vais les acheter. Ils vont te laisser sortir. »

Gabrielle a un bref hoquet, puis, dans un souffle : « Je crois que c'est pour demain. »

Delphine se met à trembler. Pour que Gabrielle ne s'en aperçoive pas, elle bouge les jambes, remue les bras, s'agite. « Qu'est-ce que tu racontes ! Qu'est-ce qui est pour demain ? Ce qui est pour demain, c'est que tu sors d'ici.

— Bien sûr. »

Gabrielle pose la tête sur les genoux de Delphine. « Si on a une heure, on peut se taire quelques minutes, non ?

— Mais on n'a pas le temps de se taire ! chuchote Delphine. Écoute, ils sont battus, mon père me l'a dit, et cet officier – tu sais, celui qui m'a donné les laissez-passer – est en train de plier bagage. Et en haut, je n'en ai vu que trois. Je vais te sortir d'ici cette nuit. Je vais aller revoir le colonel, donner de l'argent au gardien.

— C'est un salaud. Ne compte pas sur lui. Il croit que les Chleuhs vont l'emmener en Allemagne.

— Eh bien, moi je vais lui dire que ce n'est pas vrai. Je vais lui dire ce que la Résistance va lui faire quand les Allemands seront partis. Je vais lui faire peur. Puis je vais lui donner de l'argent, beaucoup. Il te fera sortir. Il suffit qu'il casse les planches du soupirail et qu'il te soulève pour t'aider à passer. Il te fera sortir cette nuit. J'attendrai dans la ruelle.

— Et le couvre-feu ?

— N'y pense pas.

— Tu as raison.

— Il faut te tenir prête.

— D'accord, je vais prendre un bain et me faire belle.

— Ne te moque pas. Essaie de reprendre des forces pendant les heures qui restent.

— On ira où ?

— Il y a une grange dans le champ, à cinq cents mètres de la métairie. Je vais dire à Firmin de préparer un brancard.

— D'accord. » Puis, chuchotant : « Tu peux me faire un peu de toilette ? »

Elle n'attend pas la réponse.

« Appelle-le. »

Ça tombe bien, l'homme passe la tête à la porte, braque sa lampe, demande si ça va encore durer longtemps. Delphine lui dit d'apporter une bassine d'eau. Lorsqu'il fait mine de protester, elle dit qu'elle va lui donner de l'argent, et que s'il ne fait pas ce qu'elle lui dit, elle le dénoncera à la Résistance. C'est un couard, il a peur. « Ça va, dit-il, mais il faut que je vous enferme. »

Un verrou s'enclenche.

« Ça va aller. On va te laver, comme ça tu seras toute propre pour sortir d'ici.

— Delphine ?

— Oui ?

— Ta culotte, s'il te plaît. » Puis : « Je me suis salie. » Delphine serre les dents pour ne pas crier. Elle se couche près de son amie, lui parle de Paul, des filles, de Charles qui est parti là-bas pour que tout finisse plus vite. «Et c'est arrivé, ils ont débarqué, ils les repoussent!

— Je sais tout ça», répond Gabrielle.

C'est vrai qu'elle en sait beaucoup plus que moi.

«Ils vont partir, c'est bien ce que je te disais!

— Oui, mais pas avant de régler leurs comptes.»

Pour effacer ces mots, Delphine dit tout ce qui lui passe par la tête, que Paul sera fier de son père, que la salle des Allemands, à l'hôpital, se vide, que chaque jour un camion bâché vient chercher «leurs» blessés pour les emmener à la frontière, (elle ne parle pas du Juif qu'*ils* ont emmené), qu'il y a de moins en moins de Boches à la mairie, qu'elle n'a vu, ici, dans cet hôtel, que deux officiers SS. Elle dit n'importe quoi pour tuer le silence, l'horreur, l'impuissance. Gabrielle respire avec difficulté, elle a mal. Delphine prend les mains glacées dans les siennes. «Écoute, je vais aller revoir le colonel, je vais le supplier. Il doit y avoir un moyen, papa dit qu'ils battent en retraite, je...»

L'homme entre avec le bassin.

«Merci. Maintenant donnez-moi la lampe et allez dans le couloir.»

Elle lave les jambes souillées, les chevilles gonflées, la peau arrachée autour des poignets. Gabrielle les regarde, la regarde.

«Ne me demande pas encore ce qu'ils m'ont fait!

— Ce que je me demande, c'est pourquoi je n'ai pas apporté de désinfectant.

— Parce que tu ne savais pas.»

Delphine éclate en sanglots, enlève sa combinaison pour essuyer le corps de son amie, ôte sa culotte.

«J'ai les jambes un peu faibles, aide-moi», dit Gabrielle.

*

Les officiers SS ne sont plus que deux, ils sont sûrement en train, eux aussi, de faire leurs bagages. Reste à convaincre le gardien. Dans l'escalier, à mi-chemin, elle se tourne vers l'homme et lui dit qu'elle a un marché à lui proposer. «Oui, dit-il, mais vous me devez déjà de l'argent pour le bassin.

— Je sais, et je vais vous en donner beaucoup plus.

— Comment ça?

— Parce que vous allez la sortir d'ici cette nuit.»
L'homme reste muet quelques secondes. «Vous êtes folle.»
Les épaules voûtées, lourdement, il commence à monter l'escalier.
«Combien voulez-vous?
— Je veux ce que vous me devez, rien d'autre.»
Elle s'assied sur une marche. «Écoutez, ils sont en train de battre en retraite, ils sont désorganisés.
— Ils ne sont jamais désorganisés.
— Vous avez pensé à ce qui va vous arriver après?»
L'homme s'arrête, ne répond pas. «Écoutez, faites-la sortir par le soupirail. Il donne sur une ruelle. Je vous attendrai. Tenez.» Elle lui donne la liasse de billets. Il y a mille francs pour les Boches, mille pour vous. Vous pouvez tout garder si vous avez une solution pour vous passer d'eux. Je vous donnerai mille francs de plus quand elle sera libre. Puis je vous conduirai à Bruxelles dans une cache de résistants.»
«Moi, un résistant?» Il ricane.
«Réfléchissez. Vous le deviendrez si vous m'aidez à sauver cette femme.
— Tout ça, c'est des contes de fées.
— Non, c'est possible.»
Il ne répond pas, mais ne dit pas non.
«Écoutez-moi bien. J'attendrai à partir de trois heures et demie du matin près du soupirail. Vous viendrez avec nous. Ensuite je vous cacherai dans... un endroit sûr. Et dans deux jours je vous conduirai là où j'ai dit. Vous avez ma parole.»
Il faut tuer le temps. Delphine pédale au hasard dans les rues, curieusement vides. Pas de patrouilles. Pas de gabardine grise. Elle se retrouve devant le coron sans s'en rendre compte. Le pasteur officie. Elle attend au fond du temple, avec une envie terrible de crier, de renverser les chaises, de bousculer les femmes qui sont là, avec leur tête de mouton, de courir vers Adrian Jones et de lui arracher le livre des mains. Le livre qui dit qu'on ne peut rien contre son destin. Elle ne s'assied pas, marche de long en large. Le pasteur lève la tête, l'interroge du regard. Elle fait un geste bref, comme on chasse un insecte. Il y a des brochures sur un lutrin. Elle les prend, les ouvre, ne lit pas, les remet à leur place; l'une d'elles tombe, elle ne la ramasse pas. Lorsque l'office se termine, il faut encore attendre que les ouailles aient terminé de confier leurs misérables petites affaires au

prêtre. Delphine s'assied, puis n'y tient plus. Elle se lève, fonce vers le pasteur. Les femmes reculent, se sauvent. «Pourquoi êtes-vous si agitée? dit-il.

— Pourquoi? Vous me demandez pourquoi? Et d'abord que faites-vous ici? Pourquoi n'êtes-vous pas à la Gestapo pour faire libérer votre fille? Ils l'ont mise dans une cave...» Elle revoit Gabrielle couchée sur la terre battue, les cheveux mouillés, la peau couverte d'ecchymoses... Gabrielle qui s'est oubliée parce que la douleur était insoutenable...

Elle regarde le pasteur, c'est inhumain, ce calme, ce visage qui ne trahit pas la souffrance, un visage résigné, comme celui des pauvres femmes qui viennent de sortir. Il ne se battra pas, il ne fera rien, il va se contenter d'attendre que le destin de sa fille et le sien s'accomplissent. «Ils vont la tuer, vous ne comprenez pas?» Elle halète, son cœur se met à battre avec violence, elle a l'impression que sa tête va éclater. Il lui prend le bras, la force à s'asseoir. Elle se débat.

«Gabrielle savait ce qu'elle risquait, dit-il simplement. C'est ce qu'elle vous dirait si elle était ici, c'est ce qu'elle a toujours dit.»

Envie de le frapper. «Je comprends, c'est pour ça que vous restez planté là comme une souche. Je ne veux pas voir ça. Je vais la faire évader, vous m'entendez? Je vais donner tout ce que j'ai pour qu'elle sorte de là.» Son nez se bouche, elle perd l'équilibre, tombe sur la chaise. Le regard fixe, elle laisse le sang couler sur son menton, sa robe, ses mains. Adrian Jones sort un mouchoir de sa poche, le lui tend, elle ne le prend pas. Il le presse doucement sur son nez, sa bouche, prend son bras, le lève au-dessus de sa tête. Ses yeux sont tout près de ceux de Delphine et, oui, elle y voit la souffrance.

Il disparaît un moment, revient avec une serviette éponge. «Je vais demander qu'on vous prête une robe. Respirez lentement. Ne bougez pas.»

Elle entend son pas décroître sur les dalles du temple. Une porte s'ouvre et se referme.

L'hémorragie est finie. Elle noue le drap éponge autour de sa taille, soulève sa jupe, essuie ses mains à sa combinaison, se glisse hors du temple.

À trois heures trente, elle est dans la ruelle derrière l'hôtel, accroupie contre le soupirail. Elle a confié les filles à Paul, lui disant qu'elle avait une démarche à faire pour sa tante

Irène. «La nuit? – Oui, je dois rencontrer quelqu'un qui va nous aider, mais il ne veut pas que cela se sache. Tu le sais, Paul, qu'il y a des Allemands convenables.» Il a accepté l'explication.

Encore une demi-heure… La nuit est obscure, ce sera plus facile. Il faudra marcher un peu, mais l'homme nous aidera.

La voiture est un peu plus loin, avec Firmin qui tremble comme une feuille. Il a un laissez-passer. Si une patrouille passe et lui demande ce qu'il fait là, il répondra qu'il va chercher le docteur pour un enfant malade. Delphine colle l'oreille aux planches qui occultent le soupirail. Pas un bruit, pas un souffle. Aucun son ne lui parvient lorsqu'elle prononce le nom de son amie. Une des planches est trouée, elle braque sa lampe de poche.

Le cachot est vide.

Il n'a pas pu la soulever jusqu'au soupirail, c'est pour ça. Il cherche une autre issue. Ou alors les Boches ont accepté l'argent et ils l'ont sortie par l'entrée. Ils l'emmènent en voiture dans un endroit désert pour la jeter dehors. Il est avec eux, c'est pour ça qu'il ne peut pas me prévenir. Je ne peux pas bouger d'ici.

Dix minutes plus tard, elle n'y tient plus. Elle rampe jusqu'à l'entrée de l'hôtel. Sur le balcon, les deux S de la bannière nazie rougeoient; le vent qui agite le drapeau imprime un mouvement à la croix gammée, elle se plaque contre la façade, puis s'en détache, gonflée de toutes les horreurs dont on entend parler depuis des semaines. Delphine fait un bond en arrière: le hall vient de s'illuminer. Il y a une fenêtre à côté de la porte. À travers la vitre, elle reconnaît le SS qui se trouvait dans le hall lorsqu'elle est venue voir l'officier. Le gardien est là. Ils disparaissent par une porte au fond de la pièce. Ça y est, ils se sont mis d'accord. Ils ont pris l'argent et n'ont plus qu'une idée, se débarrasser de Gabrielle. Peut-être vont-ils l'emmener dans la ruelle, comme convenu. Je devrais y retourner. La porte du fond s'ouvre. Les deux hommes entrent, traînant Gabrielle derrière eux. Pourquoi ne marche-t-elle pas? Elle retarde tout! Le SS attrape Gabrielle par les cheveux, la soulève, essaie de lui enfoncer un bâillon dans la bouche. Pourquoi fait-il ça, il a peur qu'elle crie? La tête de Gabrielle se tourne vers la main qui tient le bâillon. L'homme hurle. Elle l'a mordu. Il la bourre de coups de pied, sa robe se soulève, découvrant ses jambes.

Un creux rouge au milieu des tibias. Delphine retient un hurlement, se met à taper sur la fenêtre. Le gardien l'entend, vient se placer devant. Elle ne voit plus rien. Maîtrisant la vague de nausée qui la submerge, elle fonce vers la porte.

Crissement de pneus dans la rue.

Au moment où elle touche la poignée, quelqu'un l'attrape à bras-le-corps. Une main se plaque sur sa bouche, on la porte. Elle se débat, les sons qui sortent de sa gorge sont étouffés, inutiles. Une main, de l'intérieur d'une voiture, ouvre une portière. L'homme la jette sur le siège arrière, puis bondit à l'avant, met le contact.

Delphine se tourne vers le colonel Schröder, le frappe au visage. Il ne bronche pas, ne la touche pas, tandis que la Mercedes démarre en trombe. Elle essaie d'ouvrir la portière, il l'empoigne et, comme le chauffeur, plaque une main sur sa bouche. Elle essaie de se débattre, mais il est plus fort qu'elle.

Il ne la lâche que lorsque la voiture arrive devant la grille de la métairie. Un ordre bref au chauffeur. L'homme sort de la voiture et va s'asseoir sur une des bornes encadrant le portail. Delphine ferme les yeux, éblouie par le soleil qui vient d'apparaître à l'horizon, devant la voiture, illuminant l'étoile à trois branches du radiateur comme il illuminait la Minerve de son enfance. La scène est si inappropriée, si aberrante qu'elle se dit qu'elle va hurler. Hurler est la seule réponse. Comme s'il devinait ses pensées, Schröder dit : « Ne criez pas ! »

Puis : « Je ne dispose que de quelques minutes.

— Pour les remerciements, c'est ça ? dit-elle d'une voix rauque.

— Non, mais il faut que vous m'écoutiez.

— Comment avez-vous su ?

— Le gardien a parlé.

— Ils l'ont torturée. Vous savez qu'ils l'ont torturée ? »

Un geste d'impuissance, pas un mot. « Vous n'avez pas entendu, monsieur le colonel de l'armée allemande, je vous ai demandé si vous saviez que mon amie a été torturée.

— Ces choses me répugnent autant que vous.

— La baignoire ? C'est ça ? Ses cheveux étaient mouillés, ils lui ont mis la tête dans la baignoire, c'est ça ?

— N'y pensez pas, cela n'a plus aucun sens, maintenant.

— C'est vrai, c'est idiot, puisque c'est trop tard. Et la vie continue, c'est ça ?

— Quoi que vous pensiez, quoi que vous disiez, oui, la vie continue.

— Vous n'avez toujours pas répondu. Ils lui ont mis la tête dans la baignoire?

— Sans doute. Mais pour cette nuit... j'avais obtenu qu'on la laisse tranquille.

— Elle ne pouvait plus marcher, hurle Delphine.

— Elle a frappé un officier, lui a craché au visage.»

L'inanité de la conversation lui apparaît tout à coup. Elle regarde la poignée de la portière, la grille d'entrée de la métairie, le soldat assis sur la borne. Sa main se lève vers la poignée. «Écoutez-moi, dit Schröder, ce que j'ai à vous dire est important. S'il vous plaît, écoutez-moi, car nous ne nous reverrons plus.»

Ces paroles la frappent d'abord comme une gifle, puis la plongent dans une curieuse angoisse. Rien à voir avec l'horrible chagrin qui lui serre la poitrine, c'est une peur glaçante, un affreux sentiment d'abandon. «Vous avez fait tout ce mal, et maintenant vous partez, c'est ça?» crie-t-elle. Elle se tait, paralysée par sa propre aberration. L'homme, sur la borne du portail, a sorti une pomme de sa poche et la frotte contre sa jambe. Il faut rentrer, c'est vendredi, jour de fournée. Paul est sûrement levé. Il faut que je me traîne hors de cette voiture, mais je n'en peux plus. Je crois que je vais mourir. Mes mains sont déjà glacées. Elle regarde Schröder. Il est tassé sur lui-même, elle ne l'a jamais vu comme ça. On dirait un vieil homme.

«Vous m'écoutez, madame Durant?»

Un poids écrasant lui meurtrit les épaules. Je ne peux pas, je ne peux pas me retrouver devant Paul, il faut que j'aille chercher son grand-père.

«Je ne sais pas où ils ont emmené votre amie. Peut-être dans un camp en Allemagne. Mais vous, partez dans les Ardennes comme vous l'avez projeté, partez demain. Ici, il va y avoir du grabuge pendant quelques jours. C'est une sorte de... retraite, vous comprenez, et les hommes sont nerveux. Ensuite vous ramènerez la jeune femme et l'enfant ici. Ne restez pas dans les Ardennes, je pense qu'il pourrait y avoir quelque chose là-bas, mais je ne sais pas quand. Ne prenez aucun risque. Vous m'avez entendu, Delphine?»

Elle se tourne vers lui, veut le questionner encore, l'accuser, mais elle se heurte au visage ravagé. Il fait signe au chauffeur.

« Attendez !

— Il faut que je parte !

— J'ai une question. Une seule. »

Elle rassemble ses derniers lambeaux de raison, respire à fond, puis, détachant bien ses mots : « Il y a une chose que je ne comprends pas, colonel. » Elle a un rire bref, cassé, puis, lentement : « Je ne comprends pas, puisque vous et vos amis SS allez partir, puisque la guerre est finie, pourquoi on va emmener mon amie dans un camp. Vous qui expliquez si bien, colonel Schröder, expliquez-moi ça. »

Il fait un geste vague, hésitant, avorté, qui lui va mal.

« Les SS ne sont pas mes amis. Et rien de ce que je pourrais dire ne pourrait vous satisfaire.

— Me satisfaire ! crie-t-elle, me satisfaire ! »

Le soldat, sur sa borne, lâche la pomme qu'il est en train de croquer, hésite un instant puis s'approche, le corps penché pour voir à l'intérieur. Schröder lui fait signe de rester là où il est. Il obéit, mais reste figé devant la voiture, faisant écran au rayon de soleil qui, depuis quelques minutes, brûle les yeux secs de Delphine. L'ombre enveloppe la jeune femme, lui permet de se redresser, de respirer, de s'abandonner à la souffrance. « Vous n'avez pas de réponse, n'est-ce pas ?

— Si. Hier, j'ai appris que ma femme et mes petites filles sont mortes, à Potsdam, sous les décombres de notre maison. »

Il reste tassé sur la banquette, vieux, vaincu.

Delphine pleure. Le monde s'est effondré, c'est fini, tout est fini, il n'y a plus que ruines et nous sommes obligés de vivre. Non, *il* est obligé de vivre. Moi j'ai mes enfants, mon père, ceux que j'aime, Charles. Et ils vont peut-être libérer Gabrielle. Lui n'a plus rien. Il regarde la main fine qui vient de se poser sur son poing crispé, la porte à ses lèvres, fait signe au soldat d'ouvrir la portière.

Elle marche vers sa maison, se retourne avant de pousser le portail. La Mercedes passe devant elle.

Immobile, regardant droit devant lui, l'Oberst Günther Schröder, un homme qui en sait plus sur elle que son père, son mari, ses enfants, un Allemand qui l'a aidée à sauver une Juive mais n'a pas pu sauver les siens, disparaît de son champ de vision et de sa vie.

46

ODILE

Avant de mourir, Bernadette a dit à sa mère de me donner ses anneaux.

Je veux qu'on me troue les oreilles.

TROISIÈME PARTIE

47

IRÈNE

Le gentil officier du manteau de fourrure, qui passe tous les jours à la même heure, Dieu seul sait pourquoi, annonce à Rosy qu'ils ont reçu ordre de se replier. «Pour aller où? – Ça, madame Rosy, je l'ignore.» Comme il a l'air inquiet, elle essaie de le réconforter. «Mais, lieutenant, ça ne peut être que vers le sud, vers chez vous! Vous allez revoir votre femme, vos parents!» Il hoche la tête, lugubre. Bizarre pour un soldat qui s'apprête à revoir sa famille. Armand explique à son amie que Hitler n'a pas encore capitulé, que son aimable lieutenant a des doutes, et que dans le doute il préférerait rester à Bruxelles.

Quoi qu'il en soit, les occupants plient bagage. Dans la précipitation et le désordre, ce qui ne leur ressemble pas. Ils vident leurs bureaux, leurs garde-manger, réquisitionnent ce qui reste de fourgonnettes et de camions, embarquent les vélos qui ont encore figure humaine. La belle bicyclette d'Armand, acquise il y a quatre ans grâce au manteau de fourrure, fait partie du lot; on n'a pas eu le temps de la cacher.

Vêtements déchirés, bras en écharpe, Jan arrive rue de la Vallée avec le vélo d'Irène. Avant qu'Armand ait le temps d'ouvrir la bouche, il lui annonce qu'elle sera là demain. Armand a vu sa sœur à Dossin au début de la semaine, il sait que sa libération est assurée, alors pourquoi demain? «Parce que je suis crevé, et de toute façon il faut attendre Delphine.» Rosy se précipite. «Jan, vous êtes blessé? – Ce n'est rien, une simple entorse.» Elle lui demande s'il a faim, il répond qu'il a surtout besoin de prendre un bain et de dormir. Armand le suit, lui empoigne le bras. «Pourquoi pas aujourd'hui, Jan?

— Parce que mon papier de sortie dit demain.

— Un papier de qui?

— De la résistance.»

Maintenant, on ose prononcer le mot.

« Il n'y a plus qu'une poignée de prisonniers là-bas, nos amis ont pris la caserne. Ne t'en fais pas, Irène est en sécurité. Ils la connaissent, c'est eux qui planquaient chaussée de Vleurgat. Delphine sera ici demain à la première heure avec la voiture.

— Quelle voiture ?

— Durant ne décolère pas depuis l'arrestation d'Irène et mes « initiatives douteuses ». Comme il a confisqué la voiture du bureau et récupéré la Packard, je crois bien que c'est la tienne, mon vieux.

— Mais ils...

— Ils l'ont rendue. Delphine l'a retrouvée un matin dans la cour. »

Derrière les fenêtres, dans la rue, les gens observent les allées et venues des occupants. C'est vrai qu'ils n'ont plus la même dégaine. Ils semblent avoir perdu leur arrogance, mais c'est peut-être un mot d'ordre, peut-être leur a-t-on dit de redevenir courtois, comme au début. Oui, mais dans quel but ? Les optimistes montrent aux sceptiques les sacs, cartables, malles, valises et caisses qui sortent des immeubles réquisitionnés. S'ils les vident, ces immeubles, c'est parce qu'ils s'en vont ! Quelques audacieux se risquent aux abords des bâtisses, pour voir. Certains pensent qu'ils partent pour refaire leurs forces, qu'ils vont revenir et attaquer, que Hitler est prêt à jouer son va-tout. On sait que ses armées ont été encerclées et écrasées à Stalingrad, mais c'est loin, la Russie, et il lui reste des millions d'hommes. Des millions d'hommes prêts à se battre, car un certain Goebbels a proclamé la guerre totale. Il paraît que Montgomery a donné une ratatouille à Rommel à El Alamein et que l'Allemand a battu en retraite, oui, mais il a rejoint les troupes vichystes pour combattre les Américains débarqués en Afrique du Nord. Et l'Allemagne a envahi la France libre. Roosevelt, de Gaulle et Churchill se sont réunis à Casablanca, on dit que Roosevelt déteste de Gaulle et que Churchill voulait les réconcilier. On a vu la photo, ils font une drôle de binette et de Gaulle a l'air particulièrement constipé. Mais tout ça c'était il y a un an et de Gaulle s'en fout maintenant qu'il a fait sa grande entrée à Paris. Fin août, il défilait sur les Champs-Élysées. On peut compter sur lui, il n'a pas bronché quand des coups de feu ont éclaté devant Notre-Dame. Oui, mais il y a les Japs. Les Japs amis des Boches. Non, les Allemands ne sont pas vaincus, ils ont les

Japs, des alliés féroces qui se battent dans les jungles. On ne sait pas où elles sont, ces jungles, mais certains disent que les Japs finiront par débarquer dans la forêt de Soignes et que, comparés à eux, les Allemands sont des enfants de chœur.

Et pourtant, ils partent. Ceux à qui on n'a pas assigné de place dans les convois sont à la gare du Nord; ils attendent les trains, qui arrivent au compte-gouttes: il n'y a presque plus de charbon. Ils arpentent la salle des pas perdus, ou restent assis, en groupe, sur leur sac militaire. Certains ont même vendu leur arme pour voyager léger. Les salles d'attente, le grand hall, les buvettes, les quais sont pris d'assaut. Des gamins des quartiers pauvres se risquent; ils passent les portes tournantes, lancent un quolibet, puis détalent.

Rue de la Vallée, les occupants de la Feld-gendarmerie entassent caisses de conserves et de bouteilles dans des camions. Évangélisto a deux cercles rouges autour des yeux à force de les zieuter avec ses jumelles. L'œil exorbité, il les voit charger des palettes d'au moins cinquante kilos de savon de Marseille et une quantité astronomique de papier de toilette (ils savent qu'ils ne seront pas les bienvenus dans les cafés et devront, pour leurs besoins naturels, s'accommoder des fourrés). Des jambons traversent le trottoir, suivis de caisses de vin, de cognac, de bière, de sacs de patates. Le va-et-vient se fait dans la hâte. Quand une boîte de conserve s'échappe d'une caisse, ils ne la ramassent pas. Les femmes attendent devant leur porte. Rosy est là avec Karl, qui plonge chaque fois qu'un maladroit laisse tomber quelque chose.

Le dimanche 3 septembre, des camions chargés à ras bord commencent à quitter Bruxelles. Une interminable procession de véhicules remplis de soldats ou de vivres traverse la capitale, direction Bois de la Cambre et les Ardennes, hués par une centaine de personnes, surtout des gamins: les parents célèbrent à l'intérieur.

Les Mercedes et les Skoda sport sont parties la veille.

Le dernier convoi disparu, les Bruxellois se ruent vers les bâtiments abandonnés. Ils n'en croient pas leurs yeux. Les Boches ont laissé une quantité incroyable de viande, de légumes, de vin. À croire qu'ils se sont sentis coupables d'avoir affamé la population pendant quatre ans. Rosy part en expédition avec Évangélisto, Karl et une voisine. Ils ne sont pas seuls, toute la rue est là. Dans certaines pièces, les réserves sont intactes. «Une corne d'abondance, murmure la voisine, une corne d'abondance!» Elle est presque en état de choc, la pauvre, il faut la soutenir, l'aider à remplir ses cabas de façon raisonnée, elle veut tout emporter! Il y a aussi du champagne. Certains le boivent sur place, puis sortent en valsant, leurs paquets sur l'épaule. Karl fouine partout. Il fouine si bien qu'il trouve un Luger, qu'il rapporte à la maison comme un trophée. On délibère. Oui, on va le garder, on ne sait jamais.

Quand la razzia est terminée, on retourne traîner dans la rue. Pas de doute, cette fois on est sûr qu'ils ont décampé.

Le lendemain, les premiers tanks britanniques arrivent, suivis de camions bourrés de tommies. Les drapeaux tricolores flottent partout. C'est la liesse, une immense fête populaire. On s'embrasse à qui mieux mieux. Les petites filles se promènent en rouge-jaune-noir: les mères, tantes et grands-mères ont décousu des vêtements pour leur faire une robe drapeau. Avec les restes, elles ont confectionné un gros chou qu'elles leur ont planté sur la tête. Il n'y a plus un chat dans les maisons, tout le monde est dehors. Les gamins montent sur les tanks pour serrer la main des soldats, les filles pour se pendre à leur cou. Un brasseur est posté près de l'abbaye de la Cambre avec des caisses de gueuze Lambic. Karl et deux autres ketjes font sauter les bouchons et grimpent sur les chars pour distribuer les bouteilles aux tommies.

En fin d'après-midi, alors qu'ils s'apprêtent pour une ultime expédition à la Feld-gendarmerie, Rosy et Évangélisto voient un couple émerger d'un sous-sol. Toutes les maisons de la rue de la Vallée ont un petit jardin d'agrément entouré d'une grille. C'est de la grille de leur jardinet qu'ils observent la scène. L'homme sort d'abord, puis tire sa femme à l'extérieur. Elle vacille, s'appuie contre lui, lève un bras pour protéger ses yeux de la lumière. Ils sont maigres, ils tremblent, leur peau est décolorée. Ils sont d'une pâleur cadavérique, on dirait des poissons des grandes profondeurs. Rosy et Évangélisto s'approchent.

L'homme raconte qu'ils sont cachés depuis juillet 42. Il s'appelle Kornblum, Jacob Kornblum, et son épouse est Sarah Kornblum. Il dit que la femme qui leur donne à manger a laissé un message sur le plateau dans lequel elle leur apporte de la nourriture. Le message dit qu'*ils* sont partis et qu'ils peuvent sortir, mais qu'elle ne sera pas là car elle part chez sa fille à la campagne. Rosy ramène le couple chez elle, les installe dans la chambre qu'elle avait préparée pour Helda Erhard. Les rescapés regardent le lit avec une stupeur émerveillée: ils n'ont plus vu de draps depuis deux ans. Étourdis par tant de confort, de propreté, ils tournent sur eux-mêmes, demandant si c'est bien vrai, s'ils sont vraiment libres. Ils sentent fort. Rosy leur fait couler un bain. Elle offre une robe et des sous-vêtements à la femme, un complet, une chemise, un singlet et un caleçon d'Armand à l'homme. Impossible de leur donner un âge. Elle finit par le leur demander. Quarante ans.

Assis tout raides sur le sofa, ils la regardent mettre la table. L'homme a un hoquet quand Rosy y dépose une bouteille de vin. Évangélisto arrive, puis Armand, qui n'en croit pas ses yeux: des morts-vivants sur le sofa de Rosy! Elle raconte, puis on se met à table. Le couple est vite rassasié, ils ont perdu l'habitude. Monsieur Kornblum sirote son vin avec recueillement.

Puis il explique qu'ils étaient trois dans la cave.

«C'était ma mère. Elle est morte le 6 juin.»

«Le jour du débarquement», murmure Armand.

Rosy et Évangélisto restent figés sur leur chaise, l'œil écarquillé. Leur invité plonge le nez dans son verre, il n'est pas encore prêt pour les détails. Il faudra un verre de plus. Du fort. Armand annonce qu'on va passer au salon pour boire une goutte. Plus exactement, un verre du précieux cognac sorti tout droit de la caverne des Feld-gendarmes. Nous en avons tous besoin, dit-il. Il se lève, sort de la salle à manger. Rosy le suit pour aller chercher des spéculoos. Armand se cogne à elle lorsqu'il sort de la réserve. Une petite lueur, dans l'œil de sa compagne, une crispation des lèvres lui indiquent qu'elle s'efforce d'affronter deux sentiments contradictoires: l'horreur et une terrible envie de rire. Ils se regardent un moment sans rien dire, lui s'efforçant de garder un visage impassible. Puis Rosy pose la question qui leur brûle les lèvres:

«Armand, où est le corps?»

Il se mord les lèvres pour conserver son sérieux, elle étouffe un rire dans un drap de vaisselle. «Rosy, un peu de décence, pense à ces malheureux!» Le rire se transforme en fou rire. «C'est parce que je me demande où … – Je sais ce que tu te demandes, coupe-t-il. Ils vont nous le dire. Rejoins-moi dans le salon quand ton… accès sera terminé.» Le visage enfoui dans son drap de vaisselle, Rosy le regarde sortir de la cuisine, puis, s'efforçant de penser, pendant quelques minutes, à toute la misère du monde, s'essuie les yeux et rejoint la compagnie. Assis dans un fauteuil du salon, monsieur Kornblum sirote son verre de goutte avec gratitude.

Puis il raconte :

« Elle était cachée avec nous. Nous étions tout le temps sur le qui-vive. La dame qui nous apportait la nourriture et l'eau nous avait défendu de sortir de notre portion de cave. Nous avions promis. Elle ne savait pas que nous étions trois. Elle avait dit deux personnes, pas plus, je ne pourrai nourrir que deux personnes. Nous avons profité d'une de ses absences pour faire entrer ma mère.

— C'est exact, confirme madame Kornblum.

— Puis nous avons tout partagé avec elle, une femme robuste qui avait bon appétit…

— Très bon appétit, soupire madame Kornblum.

— Un soir où on jouait aux cartes, elle a basculé et est tombée tête la première sur la toile cirée. Elle venait d'étaler une main gagnante. On s'est dit que c'était la joie… On croyait qu'elle allait se redresser et nous dire qu'elle nous avait ratiboisés, une fois de plus – elle était très forte aux cartes, ma mère. Mais non, elle était morte. Morte sur sa main gagnante.

— Morte contente, précise madame Kornblum.

— Oui. On est restés comme ça à la regarder pendant une bonne demi-heure, à la lueur des chandelles. Puis je l'ai portée sur sa paillasse… »

Il regarde sa femme… qui observe gravement l'auditoire, visage après visage : Évangélisto qui écoute, sérieux comme un pape ; Rosy très rouge, Armand qui s'efforce de compatir. Satisfaite, madame Kornblum hoche la tête et, après avoir reçu l'approbation silencieuse de son époux, déclare :

« Mais ce n'était pas une solution. »

Rosy se lève précipitamment, annonce qu'elle va chercher le dessert. Il n'y a pas de dessert, mais préparer un plateau avec des biscuits lui donne le répit nécessaire pour retrouver son sérieux et adopter un air de circonstance. Elle revient, pose le plateau sur la table. Monsieur Kornblum, qui l'a attendue, reprend la narration.

« Ma femme a peigné ses cheveux, arrangé ses vêtements. Nous n'avions pas de savon pour la laver, ni d'eau, juste assez pour boire. Je lui ai fermé les yeux et j'ai dit le kaddish. Nous entendions les avions de nuit. Ceux du jour, qui passaient après que notre protectrice avait déposé notre provision de nourriture, étaient déjà passés et repassés. » Il fait une pause, prend la main de sa femme.

« Et nous voici avec le corps de ma pauvre mère sur la paillasse, et nous qui nous demandons ce que nous allons en faire. C'est un problème angoissant.

— Un gros problème, dit madame Kornblum.

— Oui. Le lendemain, quand le jour s'est levé – nous le savions grâce au soupirail de la cave voisine, où notre bienfaitrice nous avait interdit de mettre les pieds –, je suis sorti pour la première fois de notre domaine pour aller inspecter les lieux. Le soupirail donnait sur un jardin. C'était en juin, j'ai vu qu'il était plein de pois mange-tout et de carottes. Pas un centimètre n'avait été épargné. Il n'y avait pas de place pour ma mère.

— Alors j'ai dit : enterrons-la ici, Jacob, dit madame Kornblum.

— Mais comment aurions-nous pu creuser la terre battue avec des cuillères à soupe et un canif ? Et le bruit ? Et les décombres ? La dame qui nous nourrissait aurait fini par le remarquer. Rien que d'imaginer sa colère, je me suis mis à trembler.

— Moi aussi, ajoute l'épouse.

— Oui. On s'est effondrés tous les deux, cette nuit-là, on a pleuré, prié. Le lendemain, je suis retourné au soupirail. C'est alors que j'ai vu le jardin d'à côté. Pas cultivé, plein d'herbes folles. Je ne comprenais pas que les voisins n'y cultivent pas de légumes, ou du tabac, mais c'était une bénédiction. Je suis revenu près de ma femme et je lui ai annoncé la nouvelle. Elle m'a d'abord regardé avec espoir, mais, tandis que j'exposais mon plan, son visage s'est assombri. Trop d'émotions, ai-je pensé. Je lui ai dit de ne pas s'inquiéter, que je ferais très vite, mais que je ne pourrais travailler que la nuit, et que ce serait long car je n'avais pas d'outils. J'étais décidé à mettre les bouchées doubles, car je voyais bien que ma pauvre épouse était très accablée : cohabiter dans un petit espace avec une personne décédée, même si c'est votre mère, est éprouvant.

— Très éprouvant, dit madame Kornblum.

— Oui, mais Yahvé a voulu que je trouve une pelle dans un appentis au fond du jardin. Il y avait aussi un pic et des outils de jardinage. En une nuit, le trou était fait. Personne ne m'avait vu. Une patrouille était passée, mais je m'étais jeté dans le trou et recouvert de broussailles. Que j'ai d'ailleurs laissées dessus pour le cacher. Tout était pour le mieux. Je suis allé retrouver ma femme. Je lui ai dit que, grâce à Dieu, nous avions une sépulture pour ma mère. Mais elle m'a paru encore plus désespérée. C'est la cohabitation, me suis-je dit…

— C'était ça aussi, soupire madame Kornblum.

— Il fallait que je me repose un peu. Alors je me suis couché et j'ai dormi.

— Mais pas moi, précise l'épouse.

— Je me suis réveillé au milieu de l'après-midi. Ma femme était assise près de la paillasse et regardait ma mère. "Qu'est-ce que tu fais là, Sarah? Allons, viens près de moi. Reposons-nous encore un peu, ma brebis, de toute façon il est trop tôt. Nous devons attendre la nuit pour l'emporter. Je sais que ce sera dur pour toi, mon ange, mais notre calvaire touche à sa fin."

«Elle a secoué la tête. Le désespoir était toujours là. "Sarah, que se passe-t-il? Pourquoi ne dis-tu rien?"

«Elle s'est levée, est venue vers moi, m'a emmené vers la table.

"Regarde."

«Elle avait tracé des chiffres sur un bout de papier. Je n'y comprenais rien. Alors elle m'a dit…

"…elle ne passera pas", souffle madame Kornblum.

«Oui. Elle avait mesuré la largeur du soupirail, puis mesuré celle de ma mère.»

Jacob Kornblum baisse la tête, le souvenir qu'il vient d'évoquer le ramène au calcul implacable de sa femme. Armand est effaré, Évangélisto passionné, Rosy de plus en plus rouge. Elle se lève, bouscule un guéridon, sort du salon en courant.

«Un instant, s'il vous plaît!» dit Armand aux époux. Il emboîte le pas à Rosy, la retrouve à la cuisine, le drap de vaisselle sur le nez. «Essaie de te maîtriser, voyons!

— Je ne peux pas.

— Ce que tu ne peux pas, c'est me laisser seul avec eux.

— Mais tu as Évangélisto!

— Évangélisto est au spectacle, Évangélisto se délecte. Rosy, je te croyais plus compatissante. Prends sur toi, voyons! Viens, retournons au salon.»

Monsieur Kornblum attend qu'ils aient repris leur place, poursuit.

«Ma femme a déchiré le bord de sa combinaison et nous avons mesuré, calculé, évalué. Nous ne pouvions pas rétrécir ma mère, mais nous pouvions ôter le cadre du soupirail et enlever une rangée de briques. Heureusement, notre bienfaitrice ne venait jamais le soir. Et ce jour-là, grâce à Dieu, nous n'avons entendu aucun bruit au rez-de-chaussée. Elle était sans doute à la campagne pour des provisions. Je suis allé chercher les outils dans la cabane. Nous avons fait le travail à deux, ma femme et moi, et, la nuit, nous avons sorti ma chère maman.» Monsieur Kornblum regarde sa femme avec amour. «Tu as été si brave, mon enfant!»

— Je sais.

— Mais nous n'étions pas au bout de nos peines, car il y avait une grille entre les deux jardins. Heureusement, Yahvé veillait sur nous. Près de la façade de la maison, la grille était descellée. Alors, avec la pelle et l'aide de ma femme, j'ai réussi à l'écarter suffisamment pour introduire ma précieuse mère dans le jardin d'à côté. Nous l'avons déposée dans le trou. Puis j'ai invité ma compagne épuisée à rentrer dans notre chez-nous.

— Je n'ai pas voulu, dit l'épouse.

— C'est vrai. Tu m'as aidé à recouvrir notre mère. J'ai redit le kaddish. Puis j'ai déraciné un arbuste pour le planter sur la tombe.»

Plus personne n'a envie de rire.

Chacun finit son verre de cognac, qu'Armand remplit aussitôt.

Quelques minutes plus tard, Karl fait son entrée. Voyant qu'une réunion insolite a lieu sans qu'on l'en ait averti, il demande des explications. Armand les lui donne, tandis que monsieur et madame Kornblum opinent.

L'expert en soupiraux hoche la tête.

«Sortie par le soupirail? Donc, elle était aussi mince que moi.

— Non, répond Armand, c'était une femme corpulente.»

Karl réfléchit un instant et, en connaisseur:

«Je vois, dit-il, ils l'ont compressée.»

*

Le 4, Jan arrive à la caserne Dossin à sept heures. Delphine, Armand et Rosy sont restés dans la voiture. Le Flamand entre dans une salle où des gens attendent. Des gardiens courent dans tous les sens avec des paquets, des dossiers, personne ne surveille personne, personne ne lui demande ses papiers ou son billet de sortie. Irène est assise sur un banc, gantée, chapeautée, à côté d'un homme avec qui elle discute. Jan se plante devant elle, étonné de son peu d'empressement à sortir de ce trou. Elle lui explique que l'homme a été arrêté dans la rue et qu'il faut l'aider. Jan s'impatiente. «Il n'est pas le seul à avoir été arrêté dans la rue! Qu'il se démerde, ce type, qu'il fasse comme tout le monde!»

Irène le regarde fulminer avec un détachement qui l'étonne elle-même. Tiens, j'ai oublié de le mettre dans mon bestiaire, ce coq.

Le coq wallon pour un Flamand. J'adore ça.

«Sa femme était avec lui, Jan, mais elle a disparu.

— Bon, et tu veux faire quoi? Te mettre à sa recherche?» Jan est excédé. «Pourquoi ne rentre-t-il pas chez lui? C'est là qu'elle est, sa femme!» L'homme dit qu'il ne sait pas, et que de toute façon il n'a pas d'argent pour le train. Jan et Irène l'emmènent à la voiture, puis on conduit le malheureux à la gare et on lui achète un billet. «Merci, dit-il, un grand merci.» Il a l'air très contrarié pour quelqu'un qu'on vient de tirer d'affaire. Jan le lui dit. «Excusez-moi, répond-il. J'ai peur de rentrer et qu'elle ne soit pas là. – Pourquoi ne serait-elle pas là? – Parce que les types l'ont emmenée en voiture.» Jan est mal à l'aise, que dire au pauvre homme? Que les Boches ont gentiment ramené sa femme chez elle? Non, ils l'ont emmenée *chez eux* pour s'offrir du bon temps avant le départ.

Une heure plus tard, ils sont sur la route de Liège. Le voyage est silencieux. Delphine est si sombre qu'Irène ne peut s'empêcher de lui demander pourquoi elle ne se réjouit pas davantage de la voir libérée. Sa nièce secoue la tête sans répondre. Aussitôt arrivés, elle disparaît. Armand invite Jan et Irène à s'asseoir à la table de la cuisine. Le dîner est prêt.

«On n'attend pas Delphine?

— Non, répond Armand.

— Où est-elle? Où sont les filles? Le gamin?

— Les filles sont chez leurs grands-parents. Paul est à l'écurie avec Firmin.

— Et sa mère?

— Arrêtée par la Gestapo. Un officier allemand a été assassiné. Je ne sais pas si elle est coupable, mais elle faisait partie d'un réseau très actif.» Armand raconte ce qu'il sait de l'intervention désespérée de Delphine. «Elle a donné deux mille francs au gardien pour qu'il soudoie les SS. Ils ont gardé l'argent et emmené Gabrielle Dieu sait où. Delphine attendait devant la Gestapo, elle les a vus frapper son amie. Elle a voulu entrer. Dieu merci, quelqu'un l'en a empêchée.

— Qui?

— Un type de la Wehrmacht. Ne me demandez pas pourquoi il a fait cela, je l'ignore. Il a sauvé ma fille, et quoi qu'il ait fait dans cette guerre, c'est tout ce qui importe.

— Et le fils de Gabrielle?

— Il ne sait rien.»

*

Le lendemain, lorsqu'elle rentre à Bruxelles avec Jan, Irène réalise qu'elle n'a pas envie de se retrouver seule avec lui, et surtout pas dans la chambre à coucher. Ils ne parlent pas, trop assommés l'un et l'autre par cette fin d'occupation, de résistance, par l'usure, par la disparition de Gabrielle. L'histoire des époux Kornblum, que Jan raconte à son amie dans l'espoir de susciter au moins un sourire, la laisse de marbre. Elle la trouve macabre. «Je préfère Verhaeren, mais tu as oublié ton poète, semble-il.» Jan ne réplique pas. Oublier Verhaeren? Jamais. Mais on ne récite pas du Verhaeren quand on est épuisé. On ne récite pas du Verhaeren à une femme maussade.

Bref, ils n'ont plus rien à se dire, plus rien à faire, ils ont un gros vague à l'âme.

Avant de partir au bureau, Jan demande à Irène si elle veut l'y accompagner. «Franchement, que veux-tu que j'aille faire au bureau? Ressasser avec toi nos vieux souvenirs de la Lys? Nos petits triomphes au STO? Mon aventure scabreuse chaussée de Vleurgat? Je préfère flâner en ville.»

Elle descend l'avenue Louise, marche jusqu'à la rue de la Loi. C'est loin, mais elle n'a pas envie de prendre un tram.

Les locaux de l'administration militaire sont désertés, bien sûr, mais la porte est ouverte. Elle traverse le hall, monte quelques marches, se retrouve dans la partie du rez-de-chaussée qu'occupait Herr Spitz: un grand hall pour ses deux secrétaires, faisant aussi office de salle d'attente, et l'immense bureau. Elle va directement à la cuisine. Une casserole sur la table. Vide. Elle ouvre machinalement le four. Sur la plaque, six strudels. Des femmes entrent, lui demandent ce qu'elle fait là.

«Et vous?

— Nous, on vient nettoyer cette soue à cochons.»

Une des femmes a l'air méfiant, elle examine les vêtements d'Irène, son sac à main. «Qu'est-ce que vous faites ici?

— Ça ne vous regarde pas.»

Irène décide de revenir plus tard. Au bout du couloir, elle se retourne: les trois femmes sont devant la porte de Herr Spitz. La questionneuse lui montre le poing. C'est le bouquet, elles me prennent pour une collabo. Une femme se précipite, Irène fait face, attrape le bras qui veut lui arracher sa toque. «Arrêtez, espèce de folle! Je faisais partie de la Résistance. Je venais ici pour que des gens comme vous ne soient pas envoyés en Allemagne.»

Pourquoi est-ce que je lui dis ça? Et pourquoi me croirait-elle? De toute façon, ça m'est égal. Elle s'assied sur une banquette, dans le hall, enfonce sa toque sur sa tête. Je reviendrai quand elles seront parties. Je me fiche de ce qu'elles pensent. Je vais m'en aller, quitter ce pays. Quand? Le plus vite possible. Elle s'appuie au dossier, laisse errer son regard dans le hall. Combien de fois l'ai-je traversé, ce hall? Avec mes hauts talons, mes chapeaux dernier cri, mes robes de Scarlett? C'est fini. Je vais rentrer chez moi, retrouver mes peintures, mes toits, mes pigeons. Elle se lève, se dirige vers la porte. Au moment où elle va la pousser, une des femmes arrive et la tire par la manche.

«Venez, j'ai quelque chose à vous montrer.»

Elle l'entraîne au fond du hall, la pousse dans un débarras.

«C'est vrai ce que vous avez dit?»

Irène hoche la tête.

«Écoutez, il y a un homme à la cave. Les filles ne le savent pas, elles ont peur d'y aller à cause des rats. Moi j'y suis allée et je l'ai vu. J'ai entrouvert la porte, il dormait. C'est un Boche. Vous pourriez le dénoncer, appeler les FFI. Mais faites attention, il est sûrement armé.»

Irène se lève.

«Non, attendez qu'on soit parties. C'est moi qui ai la clé de la baraque. Je la laisserai sur l'appui de fenêtre.»

Irène refait le chemin à pied jusqu'à la rue de la Vallée, où Jan l'attend pour le souper. Monsieur et madame Kornblum sont au sous-sol, invités d'honneur d'Évangélisto et de Karl, qui se font sûrement livrer par le menu les derniers détails de l'affaire du corps. Irène annonce son départ à Jan. «Je suis fatiguée de cette vie, Jan. Je vais rentrer chez moi. Je suis sûre que tu seras heureux de retrouver ta famille, tes polders. Et moi je retrouverai Émile. Émile ne me récite pas de poèmes, mais je suis sûre qu'il a gardé mon studio bien au chaud. Je veux revoir Master Hare, tu comprends, et le Louvre, et le petit restaurant où je mangeais le soir, tout cela me manque terriblement.

— Tu ne retrouveras rien de tout cela. Et Paris est dangereux. On se bat encore dans les rues.

— Eh bien, je resterai chez moi.

— Il n'y a rien qui puisse te faire changer d'avis?

— Non.

— Ta nièce a besoin de toi.

— Ma nièce a son père et Rosy. Va dormir dans notre chambre, Jan. Je vais rester ici.»

Jan l'embrasse. «Tu sembles y avoir longuement réfléchi.

— Non! Figure-toi que j'ai pris ma décision pendant ma promenade! Ne fais pas cette tête. Je t'aime beaucoup, Jan. Ce n'est pas toi que je quitte, c'est cette vie de fou. Nous reparlerons de tout cela demain.»

Elle s'installe sur le divan du salon. Pour quelques heures.

À minuit, elle prend son vélo, file rue de la Loi.

*

Les strudels sont sans doute les derniers que Herr Spitz a mis au four. Pourquoi n'est-il pas parti? Que fait-il dans cette cave? Irène entre dans la cuisine, prend les gâteaux, les met sur une assiette et descend au sous-sol. Le couloir est long, il y a plusieurs portes de chaque côté. Elle frappe à la première.

«Herr Spitz, c'est moi, Irène Desmarais. Je vous apporte vos strudels.»

Pas de réponse.

Une autre porte.

«Herr Spitz, je sais que vous êtes là. Je vous promets de ne pas vous dénoncer. Vous me connaissez bien, vous savez que je ne fais pas ce genre de choses.»

Rien.

«S'il vous plaît, montrez-vous, je suis prête à vous aider.»

La troisième porte s'entrouvre, poussée par une canne.

Il est là, couché par terre sur des feuilles de carton.

« Excusez-moi de vous accueillir dans cette position, Fräulein. Je ne peux pas me lever. Je suis blessé. »

Il n'est pas que blessé, il lui manque une jambe à hauteur du genou.

« Bonjour, mademoiselle Irène. Triste fin, n'est-ce pas ? » Il montre ce qui lui reste de jambe. « J'ai enveloppé... cette chose dans mon manteau. Des visiteurs déterminés s'y intéressaient. »

Irène frissonne, tend machinalement les strudels.

« Oh, vous les avez trouvés ! » Il secoue la tête. « Je n'ai pas très faim. »

Elle touche son front. Il est brûlant.

« Votre plaie s'est sûrement infectée. Je connais ce genre de plaie, ça s'infecte toujours. J'ai été aide-infirmière pendant la première guerre.

— Alors, c'est votre deuxième guerre, comme moi ! » s'exclame-t-il.

Cher Herr Spitz, toujours mondain, toujours prêt à tenir le crachoir, toujours prêt à parler du bon vieux temps.

« Herr Spitz, je ne peux pas vous laisser ici. Je vais aller chercher une ambulance, je demanderai qu'elle vous amène dans un hôpital catholique. Les religieuses ne refusent aucun blessé, les médecins non plus. »

Il soupire. « Je suppose que je n'ai pas le choix. C'est ça ou être dévoré par des rongeurs.

— C'est à cause de cette blessure que vous n'avez pas suivi les autres ?

— Je crois que j'ai dû m'évanouir et qu'ils m'ont pris pour mort. Ça ne fait rien, vous êtes là, Fräulein Irène, et je me sens mieux.

— Oui, mais vous auriez pu ne pas me voir. Je vous rappelle que vous m'avez envoyée à Dossin.

— Je ne vous ai pas envoyée à Dossin. Jamais je n'aurais fait une chose pareille.

— Peut-être, mais vous m'avez livrée à cette brute. C'était très imprudent.

— Et c'était imprudent de votre part de me mentir avec une telle obstination. Mais oublions le passé. À votre place j'aurais fait la même chose. Croyez-moi, Fräulein, les circonstances ont joué contre nous. Je ne savais pas que vous étiez à

Dossin, je vous le jure. Puis j'ai perdu le contact. Puis il y a eu ça.» Il montre le vide enveloppé dans le manteau.

«Asseyez-vous quelques minutes, Fräulein, causons un peu, comme au bon vieux temps.

— Le bon vieux temps! Mais, Herr Spitz, ce n'était pas le bon temps du tout!

— Oh si, vous verrez! Dans quelques mois, vous verrez cela différemment. La nostalgie, n'est-ce pas? On finit toujours par regretter, croyez-moi. Mais pour l'instant, je vous demande un répit. Après tout, nous sommes amis, n'est-ce pas?»

Décontenancée, émue, Irène s'assied, puis, machinalement, porte un strudel à sa bouche. Il est sec, sans saveur. Il sourit. «Je sais, je n'ai pas très bien réussi ma dernière fournée. J'ai été un peu bousculé.»

Une heure plus tard, Irène revient avec l'ambulance. Lorsqu'on soulève le blessé pour le mettre sur le brancard, il perd connaissance. Quand il revient à lui, il aperçoit Irène, la complimente sur sa jolie toque, puis s'évanouit encore. À l'hôpital, elle ne le quitte que lorsqu'il est installé dans un lit, et endormi. On a défait le pansement de fortune. Une horreur.

Au matin du 6 septembre, après le bienheureux sommeil de l'anesthésie, Herr Spitz ouvre les yeux dans la salle des grands blessés de l'hôpital. On lui a coupé la jambe à mi-cuisse. Elle était gangrenée. Peut-être guérira-t-il, peut-être pas. S'il guérit, il sera mis en captivité. Il souffre beaucoup, mais ne se plaint pas. L'infirmière vient de lui administrer un puissant analgésique. Irène lui fait ses adieux avant qu'il s'endorme.

«Oui, dit-il, oui...»

Elle aimerait lui demander ce que ce oui veut dire. Oui, c'était le bon temps? Oui, je suis content de vous avoir connue? Oui, la guerre a du bon? Oui, mes derniers strudels étaient un désastre? L'infirmière dit que la piqûre qu'on vient de faire au pauvre homme assommerait même un cheval.

Allons, il faut le quitter, il est entre de bonnes mains.

Avant de partir, Irène s'assure auprès du chirurgien qu'il fera l'impossible pour garder le blessé le plus longtemps possible. «Ne vous inquiétez pas, nous ne lâcherons pas le pauvre bougre avant deux ou trois semaines.»

Irène pose une main sur l'épaule de Herr Spitz, qui dort comme un enfant. Puis elle quitte la salle. Le médecin la rattrape à la sortie. «Je peux vous demander quelque chose?

— Si vous voulez.

— Vous le connaissez bien, cet homme ?

— Soignez-le bien. Ce n'était pas un mauvais Allemand. Il nous a aidés. »

48

DELPHINE

Delphine prend parfois son vélo pour aller rôder autour de l'hôtel où Gabrielle était prisonnière. La bannière nazie n'est plus là, mais il y a encore une présence à l'intérieur de la bâtisse. À l'épicerie, on lui dit que les propriétaires n'ont pas encore récupéré leur bien. Elle rôde près du soupirail, où les planches qui occultaient l'ouverture ont été arrachées, il n'y a plus, à l'intérieur de la geôle, que la bassine qu'elle a utilisée pour laver son amie. Elle a cru voir le gardien sortir du hall. Ce n'était pas lui. «Ils sont encore là?» a-t-elle demandé à l'homme. Il lui a répondu qu'il ne savait pas. «Et les prisonniers?» Il a haussé les épaules. «Envolés.» À la métairie, elle vit dans la hantise de voir le pasteur entrer dans la cour. Un soir, elle n'y tient plus, elle court au temple. «On dit qu'ils emmènent des prisonniers avec eux. Vous croyez qu'ils vont l'envoyer dans un camp?

— C'est possible, dit le pasteur.

— Jan de Meester pense que l'Allemagne n'a pas dit son dernier mot.

— Si c'est le cas, la Gestapo veut sûrement en apprendre le plus possible sur les réseaux de résistance. Gabrielle sait beaucoup de choses.

— Alors elle est peut-être dans un camp. Les Alliés marchent sur l'Allemagne, ils la libéreront.

— Peut-être. Il faut prier...

— Laissons Dieu en dehors ...» Elle s'interrompt, devant le visage navré du père de Gabrielle. «Pardon, pasteur.

— Ce n'est rien. Vous êtes angoissée, je comprends. Rentrez chez vous, Delphine. Prenez soin de vos filles, de mon petit-fils. C'est déjà beaucoup.»

*

Le voyage destiné à conduire Otto et Manfred près de leur frontière est retardé. Les déserteurs attendent, dans la grange, que Paul vienne leur annoncer le départ, mais il ne va les voir que pour leur parler d'un autre départ, celui de l'armée d'occupation, des SS, des administrateurs, il leur dit que le périple vers les Ardennes sera facile maintenant qu'ils ne risquent plus de se faire épingler sur la route par des soldats de la Wehrmacht ou par la Gestapo.

Armand et Rosy sont restés à la métairie. Ils ne savent rien pour Otto et Manfred, pas la peine de les affoler, ils croient que Delphine veut aller rechercher Aline et le petit garçon et elle ne dément pas. Elle se dit qu'elle ne devrait pas emmener Paul, mais comment le lui faire admettre, lui qui a si soigneusement préparé l'évasion de ses amis ? Elle a très peur, et personne à qui se confier, elle sait que les deux Allemands, pour déserteurs qu'ils soient, ne trouveraient pas grâce aux yeux des groupes de résistants qui se préparent à sillonner le pays à la recherche de collaborateurs. Heureusement, on dit qu'ils n'ont pas fini d'écumer Bruxelles. Plus elle attend, plus les risques augmentent. Elle essaie de se convaincre qu'il faut partir, qu'il faut chasser Gabrielle de son esprit, le temps d'un aller et retour. Elle se dit et se répète qu'elle est peut-être dans un hôpital en Allemagne. Qu'il faut attendre car il n'y a rien, rien d'autre à faire.

Paul ne semble pas s'inquiéter de l'absence de sa mère. Peut-être se dit-il qu'elle a des choses à régler avant de mettre le point final. Il sait tout sur ses activités, depuis longtemps. Il ne s'est jamais plaint de ses longues absences, de sa fébrilité lorsqu'elle est à la métairie, de ses impatiences, de son besoin de filer au plus vite. Delphine sait qu'il lisait les tracts qu'elle écrivait, qu'il l'aidait même à les rédiger. Gabrielle a un sens aigu de la formule assassine, mais sa grammaire est déficiente. Il l'a souvent suivie, non pour savoir où elle se cachait, mais pour *participer*. Il lui a du reste posé la question, un jour où ils étrillaient un cheval : « Maman, tu crois que je suis assez grand pour faire comme toi ? » La réponse a été catégorique : « Non. »

Un matin, Delphine voit une femme pédaler sur le chemin. Une femme du coron. Les enfants dorment encore. Elle dévale silencieusement l'escalier, passe devant la porte de la cuisine, où Rosy dresse la table du déjeuner. « Tu veux du café ?

— Oui, j'arrive tout de suite. »

La femme pose sa bécane par terre, sort un papier de sa poche.

On l'a retrouvée. Venez.

Delphine se détourne, se plie en deux, vomit dans le fossé. La femme lui tend un mouchoir.

«Prenez mon vélo», dit-elle.

*

La femme du coron a appris à Armand que le pasteur est allé à la morgue pour identifier le corps de sa fille. Lorsqu'il arrive au temple, des fidèles rassemblés devant l'entrée s'écartent pour le laisser passer. Il leur dit de rentrer chez eux, qu'il n'y aura pas d'office, qu'on leur dira demain ce que leur pasteur attend d'eux. Le petit troupeau s'en va. Delphine est assise près du père de Gabrielle. Ils ne parlent pas. Armand leur demande ce qu'il peut faire. Delphine se lève. «Le pasteur veut que nous allions chercher Paul».

Sur le chemin de la métairie, elle lui apprend que des employés de la commune ont retrouvé Gabrielle dans la cour d'une usine désaffectée, une balle dans la tête. On lui a brisé les jambes, fracturé la mâchoire.

Le pasteur ne veut pas que son petit-fils sache comment sa mère est morte.

Delphine veut parler de Charles à Paul. Elle croit, elle veut croire que le fait d'apprendre qu'il a un père l'aidera à surmonter son chagrin. Armand lui explique que ce n'est pas aussi simple, qu'un chagrin ne disparaît pas à l'annonce d'une bonne nouvelle. Et qui dit que ce sera une bonne nouvelle? Peut-être cet enfant en veut-il au père qui l'a abandonné? «Ce n'est pas de Charles qu'il va avoir besoin, ma chérie, c'est de toi.» Delphine ne réagit pas, les paroles d'Armand ne lui parviennent que par bribes, petits lambeaux de souffrance s'ajoutant à l'horreur de la mort de son amie. Jamais elle ne s'est sentie aussi démunie, elle sait qu'elle se raccroche à Charles parce qu'elle croit qu'elle ne trouvera pas les mots; elle se dit que sa maladresse va tout gâcher, que Paul ne l'aimera plus, qu'il lui reprochera de ne pas avoir sauvé sa mère.

À la métairie, ils restent assis à la table de la cuisine, assommés, devant le café que Rosy vient de leur servir. Ils regardent la chaise vacante, là où Gabrielle avait coutume de s'asseoir. Les petites sont dans leur chambre, Paul à l'écurie; ils ne se doutent de rien. «Tu ne bois pas ton café?» demande

Rosy. Delphine fait non de la tête. Armand se lève, pose une main sur son épaule. «Il est temps. Je vais appeler Paul.»

Lorsqu'elle sort de la maison, Delphine voit l'adolescent courir vers la voiture, remontant ses bas sur ses jambes de gamin qui a poussé trop vite.

Avant de sortir, elle demande à Rosy de tout dire aux filles.

*

Paul se réjouit d'aller au temple avec Armand, mais, d'abord, il veut lui montrer la maison où il est né. Il lui dit que sa mère sera peut-être là, qu'ils vont enfin pouvoir parler du bon vieux temps, maintenant qu'il n'y a plus de secret, plus de clandestinité, plus de cachotteries. Il rit: «Le bon vieux temps, pour moi, c'est la guerre, vous ne trouvez pas ça drôle, papi?»

La maison sent le renfermé, il y a longtemps qu'on n'a plus ouvert les fenêtres pour laisser entrer l'air du dehors. Dans le corridor, Delphine et Armand attendent, le cœur serré, écoutant Paul appeler une femme qui est morte. L'adolescent va d'une pièce à l'autre, puis dévale l'escalier, contrarié. «Elle est sans doute au temple avec grand-père.» Un dernier coup d'œil dans la cuisine. «C'est bizarre, elle n'a pas fait de café.» Son expression a changé, il est inquiet. «J'espère que grand-père va bien. Dépêchons-nous.» Delphine et Armand traversent la cour derrière le gamin qui ne s'inquiète que pour son grand-père...

Il ne lui vient même pas à l'esprit qu'il pourrait être arrivé quelque chose à sa mère, si forte, si solide, si puissante.

«Je n'y arriverai pas», dit Delphine.

Paul pousse la porte du temple, la tient ouverte pour les laisser entrer. Adrian Jones est assis près de l'autel. Il ne prie pas. S'il priait, il serait debout. Paul se dirige lentement vers lui, comme on le lui a appris, malgré le soulagement qu'il doit ressentir en voyant que son grand-père est là, bien vivant. Il se penche, lui parle, puis demande où est sa mère. Le vieil homme se tourne vers Armand et Delphine, restés au fond de l'église, fait un geste d'impuissance. «Il a besoin de nous, dit Armand. – Je ne peux pas, murmure Delphine, vas-y tout seul, papa.» Armand lui prend le bras, la tire doucement dans l'allée. Paul vient à leur rencontre, chuchote: «Je crois qu'il ne sait pas où est maman.» Il observe Armand, Delphine. «Qu'est-ce qu'il y a, ma tante, vous êtes toute blanche.» Elle s'agrippe au dossier d'un banc, Paul lève un visage inquiet vers Armand, le questionne du regard. Un regard dans lequel commence à pointer la méfiance. Le pasteur l'appelle, il court vers lui.

Figés au milieu de l'allée, Delphine et Armand entendent le grand-père dire à son petit-fils que sa mère était une résistante.

Paul se met à rire. «Grand-père, tu crois que je ne le sais pas? Bien sûr que maman était une résistante. Et toi aussi. Mais c'est bien fini tout ça. Ils sont partis. On va avoir la paix, maintenant!»

Adrian Jones ne bouge pas, ne réplique pas. Il croyait qu'un mot, un simple mot révélerait tout à l'enfant. «Ta mère *était* une résistante.» Devant ce silence, Paul prend peur. Il va de l'un à l'autre. «Où est ma mère? Elle est blessée, c'est ça? Elle est à l'hôpital, c'est ça? Non? Alors elle est prisonnière? Elle se cache? Ils l'ont emmenée en Allemagne?»

Delphine a fermé les yeux, Armand serre son chapeau sur sa poitrine, le pasteur fixe ses mains ouvertes sur ses genoux. Paul est debout dans l'allée, immobile, les regardant l'un après l'autre. Il se penche vers Delphine, tend une main. «Ma tante, qu'est-ce…» Il se tourne vers Armand, «Pourquoi êtes-vous ici?» Sans attendre la réponse, il remonte l'allée pour retourner à son grand-père et, d'une voix affreusement calme: «Dis-moi où elle est. Dis-le-moi tout de suite. Dis-le-moi tout de suite où je casse cette baraque. Où est maman?» Il revient à Armand, «Pourquoi êtes-vous ici? Où est-elle?»

Delphine est paralysée par l'horreur. Une foule de lieux communs se mêlent dans sa tête, alors qu'il n'y a qu'un mot à dire: morte.

Paul se met à marcher dans l'église en appelant sa mère. Il s'arrête devant le pasteur, va vers Armand, ouvre la bouche pour parler, regarde Delphine effondrée sur sa chaise. Il se penche, la prend aux épaules, la secoue. «Ma tante, répondez-moi, où est-elle?»

Delphine commence à saigner. Il la lâche, recule, effrayé. Armand s'approche, tend un mouchoir. Paul lève une main mais ne le prend pas. Un silence terrible tombe, avec le sang qui coule. La porte du temple s'ouvre, une femme entre. Adrian Jones lui fait signe de sortir. Delphine étouffe un sanglot, mais ne peut contenir le suivant, qui éclate, se réverbérant sur les murs de l'église. Paul la regarde avec terreur, comme s'il craignait que ce sanglot ne fasse jaillir plus de sang encore. Puis il pousse un cri, se laisse tomber devant elle, entoure de ses bras les genoux qui tremblent. Elle lève ses mains pleines de sang... Elle les regarde, malade de chagrin, retenant les forces qui lui restent pour ne pas les poser sur la tête qui pèse sur ses genoux. Le sang continue à couler. Elle devine la présence de son père, derrière elle, mouchoir à la main. «Paul», articule-t-elle. Il se lève, la repousse avec violence, puis, l'œil sec, marche lentement vers son grand-père. Le vieil homme est retombé sur sa chaise, de travers, comme un corps cassé. L'adolescent se penche, lui parle tout bas, comme s'il ne voulait pas que les autres entendent, comme si ses paroles ne concernaient qu'eux: «Je sais ce que tu vas dire. Que c'est la volonté de Dieu. Tu vas me dire que c'est la volonté de Dieu, c'est ça? Dis-le.» Sa voix se casse. «Dis-le!» hurle-t-il. Le pasteur lève son visage défait, hagard. Il fait non de la tête.

«Tu as raison, ne le dis pas. Ne dis plus jamais ça. Nous ne voulons plus jamais entendre ça. Ton Dieu est malade.»

Le pasteur bascule, sa chaise se renverse, il tombe. Paul se jette sur lui, le redresse, le serre dans ses bas. Et les larmes coulent, enfin. «Non, grand-père, non, ne meurs pas, ne meurs pas. Si tu meurs, qu'est-ce que je vais faire? Regarde-moi, grand-père, écoute-moi. Je ne veux pas que tu meures. Je ne veux pas que tu meures aussi. Je veux te garder longtemps, longtemps, et nous parlerons d'elle. De ma maman. Je t'en prie, regarde-moi! Ne me laisse pas.» Il écarte les mains que le pasteur tient serrées sur son visage. «Je t'aime, grand-père.»

Armand n'a pas bougé. Il est pâle comme la mort, près de sa fille couverte de sang. Il lui tend le mouchoir. Elle essuie son visage, ses mains. Le mouchoir est trop petit, des traînées rouges maculent ses joues, ses bras, le sang a coagulé sur sa blouse, elle se lève, chancelle, il la retient. «Emmenons-les tous les deux, dit-elle dans un souffle. Essayons de garder le pasteur à la métairie, au moins pour une nuit.»

Là-haut, près de l'autel, Paul a pris son grand-père dans ses bras. Il lui parle. Quelques instants s'écoulent puis, avec une grande douceur, l'adolescent soulève un bras du vieil homme et le met sur son épaule. Il l'aide à se lever. Le pasteur titube, Paul le retient et lui parle encore. Ils descendent l'allée centrale, le petit-fils ajustant son pas à celui de son grand-père. La métamorphose est si soudaine qu'Armand et sa fille restent cloués sur place. Paul n'est plus l'adolescent qui appelait sa mère, qui blasphémait, qui voulait casser les murs du temple, c'est un jeune homme qui soutient un vieil homme.

Comment est-ce possible? se demande Delphine.

C'est possible parce qu'il est le fils de Gabrielle et de Charles.

Paul s'arrête un moment près d'elle, examine son visage, ses mains, sa robe souillée, ébauche un semblant de sourire. «Ma tante, qu'est-ce que vous avez encore fait?»

Comme Gabrielle l'accueillant dans son cachot après sa chute dans l'escalier de la cave. «C'était toi, ce tintamarre?»

*

Le lendemain, le pasteur se rend à la morgue avec Armand et demande que l'on mette le corps de Gabrielle en bière. Le cercueil est transporté au temple. Adrian Jones veut que tout le village rende hommage à sa fille. Les habitants du coron arrivent, ainsi que les membres de la cellule de Liège dont elle faisait partie. La nouvelle s'est répandue, des gens des villages environnants veulent assister à l'office des morts. Delphine a fait ouvrir le caveau creusé dans la concession funéraire qu'elle a achetée à la commune. Gabrielle reposera près d'Alma, sous l'orme bleu du petit cimetière.

*

L'adolescent passe les deux journées qui précèdent le voyage en Ardennes dans l'écurie, où Firmin lui a installé un lit de camp et lui apporte ses repas. Le fils de Gabrielle a simplement indiqué à Delphine qu'il désire faire le deuil de sa mère en silence, près des chevaux.

La veille du départ, c'est Jules-Henry qui le ramène à la maison. Ils entrent dans la cuisine pendant le repas du soir, le père de Charles tenant son petit-fils par l'épaule. Rosy ajoute deux couverts. Jules-Henry offre un vrai sourire de réconciliation à sa belle-fille, puis serre la main du pasteur, qu'il est allé chercher au temple. Un long silence, que chacun s'efforce de remplir de gestes d'affection. Le repas se déroule dans le recueillement, la chaleur d'une amitié que rien ne pourra plus briser.

C'est le moment que choisit Odile pour faire une révélation. Elle se tourne vers Jules-Henry et, d'une voix claire :

« Grand-père !

— Oui, ma petite fille ?

— Figure-toi qu'on a sauvé deux Allemands qui n'aiment pas la guerre ! Tu veux les voir ? »

Stupeur. Le premier réflexe de Delphine est d'envoyer Odile dans sa chambre. Non, Odile a raison. Elle a choisi le bon moment.

Paul sourit, enfin. Et c'est lui qui raconte. Le récit terminé, Armand, aussi secoué que le beau-père de sa fille, invite ce dernier à l'accompagner au salon pour y boire un alcool de poire. Ils en ont bien besoin.

« Viens toi aussi, Paul. »

*

Lorsque Delphine annonce à Aline qu'il y a deux soldats allemands dans la voiture, la crainte se peint sur le visage de la jeune femme, il faut lui expliquer toute l'histoire, en détail, la rassurer, mais Delphine voit bien qu'elle ne demande qu'à se laisser convaincre, qu'elle est tout à coup impatiente de renouer avec une langue qu'elle n'a plus parlée depuis plus d'un an. Le petit Maxou dans les bras, elle regarde les deux hommes se frayer un passage dans les broussailles du sentier. Le plus jeune boite, l'autre le soutient, les deux sacs militaires sur le dos. Ils portent des vêtements civils. « C'est toi qui les a habillés comme ça ?

— Ce sont des vêtements de Charles. »

Le bébé se met à pleurer. « N'aie pas peur, chuchote Aline, ce sont des amis. » Elle voudrait que l'on cache l'existence des déserteurs à Cyrille. « On ne peut pas lui en demander trop ! » Delphine lui explique que Cyrille est un fin renard et qu'il sentira leur présence. De toute façon, ils sont décidés à partir cette nuit, et l'aide du fermier, qui connaît les Ardennes comme sa poche, ne sera sûrement pas de trop pour tracer un itinéraire… ou vérifier celui qu'Otto a préparé. Pour Otto, le périple commence par une route carrossable du massif des Ardennes, puis ce sont des sentiers, puis « droit devant », comme il dit. Rêveuse, Delphine écoute cette langue qui lui est étrangère. L'un ou l'autre s'arrête de temps à autre pour s'excuser auprès d'elle de s'exprimer dans cet idiome dont, hormis les mots brutaux de l'envahisseur, elle ne connaît rien. «Continuez, ça ne fait rien.» Surprenant un mouvement de tendresse entre les deux hommes, Aline lui lance un regard étonné. Cela correspond si peu à la sacro-sainte virilité teutonne tant vantée par son mari!

Dans l'épuisement des derniers jours, Delphine n'a cessé de penser à Charles, que Paul lui rappelle chaque fois qu'elle le regarde. Il va mieux, Paul, vraiment mieux. Il écoute Otto lui parler de ses amis du grand-duché, «des amis comme nous».

Espérons que Hitler ne les a pas trouvés.

Cyrille n'arrive pas seulement avec du pain et du lait, il arrive avec de bonnes nouvelles: les Allemands filent doux, ils se préparent à partir; les provisions qu'ils viennent chercher à la ferme sont de celles que l'on peut emporter en voyage. Il ne semble pas surpris par la présence d'Otto et de Manfred. «J'en ai vu d'autres, madame Charles, si vous saviez! – Vous voulez dire que vous avez déjà vu des déserteurs! – J'en ai même fait passer un de l'autre côté. Le pauvre bougre était tombé devant ma porte. Je l'ai soigné puis je l'ai emmené là-bas.» Otto ouvre la carte d'état-major. Cyrille connaît un passage, on l'écoute religieusement. Manfred est content de voir son ami moins inquiet; avec l'aide d'un habitant du coin, l'expédition lui paraît tout à coup beaucoup moins périlleuse.

En attendant la nuit, chacun fait honneur au repas préparé par Aline… en cassant du sucre sur Hitler et sa bande. Otto et Aline traduisent certains passages pour Cyrille, Delphine et Paul. Jamais Delphine ne s'était rendu compte à ce point de la folie furieuse de Hitler, de la servilité criminelle de son entourage. Elle ne sait même pas que le monstre a échappé à plusieurs attentats, le dernier tout récent. Cyrille se tait. Lui sait – il a ses entrées au cantonnement américain de Bastogne –, mais il ne croit pas qu'il soit indiqué de raconter ces horreurs à un adolescent et à des femmes, surtout à Aline, dont il connaît l'histoire. Il fait taire Manfred, qui vient d'entamer un autre récit. Un moment de gêne s'installe, que l'on dissipe en sortant une fois de plus la carte d'état-major.

Pendant ce temps, les femmes préparent le casse-croûte. Puis les voyageurs de la forêt font leurs adieux à Aline. Cyrille prend le volant, Otto à ses côtés. Paul s'installe à l'arrière avec Manfred et Delphine. «Tout va bien, dit le conducteur, la nuit est claire. En route! On a un bon bout de chemin à faire.»

Il est une heure du matin. La Minerva avance lentement pour éviter les ornières laissées par les chars. Une quinzaine de kilomètres plus loin, Cyrille commence à rouler au pas, cherchant le fameux sentier. Il explique que c'est une piste de chasseurs qu'il a empruntée souvent avec le père de Charles quand ils traquaient le sanglier. Mais il ne la trouve pas, fait demi-tour, sort de la voiture pour examiner le bord de la route. «Ici!» crie-t-il. Un arbre est tombé, cachant la piste. Les autres sortent de la voiture, frissonnant dans l'humidité. Ils échangent des poignées de main en silence, Manfred a les larmes aux yeux, Paul lui tape sur l'épaule. «À bientôt», dit-il. (Ses amis ont promis d'écrire, quand tout sera fini.) Il tend un objet à Otto: une boussole que son grand-père lui a donnée pour ses quatorze ans.

Le cœur battant, Delphine regarde les deux hommes s'enfoncer dans les broussailles. Manfred trébuche, Otto l'aide à garder l'équilibre. Il fait certainement une remarque amusante, car son ami éclate de rire.

«Ils s'aiment vraiment», dit Paul.

La pâle lueur de la lune caresse la cime des arbres.

Le lendemain, Delphine promet à Aline de venir la chercher dès que la région sera tout à fait libérée. Cyrille dit que rien ne presse. Aline écoute le fermier avec un sourire, peut-être est-elle du même avis.

La brume du matin flotte dans les épicéas; il va faire beau. Allons, se dit Delphine, il faut partir, rentrer à la métairie, retrouver les filles, Armand, Rosy… mes beaux-parents, Firmin, les chevaux… faire une fournée, préparer le retour d'Armand et de Rosy à Bruxelles, reprendre le train-train quotidien.

Attendre Charles.

Elle chancelle, s'appuie au chambranle de la porte.

«Non, ma tante, non! dit Paul, nous ne partirons pas avant que vous ne soyez reposée.» Elle se laisse pousser vers le divan, ferme les yeux. Elle a souvent été fatiguée, et elle a parfois eu peur, mais jamais elle n'a ressenti un tel vide. Jusqu'ici, le désespoir lui était étranger, il n'était pas apparu lorsque sa mère s'était ôté la vie, lorsque Charles avait décidé de rejoindre les Alliés. Elle a même accepté la mort de Gabrielle.

Elle a tout accepté.

Alors pourquoi le départ de deux étrangers la bouleverse-t-il à ce point?

C'est vrai, ce qu'on dit, qu'une goutte d'eau fait déborder le vase?

Le flot de pensées finit par se tarir, elle s'endort.

Ils prennent la route en fin d'après-midi. Une bonne rencontre, à la sortie de Bastogne: un long convoi de camions américains. «Je vais mieux», dit Delphine. Elle tourne la tête vers son compagnon. «Et toi, Paul?»

Il ne répond pas, pose une main sur son épaule.

À leur retour à la métairie – très tard, les filles sont déjà couchées –, Armand leur révèle l'existence des camps de la mort. Quelques années ne suffiront pas pour tout découvrir, se dit Delphine, mais j'aurai au moins évité cela à deux personnes: Aline et son enfant. Et peut-être aussi aux soldats déserteurs.

Le lendemain soir, Cyrille appelle de Bastogne. «Jamais je n'oublierai cette journée. Ils sont partis ce matin quand la division américaine d'infanterie s'est pointée. Tous. Le Kreiskommandant de Bastogne, les feld-gendarmes qui nous ont pourri la vie pendant quatre ans, les soldats qui vivaient dans des baraquements, en forêt, près du dépôt de munitions. Tous! Envolés! Ils ont même emmené leurs prisonniers russes.»

Delphine lui dit qu'elle va venir rechercher Aline, mais pas avant deux ou trois semaines, et qu'elle en profitera peut-être pour passer quelques jours à la villa avec les enfants. Cyrille n'est pas contrarié, pas du tout contrarié.

«Prenez votre temps, madame Charles, Aline et le petit vont bien.»

Lorsqu'elle lui demande s'il lui reste des sous, il répond que cela n'a pas d'importance, parce qu'Aline mange comme un oiseau. Et qu'en plus elle l'aide à la ferme. Il y a, dans le ton de l'Ardennais, une note d'allégresse, de douceur et, oui, de sensualité qu'elle n'a jamais perçue jusque-là.

Elle va se coucher apaisée. Au moins ces deux-là sont heureux.

49

ODILE

Mardi

Ma tante Gabrielle a été tuée par les Boches et toute la ville était là pour la conduire au cimetière de mamie Alma avec les deux percherons noirs à plumets de la pompe funèbre qui tiraient majestueusement le corbillard suivi de Paul et son grand-père beaux et graves, puis de maman, papi, Rosy et nous les filles avec Firmin, puis les gens du coron et un défilé long et triste de résistants avec leur béret. Quand on était réuni autour du trou noir et qu'on a mis la boîte dedans, j'ai vu que maman devenait toute blanche à cause de son amie qui allait être mangée par des vers avant de devenir un squelette. J'osais pas regarder Paul parce que pour un fils c'est horrible.

Jeudi

Paul est dans l'écurie avec le cheval de papa. Maman ne veut pas que j'aille le voir.

Soir

Paul est enfin revenu avec grand-père et pendant le souper j'ai tout dit pour Otto et Manfred et ce fut la surprise. Maman et Paul vont les conduire dans les Ardennes pour qu'ils aillent chez des amis du Luxembourg. Il est temps car la carte d'état-major est sur le poing de retomber en poussière comme nous tous.

Les occupants de Bruxelles sont enfin partis de notre Belgique et notre roi peut se promener dans le parc de Laeken parce qu'il n'y a plus de boches cachés dans les fourrés pour l'espionner. Les tommy sont revenus pour fêter la victoire.

Lolotte est partie à Liège avec quatre filles de l'école sous la surveillance de notre instituteur monsieur Dupont dans la carriole avec Firmin. Moi je n'ai pas voulu me déguiser en drapeau pour aller gambader dans la ville avec des marsupiaux. Charlotte a une cocarde de zouloute accrochée avec une pince sur la tête et elle a emmené sa Bleuette habillée comme elle.

Soir

Je recopie un morceau de poème in-ter-mi-na-ble d'Émile Verhaeren poète aimé de Jan parce que j'ai rien d'autre à faire qu'attendre ma mère et que même si j'avais quelque chose à faire je ne le ferais pas parce que j'ai envie de rien.

Cette occupation nous a usés, mes amis. Et la mort de tante Gabrielle nous désespère et quand nous saurons tout de la méchanceté des boches, nous serons a-né-an-tis. Je le sais, alors pas la peine d'attendre, je préfère m'anéantir tout de suite en me bourrant la tête avec l'interminable poésie d'Émile.

Quand je dis que j'ai envie de rien, c'est faux. Je veux que ma mère redevienne comme avant. Je veux qu'elle arrête d'aller dans sa chambre parce qu'elle est fatiguée. Je veux qu'elle me gronde, qu'elle me dise que Lolotte est plus serviable, plus obéissante, plus tout que moi. Je veux qu'elle arrête de dire qu'elle a mal à la tête parce que c'est pas vrai. Elle n'a pas mal à la tête, elle est comme moi, mais en dix fois plus. Maman est fatiguée parce que mon père ne revient pas et parce que ma tante Gabrielle est morte. Mais au lieu d'aller dans sa chambre avec un faux mal de tête, maman ferait mieux d'aller dans sa chambre avec moi, car je suis comme elle, et que même si c'est dix fois moins, on ferait mieux d'en parler parce que ça fait du bien aux nerfs et voici pourquoi: les nerfs sont partout dans le corps dans des cavités qui sont en fait leur logis et alors tout va bien. Mais quant ils sortent de ces cavités pour des raisons spéciales ils sont alors à fleur de peau et ça fait très mal car ils sont coincés. Alors la personne devient rouge ou blanche et pousse parfois des cris mais plus souvent elle pleure et il faut lui mettre une compresse. Maman dit que les nerfs de ma grand-mère Émilie ne sont pas solides mais quand grand-mère devient rouge ou blanche maman l'emmène dans sa chambre et lui donne du sirop Deschiens à l'hémoglobine régénérateur du sang prescrit par l'élite médicale. Alors grand-mère dit je me sens revivre ma bru et elles fêtent le miracle avec un verre de cinzano l'apéritif des optimistes.

Le pire, c'est que mon père n'a envoyé qu'un petit message de rien du tout pour dire qu'il est en bonne santé et travaille beaucoup. Et rien depuis un siècle. Alors on se demande s'il est toujours en bonne santé et s'il travaille toujours beaucoup. Pourquoi il revient pas on se le demande car la guerre est finie et les tommy sont là.

Je tourne en rond, je ne sais pas quoi dire, je ne sers à rien. Je suis comme une toupie qui ne tourne plus.

Quand on découvre qu'on ne sert à rien, il est peut-être temps de faire son baluchon et d'aller voir ailleurs si par hasard on n'aurait pas besoin d'une fille qui ne sert à rien chez elle mais qui pourrait peut-être servir ailleurs.

En attendant, je recopie le poème particulièrement tarabiscotté de Verhaeren. Mais seulement une partie de l'affaire parce que si tu lis le tout en une fois ta tête éclate et tu meurs en convulsion.

Vivons, dans notre amour et notre ardeur,
Vivons si hardiment nos plus belles pensées
Qu'elles s'entrelacent harmonisées
A l'extase suprême et l'entière ferveur,
Parce qu'en nos âmes pareilles,
Quelque chose de plus sacré que nous
Et de plus pur, et de plus grand s'éveille,
Joignons les mains pour l'adorer à travers nous.

Moi l'amour et l'ardeur je ne les ai plus. Grand-mère m'a dit Odile tu as l'air d'une âme en peine. J'ai répondu ma mère aussi, c'est pour ça, et toi aussi grand-mère tu soupires beaucoup car tout de même mon père est ton fils. Oh la la mes amis, les nerfs sont arrivés presto. Elle pleurait et j'ai dit toi aussi t'es une âme en peine, grand-mère. Alors j'ai plus pensé à mon malheur et je lui ai parlé. J'ai dit tu me dirais bien ce que ton fils est allé faire chez de Gaulle qu'est même pas belge. On a discuté et elle a dit tu sais Odile ton papa est à moitié français et le général de Gaulle luttait pour notre liberté à tous. Ah oui, et le roi Léopold, alors? Le roi aussi. Alors pourquoi mon père était pas chez le roi, tu crois que c'est à cause de la Baels? Ça, qu'elle a dit, c'est bien possible, avec un air pincé. Alors j'ai dit tu sais grand-mère, l'amour sera toujours l'amour. C'était pas très malin comme explication mais elle s'est dépincée. Et j'ai dit aussi pourquoi notre roi est pas avec de Gaulle? Comme on n'avait pas de réponse à cette question politique on est retournée à la cuisine et on a fait des crêpes avec le restant de farine.

Revenons à Émile qui dit si violent et si ardemment doux qu'il nous fait mal et nous accable (l'amour). Je souligne et je jure que si j'étais maîtresse d'école et qu'un élève aurait écrit une chose pareille, je lui ferai copier cent fois. Non, deux cent. Non, cinquante, mais pendant toute l'année. Puis il dit aussi le Dieu soudain qui règne en nous. Pour moi, c'est réglé parce que c'est le contraire soudain il règne plus, bon débarras. Mais avec lui qui a disparu de ma vie et ma tante Gabrielle au cimetière et l'occupant qui s'en va et ma mère qui est dans les forêts (avec de bons Allemands) et mon père qui est chez de Gaulle et mon papi et sa Rosy qui vont repartir à Bruxelles et mon chien Fu qu'il faut tout le temps aller rechercher à la ferme à côté parce que leur chien est une chienne et c'est clair qu'il veut se mettre sur elle, ma vie est comme foutue. Heureusement j'ai mon Schramouille. J'ai pas dit à maman qu'une fille de l'école me l'a donné ce livre contre Bécassine alpiniste. Je l'ai caché parce qu'elle dit (ma mère) que c'est pas des lectures pour jeunes filles convenables parce que Pitje Schramouille écrit des mots suspect à tirelarigo. Personne sait et surtout pas Lolotte qui est la plus grande raccusette de Belgique. Donc je lis mon schramouille quand je suis découragée. Voici sa poésie de la Pécole.

In petit ketje des Marolles
Était malade au lit de la pécole.
Vous savez, ça est quand tu as la peau du cul qui se décolle.
Y savait pas aller à l'école
Et chez les boy-scouts non plus pas.
Et il avait de chagrin avec ça!
Mais plus qu'y pleurait
Plus que la peau de son pette se décollait.

On donne du bismuth au petit men, mais la peau de son pette se décolle encore plus. Alors on va chez le docteur et il avale cinq pilules et l'histoire finit bien car la peau de son pette colle meilleur qu'avant.

Ça suffit pour aujourd'hui. Pitje ne me fait pas rire, c'est la fin des haricots. J'aimerais bien montrer mon Schramouille à Paul mais il ne comprendrait pas ces histoires de Bruxelles car il est de Liège où les gens ne savent même pas où sont les marolles où mon papi allait avec ma maman pour acheter des anges.

Je ne sais plus écrire des poèmes alors je dois voler ceux des autres.

Bernadette est morte, tante Gabrielle est morte.

Peut-être qu'un jour on va me dire que mon père est mort.

50

IRÈNE

Le porteur empile les bagages d'Irène sur un chariot. Devant l'amoncellement de valises, Armand a un rire amer. «Tu es sûre que tu n'as rien oublié?» L'atmosphère est tendue, ils n'ont pas échangé un mot pendant le trajet de la rue de la Vallée à la gare. Irène hausse les épaules, elle sait que son frère lui en veut de s'en aller. La journée a été sinistre. Le matin, lorsqu'ils se sont retrouvés à la table du petit-déjeuner, ils y ont trouvé un mot de Jan, principalement destiné à Rosy, à qui, écrivait-il, «nous devons tout ce qui a été agréable pendant cette occupation». Puis il leur donnait rendez-vous, «un jour ou l'autre», à la métairie. Irène a eu beau répéter à son frère que Jan et elle se sont quittés bons amis, elle voit bien qu'il n'y croit pas. Et qu'une autre pensée le tarabuste.

«Au lieu de faire cette tête, Armand, pose la question qui te brûle les lèvres, ça te soulagera.

— Quelle question?

— Pose-la.

— Très bien. Est-ce qu'il y a quelqu'un?

— Non, il n'y a personne. Tu ne vois pas que j'ai grandi, Armand?

— Si. Je te demande pardon.

— Je rentre chez moi et j'en suis heureuse, tu devrais te réjouir.

— Ça, c'est beaucoup demander.»

Elle ne lui dit pas que son train ne part qu'au matin. «Conduis-moi au restaurant. J'ai tout mon temps, j'achèterai mon billet plus tard.» Le porteur les suit, décharge le chariot à l'entrée de la salle. «J'aurais pu te ramener à Paris, dit Armand.

— Non, tu dois t'occuper de ta fille. Essaie de retrouver Charles, il y a sûrement des démarches à faire.

— Il y a longtemps que je les ai entamées.

— Quand il sera revenu, vous viendrez me voir avec les enfants. On leur avait promis. Oh, regarde, cette salle est presque aussi belle qu'avant!» Pour un peu, elle battrait des mains. Elle sourit devant la mine basse de son frère. Il l'embrasse et s'en va, toujours aussi piteux. Irène ne peut retenir un soupir de soulagement, tandis qu'elle le regarde traverser la salle des pas perdus. Je me sens comme avant. Rien n'a changé, tout recommence! Elle appelle le garçon, commande un vol-au-vent, une demi-bouteille de bordeaux, feuillette les prospectus qui traînent sur une table. Je pourrais voyager, avant Paris, puisque tout est redevenu normal.

La montagne de bagages la rappelle à l'ordre. Oui, mais pas avec ce déménagement!

Une femme sort de la salle avec deux valises. Tailleur et chaussures de voyage, pas de chapeau, cheveux retenus par quelques peignes, et cet air un peu insolent qu'ont les femmes que l'Occupation a métamorphosées. Irène lève sa voilette, regarde la voyageuse avec un sentiment de fierté.

Non, tout n'est pas comme avant. Désormais, nous voyagerons seules.

Mis à part un homme, au fond la salle, qui lui tourne le dos, il n'y a pas un chat dans le restaurant. Pas très engageant, cet individu tassé sur la banquette: il bouge à peine, sauf pour porter un verre à ses lèvres. Whisky, sans doute. En parfaite harmonie avec les mèches rousses qui s'étalent sur son col. Il attend sans doute le train du matin pour Paris. Comme moi.

*

Impossible de fermer l'œil, la chaleur est étouffante. Irène ouvre la porte du compartiment, se glisse à l'extérieur, essaie d'ouvrir la vitre. Un léger bruit, à sa droite. Elle tourne la tête, distingue, au bout du couloir, une forme humaine effondrée sur un strapontin. Une forme qui émet un son rauque, une sorte de gémissement. Elle s'approche. Ah, les cheveux roux! C'est l'homme au whisky du restaurant de la gare. Il n'a pourtant pas l'allure d'un voyageur de première. Il lève la tête, pose sur elle un œil bleu, noyé. Tu devrais retourner dans ton compartiment, cet homme est ivre. Ça ne te rappelle rien? Elle s'apprête à faire demi-tour, mais se ravise. Trop intrigant, ce type qui a l'air d'être tombé d'une autre planète. Quelque chose lui dit que l'alcool n'est pas seul en jeu, que le souffle rauque est provoqué par un malaise, ou une douleur.

«Ça ne va pas?»

Il fait non de la tête, lève un bras. Irène fait un saut en arrière. Ça le fait rire. Puis il grimace, se recroqueville sur lui-même.

«*No need to be afraid*», grogne-t-il.

Irène se félicite d'avoir suivi ces cours d'anglais assommants, lorsqu'elle travaillait à l'institut de Madame Cavell.

«*Why are you in the corridor?* demande-t-elle.

— *No idea.*

— *Where is your compartment?*

— *Don't have one.*

— Vous n'avez pas de compartiment?»

Pas de réponse. Irène reste plantée devant l'homme, décidée à intervenir.

«*I think you should...*

— *Don't make such a fuss. I don't need anyone.*

— *You look very weak.* Est-ce que vous êtes blessé?

— *Could be.*»

Irène se penche, il lève à nouveau le bras, mais c'est pour l'empêcher de le toucher.

«Vous avez un billet, au moins?»

Il tapote sa poche. «Oui, madame.»

Son français est parfait.

Irène est furieuse. «Vous ne pouviez pas dire tout de suite que vous parliez le français?» Il l'observe, amusé. «Écoutez, c'est... affreusement inconfortable ici, et j'ai un compartiment pour moi toute seule. Allons, levez-vous. Vous pourrez vous étendre sur la banquette, ce sera plus confortable. (Elle réprime un sourire en imaginant la tête d'Armand s'il l'entendait faire cette proposition scabreuse.) Vous n'avez pas l'air bien, demain, en arrivant, je vous conduirai à l'infirmerie.

— O.K.»

Sur ce, il croise les bras, ferme les yeux et se carre sur son strapontin.

Ah ça non, il ne me fera pas tourner en bourrique. Elle lève le bras de l'étranger, le pose sur son épaule, puis, s'arc-boutant sur sa jambe gauche, aide la masse gémissante et brûlante de fièvre à se soulever. La chaleur qui traverse la vareuse de coton se communique à sa propre peau à travers sa robe de soie et sa gaine. Dans la chaleur ambiante, caniculaire, cette addition de chaleur, accentuée par le tissu élastique de la gaine, la fait frissonner. L'homme se laisse faire, grognant un peu pour la forme, tandis qu'elle l'aide à se traîner jusqu'au compartiment. Sans doute est-il trop affaibli pour protester. Après avoir embrassé les lieux du regard, surpris sans doute par le contraste entre son misérable strapontin et le luxe de l'habitacle – velours bourgogne et cloisons de bois laqué –, il se laisse tomber sur la banquette avec un soupir d'agacement. Elle a presque envie de le ramener à son strapontin, mais elle préfère mettre la mauvaise volonté du bonhomme sur le compte de la fièvre. D'où lui vient cette humeur maussade, cette mauvaise volonté, cette rudesse, elle finira bien par le découvrir. L'inconnu vacille de gauche à droite, tente de s'immobiliser en se collant au dossier, mais sa tête roule sur le côté, entraînant tout son corps. Il va tomber. Irène s'assied pour qu'il s'effondre sur elle. Il ne faut surtout pas qu'il tombe sur le sol, il est beaucoup trop lourd, je ne pourrais pas le relever. La tête bascule, se niche entre son cou et son épaule.

« *Well done* », souffle-t-il.

Une sorte d'équilibre fragile s'installe, peut-être dort-il, en tout cas, son souffle est régulier. Ses cheveux roux chatouillent la joue d'Irène à chaque expiration, soulevant le col de sa blouse. Il sent la fièvre, mais il y a autre chose. Le tabac ? Oui, une faible odeur de tabac, et de whisky… Irène n'a jamais bu de whisky de sa vie, mais si alcool il y a, ce doit être du whisky – rien à voir avec l'odeur doucereuse de la vodka yourienne de triste mémoire. Il ne s'est pas rasé depuis plusieurs jours, ni peigné, sans doute. Quand son épaule commence à s'ankyloser, elle se dit que le petit tiraillement douloureux va s'intensifier. Elle tente de bouger l'épaule, de déloger la tête qui s'y incruste, mais il grogne et se fait plus lourd. Le poids devient insupportable. Elle se dégage, prend l'homme dans ses bras pour le coucher sur la banquette. Il grommelle quelques mots, ne proteste pas quand elle soulève ses jambes pour les étendre sur le siège.

D'abord, il ne bouge pas, pâle, les yeux fermés, respirant lentement. Puis il grimace, essaie de libérer son bras droit coincé contre le dossier pour le ramener sur sa poitrine. Ses mâchoires se crispent. L'effort accentue sans doute la douleur, car il prononce quelques mots, qu'Irène ne comprend pas. Il pose sa main libre juste sous son cœur – ah, c'est là qu'est la douleur – et, levant les yeux vers elle, la dévisage. C'est un regard un peu fixe, avec, peut-être, une pointe de curiosité, ou d'animosité, Irène ne saurait le dire. À tout hasard, elle sourit, un sourire crispé, prudent, pour lui exprimer sa sympathie. Il est trop tôt pour questionner, il faut d'abord qu'il se calme, qu'il dorme, si c'est possible.

Irène ouvre sa sacoche, y prend un livre pour se donner une contenance, bien décidée à opposer à l'étranger un visage serein, à ne pas donner prise à son mécontentement d'avoir été amené là contre son gré. Car c'est bien ce qu'elle a fait, elle a profité de sa faiblesse pour le traîner jusqu'ici. Il la regarde toujours, suivant ses gestes des yeux, des yeux d'un bleu très clair dont l'ironie filtre entre les paupières à demi closes. Irène lève le livre pour cacher son visage, non sans avoir jeté un dernier coup d'œil au personnage étendu sur la banquette. Quel drôle d'oiseau! Il peut bien avoir les cheveux roux comme moi, je ne me sens aucune parenté avec lui. Du reste, ils sont presque jaunes, et raides.

Il soupire, détourne la tête avec un soupir impatient, ferme les yeux. Irène attend quelques instants avant de baisser son livre, puis constate qu'il s'est endormi, enfin: sa poitrine se soulève lentement, calmement. Étrange qu'il soit tombé aussi vite dans le sommeil, comme un enfant. Car c'est bien à cela qu'il ressemble, maintenant, à un enfant. Un enfant roux carotte au visage ingrat, pas très beau, joues mal rasées couvertes de taches de son, front pâle et buté. Il a l'air d'un renard efflanqué.

Le train a pris de la vitesse, il fait moins chaud dans le compartiment. Irène sent le sommeil la gagner. Elle se lève, remonte sa voilette, ôte son chapeau. L'homme grogne un peu, ouvre les yeux, lui lance un bref regard et se rendort. Jamais elle n'a rencontré un personnage aussi insolite. Elle pense à la salle de jeux du casino d'Ostende, où elle a croisé tant de créatures bizarres – toute cette faune, disait-elle. Cet homme ne ressemble en rien à ces êtres pâles d'anxiété, aux yeux fiévreux. Lui n'est pas anxieux, il est de mauvaise humeur; ses yeux ont un éclat fébrile, certes, mais cette fébrilité n'a rien à voir avec celle des habitués des salles de jeux; elle est due, avant tout, à la souffrance physique, ou à la colère. Youri était lui aussi en colère, c'est vrai, mais c'était une colère désespérée, destructrice, rien à voir avec celle de l'homme qui dort ici avec la volonté de reprendre des forces. Du bruit dans le couloir. La porte du compartiment voisin s'ouvre, puis se referme. Irène se lève, écarte le store, se trouve nez à nez avec le contrôleur. Panique : et s'il n'avait pas de billet ? L'employé fait glisser la porte, attend sur le seuil. Elle prend son billet dans son sac, le lui tend. Il regarde l'homme étendu sur la banquette.

« Donnez-moi le temps de le réveiller.

— Faites à votre aise », répond l'employé.

Il attend.

Irène se penche vers l'homme endormi, lui secoue doucement le bras. Il tressaille, ouvre les yeux, la regarde comme s'il ne l'avait jamais vue. « Votre billet », chuchote-t-elle. Il hoche la tête et, du menton, désigne la poche de sa veste. Elle y introduit le bout des doigts. Elle est vide. « *Inside* », dit-il. Elle plonge la main dans la tiédeur de l'homme, trouve la poche, en sort un billet et des papiers d'identité. Elle donne le premier au contrôleur. « Les papiers aussi », dit-il. « Et les vôtres, madame. » Elle fouille son sac, y prend sa carte d'identité, il n'y jette qu'un coup d'œil rapide. Il fait un pas à l'intérieur du compartiment, se met face à l'homme, ouvre un document et l'examine. Irène, qui se trouve un peu en retrait et est plus grande que l'employé, ne peut résister au désir de regarder la photo. Et le nom…

O'Neal, Seamus, Dublin.

Le contrôleur dépose la carte sur la poitrine de Seamus O'Neal, fait un signe de tête à Irène et, avant de sortir : « Appelez-nous si c'est nécessaire. »

Elle fronce les sourcils, impatientée. « Mais tout va bien, monsieur !

— Tant mieux », répond-il en refermant la porte.

Elle hausse les épaules, regarde Seamus O'Neal. Après tout, il est peut-être attendu à la gare, cet homme. Pensée désagréable, qu'elle chasse. Pourquoi serait-elle contrariée à l'idée de perdre la compagnie de cet ectoplasme aux cheveux carotte qui ne se réveille que pour sortir des onomatopées qui ne sont même pas en véritable anglais. Allons, essaie de dormir, le temps qui reste avant Paris passera plus vite. Elle se déchausse, pose les talons sur la banquette d'en face, prenant bien soin de ne pas toucher, de ses pieds gantés de soie, les grands pieds dans leurs bas de coton.

« *What's your name?* »

Irène sursaute, tourne la tête vers l'homme. Il a dû observer toute la scène : le déchaussage, les pieds sur la banquette, la contemplation satisfaite de ses petits pieds moulés dans la soie, les précautions pour ne pas toucher les pieds étrangers... Elle rougit, mais ne change pas sa position d'un iota. Elle se redresse, sans répondre à la question qu'elle a pourtant bien comprise.

«Votre nom, répète-t-il.

— Irène.»

Les yeux bleus, grand ouverts, la dévisagent.

«*Just* Irène?

— Irène Desmarais.

— Irène Desmarais», répète-t-il.

Très court, le dialogue. Tout de même, il aurait pu en profiter pour me remercier d'avoir pris soin de lui, pour me demander si je ne suis pas fatiguée. Irène sourit, imaginant à nouveau la tête d'Armand s'il la voyait dans ce compartiment, sans chapeau, manteau déboutonné, devant un homme couché dont les pieds frôlent les siens. Il imaginerait le pire, et le pire, pour Armand, est de voir sa sœur engagée dans une aventure scabreuse avec un inconnu. Pour le coup, il aurait de quoi s'inquiéter, le bon Armand. Car inconnu il y a, pur inconnu, pourrait-on dire, créature venue d'ailleurs et ne ressemblant à personne, sauf peut-être à un renard efflanqué. Un rayon de soleil étale son or sur la joue mal rasée de Seamus O'Neal. Sous la frange de cils presque blancs, l'ombre bleutée en forme de lune, entre l'œil et les pommettes, se creuse. Il a les lèvres serrées. Même en dormant, il crispe les mâchoires. Et s'il ne dormait pas? S'il faisait semblant de dormir pour ne pas avoir à me parler? Irène sourit: il vient d'émettre un léger ronflement. Bien qu'elle se soit, d'une certaine manière, enchaînée à cet homme, elle se dit qu'il sera toujours temps d'appeler un préposé qui se chargera de prendre la relève. À moins que d'autres bras ne soient déjà tendus, en gare du Nord, pour recevoir Seamus O'Neal. Irène jette un coup d'œil à sa montre. Il reste vingt minutes.

«Où allez-vous? demande-t-il.

— À Paris. Et vous?

— Chez ma mère. Boulevard Raspail. Venez avec moi.»

Ça, elle ne s'y attendait pas.

«Qui vous dit que je ne suis pas attendue?

— Personne.»

Il se rencogne sur son siège, l'examine avec attention. Elle soutient son regard. Les yeux examinent ses joues, ses lèvres. Puis ses cheveux. Il sourit. «Votre amusant chapeau est de travers.»

La bonne humeur naturelle d'Irène reprend le dessus. Elle se lève, se regarde dans le miroir, éclate de rire.

*

Au prix d'un effort quasi surhumain, Seamus arrive à descendre du train et, appuyé sur Irène, à parcourir le quai jusqu'à la salle des pas perdus, où elle l'abandonne avec les bagages pour se mettre en quête d'une voiture. Après une longue insistance et la promesse d'un généreux pourboire, elle parvient à convaincre un chauffeur de taxi de l'aider. Une étrange procession traverse alors le grand hall pour se rendre à la voiture: le porteur avec le chariot croulant sous les bagages d'Irène, le chauffeur portant presque Seamus, et elle se traînant derrière eux, trempée de sueur des pieds à la tête, une mèche collée au front et la voilette de travers.

Le trajet de la gare du Nord à l'appartement du boulevard Raspail est chaotique. Une fois assis dans la voiture, Seamus commence à grelotter. Irène ôte son manteau, le met sur ses épaules. Mais il a trop chaud, et mal au cœur. Il faut s'arrêter. Dieu merci, la nausée s'atténue. Irène, qui l'a aidé à sortir du taxi, l'aide à y rentrer, tandis que le chauffeur s'impatiente. Seamus l'entend se plaindre et le traite d'imbécile, assez haut et distinctement pour que l'autre comprenne, malgré l'accent. L'homme s'arrête, se range au bord du trottoir, tend un bras pour ouvrir la portière arrière. Irène doit lui glisser un billet pour qu'il accepte de poursuivre sa route. Seamus grommelle un autre mot, incompréhensible cette fois. Le chauffeur s'arrête encore, attend la suite, il est à bout. Irène aussi, qui se tourne vers Seamus avec un vigoureux «ça suffit». Du coup, il se rencogne dans son coin et s'endort. Ce qui complique tout à l'arrivée.

Le logis de la mère de Seamus O'Neal se trouve au dernier étage sans ascenseur d'un vieil hôtel particulier. Les chambres de bonne y ont été transformées en appartement. Un voisin et le chauffeur – qui s'est adouci à la vue de la gentille dame qui a le malheur d'être accablée d'un tel fils – transportent le malade, puis c'est le tour des bagages. Les valises de la voyageuse occupent toute la surface du palier. L'opération coûte une fortune à Irène. Heureusement, Seamus O'Neal n'assiste pas au dernier règlement de compte, on l'a déposé dans un lit.

Françoise O'Neal accueille Irène comme si sa présence allait de soi. L'endroit est très beau; la vue, de la fenêtre du salon, rappelle à Irène ses toits, mais pas le temps de penser à ses toits, il faut prendre soin de Seamus, mettre des compresses d'eau fraîche sur le front brûlant, en attendant le médecin que le voisin est allé chercher. Les deux femmes vaquent aux occupations nécessaires à l'installation du malade, Irène ne rompant le silence que pour demander à madame O'Neal où se trouvent certaines choses. Pendant ce temps, Seamus frissonne sous un énorme édredon et, chaque fois que sa mère s'approche du lit, lui affirme qu'il n'est pas malade, seulement fatigué. Elle secoue la tête, lui dit de se taire et de dormir.

On sonne à la porte. C'est le médecin. Irène se dit que le moment est peut-être venu de prendre congé mais, outre le fait que la mère de Seamus se trouve dans la chambre avec le médecin, elle n'a pas la moindre envie de partir. Pas tout de suite. Après s'être donné tout ce mal, elle a le droit de souffler un peu. Elle s'assied, puis se lève, entre dans la cuisine, pousse la porte du balcon, regarde le paysage, revient au salon. Il y a une photo sur une commode. Seamus enfant dans les bras d'un autre Seamus. Dans la bibliothèque, à côté de quelques romans, des livres sur l'Irlande, en français. Irène se promet de les lire.

Les lire!

Quand?

Madame O'Neal sort de la chambre. «Il dort», annonce-t-elle comme si elle venait de remporter une victoire. «Nous allons pouvoir souffler un peu.» Elle escorte le médecin jusqu'à la porte. Petit conciliabule dans le hall. Elle revient au salon, préoccupée. Ses traits se détendent lorsqu'elle voit Irène.

«Je suis si heureuse que vous soyez venue.»

Elle ne semble pas s'apercevoir de la stupeur qui s'est peinte sur le visage de son interlocutrice. «Seamus a une pneumonie. Le docteur viendra chaque jour. Je suis inquiète, mais nous allons bien le soigner, n'est-ce pas?

— Mais ...

— Vous m'avez été d'un grand secours, ma chérie. Et maintenant, je vais nous faire du café fort, nous l'avons bien mérité. Venez.»

Irène suit madame O'Neal à la cuisine, la regarde préparer le café.

Je suis heureuse que vous soyez venue.

L'assurance avec laquelle la mère de Seamus a prononcé ces paroles lui a confirmé que cette dame la prend pour une autre.

«Tenez, prenez le plateau et retournons au salon. Non, allons d'abord voir s'il dort bien. Ensuite, nous pourrons souffler un peu. Et demain, nous lui préparerons du consommé.»

Demain.

Irène dépose le plateau sur une table, suit son hôtesse dans la chambre du malade. Il se réveille, l'aperçoit. «Vous êtes toujours là, vous?»

Madame O'Neal se tourne vers Irène, sourcils froncés: «Il vous vouvoie?

— C'est-à-dire...»

La surprise arrondit l'œil de Françoise O'Neal. Elle pose une main sur sa bouche, puis s'exclame:

«Vous n'êtes pas Henriette!

— Non», fait Irène.

Elle a presque honte.

«*I'm not seeing Henriette anymore, Mother*», dit une voix d'outre-tombe.

Madame O'Neal se tourne vivement vers son fils. Il lui montre Irène du doigt. «*She'll explain...*»

Bien qu'elle ne puisse pas «expliquer» pourquoi Seamus ne voit plus Henriette, Irène raconte l'épopée du train. Madame O'Neal se laisse tomber dans un fauteuil, mais elle semble rassurée, voire amusée.

«Il y a des choses qui semblent inscrites dans le ciel», déclare-t-elle. Puis elle entraîne Irène au salon. «Venez, il faut que nous parlions.» Irène la suit docilement. Avant de passer la porte, madame O'Neal se retourne. «Mais... si vous n'êtes pas Henriette, qui êtes-vous?

— Je m'appelle Irène Desmarais. Je suis Belge, divorcée, et je voyage beaucoup depuis que j'ai retrouvé ma liberté», répond Irène à toute vitesse.

«Ouh! Vous me donnez le vertige! Et cette vie vous convient?

— Oui, mais j'ai aussi un studio à Paris. Et j'ai passé toute l'Occupation à Bruxelles.

— Et vous voici ici, chez moi, avec mon terrible fils.

— Là, je ne vous contredirai pas. »

Petit rire. « On s'y fait, vous verrez. »

Françoise O'Neal, jolie femme aux cheveux blond cendré ondulés au fer, lui confie qu'elle a rencontré le père de Seamus en Angleterre. C'était un diplomate chargé des bonnes relations entre Dublin et Londres, « relations qui, vous le savez sans doute, se sont considérablement détériorées ».

« Sans doute », murmure Irène, qui ne sait même pas de quelles relations il s'agit.

Contrairement à son hôtesse, elle est mal à l'aise. Difficile de savoir quelle attitude adopter quand les débuts d'une relation reposent sur un quiproquo. Mais lorsqu'elle se dit que le moment est peut-être venu de prendre congé, madame O'Neal lui demande si elle a faim. Ce voyage a dû être éprouvant, elle n'a aucun doute là-dessus, avec le caractère de Seamus ! Ah, elle n'a pas tort. Et elle ne sait pas tout !

« Nous allons préparer un petit repas, dit madame O'Neal. Nous le prendrons dehors, il fait si beau ! » Irène la suit à la cuisine, où la porte-fenêtre est ouverte sur un balcon garni d'une table et de chaises. Madame O'Neal lui tend vaisselle et couverts, sort un pain et des victuailles du garde-manger. Irène a si faim qu'elle ne se demande même plus ce qu'elle fait sur le balcon fleuri de la mère d'un Irlandais impossible, malade, pas très beau, et qui semble ignorer qu'il est bienséant de se montrer reconnaissant, à l'occasion.

« Allons jeter un dernier coup d'œil avant de nous mettre à table », dit Françoise O'Neal.

Il ne dort pas.

« Bravo, dit-il à Irène, vous vous êtes bien sortie de toute cette affaire. » Il fronce les sourcils, puis : « *You're not leaving, are you ?* » Irène ne sait que répondre. Il fronce les sourcils. « Ne partez pas. J'ai encore des questions à vous poser.

— Maintenant ?

— Non, maintenant je suis souffrant. Quand je serai guéri.

— Mais...

— Vous êtes très patiente, continuez. »

Les yeux gris-bleu sont grand ouverts, ils brillent – la fièvre. Traits aigus, mâchoire forte, cicatrice au menton, une autre près du sourcil droit. Irène se penche. « Vous vous êtes souvent battu à l'école, on dirait.

— Oui, grimace-t-il, une drôle d'école. Vous connaissez mon pays ?

— Non. »

Il ferme les yeux. Elle attend. Il ne les rouvre pas.

« Venez, dit Françoise, il a décidé de dormir. »

Irène réfléchit un instant, hésite à poser la question qui lui brûle les lèvres.

« Quelque chose vous tracasse, Irène ?

— Est-ce qu'il a déjà fait ça ?

— Quoi, ma chère ?

— Ramener une fille à la maison.

— Non, voyons ! C'est la première fois. Seamus est trop occupé pour ce genre de passe-temps. Il est très engagé dans une cause, vous savez. C'est d'ailleurs là le problème...

— Il vit là-bas ?

— Nous avons une petite maison à Dublin, où nous avons vécu jusqu'à la mort de son père. C'était difficile. Il y avait des affrontements dans les rues. Mon mari a été tué. Seamus avait dix-neuf ans. Il a fait cette guerre en Espagne, vous savez. Il ne veut pas vivre ici, mais il vient me voir chaque année.

— Il reste longtemps ?

— Hélas, non. Il vient aussi pour prendre des contacts, enfin, je ne sais pas, nous ne parlons pas de ces choses, c'est trop compliqué. »

Un mois plus tard, Irène et Seamus sont à Dublin.

51

DELPHINE

Fin octobre 1944. Delphine et les filles passent la fin de semaine à Bruxelles. Paul est resté à la métairie. Il ne veut pas s'éloigner de son grand-père – ou plutôt, de ses grands-pères. Jules-Henry veut lui faire visiter la filature et l'atelier de tissage, ainsi que la fabrique d'armes qu'il veut remettre sur pied avant le retour de Charles.

À Bruxelles, les enfants mènent une vie trépidante. Leur papi leur achète des cornets de crème glacée aux charrettes ambulantes, des frites aux baraques à frites; ils vont voir Charlot, Buster Keaton, Laurel et Hardy; ils nourrissent les canards des étangs d'Ixelles revenus en masse depuis qu'ils ne risquent plus de finir à la casserole; ils partent en expédition aux Marolles, où Odile leur récite des fables de Pitje Schramouille. Armand leur montre la rue où il achetait du sucre et du café à prix d'or. Une caricature de Hitler est apparue sur tous les murs assez vastes pour l'accueillir: elle fait vingt mètres carrés! Le Führer est exposé, dans une sorte de musée de l'an 2000, sur un petit socle rond, nu sauf le caleçon, gros biceps, genoux cagneux. Un guide pointe une longue baguette sur la poitrine velue du Führer: *Et ceci, mesdames et messieurs, c'est la bête féroce la plus cruelle que le monde ait jamais connu, le Führer teutonicus.*

Armand invite sa fille au Métropole. Devant leur légendaire gâteau moka, Delphine s'efforce de sourire, mais le cœur n'y est pas. Armand lui dit que Charles reviendra bientôt, qu'il faut être patient, que c'est toujours comme ça après une guerre. «Mais, papa, Charles n'est pas un réfugié! Il a rallié la France libre! Ils ont encore besoin d'ingénieurs, à Londres?

— C'est possible. Donne-lui un peu de temps, il a sûrement des choses à terminer.

— Mais pourquoi n'appelle-t-il pas? Tu sais que les filles n'en parlent presque plus?»

C'est vrai, dans les premiers temps, il ne se passait pas une journée sans que Charlotte et Odile – surtout Odile – parlent de leur père, et maintenant elles ne font plus que l'évoquer, à l'occasion : dans l'écurie lorsqu'elles caressent Dilon ; quand leur mère les borde, le soir, dans leur lit. Charlotte dit : « Est-ce que papa va bientôt revenir ? » Et Odile : « Quand ? »

Le samedi, ils assistent tous à la mise en terre de madame Rachel Kornblum dans la partie juive ashkénaze du cimetière du Dieweg, à Uccle. Monsieur Kornblum récite le kaddish pour la troisième fois. Le soir, Delphine et Rosy offrent un grand repas aux époux, qui habitent maintenant le deuxième étage de la rue de la Vallée. Évangélisto et Karl sont présents, ainsi que la voisine qui a pris soin des époux pendant deux ans.

Après ce séjour mouvementé, morne retour en train à la métairie, un dimanche pluvieux. Charlotte regarde un moment le paysage, puis s'endort. « Tu devrais faire comme ta sœur, dit Delphine à son aînée. On en a au moins pour une heure. » Odile secoue la tête. « J'ai pas envie de dormir.

— Pourquoi ?

— Parce que.

— Parce que n'est pas une réponse. Et je sais que tu es fatiguée, après tout ce remue-ménage.

— Remue-ménage est une expression stupide.

— Odile, sois polie.

— Excuse-moi, maman.

— Qu'est-ce que tu as, ma chérie ?

— J'ai comme toi.

— C'est quoi, comme moi ?

— Tu espères que Firmin nous attend avec des nouvelles de papa. »

C'est vrai. Delphine prie pour que Firmin, qui va venir les chercher à la petite gare d'Alma, soit là avec une lettre, ou un télégramme, ou qu'il lui annonce un coup de téléphone, ou la visite d'une personne venue d'Angleterre pour lui dire que Charles Durant va bien et reviendra bientôt.

Il n'y a rien.

Deux jours plus tard, Rosy appelle. Armand a fait une crise cardiaque. « Mais rassure-toi, Delphine, c'était une simple alerte, il va bien, mais il veut te voir, ma chérie. »

Delphine emprunte la Packard de Jules-Henry, confie les enfants à Émilie.

Dans le couloir de l'hôpital, elle aperçoit Rosy qui discute avec un homme dont la silhouette ne lui est pas inconnue, mais l'impression est très vague. Tout s'éclaire lorsqu'il se retourne. C'est Guillaume, le frère de Nina, qui, lui, n'est pas étonné de la voir: le nom sur la fiche de l'hôpital, sans doute... et il a reconnu Armand, qu'il a rencontré à deux ou trois reprises dans l'allée de l'Annonciation, ainsi qu'au beau récital d'Alma. Delphine n'interrompt pas Rosy lorsque cette dernière lui présente le médecin, elle tend la main à Guillaume, sourit, demande comment va son père. Dieu merci, Armand est hors de danger, la crise était mineure, mais c'est un avertissement, précise le médecin.

Plus tard, lorsqu'elle le revoit dans le hall, il lui apprend la mort de Marianne, tuée à la fin de la guerre par la Gestapo alors qu'elle conduisait des déserteurs allemands à la frontière.

«Il y a un passage, là-bas, près de Wiltz.»

Delphine ne bronche pas. «C'était une femme déterminée. Je suis triste pour vous, Guillaume.

— Nous sommes fiers d'elle.

— Je vous comprends. Comment va votre père?

— Il a fini par se remettre. C'est dur, vous savez.»

Un temps. Un sourire se dessine sur les lèvres du médecin. «Et vous, Delphine, vous avez eu la vie paisible à laquelle vous aspiriez? J'ai appris que vous aviez épousé le fils Durant. Comment va-t-il?

— Très bien. Et Nina?

— Nina est au Congo, infirmière dans un dispensaire. Elle revient une fois par année. Nous l'attendons.

— Je serais heureuse de la revoir.

— Nous pourrons arranger cela.» Il sourit. «Vous ne me demandez pas comment je vais, moi?

— Comment allez-vous?

— Je suis marié et j'ai trois enfants.»

Elle hoche la tête.

«Comme moi.»

Delphine s'efforce de convaincre Rosy de revenir à la métairie. «Encore! Delphine, tu ne crois pas que nous l'avons suffisamment parcouru, ce trajet? Et puis, ton père est très bien soigné ici, le docteur Verhoeven est très dévoué. Tu as entendu, Armand doit être ménagé.

— Raison de plus pour revenir à la maison. Nous le ménagerons à deux, les filles lui feront la lecture, et le docteur Verhoeven viendra deux fois par semaine.

— Tu sais, il est très occupé ! Ça fait pas mal de kilomètres.

— J'ai déjà tout arrangé. Je t'en prie, Rosy, viens. »

Delphine se détourne, réprime un sanglot. « J'ai besoin de toi et de papa. »

Armand et sa compagne se réinstallent une fois de plus à la métairie. La semaine suivante, Guillaume vient voir son patient, comme promis. Il s'attarde un peu, partage le repas de la famille. Plus tard, Delphine étant sortie avec les filles pour aller chercher les pains qu'elle a pétris à son intention, il s'étonne auprès de Rosy de ne pas voir le mari.

« Elle ne vous l'a pas dit ! Charles est parti !

— Je l'ignorais, dit-il, embarrassé.

— Il n'est pas encore revenu. Nous l'attendons. »

Paul, qui vient d'entrer et a entendu la conversation, explique.

« Mon père est parti rejoindre les Alliés à Londres. Et ma mère a été assassinée par la Gestapo. »

Rosy s'interpose. « Paul… ! » Elle fait asseoir un Guillaume visiblement dépassé par l'intervention enflammée du garçon qu'il prenait pour le fils de Delphine, puis : « Maintenant que tu as dit ce que tu avais à dire, Paul, va rejoindre tes sœurs et allez voir les chevaux. » Elle se tourne vers le médecin. « Le mari de Delphine a rejoint la France libre en Angleterre. Vous ne saviez pas ? » Il fait non de la tête.

« Elle ne vous l'a pas dit ?

— Non.

— Elle n'est pas très bavarde, notre Delphine.

— Je sais. »

Lorsque, un peu sonné, il remonte dans sa voiture, il la voit sortir du fournil avec deux pains, les bras couverts de farine.

« Vous oubliez votre cadeau, crie-t-elle.

— Je vous attendais. Qu'est-ce que c'est que ça ?

— Des pains aux raisins, vous voyez bien ! »

Il regarde les bras enfarinés.

« C'est vous qui… ?

— J'ai fait du pain pendant toute la guerre ! »

Enfin, une première révélation ! Delphine s'approche, se penche à la vitre, dépose les pains sur les genoux de Guillaume.

Le visage rond est un peu creusé aux joues, l'œil moins paisible… mais c'est bien elle, la jeune fille secrète au discours minimal qui lui a offert son plus gros chagrin d'amour.

« Vous reviendrez la semaine prochaine, Guillaume ? »

Il tourne la clé de contact, met le moteur en marche.

« Bien sûr. »

52

ODILE

Papi et Rosy sont revenus parce que papi a eu une crise de cœur (plus grave qu'une crise de nerfs). Un ami de maman médecin du cœur vient le voir une fois par semaine. On lui a donné deux cramiques faits spécialement pour lui par ma mère.

53
DELPHINE

Armand va bien, il est temps de penser aux Ardennes. Aline et le petit ne peuvent pas rester éternellement à la villa. Émilie a du reste annoncé qu'elle s'y rendrait bientôt «parce que, depuis tout ce temps, la maison a sûrement besoin d'être habitée, aérée, récurée.» Elle n'a pas ajouté «pour le retour de Charles», mais elle y pensait.

Delphine ne lui a pas dit que sa maison était habitée, aérée, récurée depuis plus d'un an.

Un soir, elle prend son courage à deux mains et se rend chez ses beaux-parents pour leur raconter l'histoire d'Aline. Une fois leur surprise dissipée, elle se heurte à une indifférence hautaine, l'histoire ne les touche pas. Jules-Henry et Émilie sont à cran, passant de la certitude que Charles va rentrer «incessamment» au découragement le plus profond. Rien d'autre ne compte, et chaque jour qui passe ne fait qu'exacerber leur tourment. Jules-Henry a couru les ministères, les ambassades, aucune trace de son fils. Il s'est concerté avec Armand. Ils ont, conjointement, entamé des démarches. En vain.

Lorsqu'elle met un point final à la narration des épreuves d'Aline et de sa propre intervention, Jules-Henry a un rire amer et: «Ainsi, nous sommes entourés de héros!» Le ton, sarcastique, est mêlé d'un sentiment que Delphine n'arrive pas à définir, mais elle jurerait qu'il s'y mêle une sorte de culpabilité. «Papa, je suis sûre que vous l'auriez fait si vous n'aviez pas été forcé de...

— collaborer?»

Émilie se précipite. «Tu sais, il a fait des choses, mais il ne veut pas en parler.

— Tais-toi! crie-t-il.

— Non, je ne me tairai pas! Toi aussi, tu es un héros, à ta façon. Jules, toi aussi, tu as résisté! Et c'était bien plus dur pour toi car tu avais le mauvais rôle.

— Vous n'aviez pas le choix, dit Delphine. C'est cela qui nous a permis de passer au travers, et nous savons ce que vous avez fait pour les femmes de l'usine, et à l'hôpital.

— Oui, surenchérit Émilie, tu lisais la Bible à ces pauvres gens, et aux incroyants tu lisais des romans ! Et pour le reste, tu étais pieds et poings liés, devant ces Allemands que tu détestais !

— J'aurais pu refuser.

— Ah oui ? Eh bien, heureusement que tu ne l'as pas fait, nous serions tous morts de faim ! »

Devant cette exagération, Jules-Henry se contente de lever une main lasse. Delphine l'observe, il a beaucoup vieilli depuis quelque temps, il s'est usé dans ce va-et-vient incessant entre la filature, l'atelier et la mairie, entre ses rapports avec l'occupant et ceux – entachés de honte – avec ses ouvrières. Delphine prend la main qu'il a laissée retomber sur ses genoux. « Chacun est prisonnier de son propre rôle. Nous ne pouvions pas faire autrement, ni Charles, ni Gabrielle, ni moi, ni vous. Vous n'avez pas eu la meilleure part, c'est vrai, mais pensez-y, papa, si vous aviez agi autrement, Charles n'aurait peut-être pas pu partir. »

Ces mots, elle voudrait ne pas les avoir prononcés, mais c'est trop tard, ils sont dits et replongent ses beaux-parents dans leur amertume. Émilie éclate en sanglots. « Il serait encore ici !

— Peut-être, mais s'il était resté, il aurait fait comme Gabrielle. »

Jules-Henry se lève, mettant ainsi fin à l'entretien.

« Donc, vous me dites que ma villa des Ardennes est occupée. Depuis combien de temps, déjà ? Un an ?

— Oui.

— Et que comptez-vous faire, maintenant que la guerre est finie ?

— Aller rechercher la mère et l'enfant. »

Poliment, il lui souhaite bon voyage.

Delphine fixe le départ à la mi-décembre. La Saint-Nicolas est d'autant plus sacrée que c'est la dernière. Il y a un an, Charlotte faisait encore semblant d'y croire, en dépit d'un Armand Saint-Nicolas portant une mitre trop large et d'un Firmin Père Fouettard qui avait oublié d'ôter ses lunettes, mais chacun savait que le but ultime du cérémonial était de mettre un point final, en beauté, à l'enfance de Charlotte et d'Odile.

Delphine compte rester une semaine en Ardennes, puis ils rentreront fêter Noël et la nouvelle année en famille.

Les enfants ne parlent plus que des Ardennes, des bêtes sauvages de la forêt, de la ferme, d'Aline et du petit Maxou.

*

Il n'y aura pas de départ. La nuit, le téléphone sonne. Après avoir dévalé l'escalier, Delphine n'entend qu'un bruit sourd en réponse à son «allô» fiévreux. Il n'y a qu'un bruit de vagues, ou plutôt, ce qui ressemble à un bruit de vagues, puis, tout à coup, un halètement, comme si quelqu'un, à l'autre bout du fil, s'efforçait de reprendre son souffle. «Charles, c'est toi?» Le bruit, encore. «Charles, s'il te plaît, je sais que c'est toi, parle-moi, je t'en supplie, où es-tu? Parle-moi.» Un son, rauque, puis tout se précipite: une voix, étouffée, très faible, prononce son nom: «Delphine...» Puis: «je...», puis plus rien, sauf un son métallique et l'affreux bruit des vagues. Horrifiée, Delphine regarde le récepteur, le colle à nouveau à l'oreille, crie le nom de Charles. Elle ferme les yeux, essaie de distinguer, dans les sons qui lui parviennent, un autre indice. Lorsqu'elle les rouvre, elle voit Armand et Rosy qui descendent l'escalier, le visage bouleversé, ils ont deviné. «C'était lui!» crie-t-elle. Elle colle à nouveau le récepteur à l'oreille, mais des parasites ont envahi la ligne, couvrant le bruit des vagues. Elle écoute avidement, appelle encore: «Allô, allô!» Armand tend doucement la main vers le téléphone, veut le lui prendre, elle le tient contre sa poitrine, refusant d'abord de le lui donner, puis elle le lui abandonne. Par réflexe, Armand dit allô; il écoute, son visage trahissant la déception. Puis il fait non de la tête, replace le récepteur. Figés par l'impuissance, ils se taisent, fixent le téléphone, attendent.

«Il va rappeler, dit Rosy. Si c'est lui, il va sûrement rappeler.

— Comment, si c'est lui? Bien sûr que c'est lui! Il a dit mon nom!»

Ils restent un moment dans le corridor glacial, Delphine fixant son père avec incrédulité. Rosy s'aperçoit qu'elle est en chemise de nuit, pieds nus. «Tu vas prendre froid. Ne restons pas ici, allons dans la cuisine, je vais faire chauffer du lait.» Lorsqu'ils s'asseyent autour de la table, trois têtes ébouriffées apparaissent à la porte. «C'est déjà l'heure de partir? demande Paul. C'était quoi, ce téléphone? C'était Cyrille?

— Venez boire un verre de lait, dit Rosy, ensuite vous remonterez vous coucher. Non, il n'est pas l'heure de partir.

— Nous ne partirons pas, murmure Delphine. S'il te plaît, papa, explique-leur. »

Commence alors un passage à vide. Delphine attend. Le téléphone, une lettre, un envoyé, elle veut partir à Londres. Armand lui demande de patienter, encore. « Va passer la semaine dans les Ardennes avec les enfants, tu le leur as promis. Pendant ce temps, je prendrai des contacts. Nous irons à Londres début janvier, je te le promets. Tu sais, les Alliés bombardent toujours Berlin, n'oublie pas que Charles travaille pour l'effort de guerre, il n'a sans doute pas fini. » Delphine se laisse convaincre par son père, à la condition qu'il reste à la métairie au cas où.

Le 14, elle rassemble son courage, sa famille et le chien d'Odile et prend la direction des Ardennes. Paul est monté à l'avant. Le fils de Charles a atterri brutalement dans le monde des grands, il ne veut plus participer aux caboulées avec le chien et les filles sur la banquette arrière. Elle l'observe, tandis qu'il consulte la carte. Le profil de Gabrielle, les silences de Gabrielle, cette façon qu'elle avait de s'absorber dans une tâche, si petite fût-elle. Cette force, cette puissance qu'elle possédait et utilisait sans même s'en rendre compte. Elle n'était pas entrée dans la Résistance à la légère, elle y était entrée parce que sa nature ne lui permettait que ce chemin-là, le seul qui n'était pas, pour elle, pavé de compromissions, de lâchetés, de laisser-aller. Paul lui ressemble. Merci, mon Dieu, cette Occupation est finie. Je suis sûre qu'il se serait éloigné de nous pour entrer dans la Résistance.

« Nous voici enfin partis, tu es content? » Il hoche la tête, sans la regarder. « Paul, tu m'entends? » Les yeux de l'adolescent se posent un instant sur elle, puis reviennent à la carte. « Ne vous en faites pas, ma tante, pour le moment je suis content. Ça va. Et je vous promets de ne jamais vous infliger mes cafards. Pas à vous. »

Il parle comme un homme, pense Delphine. Et s'il dit cela, c'est parce que c'est vrai. Et s'il ne connaît que des moments, c'est bien.

De toute façon, c'est tout ce que nous avons, des moments.

Des rires, à l'arrière. Fumanchu pousse des petits jappements. Les filles et le toutou sont cachés sous la pile de couvertures. Mes innocentes filles ont un peu plus que des moments. Quant à Fu, il ne sait pas ce que c'est, les moments, il est inondé de bonheur à la journée longue.

Avant de prendre la bifurcation pour Verviers, Delphine a soudainement la désagréable impression d'avoir oublié quelque chose. Elle passe mentalement en revue les provisions que Rosy a placées dans le coffre, les vêtements entassés dans deux valises, les édredons, les cadeaux pour Aline et le bébé... les tartes aux pommes cuisinées hier. Armand a fait remplir quatre bidons d'essence, on ne sait jamais. Oui, tout est là. Il y a même deux lits de camp, trouvés au grenier la veille du départ.

Le malaise ne disparaît pas, il s'accentue. Puis elle se souvient.

Elle fait demi-tour, au grand dam des filles impatientes d'aller se rouler dans la neige.

«On a oublié quelque chose? demande Paul.

— Oui, je crois.

— Vous n'êtes pas sûre?

— Non... oui. Je ne sais pas.

— Je ne comprends pas, ma tante.

— Moi non plus. On verra à la maison.»

Delphine a la sensation d'accomplir une démarche un peu saugrenue, mais elle se fie à son instinct. Les filles protestent encore. «J'ai oublié mon portefeuille», dit-elle pour couper court à toute discussion. Charlotte en profite pour demander si on va s'arrêter à Bastogne pour acheter des saucissons. «Bonne idée, comme ça tu vas encore grossir, dit Odile. Tu vas devenir une dondon, ma fille, une dondon dodue.»

Paul se penche vers Delphine: «Je vous ai vu le mettre dans votre sac.

— Quoi?

— Votre portefeuille.

— Je t'expliquerai.»

À Rosy, étonnée de la voir revenir à la maison, Delphine dit qu'elle a oublié des vêtements. Elle monte à sa chambre, soulève le tapis, trois lattes du plancher, prend le Browning qu'Armand a donné à son beau-fils. Son pistolet de la Grande Guerre. Charles y tenait comme à la prunelle de ses yeux, mais il ne l'avait pas emporté. Delphine en connaît le poids: plusieurs nuits d'affilée, son mari l'a forcée à le suivre derrière l'écurie pour lui apprendre à l'utiliser. Il lui disait que c'était une bonne arme; elle lui répondait que les armes tuaient.

La polémique avait pris fin quand il lui avait rappelé que les armes permettent aussi de se défendre. Il avait raison, puisque son intuition l'a ramenée ici pour sortir de sa cachette le Browning incrusté d'or de la Fabrique nationale d'armes de guerre de Herstal, où Charles l'a emmenée au début de leur mariage. Il y avait fait son apprentissage. Dans un des bureaux, il lui a montré une photo de monsieur Browning, posant bien sûr avec un fusil. Puis il lui a raconté que son père l'avait connu, ce monsieur Browning, un Américain qui aimait tant la Belgique qu'il est mort dans son bureau de Herstal, près de la salle de production. L'immense local au plafond haut n'était qu'enchevêtrement de fils, de tuyaux, de poulies, de lanières, de dévideurs ; des femmes y travaillaient sans lever la tête. Les seuls récipients à échelle humaine que l'on pouvait y voir étaient les cafetières posées çà et là sur des tablettes. Charles lui a même fait visiter la cartoucherie, où, dans des mannes d'osier, les cartouches scintillaient comme des poissons d'argent. Mais c'était l'atelier de gravure qui le passionnait, où les travailleuses en cache-poussière blanc, debout pour s'assurer une souplesse absolue des bras et des épaules, ressemblaient à des chirurgiens penchés sur des chairs délicates.

Delphine fourre le Browning dans un sac, avec les quatre boîtes de munitions. Elle jette un dernier coup d'œil à la chambre, attrape l'oreiller de Charles. Sur la cheminée, le petit ange à l'aile cassée lui sourit. Elle l'emballe dans un mouchoir, le met dans sa poche. Le sac est lourd, elle doit le porter à bras le corps, l'oreiller par dessus. Heureusement, Amand n'est pas là, il est monté se coucher. Rosy l'attend au bas de l'escalier.

« Tu es venue chercher l'oreiller de Charles ? »

La nuit est presque tombée quand ils traversent Bastogne. Au lieu de s'arrêter à la ferme, qui se trouve à une dizaine de kilomètres, entre Bastogne et Clervaux, Delphine décide de se rendre directement à la villa, il sera toujours temps d'aller voir Cyrille demain. Traverser le bois au crépuscule avec les enfants et un cabot qui se prend pour un chien de chasse promet d'être mouvementé, mais elle a hâte de retrouver Aline, et c'est sûrement réciproque. Elle a dû trouver le temps long, Aline, dans cette maison où, pour avoir chaud, il faut se coller à l'âtre en grosses chaussettes et enveloppé d'un édredon. Heureusement, la réserve à bois est pleine à craquer, Cyrille a bûché avec deux hommes du village, il dit qu'il y en a assez pour nourrir la cuisinière et le feu ouvert pendant un mois. Comme si nous allions rester un mois! Une semaine, maximum, puis nous rentrons et je pars à Londres. Delphine passe le dos de la main sur ses yeux, les larmes lui brouillent la vue. «Ça va?» dit Paul. Elle hoche la tête. Il neigeote. Tout est calme, les rues sont désertes. La conductrice ralentit: derrière les vitres d'un hôtel, des soldats américains sont assis le long de tables mises bout à bout.

«Je n'y comprends rien, ma tante, à l'école, on nous a dit que la guerre était finie depuis septembre!

— Je sais, je n'y comprends rien moi non plus. Tu demanderas à Cyrille, il en sait plus long que nous.»

Ils quittent la ville, direction nord-est, vers l'Allemagne. La route est déserte, des lumières clignotent, de chaque côté, celles des petits villages posés dans la plaine qui s'étend entre les deux villes. Vingt-trois kilomètres jusqu'à Clervaux, qu'ils contournent pour emprunter, cinq kilomètres plus loin, une route de terre sur laquelle Delphine espère retrouver le sentier menant à la villa. La voiture pénètre dans la forêt ardennaise, on n'entend que le bruit sourd du moteur et le chuintement des pneus dans le tapis de neige. Les filles dorment à poings fermés, le chien sommeille. Il fait très froid. La nuit est laiteuse, sauf l'ombre bleutée des grands arbres qui s'étire sur la route à la lueur de la demi-lune. La limousine de Jules-Henry entre dans un monde ouaté, sans poids; des flocons se déposent sur le pare-brise, fondent, laissant des traces brillantes sur la vitre. «Ma tante, regardez!» Delphine ralentit à regret, il se fait tard, mais son compagnon semble fasciné par le paysage.

C'est un de ces moments auxquels je pensais tout à l'heure. Un pas de plus vers la guérison.

Paul s'est tourné vers le côté droit de la route. Delphine se soulève un peu. Des ombres grises bougent dans la noirceur. Ce ne sont pas des hommes, ou alors ils rampent. Un groin luisant sort des fourrés, semble humer l'air.

«Des sangliers, chuchote Paul. Trois sangliers. C'est magnifique.»

Delphine éteint les phares, la voiture dérape en douceur vers la droite. Une des bêtes – la plus grosse – se hisse hors du fossé, s'arrête au bord, puis se retourne et regarde les deux autres; c'est le mâle, il voudrait traverser, rejoindre le lieu où il a décidé d'emmener sa famille, mais il attend. Paul baisse doucement la vitre. Fumanchu sent la présence des bêtes, saute sur le siège avant, enfonçant ses pattes dures, à tour de rôle, dans la chair des cuisses de Paul et de Delphine. Il commence à aboyer, Paul l'attrape, le maintient contre lui, serrant son museau dans sa main. «Ça, ça veut dire que ce chien n'est pas un chasseur, ma tante! S'il l'était, il gémirait au lieu d'aboyer.

— Tant mieux, je crois qu'Odile n'aimerait pas ça.

— Quoi, Odile? dit Odile. Vous parlez de moi? Pourquoi mon chien aboie? Qu'est-ce qu'il a vu?»

La laie, enfoncée dans la neige jusqu'aux cuisses, observe le grand mâle; le plus jeune couine. Le père ne bronche pas, il attend. «On dit qu'ils ont un sixième sens, chuchote Paul, et qu'ils reconnaissent les chasseurs au flair. Il n'a pas peur de nous. Il va dire aux autres de passer. Vous savez qu'ils peuvent traverser de larges rivières? Regardez, on voit ses défenses! Il peut tout faire avec ça, se défendre, creuser, fouiller la terre» – il baisse la voix – «découper ses proies...»

«Quoi, quoi, qu'est-ce que tu dis? demande Odile.

— Je dis que leurs dents ont un pouvoir magique.»

Le sanglier fait un pas sur la route, se retourne à nouveau. Charlotte se réveille au moment où les deux retardataires risquent un sabot hors du fossé. Le mâle traverse, baisse son groin vers le sol, l'effleure, balance la tête de droite à gauche. Ensorcelés, les passagers de la Packard regardent les trois costauds couverts de neige. Au milieu de la route, ils s'immobilisent, tournent leur nez retroussé vers la voiture. Leurs yeux étincellent. Ils flairent l'odeur du véhicule, de ses occupants...

«Ils sentent Fu, dit Paul. Ils n'aiment pas les chiens.»

«Tu sauras que le mien s'en contrefiche», rétorque Odile.

Les trois sangliers baissent la tête, fouillent le sol, puis, relevant leur nez couvert de neige, font un saut pour faire face à l'autre côté de la route. Le mâle redresse la tête, hume le vent, reprend son trot, sans hâte, entraînant les deux autres à sa suite. «Ils nous ont salués», dit Charlotte.

«Nous sommes entrés dans un autre monde», murmure Paul.

Les voyageurs sont suspendus à ce moment enchanté, même le chien observe en silence, museau tendu vers les masses de poils et de muscles. Le grand mâle bondit au-dessus du fossé, se retourne vers les suiveurs, les fixe de ses petits yeux noirs. Il secoue la tête, cette fois, il s'impatiente. « Allons, grouillez-vous, les lambins! » crie Odile. Les deux autres suivent, enfin, se bousculant, s'enfonçant dans la neige; le plus jeune patauge, essaie de se hisser, retombe. Paul rit. « Regardez le gros, ma tante, on dirait qu'il a les bras croisés! » C'est vrai, le papa semble observer avec impatience les efforts désespérés du fiston. Puis il fait mine de continuer sa route. Alors, dans un couinement d'angoisse, le petit s'extirpe du bourbier blanc et court se coller au flanc de sa mère.

Le trio s'enfonce dans le sous-bois. Delphine rallume les phares, ramène la voiture au milieu de la route, roule doucement, attentive à ne pas rompre le sortilège. « C'est ici que j'aimerais monter Dilon, murmure Paul.

— Et moi je prendrais la jument, dit Odile, et Charlotte le brabançon de Firmin. Et on mettrait mon chien en selle. »

Delphine se dit que les filles auront beaucoup moins d'allant quand il faudra transporter les bagages, dans l'obscurité du sous-bois, de la voiture à la villa – avec une seule lampe de poche. Leur enthousiasme va retomber comme un soufflé.

Le point de repère, pour trouver le sentier, est un sapin tombé. Dieu merci, le tronc est encore visible, mais le bout de sentier creusé par la Saroléa de Cyrille a presque disparu et, dans le brouillard qui s'épaissit, on ne voit même pas la villa, dissimulée sous son manteau de lierre nappé de neige. Mais Cyrille a délimité une piste en plantant des branches dans la terre.

« Courage! » dit Delphine. « Paul, prends la pelle dans le coffre, il faut que tu ôtes la neige autour de la voiture. »

« Mais, maman, c'est la forêt, rien que la forêt avec tous ses arbres, proteste Charlotte.

— Que veux-tu que ce soit, Bécassine? dit sa sœur. Le désert du Casatquin avec tout son sable? Prends mon chien, on va porter ta valise. Et gare à toi si tu le lâches.

— Pourquoi elle peut jamais demander gentiment? dit Charlotte à sa mère.

— Cessez de vous disputer, les filles, la maison n'est pas loin. »

Paul dégage un des côtés de la voiture, puis empoigne les valises. « Je reviendrai pour le reste. » Delphine transporte les édredons, Odile deux sacs de provisions. Charlotte suit avec Fu en laisse, mais il aboie et s'étrangle à force de tirer. Elle tombe, déclare que c'est de leur faute, que Fumanchu a horreur d'être attaché, qu'elle veut retourner à la voiture.

«Ma tante, je vois la villa!» crie Paul.

C'est vrai, un bout de cheminée se dessine dans un rayon de lune, très pâle dans le brouillard. Quelques mètres plus loin, on aperçoit même la baie vitrée et la porte d'entrée. C'est curieux, dit Delphine, il n'y a pas de lumière. Paul a fait la même constatation. «Peut-être qu'elle dort déjà.»

Une lettre les attend sur la table. Aline leur dit que Cyrille a tué le cochon et qu'elle est allée l'aider, et qu'on soupera à la ferme. Ils ont appelé à la métairie mais ils étaient déjà partis. Quelle tuile. À l'idée de devoir refaire l'expédition en sens inverse, Delphine sent son résidu de courage l'abandonner. Même Paul a l'air découragé. Quant au chien, il dort déjà, roulé en boule sur le sofa. Paul propose à Delphine de rester à la villa avec Charlotte et Odile, mais le souvenir des soldats dans la salle de restaurant de l'hôtel de Bastogne la tracasse. «Non, nous allons y aller ensemble. Nous n'avons rien à transporter, et un repas chaud nous attend.»

Odile déclare qu'elle ne mangera pas d'animal.

Une demi-heure plus tard, la Packard entre dans la cour de la ferme. Trois oies accourent à sa rencontre, battant furieusement des ailes. Cyrille sort de la maison, les refoule vers le tas de fumier, où elles continuent à cancaner, allongeant un cou menaçant vers les intrus. «Ce sont mes gardiennes, dit-il. Elles essaient de vous intimider. N'ayez pas peur, elles n'attaquent que les Boches.

— Vous les avez dressées à ça, monsieur? s'étonne Paul.

— Même pas! Elles ont compris toutes seules. Entrez, entrez, on commençait à s'inquiéter. Aline a mis à rôtir quelques morceaux bien tendres.»

«Tendres ou pas, je ne mange pas d'animal», répète Odile. Elle fait une pause, puis: «Mais mon chien, peut-être.»

Aline a l'air d'être chez elle, dans la grande cuisine de la ferme. Elle a même l'air d'être chez elle avec le fermier. Au dessert, elle apprend à Delphine que Cyrille lui a demandé de rester. Puis, devant l'expression interrogatrice de son amie: «Nous sommes bien ensemble. Et il s'est attaché à Maxou.» Tout est pour le mieux, je suis venue pour rien, mais tout est pour le mieux, pense Delphine. Et espérons que c'est dans le meilleur des mondes, pour une fois. Cyrille est amoureux, ça se voit, Paul et Odile l'ont vu. Paul lui lance un regard complice, Odile se prépare à poser des questions. Mais le fermier est nerveux, aux aguets, il tend l'oreille, ouvre souvent la porte pour jeter un coup d'œil à l'extérieur. À la fin du repas, il prend Delphine à part et lui dit qu'on a arrêté des espions allemands déguisés en soldats américains «et parlant américain» près de la frontière. «La ligne de front est une vraie passoire. On dit que des troupes sont concentrées derrière la ligne Siegfried, que des sapeurs entrent pour planter des mines.

— Mais ils n'ont aucune raison de venir dans nos forêts, Cyrille! Nous sommes à l'abri. De toute façon, les Américains vont les refouler.

— Les Américains n'y comprennent rien. C'est la pagaille chez les G.I. Ils ne bougent pas, je crois qu'ils attendent des ordres, ou des renforts. Il faut que vous partiez, je sens que quelque chose se prépare.»

Cyrille semble si inquiet que Delphine lui promet de repartir le lendemain. «Ne me demandez pas de refaire la route aujourd'hui, Cyrille. Je suis fatiguée. Nous partirons demain matin, je vous le promets. J'emmènerai Aline et le bébé.

— Ça vaudra mieux.» Il baisse la tête.

«Vous lui avez pourtant demandé de rester, Cyrille.

— Oui. Mais il y a du changement. Il faut qu'elle parte avec vous. Je vais la convaincre.

— Je ne vous ai jamais vu aussi inquiet.

— Je ne lui ai pas encore dit que la région est truffée de Boches.

— Truffée de Boches! Vous n'exagérez pas un peu?

— J'aimerais bien.

— Pourquoi ne venez-vous pas avec nous?»

Il la regarde avec stupéfaction.

«Voyons, Delphine, je ne peux pas laisser mes bêtes! J'ai une vache, des poules, les oies, un vieux chat. Et vous imaginez, si je quitte ma maison? Je ne donne pas deux jours avant qu'elle ne soit pillée. Il y a encore des baraquements de krauts en forêt, on dirait qu'ils attendent les autres.» Il hausse les épaules. «Mais on a l'habitude, ici. On va les repousser, comme la première fois.

— Quelle première fois?

— La Grande Guerre!

— Mais, Cyrille, quel âge aviez-vous ?

— Sept ans ! Mais je me souviens très bien que je portais des messages ! » Voyant que Delphine est sceptique, il se met à compter sur les doigts. « Je suis né en avril 1907, j'avais donc sept ans révolus quand ils sont entrés ! » Delphine sourit, se demandant à quoi ressemblait le petit Ardennais de sept ans révolus. Mais Cyrille ne pense qu'au présent. Il est soucieux, son regard s'assombrit lorsqu'il examine les visages insouciants autour de la table. « Écoutez, je préfère que vous restiez ici cette nuit. Je vais monter à la villa avec le petit jeune homme pour rassembler vos affaires. »

Deux heures plus tard, ils rentrent trempés jusqu'aux os : la neige s'est changée en pluie lourde et glacée. Cyrille va chercher une bouteille à la cave. Quelques minutes plus tard, en liquette de molleton à longs pans, les deux aventuriers grelottants sirotent un bol de lait bouillant arrosé de péquet. Chacun veut y tremper les lèvres : c'est comme une soirée de fête dans une vie sans guerre. D'ailleurs, qui dit qu'il y aura la guerre ? La goutte d'alcool aidant, on rit, on raconte, on fait des projets, on oublie. Les vêtements sèchent devant le poêle. « Ça sent le chien mouillé », dit Charlotte. « N'insulte pas mon chien », dit Odile, et tout le monde éclate de rire. Pendant l'absence du fermier, elle est allée voir la vache avec Fu, « qui s'est très bien comporté. Et imagine-toi, maman, elle s'appelle Louise, cette vache, comme une de mes amies d'école ».

On se prépare pour la nuit. Delphine et Aline se partagent le grand lit matrimonial ; les filles, le divan défoncé de Cyrille. Paul et le fermier veillent, étendus sur des paillasses. Quand à Fumanchu, il s'est réfugié près de sa maîtresse après un affrontement avec un chat plus déterminé que lui.

Vers les trois heures du matin, Cyrille monte au sommet du château d'eau avec un soldat américain. À l'Est, près de l'Our, la rivière qui sépare l'Allemagne du Luxembourg, des points lumineux se déplacent. Ils doivent attendre que le jour se lève pour pouvoir utiliser les jumelles. Lorsque pointe l'aurore, ils distinguent des mouvements de chars près de la rivière. Puis ils voient les Allemands installer des ponts préfabriqués sur l'Our. Laissant le G.I. à son observation, et après lui avoir fait promettre de s'arrêter à la ferme avant de rejoindre son unité, Cyrille redescend en hâte pour presser Delphine de partir au plus vite. « Les sapeurs allemands construisent des ponts sur l'Our, ils vont passer. Et aussitôt qu'ils seront passés, leurs avions lâcheront les parachutistes. Il faut partir tout de suite.»

Aline se met à pleurer.

«Toi aussi. Pense au petit.»

*

La neige commence à tomber lorsque Delphine met le moteur en marche. Les enfants sont silencieux, ils ont entendu les recommandations du fermier, ils savent que l'heure n'est plus au jeu. La nuit précédente, Cyrille a fait part de ses craintes à Paul. Les roues de la Packard patinent, Cyrille aurait voulu y mettre des chaînes, mais le temps a manqué. À quelques kilomètres de Bastogne, les Américains d'un cantonnement leur font signe d'arrêter: il faut rebrousser chemin, la route est bloquée par des camions alliés. Delphine continue quand même. Pagaille invraisemblable sur la route et sur la plupart des chemins de traverse menant aux villages. Les camions semblent bloqués sur place, des estafettes y grimpent, discutent un moment avec le conducteur, puis courent au camion suivant. Des jeeps passent dans l'autre sens, sur les côtés; elles s'enfoncent dans les ornières, en sortent en faisant hurler leurs pneus. Delphine décide de les suivre, bifurque vers la droite. Au milieu de la route, un paysan et sa vache sont coincés entre deux chars. Un Américain dit à l'homme de circuler, mais comment pourrait-il circuler avec sa vache qui a l'habitude de voir passer des trains mais pas des véhicules militaires? Bref, elle ne veut pas bouger. L'homme dit qu'il l'emmène au taureau, que le rendez-vous est pris depuis longtemps, que la génisse est fin prête. «Ça veut dire quoi? demande Odile. Fin prête à quoi?

— Fin prête à faire un bébé, répond Delphine à court d'imagination.

— Je comprends, répond gravement Odile, je comprends. Mais j'ai entendu dire que les bébés de la guerre avaient la vie dure. Maman, explique-lui, à cet homme, dis-lui de rentrer tout de suite avec sa vache. Dis-lui d'attendre le printemps. Alors les deux amoureux pourront se retrouver dans une prairie pleine de coquelicots, de bleuets et de pâquerettes. Et nous on viendra voir le bébé, il sera tout crollé comme sa mère, et on lui donnera du trèfle à quatre feuilles et des pissenlits.»

Son discours terminé, elle éclate en sanglots.

«Ça va aller, Odile, arrête de pleurer, dit Paul.

— Pourquoi je ne pleurerais pas, c'est la fin du monde pour les vaches, ici!»

Paul sort de la voiture, arrive à convaincre le paysan de rentrer chez lui; il lui dit ce que Cyrille leur a appris ce matin, et qu'il doit rentrer avec sa bête et la cacher. Le paysan hoche la tête, entraîne la vache dans un chemin. «Regarde, Odile, il t'a entendue!» dit Delphine.

La jeep qui les précède s'arrête. Un soldat en descend, lui dit de rebrousser chemin. Comme elle ne sait que faire, il ouvre la portière, la pousse d'un coup de rein, puis fait pivoter la voiture pour la remettre sur la gauche, en sens inverse. «Bonne chance, dit-il. Rentrez chez vous tout de suite.»

Chez moi, c'est en pleine forêt. On était censés y rester huit jours, chez moi. Mon Dieu, et papa? Il faut que je l'appelle. Dès que Jan aura vent de ce qui se trame, il va le lui dire. Huit jours. Delphine essaie de refouler le pressentiment qui lui tourne dans la tête: dans huit jours, nous serons encore ici.

Cyrille n'est pas étonné de les voir revenir. Il annonce à Delphine qu'ils doivent retourner à la villa: si les Allemands sont entrés, ils vont venir aux provisions. «Dites aux oies d'attaquer!» suggère Odile. Il déclare qu'il va les enfermer, ses oies, pour leur éviter d'être exécutées sans procès. Quelle journée, soupire Delphine, nous pensions rester une semaine pour jouer dans la neige et nous voici assignés à résidence. La matinée est presque terminée lorsque la Packard, suivie de la Saroléa de Cyrille, s'engage sur le bout de chemin qui s'arrête devant le mur de broussailles. «Avancez-la un peu plus loin, Delphine.

— Mais je vais griffer la carrosserie!

— Tant pis. Il faut la cacher. Il y a peu de chances qu'ils viennent jusqu'ici, mais ne prenons pas de risques.»

Pauvre Jules-Henry! Delphine se voit déjà entrer dans la cour de la métairie avec la précieuse limousine pleine de bosses et de fosses. Ils font le reste du chemin à pied, avec les valises, la moitié du cochon et deux cruches de lait qu'Aline a fait bouillir avant de partir. La pluie s'est changée en grésil, les bourrasques les aveuglent; chacun, à tour de rôle, trébuche sur les souches. Maxou hurle dans les bras de sa mère.

Une heure plus tard, enveloppés dans toutes les couvertures et édredons de la villa, ils sont blottis devant le feu de bois allumé par Cyrille. Devant les flammes qui pétillent, les enfants oublient leur peur. Une peur mêlée de curiosité : camper dans cette maison perdue au milieu des bois, c'est la rupture, le risque, l'inconnu, c'est très excitant. « Combien de temps allons-nous rester ici ? » demande Delphine. Cyrille fait un geste d'impuissance. « Vous êtes à l'abri, c'est le principal. Il n'y a aucune raison qu'ils viennent rôder dans les parages.

— Et toi ? s'inquiète Aline. Pourquoi ne restes-tu pas avec nous, puisque c'est plus sûr ici ? »

Il soupire. « Pourquoi dois-je toujours rappeler que je dois m'occuper de ma vache, de la volaille… ? » Mais les visages anxieux tendus vers lui l'attendrissent : « D'accord. Si ça barde trop, et si Delphine veut bien de moi, je laisserai Louise au voisin et je viendrai avec mon chat, les poules, les oies… et le restant du cochon. »

Le lendemain à l'aube – heureusement les filles dorment encore –, Paul et les deux femmes aperçoivent d'étranges lueurs orangées dans le ciel, vers le nord. Paul se colle à la vitre. « Écoutez ! » Ils entendent un grondement sourd, continu, qui semble s'amplifier. Puis une explosion, puis une autre, plus forte. « Regardez ! La neige tombe des arbres ! crie Aline. Ils arrivent !

— Non, dit Paul, c'est parce que la terre tremble. Cyrille m'a expliqué. Ils sont loin d'ici, mais tout le massif est secoué. Ils sont loin, Aline, je vous le jure. Il faut me croire. »

Il est cinq heures trente.

« Mais Cyrille avait raison, ils reviennent. »

Aline se met à pleurer. Odile se réveille, appelle Fu, qui grogne près de la porte. Charlotte se redresse, demande si le bon Dieu fait encore une fois tout trembler. « C'est pas lui », dit Odile. Puis, à sa mère : « C'est pas possible d'être aussi nunuche à onze ans et demi… » Le ronflement de la Saroléa lui ferme le bec et met fin aux larmes d'Aline, qui se précipite dans l'escalier et, oubliant toute retenue, se jette dans les bras de Cyrille.

Comme ça c'est clair pour tout le monde, pense Delphine.

« Ils sont entrés au même endroit, dit le visiteur en secouant son passe-montagne. Trouée de Losheim. » Il ôte sa veste raidie par le gel, la met à sécher devant le feu. Il explique que la trouée est un large passage sans arbres par où les panzers allemands se sont déjà engouffrés en mai 40.

« Large comment ? demande Paul. Et comment vous le savez ?
— Dix kilomètres. Comment je le sais ? Parce que tout le monde le sait. Et parce j'ai mes habitudes au cantonnement américain, où j'apporte du lait et des œufs. »

Où on lui a dit que l'infanterie allemande, en salopette blanche et casque encapuchonné de blanc, court devant les blindés pour ouvrir la route.

« À cause des mines ?
— Ils ont des Tiger de 60 tonnes et des Koenigstiger de 75 tonnes, ils ne veulent pas les voir sauter.
— Ils envoient leurs soldats devant les chars ? Ça, je ne peux pas le croire, dit Delphine.
— Le pire, c'est que le brouillard empêche les avions alliés de voler. Le commandant des G.I. appelle ça le temps de Hitler.
— Mais eux non plus ne peuvent pas voler ! dit Paul.
— Eux, ils ont déjà lâché leurs parachutistes.
— Les Américains vont les attraper au vol, dit Odile.
— Les Américains sont trop occupés à creuser leurs trous.
— Quels trous ?
— Des trous individuels. Ils se mettent à plusieurs là-dedans.
— Et si on leur passe dessus ?
— Ça passe ou ça casse. Mais la terre est gelée, alors ça passe. »

Les trous vont obséder Paul pendant plusieurs jours. Il n'arrive pas à y croire. Il veut que Cyrille l'emmène voir ça. Cyrille ne peut pas l'emmener voir ça, mais il lui explique la stratégie des combattants qui, au lieu de creuser des tranchées, creusent des trous. Puis il annonce qu'il doit repartir à la ferme.

Il promet de revenir demain…

Il revient deux jours après. « On s'inquiétait, dit Delphine.
— J'ai aidé à poser des mines.
— Mais Cyrille, c'est de la folie !
— On pourrait dire ça. Mais les krauts ont fait beaucoup de prisonniers, ça manquait d'hommes, et ce n'est pas sorcier. J'ai miné une route avec des gars. Un type forait et on déposait les mines. Faut voir comme ça mijote quand un char touche ces trucs-là. »

Il ne vient pas le lendemain. Delphine explique aux enfants qu'il a sûrement des choses urgentes à faire – elle ne parle pas des mines –, qu'ils ne risquent rien et qu'ils ont des provisions pour plusieurs jours. Mais elle voit bien à quoi ils pensent, tous. Là où est Cyrille, des gens sont tués. Le grondement sourd est toujours là. Les explosions se rapprochent. Mais on s'habitue à tout. Paul sort de la villa pour aller chercher du petit bois, les filles le suivent. Charlotte ne tient que dix minutes. Ils s'affairent aux tâches indispensables : se chauffer, se nourrir, aller chercher l'eau à la pompe – en priant le bon Dieu que les tuyauteries ne gèlent pas. Le soir, Delphine tente de leur faire ouvrir leurs livres d'histoire et de géographie, qu'elle a eu la bonne idée d'emporter. « Mais, maman, dit Odile, tu ne vois pas qu'on n'a pas la tête à ça ? »

Deux jours plus tard, toujours pas de Cyrille. À tout hasard, Delphine promet qu'il viendra dans la soirée. Elle n'en sait rien, mais il faut calmer les inquiets jusqu'au soir... où ils finiront par s'endormir. L'absence de Cyrille l'angoisse, elle aussi. Surtout, ne pas le montrer. Rassurer Aline, qui pleure beaucoup, rassurer les enfants. Demander à Paul d'occuper les filles. Aline finit par se ressaisir, jure à Delphine de ne plus jamais flancher. Elle sait que son amie, et Paul, en ont plein les bras. Ils ne savent qu'inventer pour distraire Odile et Charlotte. Les filles s'accommodent mal de cette forme d'incarcération dans une villa où tout ce qui agrémente leur quotidien à la métairie manque, d'autant qu'une balade en forêt n'est pas permise, ne serait-ce qu'à cause d'un froid mordant. Comme ils n'étaient censés rester qu'une semaine, Delphine n'a rien emporté, à part les fameux livres. Mais les filles boudent l'histoire de la Belgique. « J'en ai assez des Ménapiens et c'est pour la vie ! » a déclaré Odile.

Jusqu'à ce que Paul commence à lire à voix haute.

Ce soir morose, grâce à Paul et malgré l'absence de Cyrille, les enfants oublient pendant quelques heures leur attente fiévreuse et, devant le feu de bois, commencent à associer les faits racontés dans le livre à leur réalité, collant les couleurs et les gestes que leur imagination leur suggère à l'histoire présente et en devenir, celle qui secoue aujourd'hui leur Ardenne et a secoué jadis leur pays. Le départ de Charles, la mort de Gabrielle, les soldats déserteurs, l'emprisonnement dans un pavillon de chasse ardennais, le grondement des chars et le sifflement des V1 – dont Delphine a dû leur révéler l'existence – font partie de leur histoire personnelle, leur appartiennent : ce sont des événements terribles et exaltants qui, à l'heure du bilan, s'ajouteront à la grande histoire des conquêtes, des luttes, des règnes, des guerres privées et des trêves de Dieu qui ont fait leur petit pays. Ils comparent Charles partant se battre à Londres à Godefroi de Bouillon courant à Constantinople, Gabrielle mourant aux mains de brutes nazies aux comtes d'Egmont et de Hornes pendus sur la Grand-Place de Bruxelles. Le départ de Charles est un fait glorieux, l'épopée des déserteurs allemands un sujet de réflexion, et la mort de Gabrielle – et sur cette mort ils ne savent pas tout – l'ultime acte de rébellion.

L'enfermement suscitera encore chez les filles des moments d'inquiétude ou d'ennui, mais elles cesseront de se plaindre : elles auraient trop honte de ne pas se montrer dignes de leurs modèles. Et de Paul.

Le 20 en fin d'après-midi, deux jours après l'anniversaire de Charlotte, Cyrille arrive enfin. « Je peux vous dire que passer est une sacrée affaire ! » Il a la tête entourée d'une écharpe. Aline se précipite vers lui avec le bébé, il les embrasse. Delphine le questionne.

« Plus tard. »

Plus tard, ça veut dire quand les gosses dormiront.

Il répond aux questions des enfants : oui, *ils* sont revenus, mais ils ne viendront pas ici. Pourquoi ? Parce qu'on est près de leur frontière et qu'ils n'ont pas la permission de rentrer chez eux. Oui, ils s'avancent sur toute la ligne de front, du nord au sud. Oui, les Américains ont de grands généraux, je vous raconterai leur histoire. Non, pas ce soir. Oui, je trouverai toujours le moyen de monter vous voir. Rester ici avec vous ? Je suis fatigué de vous dire que je dois m'occuper de mes bêtes, pouvez-vous vous mettre ça dans la tête une fois pour toutes ? Et qui s'occuperait des provisions ? Qui irait voir les Américains à leur cantonnement ?

À la première question, « Pourquoi avez-vous une écharpe sur la tête ? », il a répondu par un mensonge : « Parce que j'ai eu un accident en allumant mon poêle. »

Les enfants l'écoutent religieusement. Un climat de confiance s'est installé : quand Cyrille est là, on n'a pas peur. On s'amuse quand il décrit le commandant McAuliffe de Bastogne, qui ne rit jamais ; quand il raconte que le général Patton invente des prières au bon Dieu pour que le brouillard se lève, quand il dit que le général Montgomery d'Angleterre va arriver, mais que les G.I. ne l'aiment pas parce qu'il prend des grands airs.

*

Huit heures. Aline met Maxou dans son couffin. Les enfants regagnent leurs lits : Charlotte et Odile tête-bêche sur le divan ; Paul sur un des lits de camp. Dix minutes plus tard, ils dorment. Delphine et son amie s'installent de chaque côté du fermier. « Maintenant, tu peux raconter », dit Aline. Il ôte son écharpe, elle pousse un cri. « Je sais, il va falloir que tu me coupes les cheveux. Je ne les ai pas brûlés en allumant le poêle. »

Il effleure prudemment le dessus de son crâne, où la chair est à vif. « Il n'y a pas que vos cheveux qui ont été rôtis », constate Delphine.

« Raconte pendant qu'on te soigne », dit Aline.

Delphine va chercher le sac dans lequel Rosy a mis de la ouate, du mercurochrome et des bandages. Elle tamponne doucement le crâne brûlé. Cyrille raconte.

« Des Allemands avaient rassemblé des G.I. au bord de la route. Je me suis caché dans un café et j'ai regardé par la fenêtre avec la patronne. Les gars se bousculaient pour ne pas rester au premier rang. La femme disait qu'ils les faisaient attendre au bord de la route parce que des camions allaient venir les chercher pour les emmener dans un camp. « Les pauvres, ils vont passer Noël dans un camp. » Elle répétait ça tout le temps. Une automitrailleuse pleine de Boches est arrivée avec un SS. Ils ont relevé la bâche arrière et ont mitraillé, les gars tombaient les uns sur les autres. Des types essayaient de se sauver, le SS gueulait : « Kaputt, kaputt ! », les mitrailleuses balayaient de gauche à droite, de droite à gauche. Des hommes faisaient semblant d'être morts. Une camionnette américaine est arrivée avec un infirmier. Le SS a crié aux autres d'arrêter, puis il a désigné un blessé et lui a dit de sortir du tas pour qu'on le soigne. Il est resté planté là, bras croisés, pendant que l'infirmier s'occupait du G.I. Il faisait des commentaires. On a ouvert la fenêtre pour entendre, c'était ça, il donnait des conseils.

« Il voulait qu'on soigne le G.I. après avoir tiré dessus ?

— Oui.

— Mais alors…

— Il a attendu que l'infirmier ait fini et il les a tués tous les deux.»

Les deux femmes sont blêmes. Un bruit, du côté du lit de camp : Paul est assis au bord, immobile, le visage décomposé.

«Je ne peux pas le croire, dit Delphine. Vous avez peut-être mal vu, Cyrille. Paul, il s'est trompé, quelqu'un a tiré par erreur.

— Oui. Comme pour ma mère.»

Delphine étouffe un sanglot, son nez se bouche. Elle attrape l'écharpe que Cyrille a ôtée, la presse sur son visage. Non, tu ne saigneras pas. Elle respire profondément, le picotement s'atténue. «Je ne peux pas le croire, répète-t-elle.

— Je sais, dit le fermier. Mais on n'a pas fini d'en voir, et vous finirez par me croire. Il en restait encore une vingtaine en vie. On en a aidé deux à se traîner dans le café. Les autres voulaient aller dans le bois, retrouver leurs trous. Les Boches étaient partis, mais ils sont revenus et ont mis le feu au café. On a réussi à sortir par l'arrière avec les deux types. Des vieux ont accepté de les cacher chez eux. Je suis resté là toute la nuit. Ils se débrouillaient un peu en français. On a parlé du débarquement de Normandie, ça nous a fait du bien. On a bu toute la nuit. On a bu tout ce qui restait.»

Aline se lève, va chercher les ciseaux que Delphine garde dans son sac. Elle a les yeux rouges mais a promis de ne plus pleurer. L'opération terminée, Cyrille se regarde dans le miroir, au-dessus de la cheminée. «Le beau côté de l'affaire, dit-il, c'est que j'ai l'air d'un G.I.»

Il passe la nuit à la villa, près d'Aline.

Le lendemain, avant de s'en aller, il raconte que quatre hommes parlant parfaitement l'anglais et déguisés en policiers militaires ont été arrêtés et ont craché le morceau. Depuis, dans les forêts, les villages abandonnés et les routes désertes, des Américains méfiants se donnent mutuellement du fil à retordre. Ils ne font plus confiance à personne, ne croient plus aux plaques d'identité ni aux mots de passe. Et malheur à qui ne peut pas donner le nom de la capitale du Kansas, celui du dernier mari de Mae West ou le total des coups de circuit de Babe Ruth.

Pendant ce temps, les panzers allemands foncent vers Bastogne. Les chars sont peints en blanc, on ne les voit pas de loin. Dans leurs trous individuels, les G.I. attendent qu'ils soient passés pour bondir et les attaquer au bazooka. Ils sont deux, un pour porter l'arme sur le dos, l'autre pour tirer.

Pour les grenades, les hommes se précipitent au passage des chars et essaient de viser juste : dans la tourelle ou la soute à munitions.

« Et quand ils n'ont plus de munitions ? demande Paul.

— Ils enfoncent un chiffon plein d'essence dans une bouteille et la jettent dans une tourelle. »

Paul veut tout savoir sur les blindés. Cyrille lui explique que les Américains n'ont qu'un type de char, de 35 tonnes, le Sherman, et des Cobra-King de 40 tonnes, alors que les Allemands ont des mastodontes qui passent à travers tout, écrasent tout ; les Américains ont tout juste le temps de sauter hors des jeeps ou des chars.

« Et les trous ?

— Encore ! Je te l'ai déjà dit, ils passent dessus.

— Sans les écraser ?

— La terre est gelée, Paul ! »

Le commandant adjoint du cantonnement a dit à Cyrille qu'une division américaine de blindés avait quitté la France, mais qu'elle n'arriverait sûrement pas à temps à Bastogne. Impossible de circuler dans les rues, où canons et camions se préparent à battre en retraite. Les Américains reculent partout. Les G.I. qui reviennent de l'est sont couverts de poudre, ils n'ont plus d'armes, plus rien, on les a obligés à briser ce qu'ils ne pouvaient pas emporter, pas question de laisser quoi que ce soit à l'ennemi. Ils disent que les Boches sont drogués, qu'ils se fichent pas mal de mourir, que des centaines de panzers allemands arrivent à toute vitesse, que les krauts ont fait huit mille prisonniers dans le nord. Des pauvres types à qui ils ont tout volé, y compris la nourriture. Une seule consolation : leurs chars s'enfoncent dans la boue.

« Et les nôtres ?

— Les nôtres aussi.

— Ça veut dire qu'on est foutus, Cyrille ? »

Le fermier regarde le visage défait du gamin.

« Non, Patton et Montgomery vont se mettre à l'ouvrage. On n'est pas foutus. »

Sur ce, il annonce qu'il descend au village pour aller aux provisions.

Deux jours d'insupportable attente.

Quand il finit par réapparaître, sale, barbu, vêtements déchirés, il a le poignet bandé avec le bout de torchon qu'il utilise pour nettoyer son carburateur.

«Bastogne est totalement encerclée. Je ne sais pas si vous vous rendez compte, mais venir à la villa est un tour de force. Je me suis fait arrêter, mais ils venaient de faire des prisonniers et il y avait une telle pagaille que j'ai réussi à foutre le camp. J'arrivais du quartier général de McAuliffe... si on peut appeler ça comme ça, et j'étais de bonne humeur. Ça fait que j'étais distrait et que je ne les ai pas vus arriver.»

De bonne humeur!

Après un moment de silence, nécessaire aux autres pour revenir de leur surprise – ils n'ont jamais vu Cyrille aussi excité –, les questions fusent. De bonne humeur? Pourquoi, Cyrille? Combien de prisonniers? Pourquoi le poignet bandé? Ça s'est passé où? Quand?

«En sortant de Bastogne, où je ne peux plus entrer que par le jardin d'un ami et en pleine nuit. Pourquoi de bonne humeur? Parce que Patton est arrivé au sud et Montgomery au nord. C'est confirmé.

— Confirmé par qui?

— Par le commandant adjoint. Et ce n'est pas tout. J'en ai une bonne à raconter.»

Il se racle la gorge, allume une cigarette. Les autres s'installent autour de lui comme autour d'un feu de camp.

«J'étais au P.C. de McAuliffe quand des krauts se sont pointés à quatre avec un drapeau blanc. Ils ont dit à une sentinelle qu'ils étaient des parlementaires et qu'ils voulaient voir le général.

— Ils voulaient l'inviter? demande Charlotte.

— L'inviter à quoi, niguedouille? dit Odile. À faire un canasta?»

«Ils apportaient un message en allemand et en anglais. On a appelé McAuliffe.» Cyrille s'appuie au dossier du divan, sort une feuille de sa poche, l'agite devant l'assemblée. «Traduit en français par le sergent interprète!»

Tous les yeux sont fixés sur le bout de papier. «Je commence.» Il étale les jambes devant le feu, tire sur sa cigarette. «Je commence.»

«Ne le dites plus et commencez», dit Delphine.

“*Au commandant américain de la ville encerclée de Bastogne. Le sort des armes est changeant. Les forces américaines dans Bastogne et aux environs ont été encerclées par de puissantes unités blindées allemandes. Il n'y a qu'une possibilité de sauver les troupes américaines encerclées de la destruction totale : la reddition honorable de la ville encerclée. Si cette proposition est rejetée, l'artillerie allemande anéantira les troupes américaines de Bastogne. Toutes les graves pertes civiles causées par les tirs d'artillerie ne seront pas en accord avec l'humanité bien connue des Américains. Signé : Le commandant des forces allemandes."* »

Cyrille replie le bout de papier, le met dans sa poche. C'est Paul qui brise le silence. « Et le commandant ? Qu'est-ce qu'il a répondu ?

— *Nuts !* »

Devant le regard ahuri des autres, il ajoute : « Ça s'écrit nuts mais on dit nets.

— On sait même pas ce que ça veut dire, grogne Odile.

— Ça veut dire zut, crie Charlotte.

— Je vais chercher dans mon Schramouille, annonce sa sœur. Mais je crois que ça veut dire *zoot*, ce qui est une insulte.

— Non, dit Paul. Je crois que ça veut dire plutôt crever. »

54

IRÈNE

Dublin, 10 décembre 1944

Armand, ma chère Delphine, Rosy,

Ceci est une lettre «collective» pour cause de fatigue. Mais pas d'inquiétude. Armand, si je suis fatiguée, c'est d'abord parce que j'ai un mari, ensuite parce que je vais avoir un bébé.

Je vous entends vous écrier. Enceinte à près de quarante-trois ans! Un premier bébé à quarante-trois ans, c'est de la folie! Oui! Non! Comme le dit la grand-mère de Seamus, une vieille dame catégorique: «La Providence veille.»

Je sais, j'aurais dû vous écrire plus tôt, et vous êtes inquiets, surtout toi, Armand, qui as décidé un jour qu'une de tes raisons d'être sur cette terre était de te faire du souci pour ta sœur. Ta sœur volage.

Elle ne l'est plus. Elle ne pourra plus jamais l'être.

Il fut un temps où je voulais faire partie d'une coterie, une sorte de club sélect dans lequel évoluaient les grands voyageurs de l'Europe – des voyageurs qui échangeaient, dans leurs trains de luxe, leurs pensées sur la beauté de Venise, le charme de Rome, l'atmosphère intense de la Plaza de Toros de Madrid avant la corrida.

Il n'y a pas un opéra que je n'aie vu en Italie ou à Vienne, et je ne pourrais même pas dire ce qui différencie Puccini de Verdi, et Richard Strauss de Wagner!

Je suis loin de tout cela maintenant, non par la distance, mais par l'absence totale d'un quelconque regret. C'était un leurre. Un joli leurre, il ne faut pas tout rejeter en bloc, ce serait stupide. Et puis elle m'a appris des choses, cette vie… Mais elle était si superficielle, si fragmentaire.

Je peins? Oui, mais c'est parce que j'avais déjà cela en moi.

Aujourd'hui, je vis dans une ville dont j'ai appris à connaître toutes les nuances, qui me paraissent infiniment plus subtiles que tout ce que j'ai connu jusqu'ici. Je vous entends! «C'est très joli, tout cela, mais c'est parce qu'elle est amoureuse!» Je ne suis pas amoureuse, j'aime. Quand j'entends le bruit du vent sur la mer, le cri des goélands tournoyant au-dessus des navires, les cornes de brume se mêlant au bruit des vagues, une symphonie que je n'ai jamais entendue s'élève.

Elle était là, toute prête, et je ne le savais pas.

Nous habitons une petite maison blanche près de la mer. Il n'y a rien ici qui soit enchanteur, ou léger, ou joli, rien du charme de Rome et de Venise, des nuits de Milan et de Florence. Mais ce que l'on découvre dans cette austérité vous comble étrangement.

Seamus a fait abattre un mur du côté sud de notre maison pour le remplacer par une verrière. C'est là que je peins. Il vient me voir, de temps en temps, regarde mes essais, ne me complimente pas quand ils sont réussis, ne dit rien quand ils sont ratés. Il hoche simplement la tête, enlève mon sarrau plein de peinture, me prend dans ses bras.

C'est cette vie-là que nous menons. J'ignore ce qu'il fait quand il s'en va, il ne me demande pas, quand il rentre, à quoi j'ai pensé pendant son absence. Il ne me demande jamais si je regrette de l'avoir suivi.

Il ne me le demande pas parce qu'il sait que je l'aime.

Avant de venir ici, nous étions à Paris, chez sa mère. Un jour, je vous raconterai par quel concours de circonstances je suis arrivée – et restée – chez Françoise O'Neal après y avoir amené son fils. Il était malade. Pneumonie. Chaque matin, quand j'entrais dans sa chambre, il me disait: «Tiens, vous êtes encore là!»

Mais il n'était pas mécontent.

Je passais mes journées à parler avec Françoise qui, avant moi, était tombée amoureuse d'un autre Seamus et qui, comme moi, l'avait suivi à Dublin. Nous nous entendions bien, elle était contente d'avoir à ses côtés quelqu'un qui parlait, qui riait, qui racontait, qui l'accompagnait au marché, ou en promenade. Quelqu'un qui aimait son fils.

Un jour, je l'ai emmenée au studio. Elle est allée tout de suite à la terrasse. Je lui ai expliqué que c'était là que j'avais commencé à être libre.

Je ne lui ai jamais parlé de l'occupation de notre pays. Ni de Herr Spitz, ni de Jan.

Mais je lui ai parlé de vous.

Mon bébé viendra au monde à la fin du mois de juin. Nous attendrons qu'il ait six mois avant de venir en Belgique. La fin de l'année, Noël, le Nouvel An avec vous, vous vous rendez compte! Mon mari a envie de vous connaître. Il ne le dit pas mais je le sais.

Je l'attends. Il rentre ce soir. Je peins, j'essaie de faire son portrait!
Mon cœur est paisible et plein de joie.

J'espère que le vôtre l'est aussi. Écrivez-moi. Racontez-moi.
Dites-moi que Charles est revenu.
Dites-moi que Delphine est heureuse.
Dites-moi tout, même ce qui est triste.

Je vous embrasse
Votre
Irène

55

DELPHINE

Le jour commence à baisser. Les enfants mangent près de l'âtre, leur assiette sur les genoux. Collé aux mollets d'Odile, le chien attend son bout de viande. Mais le regard vrillé aux mains de sa maîtresse est moins fixe qu'à l'habitude, l'animal est distrait, tourne constamment la tête vers la porte, remuant les narines comme le font les chiens en alerte. L'odeur qu'il essaie de reconnaître n'est pas celle de la viande, elle vient d'ailleurs. Il agite la queue. Il a un boulot de chien à faire, mais il voudrait son rogaton d'abord.

Soudain, il n'y tient plus, il file vers la porte, repousse du nez le boudin protecteur, pousse sa truffe dans la fente entre le sol et le panneau. Cette agitation annonciatrice d'une présence – un sanglier, un chevreuil, un coq de bruyère – secoue l'inertie des habitants de la villa. Ils déposent leur assiette, s'approchent de la baie pour fouiller du regard les broussailles entre les grands arbres. Odile déclare que, quel que soit l'animal, il est sûrement affamé ; elle lui donnera donc son dîner. «Tu ne vas tout de même pas donner du cochon à un sanglier! dit Charlotte. C'est comme si tu lui donnais son cousin à manger!

— C'est pas la viande que je veux lui donner, Bécassine, c'est les légumes. Les sangliers sont omnivores, si tu veux savoir. Mais ils mangent aussi du pain, ajoute-t-elle à tout hasard.

— Le pain est rationné, je te signale.

— Oui, mais je fais ce que je veux de *mon* pain.»

«Allons, les filles, cessez de vous disputer, dit Aline. Vous ne savez même pas de quel animal il s'agit.»

Paul s'est approché de la fenêtre, front collé à la vitre.

«Ce n'est pas un animal.»

Le chien court de long en large devant la baie vitrée, poil hérissé. Il n'aboie pas. Alarmée par la voix altérée de Paul, Delphine s'approche: Il a raison, ce n'est pas un animal.

«Baissez-vous!» ordonne-t-elle. Elle court à l'armoire dont elle garde la clé autour du cou, prend le Browning de Charles. Il est sept heures, la lune est à son premier quartier, mais l'obscurité, au bas des arbres, est presque totale. Couchés devant la baie vitrée, les habitants de la villa scrutent la nuit.

«Maman, c'est un fantôme!» souffle Charlotte.

Fascinés, ils regardent l'ombre blanche qui se fraie un passage vers la maison, se déplaçant centimètre par centimètre dans le matelas de neige. Elle tombe, s'y enfonce. Si on ne l'avait pas vue s'écrouler, on ne la distinguerait même pas dans le tapis blanc.

«Ce n'est pas un fantôme, dit Paul. Les fantômes ne tombent pas, ils flottent.»

La masse se redresse. Un casque apparaît au-dessus, une bottine en dessous. «C'est des gens, dit Paul, je crois que c'est un homme qui en porte un autre.» Seigneur, pense Delphine, des Allemands. «Ce sont des Américains, ajoute Paul, c'est un casque avec un filet.» Le porteur s'avance jusqu'au bas de l'escalier, crie quelques mots, commence à gravir les marches. «Ce n'est pas de l'allemand», dit Aline. «Peut-être, souffle Delphine, mais rappelez-vous ce que Cyrille nous a raconté, il y a de faux Américains. Allez vous cacher. Toi aussi, Paul. Dépêchez-vous. Odile, emmène ton chien.»

Paul fait semblant de les suivre, pas question qu'il laisse sa tante toute seule. Dehors, l'homme a réussi à se hisser en haut des marches et tambourine sur la porte. Delphine ouvre, se trouve face à un homme hagard, qui s'effondre sur le seuil avec son fardeau. Il voit l'arme qu'elle tient à la main, la fixe; elle la cache derrière son dos. «Qui êtes-vous?

— Américains.

— Que faites-vous ici?

— Enfuis.» Il regarde avidement l'intérieur de la pièce. La flamme de l'âtre rougeoie sur ses joues cireuses, mouillées. «Froid, dit-il.

— Oh, mon Dieu! Entrez, excusez-moi, c'est la surprise… Je…

— *Thank you, mam.*» Il entre, dépose son fardeau sur le sol, commence à dérouler le drap de lit dans lequel un autre homme est enveloppé. Puis il explique, dans un bon français, qu'ils ont été poursuivis, mais que les Allemands ont perdu leur trace. Il demande s'ils peuvent rester un moment pour se réchauffer. «Mon ami est blessé. Je devais le porter. Merci, merci.

— Il n'y a pas de quoi, dit machinalement Delphine.

— Il n'a que dix-sept ans, chuchote-t-il en montrant le visage effrayé. Il est arrivé il y a trois semaines. Il a reçu un éclat de shrapnel, je l'ai emballé dans un drap en attendant les infirmiers, mais ils ne sont pas venus. Ce sont les krauts qui sont arrivés. Quand j'ai vu les panzers, je l'ai sorti de là et je suis entré dans le bois. Je préférais qu'on meure de froid plutôt que d'être faits prisonniers. Ça fait quatre heures que je marche, ils nous ont poursuivis mais je suis entré dans des fourrés où les panzers ne passent pas. Il rit. «Ils ont abandonné, ils ont froid, eux aussi.»

Les yeux du blessé vont de l'un à l'autre, puis s'arrêtent, émerveillés, sur les flammes de l'âtre. Paul sort de sa cachette, Delphine va à la cage d'escalier pour appeler Aline et les filles. Pas la peine, elles sont là et ont tout entendu. Le chien arrive, s'arrête net en apercevant les curieux personnages, puis entreprend de les flairer. S'enhardissant, il attrape le drap et tire. Le jeune soldat résiste un peu, il semble y tenir, à son drap. La scène est cocasse, chacun réprime un sourire.

C'est très joli, tout ça, pense Delphine, mais qu'est-ce que je vais leur donner à manger? Toute à ces pensées, elle s'entend dire: «Vous prendrez bien quelque chose?»

Éclat de rire général, sauf le blessé, qui ne comprend pas. Mais la question est superflue, les deux fantômes meurent de faim. Charlotte leur montre le grand canapé près de la cheminée. Ils ne se le font pas dire deux fois, le plus grand aidant l'autre à s'y traîner.

«Aline, fais chauffer du lait et apporte le pain. Je vais inspecter la blessure.»

«Comment y s'appellent?» demande Charlotte.

Bill et Mickey.

«C'est l'épaule, dit Bill. Il a beaucoup de fièvre, mais ce n'est pas à cause de la blessure, c'est parce qu'il a pris froid.»

Delphine défait le pansement, nettoie la plaie avec de l'éther, déchire une partie du drap pour en faire des bandages. Les pieds du soldat sont terriblement enflés. «Je comprends, maintenant, pourquoi il ne peut pas marcher.

— Il a essayé, mais il tombait tout le temps. Ils appellent ça le pied des tranchées. Mam, c'est un enfant terrorisé. Il délirait, il disait qu'on allait rater l'avion.»

Un rire fuse, vite réprimé. C'est Charlotte. Delphine jette un coup d'œil à Mickey. Il n'est plus terrorisé. Depuis qu'il est étendu dans le divan, il est en extase.

«Je vais lui donner de l'aspirine. Je le garderai jusqu'à ce que sa blessure soit refermée. Et vous, Bill, vous pourrez repartir quand vous voudrez, mais vous allez d'abord manger quelque chose. Un de mes amis doit venir. Il vous ramènera sur sa moto.»

Elle parle vite, dans une sorte de vertige. Elle sent bien qu'elle pourra difficilement se résoudre à jeter cet homme dehors. Mais il faut nourrir tout ce monde. Elle passe mentalement son garde-manger en revue : un morceau de cochon d'un kilo et demi, du lait en poudre, trois pains, un bloc de margarine. Bill a sorti des biscuits militaires de son paquetage, deux boîtes de corned-beef, beaucoup de chewing-gum, et des tablettes D – chocolat immangeable que les soldats appellent l'arme secrète de Hitler.

«Vous en voulez? demande-t-il aux enfants.

— Non!» crient-ils en chœur. Cyrille leur a déjà fait goûter.

«Mais on veut bien du chouingomme», dit Odile.

Cyrille leur en a parlé.

Les trois enfants mastiquent en silence. «C'est comme nos chiques de blé, dit Charlotte, mais sucré.»

La nuit arrive. Aline distribue un morceau de viande à chacun, avec une tartine de margarine et un demi-verre de lait. On installe la paillasse de Mickey par terre, devant l'âtre. Le petit G.I. se laisse couler sur la couche improvisée et, béat, regarde Delphine entourer de briques réfractaires le côté de son corps non exposé à la chaleur. Elle lui donne une gorgée de sirop, priant le bon Dieu que les enfants n'attrapent pas son rhume. Aline installe Maxou dans son couffin. Odile et Charlotte se couchent tête-bêche dans le divan. Paul déplie le deuxième lit de camp, sur lequel le grand Bill s'étend, enveloppé dans ce qui reste du drap.

C'est le tour de garde de Delphine, mais Aline et Paul décident de veiller avec elle.

«Il se passe tant de choses, dit Aline, j'aimerais tant que Cyrille soit là.»

Bill dit qu'il n'a pas sommeil. Il se lève, s'assied à côté de Delphine. Elle a subitement envie de parler de Charles, mais que pourrait lui dire cet homme prisonnier des forêts ardennaises? Il n'est même pas Anglais!

«Vous savez, dit-il, depuis le début c'est la pagaille.

— Vous voulez dire que c'est sans espoir?

— C'est mieux depuis que Monty et Patton ont pris les choses en main, mais les autres sont forts, et nous ne sommes que 75 000 milles.

— *Que* 75 000 milles!

— Contre 250 000 milles et des chars de 70 tonnes.

— Et les renforts?

— Trop de brouillard. Les avions sont cloués au sol. On n'a presque plus de rations et les munitions diminuent. Ils ont bombardé pendant des heures. La moitié du cantonnement de Bastogne est sous les décombres. Ils vont sûrement envoyer leurs bombardiers pour nous finir.»

Delphine réfléchit un instant.

«Alors pas question que vous partiez.

— Mam, je dois rejoindre mon unité.

— On en reparlera demain.»

Elle regarde Mickey, bouffi de bonheur sur son lit de fortune. Il est à peine plus âgé que Paul. Au diable les codes de cette guerre, ils sont entrés ici, ils y resteront. Ils sont comme mes fils, maintenant. Mes fils n'iront pas se faire tuer.

Le 23, en arrivant à la villa, Cyrille se heurte à un tas de petit bois devant l'escalier. Puis il voit Paul et un grand gaillard sortir des fourrés. Un G.I., il n'en croit pas ses yeux! Delphine lui ouvre la porte. «Vous l'avez vu? Et ce n'est pas tout, il y en a un aussi devant le feu. Débarrassez-vous, Cyrille, je vais vous raconter.

— Mais d'où sortent-ils?

— Du bois.

— Il va falloir qu'il repartent, ils ne sont pas censés quitter leur…

— Ils l'ont quitté pour ne pas être tués, répond Delphine. Et tant qu'ils seront dans ma maison, c'est moi qui déciderai.

— Ça ne marche pas comme ça, McAuliffe…

— Je vais aller le voir, votre McAuliffe!»

Cyrille sourit, il est trop content pour discuter de codes militaires. Il apporte une sacrée bonne nouvelle.

Son visage resplendit, sous le casque d'aviateur que lui a offert un G.I.

«Ne nous fais pas languir, Cyrille, dit Aline. C'est quoi, cette bonne nouvelle?

— L'anticyclone!», hurle-t-il à pleins poumons.
— Ça sert à quoi?
— Vous allez bientôt le savoir.

Satisfait de lire, sur les visages ahuris, une totale incompréhension, il s'installe sur le divan et allume une cigarette. Bill se précipite, lui serre la main en criant qu'elle le sait depuis la veille, que c'est un miracle, un jour béni, mille fois béni. «Tout ça, dit Cyrille, c'est grâce à Patton. C'est parce qu'il a écrit à celui – il pointe un doigt vers le ciel – qu'il appelle le grand chef. Écoutez-moi ça, j'ai appris le principal par cœur: *Monsieur, je ne vais pas vous demander l'impossible. Je ne vais même pas insister pour avoir un miracle, tout ce que je demande, c'est quatre jours de temps clair.*»

Puis il consent à expliquer ce que veut dire anticyclone, et pourquoi ce machin-là et ses vents froids ont chassé le brouillard.

Les pensionnaires de la villa l'ont vu, ce ciel dégagé, mais ils ne savaient pas qu'il pouvait tout changer. Sauf Bill et Mickey. Mais Bill n'osait pas y croire, alors il n'a rien dit. Et Mickey s'est jeté sur ses cartes pour faire une réussite. Paul et Odile ont voulu mettre le nez dehors. Trompés par un soleil pâle, ils ont dévalé l'escalier… et sont rentrés frigorifiés.

Une demi-heure plus tard, retenant leur souffle, les habitants de la villa écoutent le grondement qui emplit le ciel. Paul se précipite sur le toit. Les autres suivent, mais la plate-forme est trop étroite pour contenir tout ce monde. «C'est un poste d'observation pour deux chasseurs, il n'y a pas assez de place.»

«Sortons», dit Cyrille.

Une nuée d'avions à étoile blanche traverse le ciel. Le sol tremble, les arbres tremblent, et ils passent, imperturbables.

«Ils viennent du Luxembourg, explique le fermier. C'est Patton qui les envoie. Ils longent la ligne de front. Ça ne veut pas dire que c'est gagné, mais ils vont larguer des munitions, des vivres, des parachutistes, et le repas de Noël des troupes.

— Mais s'ils peuvent voler, les autres aussi! dit Delphine.

— Oui. Mais il sera trop tard. Les nôtres auront jeté leurs colis et ils seront déjà au-delà du saillant.»

En plus de l'anticyclone, Cyrille a apporté une des gardiennes plumée et vidée, les trois dernières poules, et un demi-sac de farine.

Les provisions dureront quatre jours. Delphine et Aline les stockent dans une pièce où la température avoisine le zéro.

C'est là que se trouve la pompe. Dieu merci, la canalisation qui voyage sous le sol à partir d'une tourbière n'a pas encore gelé, et Firmin a enveloppé d'étoupe le tuyau qui traverse la pièce. Cyrille discute avec le grand Bill, qui croit que le saillant qui s'avance vers Anvers va se dégonfler comme une baudruche. Le G.I. veut rejoindre son cantonnement, le fermier l'approuve, mais Delphine tient bon. «Cyrille, cette guerre est absurde. Je ne veux pas que ce garçon meure parce qu'un dément, en Allemagne, a décidé de massacrer la terre entière. Essayez de le convaincre de rester quelques jours. Nous aussi, nous avons besoin de protection.

— Oui, mais il sait très bien que vous ne risquez rien, que cette forêt n'intéresse pas les krauts parce qu'il n'y a rien, pas de maisons, pas de chemins, et un tas de tourbières. Vous êtes si près de la frontière allemande qu'aucun Boche n'aura jamais l'idée de venir y traîner ses bottes.

— Je ne peux pas abandonner mon unité, dit Bill.

— Mais il n'en reste peut-être pas, d'unité! dit Delphine.

— Alors je veux les venger.

— Ça, dit calmement Cyrille, ça s'appelle aller au casse-pipe.»

Mais il sait que le G.I. a raison. Qu'il ait dû fuir pour survivre ne l'autorise pas à déserter. Car c'est bien de cela qu'il s'agit: s'il reste, il sera considéré comme déserteur. Pourtant, à force de supplications, et aidée par Aline et les enfants, Delphine arrive à le persuader de passer Noël et le Nouvel An à la villa. «Six jours, Bill, six petits jours! De toute façon, Mickey est trop malade pour retourner là-bas. Nous devons le guérir d'abord.

— Et tu n'as pas fini mes leçons d'anglais! précise Odile (ils ont commencé la veille!). N'oublie pas que j'ai promis d'aller te voir en Amérique, et tu ne voudrais tout de même pas que je baragouine n'importe quoi à tes parents!

— Très bien. Mais je fais le serment solennel de partir le 2 janvier au matin», répond Bill – dont le français, par contre, a fait d'énormes progrès.

«Oui, chuchote Odile en poussant sa mère du coude, à condition que Cyrille puisse venir le chercher.»

Il redescend chez lui, Cyrille, pour aller voir sa vache, qui se morfond dans sa cave. Il est inquiet, convaincu que les Boches – ou des voisins – finiront par la trouver. Les dénonciations vont bon train; quand les voleurs ne peuvent pas voler, ils préviennent les Allemands.

Un projet fou lui trotte dans la tête.

Il décide d'en parler à Delphine. «Amener la vache ici! Mais, Cyrille, comment allez-vous faire? – J'ai un plan.» Comme elle peut difficilement nier que le lait est indispensable au petit Maxou, et bien nécessaire aux enfants, et même aux adultes, Delphine rassemble la maisonnée et demande l'avis de chacun. Ils sont d'accord mais ils ont des questions. Odile pense qu'il faut faire un enclos à Louise dans le salon car il fait trop froid dans la salle de chasse. Aline demande ce qu'elle va manger; Paul, comment on va la monter jusqu'à la villa. Charlotte veut savoir qui va «ramasser». Suit une explication scientifique de Paul, selon laquelle, si l'on met à sécher la bouse de vache, elle peut se transformer en parfait combustible. «Oui, dit Cyrille, mais à condition de sécher au soleil pendant plusieurs semaines.»

«Très bien, c'est réglé. Maintenant, qui est pour?» demande Delphine.

Tous les doigts se lèvent.

«J'ai encore du foin à la ferme, dit le fermier. Mais il faut que Paul et Bill raclent la neige des deux clairières et ramassent la mousse pour la faire sécher devant l'âtre. Mickey la retournera.»

Odile se glisse près de sa mère. «On va tellement l'occuper, notre Bill, qu'il va oublier de partir.»

Pour le trajet, chacun y va de sa petite idée. Charlotte propose le side-car de la Saroléa.

«Pour tenir dans le side-car, dit Paul, il faudrait que la vache accepte de s'asseoir, et les vaches, ça ne s'assied que dans les dessins animés.»

Mickey lève un doigt: «Elle ne marche pas, cette vache?

— Si, mais pas vingt kilomètres...» Cyrille fronce les sourcils. «J'ai un plan, mais il faut que j'aille faire un tour en bas.

— Tu n'arrêtes pas de monter et de descendre! dit Aline. Tu finiras par te faire prendre!

— Pas aujourd'hui. Ni demain. C'est Noël. Les Américains ont reçu un arrivage de dindes rôties, et les krauts des barils de choucroute.»

Il revient trois heures plus tard, annonce qu'un voisin a accepté de prêter sa fourgonnette, à condition de la conduire lui-même, mais il veut les deux oies qui restent en échange. Il emmènera Paul. Ils attendront minuit pour faire monter Louise dans le véhicule. C'est le moment idéal: les krauts seront en train de chanter après avoir mangé leur choucroute imbibée de schnaps. Le chat sera du voyage. Si tout va bien, ils arriveront vers quatre heures. Le repas de Noël sera retardé mais tout le monde s'en fiche. Il aura lieu quand Louise sera installée dans sa nouvelle demeure.

Delphine met l'oie à cuire à la broche : le feu n'est pas très vaillant. Mickey l'enrhumé est chargé de l'arroser entre deux parties de cartes. Pendant ce temps, dans un froid polaire, Bill, Cyrille et Paul donnent de formidables coups de hache dans des troncs morts. Les enfants sont fous de joie. Ils vont avoir une vache, un chat, et ils ont déjà le chien d'Odile. « Oui, mais on ne sait pas encore où on va la mettre », rappelle Charlotte. Nouveau dilemme. « Nous y réfléchirons plus tard, dit Delphine. Cyrille décidera. »

« On va avoir le plus beau réveillon de Noël du monde entier dans notre arche de Noé ! » s'exclame Odile.

Delphine fait oui de la tête. Le plus beau réveillon du monde sans Charles, sans Gabrielle, sans Armand, sans Rosy, sans Émilie qui aime tant les fêtes, sans Jules-Henry. Elle s'interdit d'y penser, mais elle ne peut s'empêcher d'imaginer l'inquiétude de son père. Heureusement, Cyrille a réussi, grâce à un officier américain, à téléphoner à la métairie de la caserne belge. Et il a tout enjolivé.

*

Il est onze heures, le ciel est bas, la lune étouffe derrière les nuages. Tous les regards sont braqués sur Paul et Cyrille, prêts à entamer leur équipée. Delphine leur ouvre la porte, un vent humide s'engouffre dans la pièce, ils descendent l'escalier de bois, s'enfoncent dans la noirceur. Dans la villa, personne n'a le cœur à plaisanter. Quelqu'un fait remarquer que la neige s'est transformée en bruine et qu'il fait sûrement moins froid. C'est vrai, pense Delphine, mais s'il gèle cette nuit, la route sera verglacée. Bill a la mine basse, d'habitude c'est lui qu'on envoie en mission, il se sent coupable. Chacun retient son souffle jusqu'à ce que l'on entende, dans l'épaisseur mouillée, la pétarade de la moto. Puis c'est le silence. Il n'y a pas de grondement, cette nuit, pas d'explosions, pas de sifflements, rien que le craquement des arbres secoués par les bourrasques et le grésillement des bûches à demi consumées. Un volet claque dans une des chambres, Bill se lève pour aller l'attacher. Odile déclare qu'ils ne peuvent *absolument* pas se permettre de dormir pendant que Cyrille, Paul et la vache risquent leur vie.

« N'exagère pas! dit Charlotte, ils ne risquent rien du tout. Ce sera difficile, c'est tout.

— Très difficile, car n'oublions pas qu'une vache, ça n'en fait qu'à sa tête! »

La vision de la vache refusant de monter dans la fourgonnette est trop pénible pour Aline. Elle pleure. « Regarde ce que tu as fait! dit Charlotte à sa sœur. Ça s'appelle du sadisme, ma fille! » Delphine soupire, c'est vrai qu'Odile trouve toujours les mots qui provoquent, mais un jour nous rirons de tout cela, nous rirons de bon cœur, et Charles rira aussi, puis il nous racontera ce qu'il a fait, lui, et nous lui raconterons l'histoire d'Aline, de Maxou, de la vache, de Bill et de Mickey. Le visage de Charles, dont elle n'arrivait plus à se souvenir depuis quelques jours, vient de réapparaître, elle sent monter les larmes. Aline est allée chercher Maxou. Il dormait mais elle l'a réveillé. Maxou est une bonne nature. Il sourit, tandis que sa maman le tient debout sur ses petites pattes. Delphine lui tend les bras.

Un autre miracle de Noël : il prononce son prénom, celui d'Odile, de Paul, de Charlotte. Puis il s'écroule, assommé par l'effort. Et de voir tout le monde rire et applaudir, il se met lui aussi à frapper ses menottes l'une contre l'autre.

Trois heures du matin. Delphine fait les cent pas devant la baie vitrée. La maisonnée s'est endormie au grand complet, même Aline. Tout habillés près du feu. Chacun s'est endormi à sa façon, Charlotte sur le dos, sagement, elle ronfle un peu, Odile et Fu serrés l'un contre l'autre, Bill assis contre le divan, Aline sur le lit de camp avec le bébé. Personne ne voulait manquer l'arrivée de la vache, mais la fatigue a été la plus forte. Une quinte de toux de Mickey réveille Bill ; il se soulève sur un coude. « Toujours rien?

— Non, dit Delphine. Rendormez-vous, je vous réveillerai. »

Deux heures de retard.

Et si Louise avait refusé de monter dans la camionnette? Impossible, ce n'est pas la première fois que des fermiers transportent une bête. Oui, mais les bêtes savent pourquoi on les transporte, peut-être Louise a-t-elle eu des soupçons. Allons, tu déraisonnes. Delphine s'assied sur une chaise, près de la porte et, machinalement, met ses bottines. Puis, tout aussi machinalement, va à la table et griffonne un mot sur un bloc-notes. *Je pars en éclaireur. Que celui qui se réveille vienne me rejoindre (avec Bill – Mickey ne sort pas).* Elle s'habille, se glisse hors de la villa. La brume matinale est dense, mais le chemin nettoyé pour le passage de la vache est praticable. Un coup d'œil attristé à la Packard embourbée dans la neige... Elle arrive à l'orée du bois. Rien. Le verglas a fait de la route une patinoire sur laquelle flottent des branches cassées. Elle décide de descendre jusqu'au tournant, de toute façon il fait trop froid pour rester sur place. De là, je verrai une bonne longueur de route, j'attendrai dix minutes, puis je remonterai. C'est alors qu'elle les aperçoit, émergeant du tournant, à cinquante mètres. Il n'y a pas de camionnette. Que des formes grises enveloppées de brume, avec des taches : le bonnet rouge de Paul, l'écharpe jaune de Cyrille, et les sabots de la vache sont bleus ! Mais pourquoi sont-ils à pied ? Où est la camionnette ? Ils n'ont pas fait vingt kilomètres à pied, c'est impossible ! « Cyrille, Paul, je suis là ! » crie-t-elle en agitant les bras.

« On t'a vue, ma tante. »

Elle se met à courir, tombe. « Vous cassez pas une jambe ! crie Cyrille. Ça serait le bouquet. »

Sa voix résonne curieusement dans le brouillard. Mais il a raison, elle se lève, marche au bord du fossé, où le verglas est moins compact. Le curieux cortège s'avance lentement, prudemment. Ils ont l'air épuisés, tous, sauf le chat qui se balance dans une cage. « Cyrille, Paul, ça va ?

— On a eu quelques déboires, ma tante, mais ça va. Maintenant ça va. On est juste fatigués. »

La jambe de Louise est bandée jusqu'à mi cuisse. « Elle a glissé, c'est pour ça qu'on lui a mis des chaussons, explique Paul. La blessure n'est pas grave, c'est juste une bonne éraflure, elle est tombée sur un morceau de bois pointu... » Il s'arrête, à bout de souffle... « Mais Cyrille est sûr qu'il n'y a pas de déchirure.

— On va la soigner, promet Delphine, je vous promets qu'on va bien la soigner. J'ai tout ce qu'il faut là-haut, de l'éther pour désinfecter et de la pommade aux sulfamides. » Elle voudrait trouver un tas d'autres choses à promettre, mais c'est tout ce qu'elle a, de l'éther, de la pommade aux sulfamides, et deux tubes d'aspirine, dont l'un bien entamé par Mickey. Elle embrasse Paul, Cyrille, la vache ; elle prend la cage dans laquelle est enfermé le chat, demande que l'on raconte, mais ils n'en ont pas la force. «La camionnette est tombée en panne à un kilomètre d'ici, dit Paul.

Toute la joie de Delphine retombe. «Non, non, Cyrille, ne me dites pas que vous devez redescendre!

— Mais non! On les a aidés à la tourner, ils n'ont plus eu qu'à se laisser rouler jusqu'au village.

— Mais ça glisse!

— Ils ont des chaînes.

— Merci, mon Dieu. Paul, raconte-moi...

— Ma tante, je vois bien que vous avez envie de parler, mais on est fatigués. Il faut nous laisser souffler un peu.»

Ils arrivent à l'arbre couché. Il reste la portion de bois à traverser, jusqu'à la villa, sur le chemin «carrossable». La vache accepte de s'y engager, mais c'est une autre histoire lorsque le sentier se transforme en broussailles: elle s'immobilise, refuse de faire un pas de plus, malgré les vigoureux «Hue, hue, ma belle Louise!» de Cyrille. Ils se placent derrière elle, poussent l'énorme fessier. La vache agite la queue, les fouette, elle n'est pas contente. «Hue, Louise, hue!» crie Paul. Rien à faire, elle ne bronche pas, elle essaie même d'attraper une brindille dans un buisson. Paul s'assied sur une souche, découragé. Cyrille sort deux mégots de sa poche, les allume, en passe un à Paul. Delphine écarquille les yeux. «Mais, Paul, tu fumes!»

Sa voix sonne si bizarrement dans la nuit glaciale qu'elle a envie de rire. Puis: «Cyrille, pourquoi dites-vous hue à Louise? Louise est une vache, c'est aux chevaux qu'on dit hue! C'est pour ça qu'elle ne veut pas avancer. Elle n'est pas contente, cette vache, elle ne veut pas qu'on la prenne pour un cheval!» Cyrille est trop épuisé pour réagir au flot de paroles. Tais-toi, se dit-elle. Ils sont au bout de leurs forces, fiche-leur la paix. Elle les regarde tirer sur leur mégot, Paul toussote un peu, pas besoin d'être grand clerc pour savoir qu'il a commencé à fumer cette nuit. «Hue, Louise», dit machinalement Cyrille en se laissant tomber sur la souche. Delphine s'assied entre eux, essayant de garder son sérieux. Appuyée sur la cage du chat, près d'un bovidé récalcitrant et de deux hommes épuisés, elle a son premier fou rire depuis la mort de Gabrielle. Paul se lève. «Je vais chercher Bill», dit-il gravement. Delphine reste seule avec le fermier. «On est tous fatigués, madame Charles. Faut pas vous en faire.» Il tapote le jarret de Louise, comme Firmin tapotait la croupe de son brabançon et, du coup, elle a envie de pleurer. C'est alors qu'elle réalise qu'elle est à bout de nerfs.

«Faut pas vous en faire, répète le fermier, on va s'en sortir.»

Il regarde la vache. «Mais il faut la sortir de là.»

Paul revient avec Bill. Chacun se met à pousser, Cyrille avec des «Allons, ma Louise!», Paul avec des «Courage, ma vieille!», Bill avec des «Vas-y Cocotte» glanés quelque part au village. Louise gratte pensivement le sol. Les encouragements redoublent. Delphine se remet à rire. «Tss, tss», fait Cyrille. Les filles arrivent avec Fumanchu qui, voyant la vache, s'arrête pile et s'assied. Un nouveau «hue» de Cyrille l'incite à intervenir, il se lève, lance un aboiement aigu, que la vache accueille avec indifférence. Pendant ce temps, les autres poussent, serrés les uns contre les autres, Cyrille tirant sur la longe. Louise finit par démarrer, après avoir attrapé quelques feuilles pour la route. Il faut contourner la maison pour la faire entrer dans la salle où l'on déposait le gibier au temps de la chasse. Odile et Charlotte ont étendu du foin devant la porte, l'odeur rassure l'invitée, elle bondit comme une danseuse sur ses chaussons bleus, va tout droit au semblant de râtelier fabriqué dans l'après-midi, tire un long brin du bout des lèvres et se met à croquer.

Aline est si heureuse de voir Cyrille qu'elle l'embrasse pour la première fois sur la bouche, devant tout le monde.

À sept heures du matin, réveillon de Noël au petit-déjeuner, près d'un sapin garni de cocottes en papier. Crêpes à la cassonade. Parmi les cocottes, les tracts allemands envoyés par obus spéciaux dans les lignes américaines de Bastogne. Une image de petite fille aux grand yeux. Odile voulait qu'on découpe toutes les têtes de petite fille pour les accrocher à l'arbre (Cyrille a rapporté vingt-cinq tracts), mais les autres se sont récriés: ils ne voulaient pas voir vingt-cinq enfants aux grands yeux tristes criant *Daddy I'm so afraid*.

«Ce sera des cocottes ou rien», a décidé Delphine.

Avant de procéder à l'élaboration des bateaux, maisons et bonhommes de neige, ils s'asseyent autour de Bill, qui traduit le tract envoyé par les Allemands:

Écoute… Les anges chantent!!! Eh bien, soldat, te voilà dans le no man's land juste avant la Noël, loin de ta maison et de ceux que tu aimes. De ta petite amie ou ta femme, ta petite fille, ou peut-être ton petit garçon? Tu ne sens pas combien ils sont inquiets à ton sujet? Combien ils prient pour toi? Eh oui, mon vieux, leurs prières et leurs espoirs de te voir revenir à la maison, es-tu certain qu'ils se réaliseront, que tu reverras jamais ta maison? C'est le temps de Noël, de la bûche de Noël, du gui, du sapin, des cadeaux, de toute la joie de ce moment béni, c'est la maison et tout ce qu'elle a d'agréable pour célébrer le jour de la naissance de notre sauveur. Ami, as-tu pensé à tout cela, et si tu ne reviens pas, à la souffrance des tiens? Alors, soldat, paix sur terre aux hommes de bonne volonté. Pour qui le veut c'est possible... seulement 300 mètres plus loin, et joyeux Noël.

«Y a des fautes? demande Odile.

— Moi je trouve ça gentil, dit la conciliante Charlotte.

— Oui, répond Cyrille, lugubre. Et ils sont encore plus gentils 300 mètres plus loin!

— Il y a quoi, à 300 mètres?

— Un comité d'honneur qui les attend en chantant *Westerwald*.»

Il reste de l'oie pour le second réveillon de la journée. Aline a concocté un succulent succédané de café et fait des crêpes, qu'elle tient au chaud sur la cheminée. Dans la salle du gibier, Louise dort, couchée sur son matelas de paille, elle s'est laissé couvrir par Odile avec des sacs de jute trouvés dans un coin. Fu a tournicoté un peu autour d'elle, puis s'est planté devant la porte du salon. Il garde.

Devant l'âtre, la fête est joyeuse; le grand Bill a sorti sa musique à bouche et accompagne les cantiques de Noël que les enfants chantent à tue-tête. Avec quelques heures de retard, d'une voix de baryton qu'on ne lui connaît pas, Cyrille entonne le *Minuit Chrétiens*.

«On fait tout à l'envers, aujourd'hui», dit Charlotte.

Pris par l'esprit de la fête, Maxou se met à danser. Songeuse, Delphine regarde l'enfant blond aux yeux bleus, puis croise le regard de sa mère. «Il lui ressemble», dit Aline d'une voix altérée, comme si elle venait seulement de se rendre compte qu'elle a mis au monde une réplique de celui qui l'a chassée.

«Aline, Aline! chuchote Delphine, Maxou est Juif, comme toi. Il fera partie de ceux qui débarrasseront l'Allemagne de ses démons.

— Ou qui seront obsédés par eux.»

Petit à petit, la maisonnée s'endort. Aline s'est couchée sur un édredon, près du couffin de Maxou. Delphine et Cyrille sont devant l'âtre. Le fermier s'est affaissé sur lui-même,

Delphine ne l'a jamais vu aussi voûté. «Fatigué? demande-t-elle.

— Écœuré, Delphine.

— Je n'avais jamais réalisé à quel point ces allées et venues vous épuisent, Cyrille.»

Il soupire, regarde les flammes courir sur la paroi intérieure de la cheminée. Pauvre Cyrille. Elle lui a rarement vu cette expression. Découragement? Fatigue? Non, ce n'est pas ça. «Il s'est passé quelque chose, Cyrille?»

Il détourne la tête. «Ce n'est pas la peine. On va oublier tout ça, il vaut mieux ne pas en parler.

— Au contraire, je pense qu'il faut en parler, ce sera moins lourd à porter.

— Je n'ai pas le temps de vous raconter, les enfants vont se réveiller, et ce n'est pas pour eux.

— Ils viennent de s'endormir. Ils en ont sûrement pour trois bonnes heures.»

*

«J'avais laissé Paul chez le voisin, commence Cyrille. Je ne voulais pas que ce type vienne fouiner à la ferme, je me disais qu'avec Paul dans les pieds il n'oserait pas. Les gens s'imaginent qu'on cache un troupeau de cochons dans la cave et un poulailler dans le grenier. On se méfie de tout le monde ces temps-ci, je suis sûr qu'il y a des piles de dénonciations chez les krauts. C'est un bon gars, le voisin, mais il a tellement peur qu'il vendrait père et mère.» Il plonge une main dans sa poche, en sort un paquet mouillé, le déchire, étale les cigarettes devant le feu.

«Bill en a encore deux paquets, dit Delphine. On va lui en prendre une.» Elle se lève, saisit un paquet de Lucky Strike sur la cheminée, sort deux cigarettes et, sans réfléchir, les allume, oubliant qu'elle n'a jamais fumé de sa vie.

«J'ai horreur de ces machins-là, mais quand il n'y a rien d'autre...», dit Cyrille. Il aspire une longue bouffée, la regarde curieusement. «Depuis quand fumez-vous?

— Depuis maintenant.» Elle tousse. «Tenez, je vous la donne. Ça vous en fera deux.

— J'aurais préféré une à la fois.»

Ils se regardent, embarrassés, se rendant bien compte qu'ils disent n'importe quoi pour retarder un moment pénible.

« Allez-y, Cyrille. »

Il tire sur la cigarette, la fait tourner entre ses doigts.

« J'ai trouvé un gamin dans ma cave.

— Un gamin du village ?

— Non. Un Allemand. Seize, dix-sept ans. Il buvait au pis de la vache. Il avait sans doute essayé de la traire. Il était tellement absorbé qu'il ne m'a pas entendu. Ses pieds étaient emballés dans des journaux. Quand il m'a vu, il s'est laissé rouler par terre et a sorti un couteau. J'ai pris la hache. »

Delphine étouffe un cri.

« Il fallait que je lui fasse peur. Mais il était tellement terrifié qu'il s'est mis à hurler. Comme je ne voulais pas qu'on nous repère, je me suis jeté sur lui pour le bâillonner. Il a fini par se calmer. J'ai dit tous les mots possibles et imaginables pour lui faire comprendre que je ne lui voulais pas de mal. On est restés comme ça un moment, moi qui le berçais en disant chut, chut, et lui qui commençait à se détendre, je sentais ses muscles s'amollir. Le pauvre diable puait !... Il puait tellement, Delphine, que j'avais envie de vomir. J'ai entendu la camionnette, le voisin arrivait. Un bruit d'enfer, il avait accroché les chaînes. J'ai mis un doigt sur les lèvres du gamin, je lui ai montré les bottes de foin au fond de la cave, il a compris, il est allé se cacher. Je suis allé à la porte et j'ai dit au voisin de revenir dans une heure. Comme il gueulait, je lui ai demandé ce qu'il voulait en plus des oies. Cent francs. J'ai dit d'accord. Il est parti. J'ai déshabillé le gamin, ses vêtements étaient grouillants de vermine. J'ai tout brûlé, ça nous a réchauffé un peu. Je l'ai lavé avec de la neige. Puis je lui ai mis un costume de mon père et ses godillots. Il avait trois doigts de pied gelés, je les ai frictionnés avec de l'eau-de-vie, mais c'était trop tard, ils étaient noirs. Il me restait un peu de saindoux, j'ai enduit ses orteils et je les ai emballés dans du journal. Puis je lui ai donné un grand verre de goutte et à manger. J'avais pas grand-chose, mais il aurait avalé n'importe quoi. »

Le plus difficile reste à dire. Cyrille se lève, regarde les sapins noirs, dehors, le givre qui les recouvre, le sol gelé. « Je lui ai dit de partir, mais il ne voulait pas. Il croyait que j'allais rester avec lui. Il fallait que j'invente quelque chose, vite, la camionnette allait arriver. Mais il ne parlait que l'allemand, ce gosse... Alors j'ai pris ma carabine.

— Mon Dieu !

— Arrêtez de vous emballer, Delphine ! Je voulais juste qu'il s'en aille. »

Elle prend la main de Cyrille, la serre.

« Il s'est sauvé comme s'il avait le feu aux trousses. »

Les larmes coulent le long des joues amaigries.

Delphine prend le corps robuste dans ses bras, murmure des mots d'affection.

*

Paul et Bill sont réveillés. Odile arrive avec son chien, Aline la suit avec Charlotte et le bébé. Odile se frotte les yeux, demande à maman et à Cyrille pourquoi ils font cette tête.

« Écoutez ! dit Paul. Louise a meuglé ! Elle nous appelle. Venez, Venez ! »

Toute la maisonnée se rue vers l'étable de fortune où, surprise par l'invasion soudaine, la vache tourne vers eux sa grosse tête, une touffe de foin dans la bouche. Odile court vers sa mère. « Maman, on va l'étriller. Est-ce que je peux prendre la brosse de Fu ?

— Oui, soignez-la bien. C'est notre invitée d'honneur. »

Une demi-heure plus tard, Charlotte vient rendre compte des opérations. « Maman, Louise est fière comme Artaban ! Elle est toute belle et elle le sait ! »

L'innocence, la joie de vivre viennent de bondir dans la pièce. Delphine sourit à Cyrille, il ne peut pas être insensible à cela : ils sont sains et saufs, ils n'ont ni froid ni faim, Aline est sauvée, son enfant est sauvé, Bill et Mickey sont à l'abri de cette horrible guerre, et Louise est fière comme Artaban.

56
ODILE

Samedi

C'est Fu qui nous a averti qu'il y avait du monde dehors. C'était deux soldats, un grand qui portait un petit. On a quand même eu peur parce que c'était pas écrit sur leur front qu'ils étaient des bons. Surtout qu'ils étaient emballés dans des draps. Le grand s'appelle Bill et parle français, américain, et même allemand. Le petit s'appelle Mickey et tousse comme un perdu. Maman lui donne du sirop d'escargots de la mère de Cyrille que Cyrille fait l'été quand les escargots sortent à la pluie et qu'il conserve dans un bocal. On n'a pas dit ce que c'était au tousseur. Nous on le sait. C'est quand tu fais bouillir des escargots avec de la cassonade.

Maman ne sait plus où donner de la tête avec toutes ces bouches à nourrir. Mais je l'ai entendu dire à Cyrille qu'elle ne renverrait pas ces garçons à la boucherie. Cyrille n'arrête pas de monter et de descendre pour ramener ce qu'il trouve, souvent du pain en échange de ses économies. Bill veut retourner chez Marc Auliffe, mais ma mère trouve toujours quelque chose à lui faire faire : ramasser du bois avec Paul, casser la glace dans l'escalier, débroussailler le chemin. Comme Bill est un poli il dit très bien mam je partirai demain. On est tous d'accord que Mickey doit rester car s'il met le nez dehors il va cracher ses poumons. En plus, il a l'air tellement content près du feu, ce garçon qui vivait dans un trou. On voudrait qu'il nous raconte tout, par exemple comment il faisait pour faire sa grande commission, mais maman est aux aguets car elle ne veut pas qu'on parle de guerre et surtout pas de détails scabreux. Alors, on joue aux cartes, c'est ça qu'il faisait dans son trou avec Bill quand les boches dormaient.

J'ai entendu Cyrille dire à Aline que Bastogne était encerclée. Maman nous fait dire une prière tous les soirs.

Je fais semblant.

Dimanche

Charlotte a eu un cauchemar. Elle criait les panzer sont là y vont nous écrabouiller.

Maman ne veut plus qu'on parle des boches devant elle.

On commence à avoir l'estomac dans les talons, et ça, c'est l'expression la plus idiote que j'ai jamais entendue.

Dimanche soir

Quand les avions à étoile blanche sont arrivés, c'était comme s'ils passaient pour faire le tour de la terre. C'était comme s'ils étaient sûrs que rien, absolument rien ne pouvait les arrêter. C'était comme si un dieu les guidait.

On a tous pleuré.

J'ai souvent envie de pleurer :

quand je regarde les yeux brillants d'amour de Louise
quand je vois Bill aider maman à mettre la table
quand Maxou court derrière Fu qui a pris son nounours
quand Mickey dépose ses cartes et dit vous êtes futus
quand je pense à Bernadette
quand je me rappelle du magasin de monsieur Nagels, à Liège, où on achetait 4 caramels Lutti pour vingt-cinq centimes
quand Cyrille arrive avec du pain et dit cette fois je n'ai plus que mes culottes à échanger
quand Charlotte dessine un cœur sur le givre de la fenêtre
quand je vois dans les yeux de Paul qu'il pense à sa mère
quand je vois que maman pense à mon père.

Le grand Bill va rester jusqu'à la nouvelle année. Maman l'a dit à Cyrille et il n'a pas eu le courage de discuter. On a fêté l'anniversaire de Charlotte et celui de maman.

57

DELPHINE

Le 3 janvier, au lieu de ramener Bill à la caserne, c'est Mickey qu'il faut descendre. Il a besoin de soins, sa blessure s'est infectée et il s'est remis à tousser. Les aspirines de Delphine ne font plus d'effet, et le tube de pommade aux sulfamides est vide. Depuis que le ciel est dégagé, les assiégés de Bastogne reçoivent des médicaments et des munitions et, « incroyable mais vrai, a dit Cyrille, *je l'ai vu de mes propres yeux* », un planeur a atterri à Bastogne avec une équipe de chirurgiens.

Le petit joueur de cartes s'en va à regret. Il est très tôt, les filles ne sont pas réveillées. Seuls Delphine, Aline et Paul assistent au départ ; Bill soutient son ami, qui marche avec peine. Les habitants de la villa ne peuvent s'empêcher de penser qu'ils ne reverront peut-être jamais le jeune homme arrivé chez eux huit jours plus tôt sur le dos du grand Bill, enveloppé dans un drap comme Lazare. Le gentil Mickey qui ne demandait que la chaleur de l'âtre et faisait rire les enfants lorsque, s'improvisant maîtres d'école, ils essayaient de lui apprendre le français. Delphine et Paul les accompagnent jusqu'à la Saroléa. Delphine a trouvé une vieille veste de cuir dans une penderie ; elle est trop grande mais Mickey est content. Il a insisté pour emporter ce qui reste de son drap, on le lui a noué autour de la tête, il a l'air d'un mamamouchi. Cyrille a promis de parlementer avec le médecin du cantonnement pour qu'on le garde à l'hôpital.

À la maison, Aline pleure comme si toutes les écluses retenant les larmes accumulées depuis des années s'étaient ouvertes.

Delphine la prend dans ses bras. Elles restent blotties l'une contre l'autre sur le canapé, attendant le retour de Cyrille, devant le feu qui languit : la provision de bois diminue et celui que Bill et Paul ramènent du dehors met un temps fou à sécher. Le chat s'est blotti sur les genoux d'Aline, un morceau de Cyrille, ça lui fait du bien. Ses larmes finissent par se tarir, tandis qu'elle caresse la fourrure soyeuse. Bill tisonne les braises couvant sous la cendre. Les filles se réveillent, sautent de leur canapé, en casaquin et bas de laine, bonnet vissé sur les oreilles. Paul va traire la vache, c'est sa première occupation de la journée. Sans ce lait précieux, la pénurie de provisions prendrait une allure catastrophique et Maxou aurait les joues moins roses. Aline et Delphine font l'inventaire de leurs réserves : un quart de sac de farine, trois poules, une dizaine de gros oignons, un petit sac de pommes de terre, des navets.

Elles savent qu'il n'y a plus rien à trouver au village, que les gens se terrent dans les caves de leurs maisons bombardées, ou incendiées, qu'ils n'osent plus mettre le nez dehors, que le dernier qui s'est risqué dans son jardin dans l'espoir d'y trouver des légumes gelés a sauté sur une mine. Les Boches avancent, assurent leur position, puis continuent à progresser. On se bat corps à corps dans les bois, les artilleurs sortent de leurs panzers pour faire la tournée des trous. Les pauvres types qui sont terrés dedans guettent : c'est à celui qui tire le plus vite. La veille de Noël, un lieutenant allemand et son ordonnance tenant un drapeau blanc se sont approchés en Volkswagen d'une division américaine. C'était pour dire au colonel de se rendre. Trois divisions de blindés les suivaient. Il a proposé à l'officier américain de l'emmener inspecter les positions allemandes pour lui prouver qu'ils étaient cuits, lui et ses hommes. Le colonel a refusé.

Le saillant allemand perce le front américain sur cent kilomètres.

Le 6 janvier, Cyrille remonte les mains vides. Il a passé la nuit à courir d'une ferme à l'autre mais n'a rien trouvé. Les gens ont encore quelques restes, mais ils les gardent et on ne peut pas leur en vouloir. Mickey est à l'infirmerie. Ce qu'il en reste. Cyrille ne leur dit pas que la garnison se terre dans un sous-sol, que le médecin n'a presque plus de médicaments, que tout ce qu'on a pu administrer à Mickey, c'est une pinte de whisky. Puis il annonce qu'il doit redescendre parce que l'aide de camp de McAuliffe lui a promis un bidon d'essence, ce qui va lui permettre d'aller dans un village plus éloigné pour essayer d'y trouver de la nourriture. Il est si épuisé qu'il est devenu incapable de raisonner. Convaincues qu'il ne trouvera rien et qu'on finira par lui voler sa moto, Delphine et Aline décident de concocter une tisane pour l'endormir. Il boit, fait la grimace : l'infusion de tilleul contient le restant d'un flacon de valériane emporté par Delphine et les deux pilules qui restent dans le tube de somnifères que Gabrielle a donnés à Aline après son accouchement. Elles ont sacrifié leur dernier morceau de sucre pour masquer le goût insolite du breuvage. Cyrille accepte de s'étendre sur le lit de camp. « Promettez-moi de me réveiller à cinq heures. »

Dix minutes plus tard, il dort comme un bébé.

À dix heures du matin, il dort toujours. Ce sont les coups de hache de Bill qui le réveillent. Il ouvre un œil, regarde le plafond d'un air ahuri. Aline lui apporte une tasse de lait. Il se redresse, demande quelle potion magique on lui a donnée pour qu'il dorme comme la Belle au bois dormant. Les femmes se détournent pour cacher un sourire. Il boit son lait en silence, puis se lève.

« J'ai quelque chose à dire, mais tout le monde doit être là – il fait un geste du menton vers l'extérieur –, surtout lui. » Delphine cogne à la vitre, fait signe à Bill de rentrer.

Le G.I. est persuadé que le fermier veut le ramener à la caserne.

« On part ?

— Non. »

Les autres échangent un regard plein d'espoir. Bill est contrarié. Mais Cyrille est porteur d'un message qui va lui ôter tout remords.

« Il n'y a plus rien à manger en bas. Plus rien. Toutes les bêtes ont été abattues. Des gens ont même mangé leur chien, ou leur chat. Et d'après ce que me dit Delphine, ce n'est pas tellement mieux ici.

— Sauf que nous on ne mange pas notre chien ni *ton* chat », dit Odile.

Delphine lance un regard de reproche à Cyrille, pourquoi a-t-il dit cela devant elle ? On va en avoir pour des heures, maintenant. Odile se lève, court vers la salle de Louise.

« Reste ici ! »

Le ton du fermier est si ferme qu'elle s'arrête.

« Viens près de moi. »

Elle obéit, décontenancée.

« Maintenant, tu t'assieds et tu m'écoutes sans m'interrompre. Ensuite, tu pourras aller voir *notre* vache. »

Odile regarde sa mère. Delphine reste muette.

«Tu es bien ici, Odile? demande Cyrille.
— Oui.
— Tu n'as pas froid?
— Non.
— Tu n'as pas faim?
— Pas trop.
— Tu as de la chance. Car en bas, Odile, les gens vivent dans des caves. Pourquoi? Parce qu'au-dessus d'eux il n'y a plus rien. Tout a été incendié, pillé. Ils dorment sur la terre battue, sans couvertures, car elles ont été brûlées avec le reste. Ou volées. Et je peux te dire que c'est glacial, la terre battue. Ils n'ont pas d'eau, pas de lumière. Juste une fente dans un coin, qu'il faut souvent boucher à cause du gel. Ils ont du charbon mais pas de poêle pour le faire brûler. Le poêle est en haut et a été détruit par une bombe. Tu imagines, crever de froid sur une pile de charbon? Ils font leurs besoins dans des casques ou dans des boîtes, puis ils doivent aller les vider dehors pour ne pas vivre comme des bêtes. Mais dehors, il y a encore et toujours des bombes. Ils n'ont rien à manger. Sauf des pommes de terres crues quand ils en gardent un sac dans la cave. Ils essaient parfois de faire un feu, mais alors ils s'enfument et c'est pire. C'est comme ça depuis que la ville est encerclée. La nuit, l'un d'eux sort pour aller voir s'il reste quelque chose dans le jardin. Le jardin qui n'a plus de clôture parce qu'elle a servi de bois à brûler. Parfois il rapporte des carottes gelées, ou un œuf gelé oublié dans un poulailler, parfois il ne revient pas. Un autre va dans le bois, s'approche des Boches pour voir s'ils n'ont pas laissé traîner quelque chose, parfois il ne revient pas. Ils mangent des rats, parce que tu vois, les rats aussi ont faim, alors ils attaquent et il faut les tuer. Mais il faut les cuire, longtemps, ce qui veut dire s'enfumer pendant des heures.»
Odile n'a pas bougé, tête baissée.
«Tu m'as bien écouté, Odile?
— Oui.
— Alors, ma petite fille, plus un mot sur les chats et les chiens. Parce que mon chat, vois-tu, je n'hésiterais pas à le tuer pour donner à manger à un enfant affamé.
— Mais, Cyrille, ton chat aussi, c'est une personne, dit-elle d'une petite voix.
— Mon chat est un animal.
— Tu ne vas pas l'emmener en bas, n'est-ce pas, Cyrille?

— Non.

— Mais tu as dit que…

— Je sais ce que j'ai dit. Mais je te le répète, je n'emmènerai pas mon chat en bas.

— Et les enfants qui ont faim?

— Les enfants ont été envoyés dans un couvent, les sœurs s'occupent d'eux.

— Et si nous, les enfants, on était affamés?

— Cela pourrait arriver. C'est de ça que je veux vous parler. Bill, c'est pour toi aussi.»

Le G.I. s'assied près de Paul.

«Puisque nous sommes au milieu d'un bois sans Boches, dit Cyrille, nous allons y trouver à manger. C'est pour ça que tu ne partiras pas aujourd'hui, Bill, ni peut-être demain. Nous avons besoin de toi. J'ai prévenu en bas. De toute façon, ton unité est dispersée, la ville est encerclée et tes compagnons logent où ils peuvent. Et même si tu voulais passer, tu ne pourrais pas: les krauts ont installé une nouvelle ligne de défense sur la route. Je pourrais peut-être passer, mais pas toi. Alors, voici ce que j'ai décidé: demain, avant l'aube, nous irons au sanglier. Un sanglier, ça fait de la viande pour dix jours. Tu as ton Colt, ton couteau et ton fusil semi-automatique. J'ai ma carabine et un couteau à découper.»

Ils rentrent bredouilles pendant quatre jours. Et affamés. Les longues marches dans une forêt dense et humide, avec du pain et un peu de lait pour tout potage, les épuisent, et ils n'osent pas s'aventurer trop loin de peur de se perdre. Les engelures apparaissent dès le premier jour. Il faut sacrifier la margarine qui reste pour qu'ils puissent s'en enduire les pieds. Ils entourent leurs orteils de molleton avant d'enfiler leurs chaussettes.

Chaque matin, Paul supplie Delphine, en vain, de lui permettre de les accompagner.

Le 12, Aline arrive à les convaincre de prendre une journée de repos: la bise, ce matin-là, est cinglante, et ils ne mangent pas assez pour refaire leurs forces. Cyrille veut descendre au village, inutile d'essayer de l'en dissuader. Cinq heures plus tard, il revient avec deux kilos de pommes de terre et un pain, payés au prix fort: la montre de gousset de son père. Mais avec des patates, quelques oignons et des navets, on peut faire une soupe, et le pain est une bénédiction. Il a trouvé des bottes de fourrage pour Louise; il en a apporté trois.

Bill a ramené de leur dernière expédition sylvestre des baies séchées sur l'arbuste, comestibles mais immangeables. Delphine a eu l'idée de les torréfier dans une boîte en fer, puis de les moudre, ce qui a produit un ersatz de café supérieur au malt – dont il ne reste plus qu'une centaine de grammes. L'avant-dernière poule est sacrifiée pour redonner des forces aux chasseurs. Il en reste une, mais on essaie de tenir bon : elle suit Charlotte partout et dort avec le chat.

À la fin du repas, lorsque Delphine sort deux cigares de sa poche – trouvés dans la boîte à gants de la Packard – Cyrille manque s'évanouir de joie. Deux fois, car le grand Bill ne fume pas le cigare.

Le lendemain, les deux chasseurs requinqués se mettent en route aux premières lueurs de l'aube. À la villa, après les corvées matinales, chacun commence à attendre. On n'a jamais aussi bien entendu le grondement des bombes. Les bombes qui tombent sur les beaux villages des Ardennes. Les bombes allemandes *et* les bombes alliées. Et les V1, terribles engins de mort qui traversent le ciel pour aller exploser partout.

Odile s'assied devant la baie vitrée et jure qu'elle n'en bougera pas jusqu'à ce qu'ils reviennent. Charlotte joue avec Maxou, Aline surveille le lait qui va bientôt bouillir. Le silence qui règne à la villa (ils n'entendent même plus les avions) est affreusement morne, chacun garde pour soi ses pensées : ils vont revenir une fois de plus les mains vides, morts de fatigue, de froid et de faim, et demain tout sera à recommencer. Ou ils vont rencontrer un solitaire qui va les charger, ils n'auront pas le temps de tirer, juste le temps de grimper à l'arbre, en lâchant bien sûr leur fusil, et demain, quand le sanglier abandonnera, ils ne seront plus que des blocs de glace. Ou ils vont se perdre, passer la frontière sans s'en rendre compte, et des soldats embusqués vont les tirer comme des lapins. Ou les torturer pour qu'ils disent d'où ils viennent, mais ils ne parleront pas et les Allemands feront semblant de les relâcher pour les abattre. C'est ça qu'ils font.

À la nuit tombée, les chasseurs ne sont toujours pas rentrés. Paul veut aller à leur recherche avec le chien et la lampe de poche. « Si tu prends mon chien, je viens avec toi, dit Odile, mais je vais le tenir en laisse pour qu'il ne tombe pas dans une tourbière. « Taisez-vous, les enfants, soupire Delphine, nous n'avons pas de lampe de poche. C'est eux qui l'ont. »

Une heure plus tard, quand elle met une pomme de terre bouillie et un navet dans les assiettes, personne ne veut manger. L'attente devient insupportable. Lorsque l'horloge sonne neuf heures, Aline se met à pleurer. «Ma tante, crie Paul à Delphine, vous voyez bien qu'il faut faire quelque chose!» Elle ne répond pas. «Pourquoi on ne fait rien, pourquoi?» Il tourne dans la pièce, fébrile, agité; le chien le suit, la queue basse. «C'est vrai, maman, pourquoi on ne fait rien?» dit gravement Charlotte. Delphine les regarde tous, les uns après les autres, prend une profonde respiration. «Très bien, nous allons nous habiller et aller à leur recherche. Tous.» C'est absurde, elle le sait bien, mais c'est le seul moyen d'enrayer l'angoisse qui se lit sur chaque visage, de museler la panique qu'elle sent monter en elle, de mettre fin à ces «pourquoi» auxquels elle ne trouve rien à répondre.

«Nous irons jusqu'à la route et nous appellerons.»

C'est à ce moment précis que le chien court vers la porte en poussant des jappements plaintifs.

Et ils sont là, le grand Bill et le petit Cyrille, vêtements imbibés de sang durci, blêmes, mais si souriants qu'on a peur que le gel et l'épuisement ne les aient rendus fous. Une masse brune s'agite et couine dans les bras de Bill. «Qu'est-ce que c'est que ça?» demande-t-on en chœur. Bill soulève la chose. Deux yeux en boutons de bottines, un groin humide et un nez de cuir noir apparaissent, terriblement agités.

«Un marcassin, crie Odile. Je refuse catégoriquement qu'on le mange.»

Puis elle se souvient du laïus de Cyrille. «Pardon, Cyrille.

— On ne va pas le manger. Lui c'est le bébé. C'est le gros qu'on va manger.

— Vous avez tué sa mère?

— Odile!

— Oui, maman, mais regarde ce petit. Il a très peur. Il nous supplie.»

Chacun se tourne vers le marcassin, puis éclate de rire: les yeux en boutons de bottines ne supplient pas, ils fixent Fu avec férocité.

Cyrille reprend sa narration. «On a laissé le sanglier au bord de la route et on vient chercher la descente de lit de la grande chambre et tout le monde pour tirer. «Seigneur, le tapis d'Orient d'Émilie!» se dit Delphine. S'ensuit une grande agitation, au milieu des manteaux, des bonnets et des bottines. Puis la procession s'engage dans le chemin de ronces, Bill en tête, le tapis sur l'épaule. Dans la villa, le chien d'Odile hurle son dépit d'avoir été abandonné. On parle de rôti, de fricassée, Cyrille refroidit les ardeurs culinaires en expliquant qu'on ne pourra pas manger la viande demain, ni après-demain – les visages s'allongent – car elle doit reposer un peu. On découpera la bête après-demain soir et l'entreprise sera longue et difficile. Rien à voir avec la découpe d'un tendre cochon.

Cent cinquante kilos de chair et de poils reposent au bord de la route.

« Le pauvre, il a l'air de dormir », murmure Charlotte.

Bill déroule le précieux tapis d'Émilie sur la croûte de neige durcie. Toutes les mains se tendent pour empoigner un peu de chair et de poils. Faire glisser le sanglier sur le tapis est un jeu d'enfant, mais parcourir le sentier de broussailles est une autre affaire. Chacun y met du sien, tirant à hue et à dia.

58

ODILE

Mardi

On a un sanglier mort et Fu a failli tomber dans une tourbière. Heureusement Bill l'a rattrapé par la queue. On l'a mis (le sanglier) dans la cave parce que Louise a fait une drôle de tête quand elle a vu qu'on traînait un animal mort dans son salon sur le tapis d'Orient de grand-mère. Elle ne voulait pas de ce mort poilu qui la regardait de ses yeux perçants. Elle l'a dit avec un meuglement, en grattant par terre et en faisant une grosse crotte. Bill et Paul et Cyrille ont retraîné l'animal pour le mettre dans le placard car il ne faut pas qu'il gèle sinon il faudra des pics à glaces pour le découper. Alors, sous la direction de Cyrille qui a dit à maman faites-moi confiance j'en sais un bout sur la venaison, Paul et Bill ont recouvert la bête avec de la terre et des branches de sapin. La venaison, c'est toutes les bêtes des Ardennes, sangliers, chevreuils, cerfs et tuttis quantis. Il paraît que la viande doit faisander avant qu'on la mange. Évidemment j'ai demandé à Cyrille c'est quoi faisander. Faisander, c'est devenir tendre comme du biftèque. Il le faut pour que Cyrille puisse découper l'animal avec son couteau. Ensuite on pourra cuire des morceaux et les manger. D'ici là les ventres vont gargouiller. J'ai dit que je ne mangeais pas d'animal mais il faut survivre.

Soir

Le marcassin n'arrête pas de trotter comme si on l'avait remonté. Il me rend folle, surtout les jours où c'est à mon tour de ramasser. La nuit, monsieur prend ses aises devant le feu, si ça continue on va le retrouver grillé à point. Le chat de Cyrille se tient à distance, ces deux bêtes ne s'aiment pas. Et on a dû attacher Fu, ce qui n'est pas juste. Mais c'est tout de même comique car ce marcassin, qui est un jeune qui a envie de jouer, s'approche de Fu pour l'agacer mais quand Fu se lève, il court se cacher derrière le canapé. Ça nous fait rire et quand on rit on oublie la calamité de la guerre, et le bruit des avions, et la trouille qu'un V1 nous tombe sur la tête. On a peur que les parachutistes allemands atterrissent près de la maison et tuent notre vache pour la manger. Et qu'ils emmènent Cyrille et Paul soldats, et Aline et ma mère cantinières et Fu porteur de lettres. Alors on restera tout seuls avec un sanglier terriblement faisandé et pas de lait pour Maxou. Et Charlotte ne m'aidera pas parce qu'elle va pleurer tout le temps. J'ai rien dit à maman qui a assez d'ennuis comme ça avec la nourriture (qu'on n'a pas) mais j'ai parlé à Paul. Il dit que j'ai trop d'imagination et que les avions qu'on entend ne sont pas les boches mais les alliés, et qu'ils bombardent les positions ennemies et que je dois arrêter de me raconter des histoires d'apocalypse et m'occuper un peu plus du ménage avec ma mère et Aline. Je me retenais de pleurer devant ces paroles très dures et il l'a vu et a dit Odile on est tous fatigués, on en a tous assez, mais il faut être courageux. J'ai pensé à ma tante Gabrielle et j'ai vraiment pleuré.

Maman dit que Fu et Gugusse (le marcassin) commencent à sympathiser. Ce matin, elle les a vus se sentir. Le trou de balle, comme d'habitude. Même chez les animaux des forêts on sent le trou de balle de l'autre.

Jeudi

À propos, ça m'est arrivé.

Maman nous avait prévenues que ça allait nous arriver, et à moi avant Lolotte.

C'est arrivé.

Pas de commentaires.

J'ai quand même dit à maman que je m'en fiche d'être une femme.

Mais j'ai décidé de ne plus faire de fautes.

Jeudi soir

Paul est maintenant un adulte car il fume. Avant, on a assisté au découpage du faisandé, qu'on a dû remonter dans le salon de Louise. Pour qu'elle ne voie pas ce terrible spectacle, on a descendu un paravent de la chambre. C'est un travail de fou, Cyrille a cassé son grand couteau et a dû continuer avec son opinel. Heureusement, Bill avait son couteau suisse que son grand-père a acheté en Suisse quand il était à la société des nations pour empêcher les guerres. Bravo c'est réussi.

Maman ne voulait pas qu'on regarde. J'étais d'accord pour Charlotte mais pas pour moi qui suis une femme. J'ai aussi dit à maman que c'était pour apprendre la vie. Elle a répondu qu'il y avait des choses plus belles à apprendre que le découpage d'une pauvre bête qui ne demandait qu'à vivre. Là, je trouve que ma mère ne sait plus ce qu'elle veut. Hier, il fallait chasser pour manger, on chasse, on en attrape un, on le ramène sur un tapis magique, on est content, on a des gargouillements d'estomac de faim parce qu'il faut attendre trois jours, et quand on peut commencer l'affaire, elle ne veut pas que je regarde sous prétexte qu'il y a des choses plus belles à regarder dans la vie qu'un découpage d'animal qui ne demandait qu'à vivre. Et nous alors? On ne demande pas à vivre? Et nous, on doit mourir de faim parce que l'animal en question ne demandait qu'à vivre alors que nous aussi on ne demande qu'à vivre?

Enfin bref.

Cyrille a sorti son péquet et on a tous eu droit à un verre. Un minuscule pour nous, un moins minuscule pour Paul, un normal pour maman et Aline, rien pour le bébé, Louise, Fu, le chat et le marcassin, et un verre costaud pour Bill et Cyrille.

Maman et Aline étaient saoules comme des cerises au kirsch.

Vendredi matin

Bill est parti. On a tous pleuré. C'était la première fois qu'on pleurait tous en même temps. On ira le voir chez McAuliffe quand on va s'en aller d'ici. Le lendemain, Cyrille est venu pour nous raconter qu'une femme a empêché les Allemands d'arriver à la Meuse. Une voiture suivie de blindés s'est arrêtée devant chez elle, l'officier qui conduisait lui a demandé la route de Dinant.

Elle l'a envoyé dans le mauvais sens.

Nuit

Quand tout le monde dormait sauf moi et Paul, on a parlé de la guerre. J'ai beaucoup réfléchi depuis le discours de Cyrille. Je réfléchis tellement que j'ai mal à la tête, sans aspirines car maman a tout donné à Mickey. Ce que je voulais savoir, c'est ce que Paul pensait de tante Gabrielle morte parce qu'elle voulait résister et tant pis pour son fils si les boches la prenaient. On est allés s'asseoir sur le banc devant la fenêtre et il a allumé une cigarette de son précieux paquet de Camel que Bill lui a donné la nuit de la vache. Il a fait sortir la fumée par son nez et m'a dit je peux t'apprendre si tu veux. J'ai répondu non merci mais j'ai quand même essayé c'est horrible et ça fait tousser. Paul a ri un peu et j'ai vu qu'il se préparait à répondre à ma question car il a tiré une autre bouffée en hochant la tête comme un bonze.

Il m'a dit qu'il avait aidé tante Gabrielle pour ses tracts et pour surveiller si des boches arrivaient. C'était à Liège dans une imprimerie. Puis il m'a dit que s'il avait été grand, il aurait fait sa part, ce que je n'ai pas compris car il venait justement de m'expliquer que sa part il l'avait faite avec les tracts et la surveillance.

Je lui ai dit, mais Paul tu oublies que c'est grâce à toi que Otto et Manfred sont sauvés. Et en partie grâce à toi que Louise est ici. Et ça c'est une grande, grande part.

Il a fait un geste comme pour chasser une mouche, a tiré sur sa Camel et a dit : faire sa part, Odile, c'est faire comme ton père, comme ma mère, comme mon grand-père, comme Cyrille et Bill.

Mais Paul, ils sont grands, eux. S'ils ont fait tout ça c'est parce qu'ils sont grands. Toi tu n'as que 15 ans. À 15 ans, on ne peut pas partir chez de Gaulle, on ne peut pas courir dans tout Liège à vélo pour insulter les boches, on ne peut pas aller discuter avec McAuliffe à Bastogne.

On pourrait, a-t-il dit.

Comme il ne voulait pas comprendre, j'ai abandonné cette histoire de petite et de grande part et voici notre conversation :

Odile : Tu crois que ceux qui veulent faire leur part doivent risquer de mourir pour ça ?

Paul : Je ne crois pas, mais c'est un risque et ça ne doit pas les empêcher.

Odile : Oui, mais conclusion toi tu n'as plus de mère et moi je n'ai peut-être plus de père.

Je me suis mise à pleurer et il m'a tendu la cigarette et j'ai tiré encore une fois sans tousser. Puis j'ai dit : c'est injuste.

Paul : La guerre, Odile, c'est injuste pour tout le monde, même pour ceux qui en profitent.

Odile : Quoi ? Injuste pour le monstre Hitler ?

Paul : Hitler et ses bandits sont des malfaiteurs, et les malfaiteurs sont des pauvres gens et ça finit toujours très mal pour eux.

Odile : C'est bien fait. Si ça finissait pas mal pour eux ça voudrait dire qu'il n'y a pas de justice. Moi, je veux qu'ils crèvent la gueule ouverte, je veux qu'ils attrapent la lèpre, le choléra, la peste bubonique, je veux qu'on les mette dans des cages, je veux qu'on les aplatisse comme des crêpes sous leurs idiots de panzers.

Ça l'a fait rire et moi pleurer. Je m'en foutais des malfaiteurs. Je ne pensais qu'à mon père qui est peut-être mort parce qu'il voulait faire sa part. Je pensais à Cyrille qui monte et qui descend pour nous apporter trois patates et trois oignons.

Paul : Cyrille est un fin renard. Il connaît la forêt comme sa poche.

Odile : Oui, mais ça fait trois jours qu'il n'est pas venu.

Ça, ça l'a fait réfléchir. Il a versé du faux café dans deux tasses et allumé une autre cigarette.

Odile : Si tu continues à fumer tu vas nous faire une fluxion et si tu meurs tu ne pourras pas faire ta part.

C'était pour nous faire rire mais ça n'a pas marché. Il a soufflé par les narines et m'a dit : Tu sais, je crois que c'est fini.

Odile : Fini quoi ? Tu es fou, Paul ? Tu n'entends pas les bombes ? Tu n'entends pas les V1 qui sifflent ? T'as pas vu les cheveux brûlés de Cyrille ? T'as pas vu la barre sur sa moto parce que les boches décapitent les gens en tendant des fils de fer sur la route ? T'as pas vu nos têtes d'affamés russes ?

Paul : On n'a pas des têtes d'affamés russes.

Odile : Non, mais c'est pour bientôt.

Paul : Tu sais, Odile, je crois que Cyrille va bientôt venir nous le dire.

Odile : Dire quoi ?

Paul : Que c'est fini.

Odile : Fini parce que les boches ont gagné ?

Paul : Ils n'ont pas gagné.

Il s'est penché vers moi. Ses longues jambes pendaient de chaque côté du banc, j'ai vu qu'il avait la chair de poule. Il me regardait comme s'il voyait une autre Odile, mais je ne savais pas où elle était, cette Odile. Je ne savais pas comment elle était. Plus grande, plus belle, plus intelligente ? Je ne savais pas, mais elle me faisait peur à cause de tout ce qu'elle savait et que je ne savais pas, moi. Tout ce que je pouvais faire c'était me taire et attendre qu'elle se mette à parler.

Mais elle n'est pas sortie d'où elle est et c'est à l'Odile de maintenant que Paul a souri.

Il a souri et pendant une seconde j'ai vu les yeux de papa.

59

DELPHINE

Le 24 janvier à quatre heures du matin, Paul et Delphine sont réveillés par la pétarade de la Saroléa. Cela fait quatre jours que les habitants de la villa attendent. Leurs craintes sont toujours aussi vives car les bombardements n'ont pas cessé, bien qu'ils soient différents et ne semblent plus provenir des tanks. Les déflagrations se succèdent dans un staccato rapide, dans le grondement des avions qui larguent leurs bombes.

Paul s'assied sur son lit. «Vous ne trouvez pas ça bizarre, ma tante? On dirait que Cyrille met les gaz à fond pour faire du boucan.» Il saute dans ses bottines. «Je vais voir.» Quelques minutes plus tard, Delphine entend des rires sonores. Elle ouvre la porte, regarde le visiteur tant attendu monter l'escalier, visage rayonnant.

La bataille des Ardennes est terminée. Cyrille explique que les troupes allemandes fuient pare-chocs contre pare-chocs, que des avions maraudeurs passent et repassent, malgré la neige, pour les bombarder. Aline se précipite. «Cyrille, on n'en pouvait plus de t'attendre, pourquoi nous as-tu laissés seuls si longtemps?» Le visage de l'Ardennais se voile, un bref instant. «Parce qu'il fallait que je les aide.» Il raconte que les Allemands ont laissé des soldats dans des maisons en ruine avec mission de ralentir la marche des Américains, qu'on retrouve des gamins de l'âge de Paul morts dans des caves, mains et pieds noircis. Ils n'auraient pas pu tirer: leur fusil était gelé. Il dit qu'il aide les G.I. à rassembler… Il s'interrompt en voyant apparaître Odile et Charlotte. «Tout ce que je peux vous dire, c'est que nos troupes s'apprêtent à passer la ligne pour en finir avec eux une fois pour toutes.»

Delphine veut partir tout de suite. Le fermier réussit à la convaincre d'attendre trois jours avant de quitter la villa. Les routes sont verglacées, et affreusement encombrées. De toute façon, il a appelé monsieur Desmarais pour le prévenir du retour prochain de sa fille et des enfants, sains et saufs.

Le 27, Paul l'aide à dégager la Packard, dont le moteur accepte miraculeusement de se remettre en marche. Ils refont la route menant à Clervaux sous un soleil pâle, Odile serrant le marcassin dans ses bras, Charlotte le chat de Cyrille. La poule rescapée est à l'avant, dans une boîte, Fumanchu sur la lunette arrière. Cyrille viendra rechercher Louise avec le voisin.

Les étendues blanches sont parsemées de chars noircis. À l'orée des forêts, des points noirs : les fameux trous des G.I. Près des blindés noircis, des monticules.

Les corps ont été empilés les uns sur les autres.

Delphine appuie sur l'accélérateur.

« Maman, tu vas trop vite et ça ne sert à rien, on les a vus », dit Odile.

Près d'un petit village, sur une colline, des enfants glissent sur des morceaux de toile cirée. « La vie recommence », dit Paul.

Plus un mot jusqu'à la ferme, où Cyrille les accueille en silence. Il sait que le dernier acte de ce long mois passé à l'abri des grands arbres vient de se dérouler devant eux, dans toute son horreur. Charlotte pleure. « Elle va encore avoir des cauchemars, chuchote Odile à sa mère. Mais je vais l'aider, maman, tu peux compter sur moi. »

Delphine décide qu'ils passeront deux jours à la ferme. L'après-midi, Cyrille, Paul et deux volontaires repartent à la villa dans la fourgonnette du voisin. Trois heures plus tard, Louise retrouve son étable.

La vie recommence, a dit Paul.

Aline et Delphine ont préparé le souper : des rations offertes à Cyrille par ses amis du cantonnement de Bastogne.

60

ODILE

Le 27 janvier 1945

On est là comme il y a un mois, sauf qu'on est plus maigres, plus sales, plus vieux (la guerre fait vieillir à du cent à l'heure) et qu'on mange du cornet de bœuf.

61

DELPHINE

Toutes les lampes de la maison s'allument lorsqu'ils entrent dans la cour de la métairie. Il est deux heures du matin. Armand accourt avec Rosy, Firmin sort de l'écurie en liquette et bonnet de nuit.

Coup de sabot contre la paroi d'un box.

Quelques minutes plus tard, ils sont tous réunis dans l'écurie où, oreilles pointées vers eux, l'étalon de Charles les regarde en coin, balançant la tête et soufflant des naseaux.

*

Une semaine après le retour à la métairie, alors que Delphine se prépare à partir en Angleterre avec Armand, une lettre arrive de Londres. Laconique. En décembre 1944, la petite embarcation dans laquelle monsieur Charles Durant avait décidé de traverser la Manche n'a pas eu le temps de rejoindre la haute mer: elle s'est écrasée sur les falaises de Douvres. Il a d'abord été soigné dans cette ville, où il a navigué, cette fois, entre la vie et la mort. Puis on l'a envoyé à l'hôpital militaire de Londres.

La lettre du ministère n'en dit pas plus, mais elle précise que Charles Durant a été décoré pour sa participation, à titre d'ingénieur, aux préparatifs du débarquement allié en Normandie. Le signataire précise qu'une voiture attendra son épouse à Douvres, au jour qui leur sera indiqué, pour la conduire à l'hôpital dans lequel son mari est soigné.

Émilie veut partir tout de suite, Jules-Henry digère la nouvelle en silence, Delphine prend immédiatement sa décision: elle partira avec Paul. Son mari l'attend, elle veut lui amener son fils.

Émilie capitule.

«Très bien, je l'attendrai ici, mais toi, Jules, va avec Delphine.

— Non, répond-il, Charles veut, avant toute chose, retrouver sa femme, et il sera heureux de voir son fils. Je vais répondre au ministère et annoncer leur arrivée dans une semaine. Je les conduirai à Ostende. »

Les jours qui suivent sont fébriles. « Je te l'avais bien dit ! » ne cesse de répéter Armand à sa fille, tandis que Rosy met joyeusement en pièces la gabardine de son homme pour fabriquer des pantalons de golf à Paul. Un soir, après avoir relu la lettre du ministère à voix haute, Delphine révèle à ses filles que Paul est leur frère. Chacun retient son souffle, on n'entend plus que le bruit de la machine à coudre et le halètement du chien, que ce moment solennel inquiète…

Odile se contente de déclarer que si Paul va chercher son papa, elle ira aussi. Charlotte ajoute que sa sœur a raison et qu'elle ira itou.

« Paul a beaucoup de temps à rattraper, dit Armand. Vous resterez avec nous, les filles, pour préparer une grande fête en l'honneur de votre père. »

Le jour du départ, lorsqu'il aperçoit Paul dans son nouveau pantalon de golf, béret enfoncé sur la tête, Jules-Henry maîtrise mal son émotion : il croit voir son fils adolescent. Il ne dit rien, place les deux valises dans le coffre de la Packard. Le voyage jusqu'à Ostende n'est ponctué que de réflexions banales. Paul se tait, le regard errant sur le paysage qui défile à sa droite, souriant à sa tante chaque fois qu'elle se tourne vers lui. À quoi pense-t-il ? se demande-t-elle. Son père vivant le console-t-il de la mort de sa mère ? Les choses peuvent-elles s'équilibrer de la sorte ? Se réjouit-il à l'idée de revoir Charles ? S'autorise-t-il à le faire, seulement ? Quinze ans et toute une vie. C'est la première fois qu'il voit la mer. Comme la malle ne part que dans deux heures, Delphine l'emmène sur la plage, lui montre les brise-lames, les coquillages, ses anémones. Jules-Henry les laisse à leur promenade. Il attendra le départ sur un banc de la digue.

*

Comme Delphine ne parle qu'un anglais approximatif, une infirmière lui répond en français ; on est à l'heure des Alliés. « Monsieur Durant est dans l'aile gauche du dernier étage, mais il est en ce moment en séance de rééducation. Il y a une salle d'attente, je vais vous y conduire. Nous viendrons vous chercher dès qu'il sera réinstallé dans sa chambre.» La gorge nouée, ils suivent la femme sans rien dire, avec leur petite valise. «En rééducation de quoi? murmure Paul. – Nous le saurons bientôt, ne t'inquiète pas.»

Une heure plus tard, la même infirmière apparaît dans l'embrasure de la porte. «Venez. Il vous attend, mais il est très fatigué.» Elle sourit, affable, compatissante. «Vous allez sans doute le trouver changé. Il va beaucoup mieux, mais la rééducation est très dure, c'est toujours comme ça avec les amputés.» Delphine chancelle. Paul saisit sa main, la serre. Ils entrent dans un ascenseur, regardent les chiffres qui défilent au-dessus de la porte, puis longent un couloir où des hommes en chemise d'hôpital déambulent en traînant les pieds. L'infirmière pousse une porte, appelle doucement: «Monsieur Durant, vous avez de la visite.»

Ils entrent, restent sur le seuil, valise à la main. La tête, sur l'oreiller, se soulève un peu, puis retombe. «Mon amour, c'est toi...» Elle se soulève à nouveau: «Et Paul!»

«Approchez! dit l'infirmière. Déposez vos bagages. Il ne pourra pas vous parler longtemps, il faut qu'il récupère.» Paul pose sa valise, prend celle de Delphine et la met à côté de la sienne. Puis il lui prend la main pour la mener jusqu'au lit.

*

La traversée est longue, la mer houleuse. Ils ont dû se réfugier à l'intérieur du navire. Un steward les a conduits dans une salle réservée, a-t-il précisé en jetant un regard au pantalon flottant du passager, «à nos chers vétérans». Assise tout contre Charles sur la banquette de moleskine, Delphine raconte le séjour obligé dans les Ardennes assiégées, la crise cardiaque d'Armand, Aline et son petit, Otto et Manfred... Gabrielle arrêtée et exécutée. Paul étant présent, l'horreur de l'assassinat ne peut se résumer qu'à ces simples mots: il ne sait pas, ne saura jamais ce que sa mère a vécu avant que son corps ne soit livré aux rats dans une usine désaffectée.

Lorsque vient son tour de poser des questions, Charles n'y répond que par des «plus tard». Sa jambe valide tremble. Delphine sait à quoi il pense. Il pense à l'absurdité de la mort de Gabrielle quelques jours avant la retraite allemande. J'y ai pensé comme toi, Charles, comme toi je me suis dit que la mort était plus que la mort quand elle est absurde. Et tu ne sais pas tout, tu ne sais pas ce qui l'a précédée, cette horreur que je vais devoir te raconter demain, dans une semaine, dans un mois. Quand tu seras prêt à l'entendre. La jambe tremble. Paul jette un regard suppliant à Delphine, elle fait non de la tête. Laissons-le, Paul, laissons-le traverser ce que nous avons traversé. Muets, le corps raidi par l'angoisse, ils regardent, au-delà de la baie vitrée, les crêtes argentées chevaucher la nappe grise, luttant contre l'envie d'empoigner la jambe qui tremble et de la serrer, de l'embrasser, de la caresser.

Le vibrant coup de corne annonçant l'entrée de la malle dans le port d'Ostende les oblige à se lever. Le steward les invite à aller sur le pont, « surtout si quelqu'un vous attend ». Le vent est très fort mais le soleil est au zénith. Charles pose un bras sur les épaules de Paul ; sa femme le prend par la taille. Ils se dirigent lentement vers le bastingage. Charles y appuie ses béquilles, puis, plaçant les mains en visière sur son front, scrute le quai pour y voir son père. Jules-Henry est là, au milieu de la foule, pâle, immobile. Des employés ajustent la passerelle, dans le tapage infernal des mouettes. Charles ne la descendra pas, cette passerelle, elle est trop longue et se termine par une volée de marches. La sortie du blessé a du reste été orchestrée au début de la traversée par le capitaine du vaisseau : Charles débarquera dans la voiture neuve qu'un voyageur est allé acheter en Angleterre. Un infirmier arrive, poussant un fauteuil roulant. Le propriétaire du véhicule le suit. « Je vais embarquer avec vous, dit-il. Pour un meilleur équilibre. »

Une demi-heure plus tard, le cœur battant, Delphine, Jules-Henry et Paul voient se balancer dans les airs la Bentley rutilante dans laquelle Charles leur fait signe, tel un souverain faisant sa grande entrée.

Jules-Henry appelle la métairie, demande à Armand et à Rosy de dire à Émilie que son fils ne lui revient pas tout entier. Puis c'est le retour à Liège. Jules-Henry conduit, son petit-fils à ses côtés. À l'arrière, tête posée contre le dossier, Charles sommeille, tenant la main de sa femme dans ses longues mains amaigries. Tout son corps est comme ses mains, pâle, anémié. Le « stupide naufrage » (c'est ainsi qu'il le qualifie) : près d'une demi-heure accroché à un baril, l'hypothermie, la blessure infectée, l'amputation, le coma et, au réveil, une rééducation douloureuse ont fait de l'homme jeune parti rejoindre les alliés en 43 un homme prématurément vieilli.

La Packard pénètre dans la cour. Émilie se précipite. Odile et Charlotte attendent, intimidées, entre Armand et Rosy. La journée est magnifique. Rosy a fait installer une table dehors, sous un parasol, avec des chaises et un fauteuil pour Charles. Delphine sort en hâte de la voiture pour informer son petit monde que Charles n'acceptera aucune aide, à aucun moment, en aucune circonstance : qu'on se le tienne pour dit. Le cœur serré, chacun le regarde sortir de la voiture, tâter le sol de ses béquilles, se soulever, les ajuster, puis se redresser avec un effort apparemment si douloureux que chacun doit se retenir de courir vers lui. Il les observe un moment, avant de rejoindre son fauteuil. « Tout va bien, ne faites pas cette tête. » Il marche lentement vers le fauteuil, s'y assied avec un soupir de soulagement. « La traversée a été longue ! » dit-il, sans préciser de quelle traversée il s'agit. Celle de Douvres à Ostende ? Celle de la cour de la métairie ?

Il tend les bras à sa mère.

Charlotte s'avance et, contenant son envie d'éclater en sanglots :

« Papa, qu'est-ce qu'on va faire maintenant que tu n'as plus qu'un genou ? On va se disputer, Odile et moi ! »

Rosy s'empresse avec les rafraîchissements, Émilie sert le café, du thé pour Charles, qui s'y est tellement bien habitué en Angleterre qu'il n'aime plus le café. « Allons voir les chevaux », dit-il à ses filles. Sa mère se précipite. « Mon chéri, un peu de patience, il y a quelque chose de prévu... » Elle rougit. « Enfin... une surprise, tu comprends... »

Le bourgmestre a insisté pour qu'un comité d'honneur accueille le héros. « Je ne suis pas un héros. S'il vous plaît, sortez-vous ça de la tête !

— Mon chéri, ce n'est pas moi qui dis ça, c'est eux, et nous ne pouvions pas refuser leur si gentille requête. »

Ceux qui sont dans la confidence sourient, ceux qui viennent d'arriver sont intrigués, Charles est vaguement inquiet. Une inquiétude qui monte d'un cran lorsqu'il voit sortir de l'écurie la fanfare du village au grand complet.

« Ils ne joueront pas tous, lui souffle Émilie pour le rassurer, mais ils voulaient quand même être là. »

Les musiciens saluent Charles, se mettent en position.

«Mon Dieu, les chevaux!» chuchote-t-il en voyant les cuivres et la grosse caisse.

«Ne t'inquiète pas, dit Émilie, ils ont promis de jouer tout doucettement.»

Tout doucettement, la clarinette entame les premières mesures de *Lili Marleen*, tandis que les cuivres l'accompagnent en sourdine et que les baguettes caressent la grosse caisse.

*

Il est minuit. Charles s'est endormi. Les feuilles du marronnier frottent sur la vitre. Une des branches est trop longue, il faudrait la couper. Delphine ne s'y est jamais résolue. C'est ce grattement léger qui, après le départ de son mari, l'aidait à s'endormir. C'est cette présence qui la berçait et habitait ses rêves. La nuit, lorsqu'elle tendait un bras et ne touchait que du vide, c'est elle qui lui rappelait que Charles n'était plus là. Avec douceur. Nous ne te couperons pas. Je vais demander à Firmin de t'élaguer un peu, juste un peu. Nous allons te garder.

Le corps de Charles pèse sur elle. Il s'est alourdi, a perdu de sa sveltesse. Mais le plaisir était là, comme au premier jour.

Elle le savait.

Elle l'a su lorsqu'il s'est soulevé sur son lit d'hôpital, à Londres, et a dit: «Mon amour, c'est toi?»; quand il est sorti de la Bentley, sur le dock d'Ostende, levant sa béquille pour signifier qu'il n'avait pas besoin d'aide; lorsqu'il a fermé les yeux, à la métairie, quand la fanfare a éclaté; quand il s'est assis sur le lit, dans leur chambre, et lui a fait signe d'approcher...

Delphine avait peur de voir, sur son mari, ce qu'elle avait vu si souvent à l'hôpital de Liège. Mais l'absence de jambe, ou ce qu'il en reste, n'a pas empêché Charles de lui faire l'amour comme avant. Il lui a fait l'amour avec une jambe, et c'était comme avant. Même la vue du moignon, puisqu'il fallait bien l'appeler ainsi, ne lui a pas fait mal. Elle l'a touché, se l'est approprié, comme elle s'est approprié tout le corps de Charles, depuis longtemps.

«À quoi penses-tu?

— Je pense que tu fais l'amour comme avant.

— Non, mais qu'est-ce que tu croyais!

— Je ne croyais rien.

— Eh bien, tu as intérêt à y croire, car ça ne fait que commencer.» Il se soulève, scrute le visage de sa femme. «Là, tu penses à autre chose.

— Oui. À ce que tu as fait là-bas.

— Ce que j'ai fait là-bas? Eh bien... j'ai perfectionné mon anglais.

— Charles!

— Tu veux la liste? Très bien. Dessiner, gommer, recommencer, perfectionner mon anglais en y ajoutant quelques expressions américaines; dessiner, effacer, recommencer, perfectionner mon anglais en y ajoutant quelques jurons américains; dessiner, déchirer, recommencer...

— Et de Gaulle?

— Quand je suis arrivé à Londres, de Gaulle était à Casablanca. On m'a envoyé aux Anglais. Qui m'ont envoyé aux Américains.

— Mais de Gaulle disait qu'il avait besoin d'ingénieurs!

— Ce sont les Américains qui avaient besoin d'ingénieurs. De Gaulle ne savait rien du débarquement. Roosevelt ne pouvait pas le sentir. Je me suis retrouvé au chantier. Tout s'est précipité, on nous a envoyés à Southampton pour construire... en Écosse pour tester. J'ai travaillé avec ceux qui trimaient déjà là-dessus depuis des mois.»

Son visage se crispe. «Puis nous les avons regardés partir sur leur route flottante. Par un temps de chien. Veux-tu, Delphine, nous ne parlerons pas de ça.

— Il faut que tu m'en parles au moins une fois.

— Tu ne sais rien, pour la Normandie?

— Bien sûr que si.

— Nous savions ce qui se passait, minute par minute. Nous savions que c'était le casse-pipe.

— Mais ils ont réussi.

— Oui. Alors j'ai voulu rentrer. On me l'a interdit. Les ingénieurs devaient rester, au cas où.

— Et le coup de fil, Charles?

— Quand on nous a dit que les Allemands battaient en retraite, je suis allé dans un village qu'on m'avait indiqué. On disait que des bateaux traversaient. Mais la mer était mauvaise, l'embarcation s'est empalée sur un rocher. Je suis resté accroché à un baril. Quand la mer s'est calmée, le reflux m'a jeté sur la plage. Des gens m'ont ramassé, conduit à l'hôpital. On m'a mis dans un lit. La nuit, je me suis levé pour aller à la cabine et je t'ai appelée. Puis je ne me souviens plus de rien.

— Mais pourquoi ne m'ont-ils pas parlé?

— Parce qu'ils ne m'ont pas trouvé tout de suite.»

62

ODILE

Pendant que maman était partie dans les Ardennes pour cacher Aline et Maxou, mon père est allé retrouver un ami en France avec une fourgonnette de la filature. C'était préparé depuis quelques semaines, mais nous ne nous doutions de rien, et surtout pas maman occupée comme elle l'était avec une mère et un bébé juifs. Papa et cet ami (malheureusement mort en Afrique pour le fameux de Gaulle) ont d'abord traversé en triple vitesse la France libre jusqu'aux Pyrénées, car c'est de là qu'on passait en Espagne pour pouvoir ensuite traverser la mer et aller en Angleterre. Papa a vendu la fourgonnette car il fallait de l'argent pour le passeur. Comme son nom l'indique, le passeur fait passer. Soit traverser les Pyrénées jusqu'à l'Espagne grâce à des sentiers seulement connus de lui.

Voici donc papa et son ami dans un village des Pyrénées plein de gens qui veulent passer, mais pour certains c'est urgent car ce sont des Juifs. Les passeurs ne prennent que 8 personnes, parfois 9, pas plus. Plus de 9, c'est une procession, et une procession ça se voit de loin avec des jumelles, surtout des jumelles allemandes.

Un matin, la fille du passeur vient dire à mon père et à Gérard qu'ils partiront la nuit mais qu'il y aura une femme enceinte, un gamin, un bébé, un homme et une grand-mère. Papa et Gérard devront aider à porter les enfants et les bagages.

La troupe se met en route le 4 juin à trois heures du matin. Il y a donc un papa (pas le mien, un autre), une maman enceinte jusqu'aux yeux, une grand-mère, un petit garçon et un bébé. Plus Gérard et Charles. Ce qui fait les 9 personnes. Chacun porte des affaires, même le petit garçon. Le guide leur fait ses recommandations : ne pas parler haut, ne pas crier même si on se fait mal, ne pas éternuer. « Et si mon bébé pleure ? » demande la maman. « Nous verrons bien, madame », dit le passeur. La jeune fille marche devant, le guide derrière. À la sortie du village, le bébé se met à pleurer. Et là c'est comique car le guide et sa fille se mettent à bêler à qui mieux mieux pour que les oreilles aux aguets entendent des moutons. Papa et son ami ont envie de rire, mais ce n'est pas le moment.

Ils montent, montent, montent, ils traversent des ruisseaux gelés, passent devant des cascades qui brillent dans la nuit (ils n'ont pas le temps de les admirer car il faut avancer). Le papa tient son garçon par la main, le mien porte le bébé, la maman porte son gros ventre. La grand-mère s'appuie de plus en plus sur Gérard.

Vers les cinq heures, le jour se lève et ils arrivent près d'un lac. La fille du guide annonce qu'on fait un arrêt pour manger. Chacun s'assied pour ôter ses chaussures et se masser les pieds. La grand-mère prend le bébé dans ses bras et lui chante un petit air. Le garçon pleure parce que son papa ne veut pas qu'il glisse sur le lac gelé. Ils dorment un peu, puis le guide dit encore 5 minutes et on s'en va, on n'a fait que la moitié de la route. Leur tête, quand ils entendent ça ! Ils remettent leurs chaussures sur leurs pieds gonflés.

Le plus dur commence, car la montagne s'élève à une hauteur vertigineuse. Le mari ne peut pas aider sa femme car il porte son garçon qui a des cloches grosses comme des œufs, c'est donc papa qui le remplace, et Gérard s'occupe de la grand-mère qui n'arrête pas de dire je n'en peux plus laissez-moi mourir ici. Le passeur est sans pitié, trois heures de marche et deux quarts d'heure de repos. Il montre le sommet, qui a l'air tout près. « Ne vous faites pas d'illusion, dit-il, c'est beaucoup plus loin que vous ne le pensez. » La grand-mère s'assied en disant pour moi c'est la fin du voyage, et plouf, elle se laisse tomber dans l'herbe. Du coup, rebelotte, le bébé se met à hurler. « Courage, grand-mère, dit la fille du passeur plus charitable que son père, une fois au sommet, vous serez au bout de vos peines car la frontière est de l'autre côté. »

La grand-mère se laisse amadouer et l'ascension continue, tout le monde est exténué, mon père et Gérard aussi. Quand ils arrivent au sommet, une grande prairie leur tend les bras. Ils se jettent tous à terre sous le ciel merveilleux des Pyrénées, avec ses beaux nuages qui courent à toutes jambes vers l'Espagne. Au bout de la prairie, il y a un gros rocher avec deux lettres gravées : F. E. France-Espagne ! La famille au grand complet pleure de joie, le bébé aussi, bien entendu.

Le passeur et sa fille font un bout de chemin avec la troupe, puis ils font demi-tour. Tout le monde les regarde escalader la montagne comme des cabris emballés.

Mais l'aventure n'est pas finie. En Espagne, après les douaniers et les adieux à la famille, un véritable cauchemar commence pour mon père et son ami. On les emmène dans un camp à Pampelune, où un policier espagnol leur dit qu'il est désolé mais qu'il doit les enfermer, il n'a pas le choix car des espions de leur pays se cachent parmi les gens qui passent pour recommencer la guerre civile (ça c'est une partie que je ne comprends pas, mais mon père va nous expliquer). On leur donne une tartine avec une omelette, puis on leur dit que le consulat britannique de Pampelune va les envoyer en Angleterre en bateau.

Sauf que c'est faux : le consulat n'est pas un consulat mais une prison.

On les encaque dans une cellule avec des lits sans matelas. Le lendemain, on leur rase le crâne parce que les poux sont aussi en prison. On les rase partout car d'autres insectes les torturent, enfonçant leur dard dans une chair pourtant plus très fraîche. Il n'y a plus d'omelette, mais de la soupe à l'eau et un morceau de pain dur. Pendant 60 jours.

60 jours de souffrance et de privations pour Charles Durant, mon père, et son ami Gérard, dans un camp qui s'appelle Miranda.

C'est alors que des braves Polonais de la prison font la grève de la faim. Les chefs du camp sont embêtés, car la Croix-Rouge les a à l'œil. À propos, il y a trois sortes de Croix-Rouge françaises : celle des Français libres, celle du maréchal, et celle d'un général inconnu. Eh bien, ça ne suffit pas, car c'est la Croix-Rouge américaine qui libère mon père et Gérard et les met dans un camion pour le Portugal. C'est là qu'ils prennent un bateau pour l'Angleterre. Une fois arrivés, ils vont chez de Gaulle, qui n'est pas là !!! Gérard part en Afrique du Nord pour se battre, et mon papa ingénieur reste avec les Anglais et les Américains pour fabriquer des pontons pour le débarquement.

Mon père fait son devoir pendant des mois, puis prend un bateau pour revenir dans sa famille, mais ce bateau se fracasse à cause d'une tempête. Heureusement, le brave tonneau à qui il s'est accroché le ramène au bord et des gens le sauvent.

Mon papa n'a plus qu'une jambe mais il en a une artificielle. Il la met pour monter Dilon.

63

IRÈNE

3 juin 1945

Cher Armand, chère Delphine, chère Rosy, chers tous,

Charles est revenu, Dieu soit loué. Je pense à lui, je pense à Delphine.

Notre bébé est arrivé il y a quatre jours. L'accouchement a été un peu long. Rosy, il y a des moments où j'ai regretté ta présence et celle de ta chienne Fifi, qui a si bien aidé Delphine à mettre la petite Charlotte au monde. Mais Eileen, la grand-mère de Seamus, était là avec une sage-femme et une amie. Elles ont mené l'affaire tambour battant!

Je me suis rappelé l'histoire de la marmite de soupe que j'ai fait chauffer au lieu de faire bouillir de l'eau. Tu avais raison, Delphine, le rire n'est pas recommandé quand on accouche! En plus, Eileen voulait savoir pourquoi je riais et mes trois mots de gaélique étaient bien insuffisants pour le lui expliquer.

Seamus attendait à la porte de la chambre. Elles ne lui ont permis d'entrer qu'après avoir déposé un bébé lavé et poudré sur mon ventre.

Depuis, elles ne me quittent pas. Elles me câlinent, à leur façon un peu rude. L'amie d'Eileen a apporté sa guitare. Elle chante la ballade de Kevin Barry à notre petit Patrick (heureusement qu'il ne comprend pas).

Nous serons avec vous pour les fêtes de fin d'année.

Votre

Irène

64

ODILE

Mai 1951, jour de mes vingt et un an

Irène, Seamus et Patrick sont arrivés. Mais mon anniversaire n'était pas l'unique raison de leur voyage. Seamus a décidé de visiter, à Paris, le pensionnat dans lequel son fils poursuivra ses études. Irène est rayonnante, cela veut dire qu'elle viendra plus souvent, et que son enfant n'épousera peut-être pas les idées de son père. Une mère belge, une grand-mère française, cela pèse lourd dans la balance. Patrick est le portrait craché de son père (mais il a préféré le roux des cheveux de sa maman, et ses longs cils). Il a déjà le franc-parler de Seamus, mais comme c'est dans une langue impossible, on ne le comprend pas. Sauf ses parents, bien sûr. Tante Irène le réprimande, son père semble très satisfait. À chaque séjour, il monte notre pouliche du 10 mai 40, que nous lui avons offerte pour ses trois ans. J'ai demandé à papa ce qu'oncle Seamus faisait dans la vie. Il ne sait pas, ou peut-être le sait-il trop bien. « Une chose est certaine, m'a-t-il dit, il déteste les Anglais. »

Madame O'Neal a pris le train pour Bruxelles. Nous sommes allés la chercher à la gare en grande délégation, pendant que Rosy mettait la dernière main au festin. Évangélisto et Karl sont là aussi, ainsi que monsieur et madame Kornblum, qui viennent de nous annoncer leur départ en Israël. Quant à Karl, il m'a confié tout à l'heure qu'il voulait faire partie d'un commando faisant la chasse aux nazis. Karl a été le premier à tout savoir sur les camps de la mort, avec Jan, bien sûr, que nous ne voyons pas souvent : il fait de la politique en Flandre, mais il vient de temps en temps à la métairie avec quelques poèmes en poche. Je le trouve un peu froid avec tante Irène. Elle m'a raconté, hier soir, ce qu'ils avaient vécu ensemble. Jan l'envoyait rue de la Loi pour convaincre un commandant allemand d'épargner le service obligatoire à des gens de la manufacture de grand-père. Il me semble qu'elle a pris beaucoup plus de risques que lui, mais comment savoir, il ne raconte rien.

L'anneau de mariage qu'Irène a trouvé dans une maison de résistants et qu'elle lui a laissé à la libération a été restitué à sa propriétaire. Un jour où Jan passait devant le 101 chaussée de Vleurgat, il a eu l'idée de sonner à la porte. Un homme a ouvert. Jan a mis l'anneau sur sa paume. Le monsieur n'en croyait pas ses yeux. Puis il a crié :

« Yvette, viens voir ça ! »

Papa dirige la fabrique d'armes de chasse (mais ne chasse pas). En ce moment, il aide grand-père à vendre la manufacture. C'est lui qui fait le va-et-vient entre Liège et Roubaix, où un ami de grand-père est intéressé. Pauvre papa-une-jambe qui ne connaît rien aux textiles !

Grand-père et grand-mère ne sont pas venus, grand-mère dit qu'elle est trop vieille pour voyager. Voyager ! Mais elle va donner, la semaine prochaine, avec maman, un grand dîner à la métairie. Gus est revenu d'Allemagne et s'est marié. Firmin est toujours chez nous, mais on a engagé un garçon d'écurie pour lui donner un coup de main. Son Prince est mort, nous l'avons enterré sous le chêne avec la cocarde rose qu'il a gagnée à un concours agricole.

De temps en temps, le pasteur monte à la métairie et nous continuons la conversation commencée après la mort de tante Gabrielle. Je m'efforce de rester courtoise quand nous parlons de son Dieu. Sa foi n'a pas flanché, il faut croire que sa vocation était, dès le départ, inébranlable, qu'il avait pensé à tout, tout accepté d'avance, l'horreur en prime. Sa vie est monastique. Je me demande parfois si ce n'est pas cette austérité, ce dépouillement et cette humilité qui l'ont aidé à accepter, justement. Il sait que ma foi n'est pas revenue (si je l'ai jamais eue), mais il n'essaie pas de me catéchiser. Quand il fait beau et que notre conversation se poursuit dans la cour à la nuit tombée, il me dit : « Regardez le ciel, Odile… il n'est pas possible qu'un Dieu, notre Dieu, ne l'ait pas créé. » Alors je lui réponds : « Peut-être, pasteur, mais votre Dieu, qui l'a créé, lui ? Et qui a créé celui qui l'a créé » ? Il soupire, me dit que la foi ne vient pas sans effort. Oui, et elle transporte des montagnes.

Paul a commencé médecine à l'ULB, mais il a changé et fait maintenant le droit. Ça ne m'étonne pas, il a hérité de la combativité de sa mère et on se bat mieux quand on est avocat. Il me paraît un peu dur, parfois. Il veut partir au Congo. Il a rencontré l'auteur d'un plan de trente ans pour l'émancipation de l'Afrique belge, mais les nationalistes veulent l'indépendance tout de suite. Baudouin est en tournée au Congo pour essayer de les amadouer. Les Congolais aiment bien leur *mwana kitoko*, mais ils veulent l'indépendance tout de suite. Paul aussi. Il veut rencontrer Patrice Lumumba.

Bill nous a envoyé une longue lettre : il a quitté l'armée, s'est marié et enseigne dans une université du Milwaukee, aux États-Unis. Des nouvelles de Mickey, aussi, dans un français hilarant. Il dit qu'il joue aux cartes à Las Vegas et qu'il les *rastiboise*. Ah oui, nous avons aussi reçu une lettre d'Otto et de Manfred. Ils promettent de venir bientôt. Aline et Cyrille sont mariés. Maxou va en classe à Bastogne.

Le premier mari d'Irène, Félix Darbon, est devenu l'éminence grise du Premier Ministre. Il a épousé une belle blonde qui écrit des romans.

Tante Irène a essayé de retrouver madame Erhard. Elle lui a écrit à sa maison de Munich. Une lettre de la nièce est arrivée, disant que la maison a été vendue, que sa tante a suivi son fils à Berlin, qu'elle n'en sait pas plus. Émile Desfossez, qui en sait toujours plus que tout le monde, croit que Kurt Erhard et sa mère étaient à Berlin quand les Russes ont pris la ville.

Charlotte est amoureuse de Maxime Verhoeven, le fils de l'ami d'enfance de maman qui a soigné papi quand il a eu une crise cardiaque. Ils veulent se fiancer.

Moi, je ne me marierai peut-être jamais. Quelque chose en moi me fait redouter tout ce qui s'inscrit dans la durée. Et je n'ai pas envie de me séparer de ma mère et de mon père. Les quitter souvent, oui, voyager, oui, mais revenir, encore et encore.

Je suis bien près de ma maman silencieuse. Je la surprends parfois, assise sur la balancelle, près du grand champ où, autrefois, elle allait, la nuit, avec Paul, nourrir deux soldats amoureux. Elle peut y rester pendant des heures, un livre sur les genoux. Quand elle est comme ça, immobile devant un paysage, je me demande si elle le voit vraiment, si elle s'émerveille, si elle l'absorbe, le boit, comme nous qui poussons des cris d'admiration et avons envie d'entrer dedans, de nous plonger dedans pour en faire partie, pour qu'il nous accepte comme des morceaux de lui-même, comme il accepte une vache, une couleuvre, un ruisseau, et je me demande ce qu'elle ressent, je me demande si elle est bien, en tout cas mieux que devant ses fourneaux ou au fournil, et je me dis qu'elle préfère peut-être le fournil parce que la chaleur du four la réveille, l'oblige à se secouer, alors que devant le paysage elle sommeille. Mais je me trompe, sans doute. Parfois, je passe la tête à la porte de sa chambre quand elle se repose. Elle ne devine pas ma présence car je peux être aussi silencieuse, aussi immobile qu'elle, et je la regarde, étendue dans la pénombre, les yeux fermés, même si elle ne dort pas, et je me demande à quoi elle pense. À sa mère ? À Gabrielle ? À papa qu'elle aime tant ? À des choses dont elle ne veut pas, ou ne peut pas nous parler ?

Je finis par me dire que peut-être elle ne pense à rien, comme les yogis de l'Inde, parce qu'elle est comme eux, sans le savoir, parce qu'elle peut entrer, comme eux, dans un espace immense et tiède dans lequel elle se laisse couler, enveloppée des pieds à la tête de cette paix et de cette douceur qui me paraissent si invraisemblables, à moi qui me suis si souvent rebellée.

Je l'aime.

CRÉDITS

Les extraits des pages 54, 55 et 120 sont tirés de Valéry Larbaud, *A. O. Barnabooth, son journal intime*, © Gallimard, 1982.

Les vers des pages 241 et 540 sont extraits de deux poèmes d'Émile Verhaeren : « Le vent » et « Mon ami, le paysage », qui font tous deux partie du recueil *Les flammes hautes* ; les vers de la page 285 sont extraits du poème « À la gloire du vent », qui fait partie du recueil *La multiple splendeur*.

Les extraits de la page 74 et 433 sont tirés de *Eugène Onéguine* de Pouchkine, premier chant, strophe 50.

Les vers de la page 349 sont extraits du poème « Jordane van mijn hertt » de Guido Gezelle, qui font partie du recueil *Poèmes, chants et prières*, traduit du néerlandais par Liliane Wouters.

Les vers de la page 541 sont extraits de *Les fables de Pitje Schramouille*, de Roger Kervyn de Marcke ten Driessche.

OUVRAGE RÉALISÉ PAR
LUC JACQUES, TYPOGRAPHE
ACHEVÉ D'IMPRIMER
EN FÉVRIER 2011
SUR LES PRESSES
DES IMPRIMERIES TRANSCONTINENTAL
POUR LE COMPTE DE
LEMÉAC ÉDITEUR, MONTRÉAL

DÉPÔT LÉGAL
1re ÉDITION : 1er TRIMESTRE 2011
(ÉD. 01 / IMP. 01)